物演通論

——自然存在、精神存在與社會存在的統一哲學原理

作者及作品簡介

王東嶽，舊日筆名“子非魚”，自由學者，獨立于任何黨派和學術機構之外。曾爲醫學碩士，但研究生畢業後即脱離醫界；也曾做過西北大學哲學系客座教授以及西安交大管理學院的東方文化客座教授，聊以謀生。迄有著作三卷兩册：三卷《物演通論》合爲一部；一册隨筆集《知魚之樂》；一册匯編本《人類的没落》。另有一函《哲思講演錄》，似乎不值一哂。此外别無可記。

關于《物演通論》，作者修訂已廿載有餘。全書論證了一個哲學原理，引申出若幹异端觀點，應對于如下現實問題：人類生存或人文現象的自然根據是什麽？文明進步及其社會發展爲何必然趨向于岌岌危勢？而精神屬性與知識系統何以終究是于事無補的、甚至不免呈現出負面效應？總之，它用深邃的終極探詢方式，爲傲慢的人類敲響了警鐘，給光明的前途覆蓋以陰霾。

再，本書的哲論筆墨嶙峋奇崛，自成一系，也頗可玩味。

物演通論

王東嶽 著

《物演通論》

繁體中文第一版（美國）

Traditional Chinese First Printing Edition (USA)

ISBN: 978-1-955779-11-1（精裝 / Hardcover）
ISBN: 978-1-955779-12-8（平裝 / Paperback）
ISBN: 978-1-955779-13-5（電子書 / eBook）

心通知易協助出版
www.Bridge-Minds.com

美國印刷
Printed in the United States of America

目錄

第一版序言

無論出于什麽根據（甚至可能全然不知道有没有這樣的根據），衹要我們認爲自己置身其中的這個世界是一個統一的存在體系，則無异于已在邏輯上給出了如下一項默認：世界應該而且必然自始至終被“某一個”法則所支配。進一步講，這項默認還暗含着這樣一系列順延：該法則不僅支配着“世界”，也同樣支配着作爲世界“存在項”之一的“精神”或“社會”。否則，“統一”的概念就不能成立。所以，幾乎像是發自某種本能，古往今來的一切思想家都不自覺地——或者説是在尚没有什麽根據的情况下——企圖爲這個世界的統一性尋找根據。于是，不約而同的，在全球各地方和各時代的所有人種中間，均無例外地産生出足以解釋一切的原始宗教，其後又都以不同形式杜撰出種種探討終極的哲學奇談，即便是近現代的科學，也無非是在繼續施行或順從這種稟賦于人性中的天然傾向。説起來，這個定向的“人性之流”倒像是“世界必定統一”的唯一根據，因爲，對于那個先驗的“統一性設定”，迄今也没有任何學科能够做出令人信服的“統一證明”。况且由于科學似乎無法將“精神”和“社會”擺在實驗案臺上解剖分析，結果不免更把這類求證弄得無望——這大概就是最經不起推敲的神學以及最讓人無從推敲的哲學在科學昌盛的今天仍然可以大行其道的原因。

由此看來，羅素的下述説法是很有一些道理的，他曾講，哲學是介乎于神學和廣義上的科學之間的一門學問，因爲哲學所要解答的是神學和科學都無法面對的問題。不過，這樣講雖

然照顧到“哲學”的特性，却不免遺失了“學問”的共性。如果剥去表層掩飾的話，則一切學問更像是人類理智的一種毛病，即它總是傾向于在小小的根據上做出大大的結論，或者説，是在永遠不能窮盡的認識途中永遠給出鑿鑿真知的斷言。所以，從根本上講，我們盡可以假設人人都是一個潛在的哲學載體，所謂“哲學家”不過是把人類的這個通病弄成了專業病的“大病家”而已。有鑒于此，今後的哲學最好去給富有哲學素質的人類查一查這個痼疾的根源才是正事，因爲，從大勢上看，人類的“知識”似乎一直在掙脱“直感”而趨于縹緲，且越與“直感”相遠者反而顯得越與“真理”相近，以至于連當今的物理學都多少染上了一些難予實證的玄學意味。可是人們照樣相信這類虚幻的名堂，雖然過後不妨又照樣要振振有詞地加以駁斥而絲毫也不用覺得難爲情，所以古人信神的虔誠絶不亞于今人信科學的堅定——這道理很簡單：理智歷來就寄托在缺乏穩固根基的東西上，由此决定了一切學問共通的性態。

不同點也許僅僅在于，哲學更像是“自閑之思”或“自在之思”，即“閑”以至無聊，“在”已如僵物，爾後問自己何以難得一“閑”、問天地何以無爲而“在”。它既不像神學要去撫慰苦難的魂靈；也不像科學必須爲肉體尋找安樂；更不似文學之作或藝術創造，難免受到悲喜情境的鼓動，與其視之爲清静的“思態”，毋寧視之爲激蕩的“情態”。哲學之運思全然不與求生的實用的“必思”相關，或至少暫時不被求生的實用的壓力所驅動，故此每每飄離于常規之思的守則之外。然唯因如此，其之“純思”才不受“非思”因素的幹擾。須知“求生之思”本質上并不是一種可與“非思”相區别的東西，而是嚴格的漢字意義上的“動機”，或曰“强迫動勢”，儼如無思想的鞭毛蟲同樣要借助于某種生物動勢（如鞭毛運動）來求生一樣。

既爲“閑思”，自乃輕鬆之事，其難易程度應與上述生物動勢驅策下的舉手投足之勞無异，甚至較之更少一些“運動性阻障”才是，所以，就本書的基本思想而言，在我看來是十分簡明的。不料提筆成章之際，居然煞費苦心，起初，我以爲是由于體裁失當、文題不洽的緣故，或因自己筆下生澀、文采不揚所致，後來迭經易稿，幾乎廢于中途，終于茅塞頓開：原來某種“真理”的來由并不全出于邏輯的推導，反而是先存了一點“明白”才需要借用邏輯推理把它鋪張開來，以取信于人。運思之難，蓋因爲硬要將本不屬于邏輯的産兒强塞進邏輯的堅殼中，削足適履之餘，要麼窒息了“真理的童兒”，要麼撑壞了“邏輯的真理”，而捨此又没有其他辦法。聯想到“書越讀越薄”的格言（讀書人視爲是真正讀懂了該書的標志），大抵就是擯弃了那個磅礴的“邏輯外殼”，由以見其“真核”之寫照。于是，一方面，對自己以及他人宣告的“真理”是否還算得真理不免私下懷疑（因爲它似乎不是“理”的産物）；另一方面，對維特根斯坦所謂的在邏輯（以及語言）上不成立的東西便不可説——即“對于不能談的事情就應當沉默”——的箴言亦生疑雲（因爲所要説的，原先并不與邏輯相幹，後來涉及邏輯，本意已不在于要“邏輯地説什麼”，而是要説“邏輯本身是什麼”了）。

基于上述，可以推想，哲學著作之難讀一定又大于其難寫，因爲哲學的難度可能不在乎其超脱于常規思想之外的那種“難思”，而在乎其尚未處于那種生存動勢境遇下的“難動”，即對于作者來説，他一旦能有此作，自是早已身陷其境，故覺悠然無礙，一任神游遠逸；然對于讀者來説，則有一個尚待置换思境的麻煩存在，驟然臨之，就像立刻要叫人置换另一顆腦袋一樣得不易。加之作者的思路，自有作者自身的非邏輯要素使然，其運詞造句，意藴别具他解，却常常不爲作者所自知，于是，一意孤行地揮灑成章，結果無异于擺出了一副專與讀者作對的架勢。我每閲讀他人的哲學文字即生此感觸，故聲明于先：倘若讀來乏味，甚至不知所雲，蓋屬正常，可借如下二法化解之——一則索性弃之于一旁，任憑作者自擾之而莫受其害；二則

强忍着苦讀不懈，或可漸生溽暑中嘴嚼苦瓜的清爽之感。不過，無論如何不要忘記，哲學的無用是一定的，因爲哲學所談論的東西正是你談論它或不談論它都不能使之發生絲毫改變的東西，也就是説，哲學的唯一意義就在于使你知道什麼叫作“無意義”，或者甚至可能比這還糟也未可知。（須知一切“意義”説到底都是爲了達成“無意義的存在”。即“存在”本身是没有任何“意義”的，反倒是由于“難以存在”才生出了種種“求存的意義”，如此而已，或如此而不能已。）

出于同理，我也樂得趁機打消爲所著加索引的計劃，本來恐怕是孤陋寡聞兼資料不濟的内怯使然，現在倒有了充足的理由：一則，索引的用意主要在于避去剽竊之嫌，既然我之所思最初并非源自于邏輯啓發，那麼，縱使與他人的某一看法略有雷同，自信也不會鬧出一模一樣的局面，據説天下連兩片完全相同的樹葉都找不見，何至于釀成兩人兩思竟無以分别的怪事；二則，著述的初衷如果不是爲了探究和闡釋他人的學説，則援引的目的自是希冀將讀者的思路從前人的邏輯中導入獨創的邏輯上來，僅此已經累煞了讀者，倘或再以繁瑣的引據不停地打斷一氣研修的專心，自以爲有些對不住讀者；三則，大凡沉于哲思者，誠然一定自知其所思，却未必了然何以會有此思的緣由，君不見，古今中外，總是那些後來人評頭品足，給前輩們不容置辯地安頓下一個個褒貶參半的歷史地位？我作爲不肖的後來人，自然也有這個優勢，不過斷不敢那麼自豪，竊想褒尚無妨，貶之則像是背地裏揭人家的短尾巴，揭就揭了，還要標個鮮明，仿佛若不順勢摸見尾巴骨便不肯甘休似的，此念一閃，正好罷手。

其他要説的，盡在拙著中了。

作者 1995年3月于户縣草堂嘯吟園

第二版序言

本書的修訂部分，并未改動1998年第一版的基本思想，它衹是把第一版中某些潛涵的問題説得更明確一些。

在此修訂本後頭，附加了一篇“導讀”，也是1998年的文字，當時不願把話説得太透徹，現在却是畫蛇添足，不過也許對某些讀者還稍有一點裨益。

國内搞哲學的，大多是文科出身，而我的這本拙著，是以當代最新的自然科學知識爲背景的。因此，本書末尾附加的“導讀”大約還是不足以堪當此任。于是，我又編排了一些文辭鮮活的散文趣談，匯成一集，取名《知魚之樂》，亦已出版，雖不免失之粗疏和浮浪，却可略微起到一點兒背景提示作用，若能先把它找來一閲，苦笑之餘，或可有助于領悟本書的純邏輯論證。

至此，我總算可以拋開無聊的哲學了，這份無聊不僅來自于擾攘塵世的對比，而且更是來自于哲學本身。因爲，所謂“哲學”，就是要把導致世界活化的底藴翻個底朝天，結果讓聲色迷離的人寰最終流于乏味，末了，它還要講，這就是萬物歸一的本原。可有誰能活在“本原”境界中呢？

故而才説：哲思淡如水。

作者 2002年5月12日于陝西師大寓所

第三版序言

本書出第三版，并非由于讀者踴躍的緣故。

説起來很慚愧，它倒是因爲我自己特别笨拙，總不能將文本一步修改到位，加之靈氣殫竭，思緒碎裂，于是衹好像螞蟻啃骨頭似的慢慢磨蹭下去，結果一晃十餘年，雖然筆耕不輟，臨到頭端出來的還是那一本無人問津的世紀前書稿。

不過，耗半生之精力纂修一部著述，想來還不至于令擅長深思者全然落于失望，故此才敢一而再、再而三地煩難出版人。説到此，順便致謝爲再發本書而甘願承擔商業失利之勞的出版社。

這個版本誠然改動不多，但凡落墨之處皆力求在邏輯上更縝密、文理上更連貫，對有意研讀的人來説，還是以本版爲上選。再者，我又新作了兩篇體量不算太小的附録文字，一篇涉及哲學史綱略，以便于讀者明瞭我的哲思視角和异端觀點；另一篇直接談及人類文明的危機趨勢，以便于讀者領會此番純邏輯論證後面所隱含的深遠而巨大的人世憂患。此外，從某種程度上講，或從某個角度上看，這三篇附録也恰好循序回答了如下三個最常被詰問的疑惑：哲學是什麽？哲學家在幹什麽？哲學有什麽用？（兹已匯編于《人類的没落》一書之中）

所以，本版宛若加以佐料的一捧苦羹，那佐料究屬遮苦的還是添苦的，自當由讀者個人去細細體味了。

作者 2009年3月3日于西北大學桃園校區寓所

第四版序言

本版文稿主要做了如下些許修訂：

將卷一第三十四章、卷二第七十章和卷三第一百二十五章等處坐標示意圖中的英文縮寫字母略加調整，使之更精確也更對稱一些，然其基本含義絶無絲毫改變。

又，在卷一第三十四章裏增補了有關“演動加速度”的拋物綫形坐標示意圖，它并非新意，也仍不確定，衹是把原先業已明示或暗含的思路游移部分亦索性標注出來罷了。

另，我于跋文後面添加了一篇《名詞與概念注釋》，不是説，此前缺失了相關定義或釋義，而是希望能够給那些分時或分段瀏覽本書的讀者提供某種統合思緒的查索方便。

其他還有諸多細節修改之處，實在微不足道，姑且不復叨擾。

一望而知，這本書，是我終生未敢殺青之作，它的定稿當在本人謝世之後才算有了交代。不過，需要重申一下，“吾道一以貫之”的主旨思想却是從没發生片刻動摇的。

有此爲記，往後再版，則盡可以毋庸贅序而聽之任之了。

作者 2014年9月19日于西安院子問魚軒

卷一

自然哲學論

——自然哲學的遞弱代償衍存原理

第一章

哲學上所謂的**“存在”**僅指感知中的**對象**之總和。

【一般認爲，**存在**或**在**是對**存在者**或**在者**的觀念抽象，這實在是大錯特錯了。因爲，從根源上講，**不是在者集合成了在，而是在分化出了在者**。對象未必是個别的，最原始的對象對于原始主體而言，一定是均質的，無差别的，亦即直接就呈現爲在，而不是呈現爲分化形態的在者。觀念中的在，不是通過對衆多在者加以艱深的抽象才在，而是先驗的沉澱在意識深層中的一個無意識基底。所以，一般的主體通常不會對**普遍的在**發生驚异，反倒時常對**個别的在者**發生驚异。海德格爾説，從在者中引申不出在，是説對了的，但由于他不明白**從在如何引申出在者，**結果導致他的“此在”及其“澄明的臨場”都不免陷入了無來由的黑暗背景中。】

由于**“感知”**爲何物尚屬疑竇，故而**對象**以及**對象的總和**是否等同于**存在物**和**自然存在**則亦屬疑竇。换言之，一旦對存在設問，那**“存在”**已是設問者感知中的**主觀存在**了。

所以，既往的哲學在通義上一概被囊括于**形而上學**之中，實不爲誤。也所以，概括說來，把**感知中的存在**作爲**對象的總和**來研究乃爲自然哲學，而把**感知中的存在**作爲**感知的總和**來反思乃爲邏輯學。盡管兩門學問全然不同，但所究詰的却是同一種東西的兩個方面。

有鑒于此，立刻去分辨**存在**究竟是在**主觀之内**還是在**主觀之外**已無意義，因爲**分辨後的存在**與**未加分辨的存在**并無任何异樣或不同，反正無論如何你衹能面對這樣**一種存在**。

而且，更爲重要的是，此類**分辨**事宜暫且也着實無從下手。

令人詫异的倒是，存在就存在着，何必多此一問。顯然，這裏有一個不得不問的緣由。

也就是說，在對**"存在"**發生哲學性的驚异和探問之前，先有一個**何須驚异**以及**何須設**問的問題存在。【亞裏士多德曾說："古今來人們開始哲理探索，都應起于對自然萬物的驚异。"（引自《形而上學》）可也正因一切都**起于**這驚异，才使**驚异本身**不再被驚异。】

故，哲學上的**第一設問**或**設問前的潛在疑問**應該是：**作爲存在者的設問者何以要追問存在**？

第二章

上述問題在未答之前業已提示：

A. 存在本身**并不牢靠**，因爲絶對的存在或存在者**無須爲存在本身發生疑問**；

B. 存在本身**并非獨立**，因爲絶對的存在或存在者**無須爲存在自身設置對象**；

【這種無須推論的提示就是所謂的**“公理”**（一切純邏輯推理的原始根據和起點），或可看作是**非邏輯的直證**（一切“公理”或“公設”必須具備的基本條件和情狀），一如“我思故我在”的那個“故”字盡可以取消或換爲“即”字那樣（因爲其間沒有邏輯上的因果關系）。于是，上述提示（或公理）亦可表述爲：**我思故他在，他在故我思**（因爲“‘我思’之外是否另有存在”屬于或然性範疇），中間的“故”字照例可以取消或換成“即”字。就是說，如果沒有分化開來的**他在（它在）**，則既不會有**我在**，也不會有作爲**在者之屬性**的**我思。**】

總之，處于追問中的存在（無論是作爲**對象**的存在抑或是作爲**追問者**的存在），顯然一概是**相對的存在**，或曰**有限的存在者。**

這既是上述問題的初步答案，也是上述問題得以求解的唯一合乎邏輯的出發點。

不過，與其他學術或一般自然科學不同，對于自然哲學來説，這可是一個頗爲困難的起點。【黑格爾在《小邏輯》一書的導言裏亦有此嘆，然相對而言，他的邏輯起點還算比較好找一些，因爲那個起點可以直接就被“假定”爲邏輯本身，所以他的邏輯體系（也就是他的哲學體系）終究是一個被復雜化了的同語反復，好比有人問：精神是什麽？答曰：精神就是……精神（所謂“絶對精神”或“絶對理念”是也）。爲此，黑格爾必須將自己的出發點（也是終點）設爲“絶對”，也爲此，黑格爾還必須將有限存在者所不能直接企及的“無限”詛咒爲“惡的無限”。好在黑格爾自己也承認他衹是在不停地兜圈子，不過無論把那“無數小圈子構成的大圈子”弄得何其“自圓”，“圓”本身終究是有限存在者實現自存的一種必要而又不可得的追求，而且，“圓”本身仍是一個被愛因斯坦稱之爲**有限無界**的有限模型而已。也就是説，黑格爾的成功之處正在于他無意中證明了辯證邏輯本身的有限結構狀態，猶如愛因斯坦有意要證明宇宙本身就是一個有限無界的相對存在一樣。】

第三章

上述“起點”的困難之處在于：如果存在一概是相對的存在，則邏輯之存在就不可能完全包容其他的存在，反而是邏輯存在本身必爲其他存在所包容。但存在的追詢者又衹能從邏輯出發，結果一開始就陷入這樣一種悖論：**作爲以邏輯爲唯一追詢手段的追詢者，你既不能超脱于邏輯的框範，又必須最終將邏輯置于框範之中**，否則，自然哲學與邏輯學依然不能區分開來。

也就是説，必須從**邏輯中的存在**找出**存在中的邏輯**，即找出**存在自身的邏各斯**（logos），而且這個邏各斯還得能够反過來充分地説明**邏輯**（logic）**何以會存在**，衹有這樣，才能開辟自然哲學的出路，**因爲一切精神現象應該也屬于自然現象之一種。**【當然，目前這還衹是一個有待證明的假設】

由此萌現出一個未可輕覷的端倪：**被稱之爲“哲學”的那門古老學問，可能存在着某種根本性的缺陷。**【有人説，黑格爾是哲學的終結，此言不錯。因爲黑格爾確實將傳統經典哲學表面上的所有漏洞都填補起來了，相應地，他同時也就將既往哲學的深層不足暴露無遺：那就是，他不能説明**邏輯本身爲什麽會存在**（所以他就衹好乞靈于一個獨斷的“絶對假定”），以及，相應的，他也就不能真正説明**邏輯本身如何存在**（所以他就衹好乞靈于那個陳腐的“辯證方法”）。】

簡言之，有關**邏輯中的存在**與**邏輯本身**的關系之種種誤解，一般可能這樣産生：即不加考察或僅僅通過一般地、膚淺地考察就武斷地認定，邏輯的形式或邏輯的素質必然規定着邏輯的内容或邏輯的對象（如所謂的“唯心論”），或者反過來認定邏輯的内容或邏輯的對象必然規定着邏輯的形式或邏輯的素質（如所謂的“唯物論”）。殊不知邏輯内容的**主要規定者**既不是邏輯的形式，邏輯形式的**主要規定者**也不是邏輯的內容，倒是邏輯的形式和内容都被**非邏輯的**（或**前邏輯的**）某種**素質**或某種**態勢**規定着。

因此才有了邏輯本身相對存在的必要。【此處所説的“相對存在”并不全是指邏輯與對象之間的相對關系，更重要的在于邏輯與**非對象**（或此前尚不具有“對象性”）的**自存之前體**的相對存在關系。】

而追查相對存在（包括邏輯或精神之存在在内）的存在本質及其相對原理的學問，就是本卷自然哲學的概要和宗旨。【盡管這種追查照例必須借助于邏輯的運用也無妨，因爲，如上所述，**邏輯的形式（或内容）并不是邏輯的内容（或形式）的根本規定者，反而是我們所要追查的那個被追查者規定着邏輯的全部質態（或“精神全體”）**。故此，唯有本書的題旨及其討論方式可以不必爲没有先行討論邏輯（學）上的局限性規定而心虛，而且，讀者還可以抱以這樣的期待：正是此項起始于自然哲學的追究，有望對邏輯學、哲學乃至一切人文現象給出一個堅實的説明——雖然此項**堅實的説明**却反而終于給出了一個**虛弱無比的説明者**也罷。】

第四章

然而，何謂存在的相對性？即是問：存在相對于什麽而存在？

答曰：**存在衹能相對于存在自身而存在。**因爲存在之外無存在可言。是故，巴門尼德曾説：“存在是一。”但在這句話裏，存在的相對性僅是暗含的、潛在的；還是老子説得明快：“道生一，一生二，二生三，三生萬物。”即存在的相對性主要表達爲**在縱向演動上的層層相依和步步分化**，或者説，**存在相對于**

存在而衍存。【這對于作爲**對象**的存在者和作爲設問主體的存在者一律適用，正是由于設問者處在足以體查自身與對象的**設問關系**，却全然不知自身與對象的**非設問關系**，才造成既往哲學的種種困惑。】

如果一定要爲整個存在體系設置一個“絶對”的背景，那麽，可以説，**衹有存在的相對性或相對性的存在是絶對的**。

此乃存在的相對性之真諦，也是存在的統一性之根源。

但不是存在的根源。

第五章

于是，就有了一個發生學或本體論上的**存在之本原**需要探究。

泰勒斯之所以衹留下了一句傳世之言："水爲萬物之原。"即足以被奉爲人類思想史上的第一位聖哲，蓋由于他一語道出了必有某種**存在的始基**存在的緣故。

不過，也由此造成了對存在物的困惑，試問，非本原性的存在是一系列怎樣的存在？赫拉克利特因此認爲存在的本原是流變的“火”；然而，變化者如何在流逝中真存？即是問："那永存而不是發生了的是什麽，那永遠變化着、消逝着而絶不真正存在着的又是什麽？”柏拉圖于大惑之餘提出，變化者無非是對不變的“理念”的“分有”，但“理念”到底是什麽東西？如何對其加以“分有”？鑒于此，謹慎的亞裏士多德不無道理地要把存在的“形式”與存在的“質料”剥離開來；而且，現代物理學的前沿恰恰就在于尋求這個**“本原”**或**“質料”**而不可得。【“基本粒子”仍非“基本”，且頗有無限可分之勢，但馬上會發生一個問題：到底有没有“物質”存在？基本粒子是更基本的未知者的變態存在形式，已知原子、分子、甚至生命都同樣不過是基本粒子的臨時載體。若然，則一切“存在”都不外是**“存在的形式”**或不同的**“存在形態”**。“質料”或“真存”何在？】

即是說，如此一來，“內容”同一而“形式”迥异的存在豈非成了一系列**“存在的空殼”**？“萬物一系”或“萬物歸一”的實在豈非成了“萬物虛化”或“萬物歸空”的幻影？**而且，尤其令人費解的是，恰恰是那些没有自身獨具“質料”的後衍性存在形態或“存在空殼”反而具有越來越多的“能耐”、“活力”和“靈性”，并同步呈現出越來越復雜、致密和有序的叠加結構體系。**

試看宇宙演化的發生序列：起始“奇點”（一個問不得的自然極限）→“基本”粒子（似無止境的“不基本”）→亞原子粒子及核子（如由誇克、電子、光子到質子、中子等，可謂“粒子進化”）→原子（從氫原子開始逐步衍生出92種天然元素，可謂“原子進化”）→分子（從無機到有機、從低分子到高分子，活性漸次增大，可謂“分子進化”）→生物（不過是有機大分子的編碼而已，如DNA、RNA、氨基酸以及從單細胞生物直到人類，謂之“生物進化”）。嚴格地講，一切衍存者如原子、分子、生物乃至人類都不過是**本原性始基存在**如某種基本粒子或量子的**寄居殼**或**臨時寄存形式，且由此演成“機能”、“活力”及其“結構形態”日趨擴展的怪誕傾向。**【即便换成純粹科學的思路和眼光，這個問題依然無解，從古希臘的留基伯和德謨克利特提出“原子論”迄今，没有人能够回答如下問題：**相同的原子（或基本粒子）何以竟會組裝出性質迥异的世間萬物**？因發現了誇克而獲得諾貝爾物理學奬的美國科學家蓋爾曼（M・Gell-Mann）在他所著的《誇克與美洲豹》一書前言中寫道：“誇克是所有物質最基本的基石，所有物體都是由誇克和電子組成，衹不過數目有多有少。即使是美洲豹這種古已有之的力量和凶猛的象徵，也還是一大堆誇克和電子。不過這一堆誇克和電子真令人驚詫！

由于幾十億年的生物進化，美洲豹顯示出驚人的復雜性。”蓋爾曼問道：“在這兒復雜性到底意味着什麽呢？它是如何產生的呢？”實際上，這個問題是在追問：世界是如何產生的？萬物是如何存續的？可是這個問題實在是太古老了，它恰恰就是前哲學的宗教時代和古希臘早期哲學家所提出的最原始、最基礎的本體論問題。】

不難看出，古希臘哲學時代的“存在”概念照例不過是一團迷惘，而且它恰恰是中世紀以及近現代以來哲學本體論日益混亂的淵藪。海德格爾倡導從蜕變的哲學史上返回到古希臘的源頭去追尋存在，非但無濟于事，反而可以視爲是迄今依舊迷失于存在的一種無奈。

第六章

一觸及“存在”就陷于渾沌或陷于混亂，古往今來，概莫能外。

結果就呈現出這樣一種離奇的哲學困境：不得不予以追問的“存在”反而問不得。

這正表明，作爲設問者的存在者同樣不能逾越自身相對性或有限性的規定。

所以，哲學雖然表現爲是究詰“終極原因”（或“絶對本原”）的學問，却絶不是有關“終極真理”（或“絶對真理”）的學問，反而恰恰是**何以不能有終極真理**的學問。【嚴格説來，“真理”不過是存在系統演化進程上的感應屬性遞變產物，既然“存在”本身尚且隱遁于迷霧之中，則有關“真理”的一切言説自然立刻失去了它最起碼的基礎——“真理”如是，談何“終極真理”？（疑趣解于卷二）】

所以，東方的思想家不去直接過問“存在”，祇是小心翼翼地領會**天人合一**形勢下人的卑微存在，即使這種謙虚的悟性不被敢于大言“絶對”的西方哲人承認爲“哲學”也罷。

所以，老子不肯妄猜萬物的“本原”何所指（如“水”、“火”、“理念”等），僅將其謂之爲不可名狀的“道”，雖“玄而又玄”（老子語），却頗爲接近于探詢**存在的性質**或**“存在性”**。

一言以蔽之：找不見“物性”，“物”自不“明”，猶如搞不清化學原理，化合物就顯得來去無踪。【以上所謂的“性”既是指存在物的客觀元質，也是指存在物的主觀理念。不妨説，“存在性”或“物性”就是理想邏輯中的“物存狀態”。至于“物”何以變成了“性”（物之屬性和借由屬性延展所烘托而出的本性）與“理”（屬性耦合的特定形態）的同一，以及此岸之“物性”與彼岸之“物自體”是何種關系，卷二再談。】

這實在是一條不得已的出路：問不得大而無當的“絶對存在”，就在相對有限的對象或自身屬性内尋求**“存在的性質”**或**“存在之道”**，如此才不失爲明哲之思。

第七章

這樣一來，就有了**存在性**的概念。

所謂“存在性”，系指**存在如何可能存在的所以然**，以及**存在如何能够被指認爲存在的原委**，或者説，“存在性”就是**存在的元質規定性**，它使存在**得以循序展開，并使存在從趨于失存的進程中逐步實現爲存在的全體。**由于既往所説的“存在”是一個絶對的、無限的語境，因此它不是任何一位有限的存在者可以直接涉及的話題，有限的存在者衹能以有限的存在物爲對象。**如果某類有限存在者居然立志要探詢無限的存在，則一定是由于作爲有限存在者的探詢者自身正在無限地趨近于失存的**

緣故。不理解這一點，以“無限追問”爲己任的哲學之思就會將“存在”抽象成一個概念空洞，有如以“終極關懷”爲己任的宗教之談不免把“上帝”抽象成一個人格空洞一樣。【傳統經典哲學大抵都試圖給“存在”端出一個徹底無疑的答案（嚴格説來“不可知論”也是一種達到“徹底”或構建“無疑”的手法之一），并以此作爲其哲學思考的基本使命或學術體系的價值尺度，這恰恰表明了它們對“存在”（包括精神化的“主體存在”）的隔膜和無知。因此，我在本書的開題篇章中并不打算直接探討這個問題，這不是爲了回避艱深和困難，而是爲了説明這個問題如果處理不當，爲什麽一定屬于“僞問題”、“虚假問題”或曰“永恒常新的實在問題”（與維特根斯坦的邏輯論證方式無涉），故而又可以説，我的全書都在間接論證這個問題。注意：關鍵在于，如果你自身就是這個存在系統的産物，而且，更重要的，如果你自身就被這個存在系統推動爲某種游移狀態、失離狀態或變塑狀態，那麽，可以斷定，這個問題的不能解决恰恰是解决這個問題的最終答案。換言之，**這個問題的發生途徑和解决途徑同一，亦即該問題的消解（或膨脹）一定跟探詢該問題的主體自身的消解（或萎落）屬于同一回事或同一進程。】**

也就是説，一切“存在物”（嚴格地講是“存在形態”）均有一個與其“存在”有關的内在宿性，是爲“存在性”，它决定着某物**能否存在、爲何存在**以及**如何存在。**【以海德格爾爲代表的存在主義哲學就是擬以解决這類問題爲己任，并提出“存在是無定義的”、“存在先于本質”等發自思想空洞的疑惑，其哲學性的敏感着實可嘉，然而，他們雖然采取了“詩化的”以及其他種種嶄新的哲論形式，却到底未能擺脱笛卡爾以降的舊世紀的思路，致使其抽象的“（存）在”仍然迷失于支離破碎的“（存）在者”之外而縹緲無着。】

進一步講，**存在的“内容”與存在的“形式”之統一，正在于那個未知的“存在性”與其“存在形態”之統一，**而并不與亞裏士多德所謂的剛性“質料”相關。如前所述，還原到現代物理學最深層的**始基**上看，廣義上的存在或一切宇宙存在物歸根結底都不過是**同一質料**的**不同織體**而已。

關鍵在于，我們怎樣才能探明那個決定着一切存在物的質態和命運、而自身又處于某種變幻不定的無形狀態、并無一遺漏地滲透在任一存在實體或存在形式之中的存在内涵或存在性。

這是一個必須從根本上重新研討甚至修正哲學本體論的重大問題。

第八章

我們假設：宇宙的那個本原存在，一開始就有一個自身**存在效價**不足的本性與存在同在。因爲，可以這樣證明：**如果它的存在效價是十足的、完滿的，則它的存在就應該是絶對穩定的、永恒不變的。**然而，任何一個具體的存在者終于不免要流逝、變遷、轉化、滅歸，可見一切存在者都暗含着一個使之難以存在下去的缺憾，**這個不得不發生流變的缺憾就是存在效價不足的證據。**

我們再假設：宇宙的那些後衍性存在終于都不能將自身得以存在的那個**存在效價**丢光。因爲，也可以提出證明：**任何存在者，即使由于自身的存在效價不足而必趨消逝，它終究不會失滅到一無所存的程度，它或者讓自身向前轉化爲另一種存在形式，或者向後滅歸爲自身存在以先的某種前體存在形式。**總之，無論是向前抑或向後，它總不免有所保留，而不會從此一無所有，這個**轉化保留的實現就是存在效價不能告竭的證據。**

在這裏，存在的“效價”被定義爲：

a. 它是一切存在者的**可存在程度**的内在指標，或者説是一

個有關**存在效力**的參數；

b. 它通過其**程度**或**效力**上的差异，决定着存在物的**穩定性**或**不穩定性**；

c. 從存在的**失穩狀態**可以反映出它**不是一個恒定的要素**，而是一個**自變量**。

第九章

我們不妨把這個既不能圓滿也不能盡失的“存在效價”改稱爲**“存在度”**，因爲這樣一來，我們就可以把存在之所以存在的問題予以量化。假定，絶對穩定以至永存的存在度爲1，絶對失穩以至失存的存在度爲0，那麼，現實的存在則必然一概處于這個存在度的從0到1的區間之内。**由于依據上述之證明，存在度最大的存在效價衹能 < 1，或者説衹能趨近于1；而存在度最小的存在效價衹能 > 0，或者説衹能趨近于0；因而現實的存在度區間就應該被修正在（0，1）的合理範圍之内。**【也許，將存在度區間（即“有限衍存區間”）設定爲（0,–1）才顯得更精確。因爲，假若把質量態宇宙發生前的能量態奇點視爲零點，而這個零點又恰恰是屬性發生的起點的話，那麼，如後所述，該點也就必然成爲存在度的最高點或存在效價的最大值，然則存在度的衰變衹能呈現爲負數。依據這個表述方式，我在本書第三十四章、第七十章和第一百二十五章裏所給出的平面直角坐標系（注意：它實際上僅僅是一個示意圖）就應當統統從第一象限移至第四象限，讓其縱軸成爲兩個反比函數變量的負向指標，并讓時間横軸與存在閾常量等位綫相重叠。我之所以采用第一象限的正值陳述，乃是取其比較符合常理、比較簡易、也比較清晰的優點。】

存在的相對性就在這個有限的區間內成立，而存在的有限性正是存在相對性的現象形態和觀念形態。換言之，存在的有限性并不在于它有一系列空間上或時間上的限度，而在于它有一個**存在內涵的限度——**即在什麼**“存在程度”**上存在的**“度”**的規定。【這就是康德第一組二律背反命題的題解所在。】

第十章

這樣一個存在度區間的設定，恰好與物質必然不滅和物質必然衍動的兩項基本定理相吻合。

如果繼續從這兩項定理推導，即：

A. **抽象的存在是絕對的、不滅的、永恒的；**【此項定理的可成立性與前述之“相對性存在是存在的絕對規定和絕對形式”或“存在相對于存在而衍存”在概念上同一。】

B. **具體的存在是相對的、自逝的、流變的；**【當現代物理學將既往代表着絕對存在的宇宙視爲一個具體存在者時，宇宙亦有生有滅，此即愛因斯坦以來的“有限無界的宇宙模型”。】

則：

基于A項，抽象的總體存在之存在效價或存在度是絕對的、守恒的，不能增多也不能減少的；

基于B項，具體的個別存在之存在效價或存在度是相對的、分有的，可能偏多也可能偏少的；

也就是説，這裏有一個總體存在效價在具體存在者之間如何分布的問題。一般看來，拿不同的存在物進行比較，其存在穩定性具有很大的差异，這種現象提示，**一切不同形態的具體存在者，就其保持特定的存在方式而言，必有一個與之相關的**

具體存在度，高于或低于這個“度”的規定，它就不能以這種特定形式繼續存在下去。很明顯，這裏所謂的“存在度”，就是抽象化了的總體存在效價的分散表達或具體實現。

第十一章

考察存在度在自然存在系統中的分布，不外有如下五種可能：

A. **紊亂分布**。即各存在物的相對穩定性雜亂無序。這種情形多見于在不同物體之間隨機散漫地進行比較，而一概無視觀察對象之間的可能相關聯系。此屬俗常意識狀態，與研究無涉，故而不在討論之列。

B. **均等分布**。即各存在物的相對穩定性基本劃一。這種情形多見于共時性的同類群體之内，呈現爲標準差較小的正態分布。此點明確，毋庸探討。

C. **波動分布。**即各存在物的相對穩定性呈現出周期性的波動狀態。一般來説，任何存在物的存在力度或生存力度似乎都在一條先升後降的拋物曲綫上波蕩，因而没有可比較性。它僅僅表明，任何存在形態的存在度都是有限的。（嚴格説來，它其實衹是後述之屬性代償的晚近現象形態，而并不代表存在度本身的動勢。參閱第二十三章。）

D. **趨升分布。**即各存在物的相對穩定性在其發生序列上呈遞增趨勢。譬如達爾文局限于生物系統内觀察各物種之間的變异衍生關系所提出的“生物進化論”觀點，在其“適者生存”的理念中含蓄着物種存在度或生存度愈來愈强化的傾向。

E. **趨降分布。**即各存在物的相對穩定性在其發生序列上呈遞減趨勢。亦即**物存形態的演運過程同時就是一個各級衍存**

者的存在度逐步遞減或趨于弱化的過程。這種情形會不會成立？甚至**會不會是自然總體存在效價最本質的分布形態**？

爲此必須追溯到幽遠的宇宙源頭及其衍存流程中去。

第十二章

依據現代物理學、化學和生物學的研究成果，從博物學的總體角度審視，宇宙之演化呈現出如下一系列物態遞變的梯度：

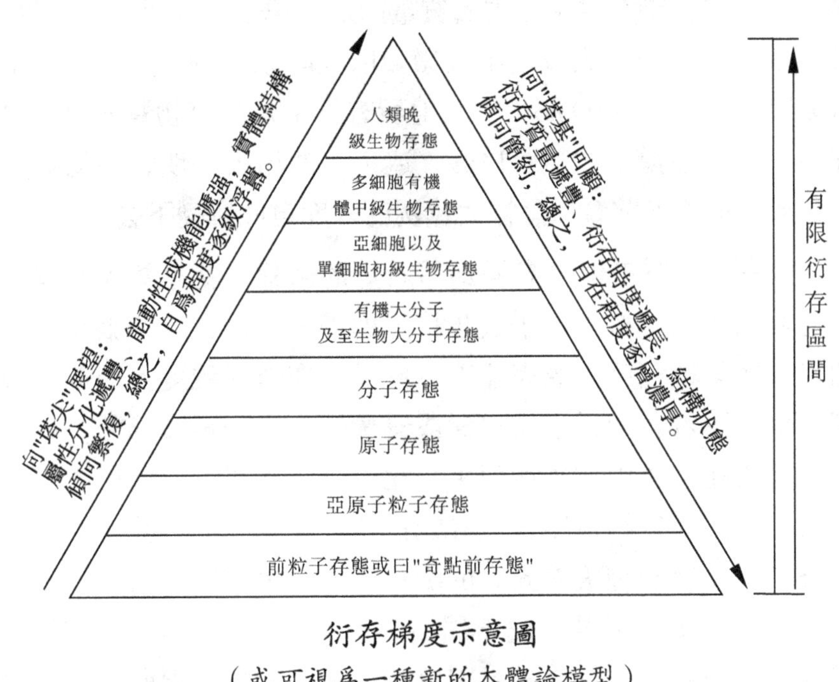

衍存梯度示意圖

（或可視爲一種新的本體論模型）

——137億年以前宇宙尚未爆發的那個“奇點”存在，其穩定在奇點形態上的時空維度暫不可考，它的潛在質量和/或能量是現有一切自然存在物的總和。根據哈勃望遠鏡觀察，宇宙膨脹的加速度狀態與其質能分布狀態不相稱，却與愛因斯坦在廣義相對論方程中曾經加入的“宇宙常數”相合，提示宇宙中存在着某種目前尚不爲人所知的巨大暗能量；另外，根據史蒂芬·霍金等人的研究，初步估計黑洞以及暗物質在總體質量上也遠遠大于所有恒星的質量之和（參見《時間簡史》第94頁，霍金著），這説明“奇性物質”多于“基本粒子態”物質。如果可以把“暗能量”和“暗物質”視爲最接近于太初“奇點”的存在方式，則提示**宇宙物演的基本存態始終是某種前時空的狀態**。

——宇宙勃興的一瞬間或最初的某個時段，以亞原子粒子和氫核形態存在的物質即告生成，**且永遠都是四維宇宙存在的主體形式**，所謂氫核就是一枚質子，它既是粒子系列的後衍産物，又是原子系列的前導介質，它們作爲完整的亞原子粒子系統，構成了占據着時空態宇宙主體質量的那些處于不同星序的恒星，及其各類變態的膨脹或坍縮天體。以太陽系爲例，太陽的質量占太陽系總質量的99.86%，其他所有行星及星際物質的質量之和僅占太陽系總質量的0.14%。這裏一開始就表明，**一切後續物質或後衍物態將會以怎樣大比例的幅度自此衰變下去。**

——從大質量恒星衰變爲超新星的過程，就是氦和所有較重元素的核由氫核與中子逐步構成的過程，而且，一張元素周期表，在某種程度上既表達着各個元素**在時間維度上的遲存順序，**也表達着各個元素**在空間或質量維度上的遞減態勢**。亦即前體元素在宇宙中的豐度似乎總比後衍元素爲大，譬如周期表上的一號元素氫約占宇宙元素總量的76%左右，二號元素氦約占18%，其餘90種天然元素的總存量不超過宇宙元素總質量的百分之一位數。另外，處于周期表前位的各個元素**比較穩定**，變革它們的核質結構是相當困難的，反之，處于周期表後位的各個元素比較活躍，它們會通過放射性而自動改變其原子結構，最後一位天然元素鈾之所以成爲制造核彈的首選材料，就是利用了它的**不穩定性**。

——分子物質即一切化合物的存在，無疑要在有關元素生成之後方能形成，而且，在一般宇宙條件下，由于超高温、超高真空、特別是超强度輻射的離解作用，原子很難結合爲分子，即便形成分子也多被離解，因此，規模化的分子物態如行星的出現，已是較爲晚近的宇宙産物（譬如，地球大約發生于46億年前），且在它所繞行的恒星系内終將被老化的紅巨星吞没和再離解。即是説，**分子物態既遲發于它的前體物質又早亡于它的前體物質。**（關于從無機小分子到有機高分子、再到生物大分子的簡述，請參閲本卷第四十六章，此處省略不贅。）

——及至生物問世，**上述情形更是愈演愈烈**。首先，所有生命物質的總和，即所謂的“生物圈”，衹是薄薄的在地球表面覆蓋了一層，它與地球這樣的分子態行星之間，其質量遞減的程度是不言而喻的。單細胞及其前體生物形態，發生于35億年前地球地質史上的太古代和元古代時期，且迄今仍然遍布于地球表面的幾乎所有苛刻環境之中，其中的藍緑藻“唯我獨尊地統治地球上的海洋大約達15億年到20億年之久”（生物學家老克利夫蘭P·希克曼語，見其《動物學大全》），它們作爲最原始的初級生物存態，**在生物界中的現存總質量照例首屈一指，**須知正是它們構成了海洋水生生物的基層食物鏈，甚至地表土壤的形成及其主要組分中都有各種微生物的參與。

——直到古生代寒武紀，即五億七千萬年前的顯生時代，多細胞聚合體的動植物才漸次繁榮起來，然而它們的生滅閃爍之狀已如走馬燈一般，曾經猖獗一時的巨型卵生爬行動物恐龍，稱霸于地球不過一億八千萬年左右就突然間銷聲匿迹了。而且，在自養型與异養型物種之間，以及在各异養型物種之間，一個更爲明確的**生物質量遞減序列**必須與**物種進化序列**相配合，否則生態系統的食物鏈關系就無從建立。另外，無論是出于何種突發灾變或生態漸變，恐龍的滅絶并未同時引發其他前體低等生物的全面危機，這進一步表明，**生理結構和機能狀態愈復雜的生命形式，其生存脆弱性愈爲嚴峻**。而今，哺乳類動物的出現至多不過七千萬年到九千萬年，却已經呈現普遍衰態，演至這個階段，地球上99%以上的物種早在人類問世之前業已絶滅，其中絶滅速率最快的恰恰是那些從脊椎動物到哺乳動物的所謂“高等生物”。

——臨末，靈長目内似乎最具能耐的晚級物種“人類”終于粉墨登場了，直立人僅有三百萬年至五百萬年的生存史，根據新近研究，現代智人的問世甚至迄今尚不足二十萬年，此後直立人隨即整體走向滅絶。作爲一個獨特的智質變异演化系統，其奔赴死滅的速率快得頗有些异乎尋常，其生物質量無論怎樣膨脹也不可能超越以體質變异爲特徵的中級多細胞生物演化系統，也就是説，這裏存在着一個時間和空間上的限度，而這個限度就是一切存在者或存在形態終歸不能改變**自然規定的存在梯度**之證明。智人無疑是整個生物系統中最活躍的一系，也是生存方式最動蕩的一族，盡管他們眼下看起來還在蓬勃發展，但已經初步流露出**衰竭前的過盛危象**，這種漸次活化也漸次動摇的情形，早在藍緑藻和恐龍階段就已反復顯現且呈逐級加劇之態勢，人類衹不過是把這場自然史上的鬧劇推向高潮罷了，由他們締造出來的一系列環境危機、生態危機、氣候危機、人口危機、大規模毁滅性武器危機以及生物工程、人工智能與種種别樣科技發展可能引發的恐怖前景等等，**其實都是這個衍存遞弱自然律的現象形態和繼續表達。**

第十三章

上述物存形態之轉化和躍遷的直觀序列提示，從物理存在到化學存在，再到生物存在乃至“人物”存在，宇宙存續的演化進程的確表達着物態存在效價的某種弱化規律，或者説，**自然存在度在世界流變體系中必然呈現爲逐層遞弱的分布趨勢。**其基本態勢可概括爲：

a. **相對量度遞減**。即處于演動或躍遷格局中的物態存在，其**進位層次**的提升必然伴以**在位存續**的**空間質量分布呈反比例減少。**

b. **相對時度遞短**。即處于演動或躍遷格局中的物態存在，其進位層次的提升必然伴以**在位存續**的**時間跨度分布呈反比例縮短。**

c. **衍存條件遞繁**。與***a***項相通，表現爲相對依存性上揚，絶對自存性下傾，**衍存所須依賴的外在條件隨層位之躍遷而呈正比例地激增**，或曰**實體結構形成的内在組分隨層位之提升而呈正比例地繁復**，亦即在質量遞減和物類遞增這種依序分化的存在流程中，逐步構成物態演替之勢如累卵的叠加根據或弱化層級。

d. **存變速率遞增**。與b項相通，表現爲物存穩定性下降，物態活躍性上升，**變异速率隨演動位相的前移而逐漸加快**，亦即呈現出**躍遷加速度**的**存續**態勢或**失存**態勢。

e. **"自在"存態遞失**。即愈來愈不能僅僅依據自身單調枯燥的存在本性而存在。所謂"**存在本性**"就是前述的那個"存在效價"或"存在度"之根本規定。**愈原始的存在物其存在度愈高，因而它可以保持某種相對無條件或少條件的存在勢力，亦即保持某種相對無活力或缺乏機能的静態存在。**【本文沿用"自在"、"自爲"等雙項式陳舊範疇，意在使其從**背反的幹癟的詞殼**轉變爲**元一的自豐型概念**。】

f. **"自爲"存態遞强**。即愈來愈必須依據自身光怪陸離的存在屬性而存在。所謂"**存在屬性**"系指後衍性存在物在其變態演運的進程中所獲得的物性質態或活化機能。**愈進化的存在物其存在度愈低，相應地，存在本性之缺失換來了存在屬性之繁華，因而它可以顯示某種相對活躍或較爲主動的存在"能力"，亦即不得不借助于日益精巧的求存功能來爲日益失落或日益衰弱的"自在"自負其責。**【本文之"本性"概念指謂**原本之存在性**；"屬性"

概念指謂**演化之存在性**；可見，一切**可以表象的物質**不外乎都是**物的屬性的表象**，一切**可以言説的物性**也不外乎都是**對物的屬性的言説**，甚至那“**表象**”或“**言説**”**本身**亦照例不外乎是**物的屬性的延展產物**，一句話，“**物性**”(**即**“**物的屬性**”)**本身就是某種相對自演的宇宙進程之體現**。(詳論見于卷二)】

總而言之，從超然于任一自然學科及人文學科的哲學視角來審度縱横延展而又宏闊統一的世界體系，存在效價呈現爲**分度遞降**的必然趨勢無疑具有最根本的確證性。

第十四章

在此，有必要澄清幾個有所特指且容易混淆的概念：

“存在”——它不僅表象爲**一般外延上的**所有具體存在者之**總和**，而且抽象爲**縱深内涵上的**所有具體存在物之**源流**，而并不與存在物的感應狀態或感知狀態相關。唯因如此，它才得以從可望而不可及的感性存在逐漸演成(或相對存在爲)不可望而可及的理性存在。(此意解于卷二)

“存在者”——與“存在物”同義，均指具體的存在物體。不過，雖然尚不能確認何者爲存在的“本體”或“質料”，却可推測一切存在物均由某種極簡單的本原質料(如某種“始基”粒子或量子)所構成。因此，在本卷中，這些詞義并不僅僅是指任一實物單體，而是多指**潛在質料相同但存在度内涵相异**的類别化了的**存在形式**或**存在形態**。【此説雖然類似于自沃爾夫以來的德國哲學之“定在”概念，但其“質的規定性”(黑格爾語)到底是什麼？甚至應該問：何謂之“質”？】

——所以，我用“**存在形態**”或“**物態**”等詞項，意在泛指一切存在的**物質**或**物體**，祇是更加强調這些存在物的**非質料**

性質及其**形式類別**。至于造成所有物質或物體的**形式化變遷**之原因，正是需要我們予以深入探討的題旨所在。

鑒于上述意理，應該不再發生這樣的誤解：當説到表達某物存在效價的時度或量度之時，却去聯想該類物質的單體壽限或個别質量。譬如有些單個基本粒子的閃現僅爲百億分之一秒，有些個體單細胞生物的分裂間期僅爲數十分鐘，但它們作爲一個自然物類的"存在形式"却分别保持了物理學上最堅韌的上百億年和生物學上最耐久的數十億年而不衰。

第十五章

老子曾有如斯二言，意味頗爲深長——

前一句是："反者道之動。"(《道德經》第四十章；或帛書·四："反也者，道之動也。")意指"道"的演動是循環往復的，這是一個典型的**有限無止的邏輯模型**，後來被黑格爾獨立給出了詳盡的邏輯學證明；【這項證明誠屬偉業，然而距離"絶對真理"實在還很遠，因爲代表着"絶對真理"的那個"絶對精神"實體尚不自知其來由何在。此外，黑格爾還犯了一個重要的錯誤，即他完全不明白"辯證邏輯"僅僅是理性邏輯的低級階段與初始形態，是從動物知性邏輯演進爲人類理性邏輯的中間過渡型思維模式。這使得黑格爾學説的兩大支點全都陷在了沙坑裏，根本撑不起他那個包羅萬象的哲學體系。(詳論見本書卷二第九十七章至第九十九章。)】

但後一句話可能更爲重要，不解其意則不足以查知包括人類邏輯稟賦在内的整個自然衍存之道的根脉，其言曰："弱者道之用。"(《道德經》第四十章；或帛書·四："弱也者，道之用也。")大意應該是説，**弱化現象是"道"的展開和實現方式**。

不過，此言從未被系統理解，因而也從未被加以證明。【從漢初、魏晋直到今天，對這句話的詮釋歧義甚多，主要有如下五種解説：（1）"道"的本質無往而不在，但它的外部表現或作用方式却是柔弱的。（2）用極其局促的"舌和齒的關系"（見《説苑·敬慎》老聃與其師常摐的對話）來闡釋。（3）用"含德之厚者，比于赤子。"（見《老子》帛書·十八）來闡釋。（4）用"爲學者日益，聞道者日損，損之又損，以至于無爲。"（帛書·十一）來闡釋。（5）用"天之道，損有餘而益不足；人之道，損不足而奉有餘。"（帛書·四十二）來闡釋。我不能説這些注釋全無道理，因爲《老子》各文本的論述的確十分含混（詳細討論請參考我的其他有關著述）。然而，上述看法都不能解釋這樣一種現象：老子的"道論"與"德論"恰好指向互爲照應的兩端，即恰好表達爲對"天之道"的"柔弱"演動的猜測（是爲"道"），以及對"人之道"的"無爲"應和的勸誡（是爲"德"）。前者隱約而不自覺地影射了"遞弱演化"的自然趨勢（第四十三章："天下之至柔，馳騁天下之至堅"；第七十六章："堅强處下，柔弱處上"等等，《道德經》直接論及"柔弱"凡十一處之多），後者朦朧而天真地提倡對"屬性增益"的人文反動（第三十七章："道常無爲而無不爲"；第三十八章："上德無爲而無以爲"等等，《道德經》直接論及"無爲"凡十次之多）。不錯，老子所謂的"德"是"萬物尊道而貴德"（《道德經》第五十一章；帛書·十四），就是讓人去遵守"物德"，但這恰恰再度表明老子的"柔弱論"與"無爲論"是針對某種普遍自然律而言的，却不是僅僅針對個别的偶發現象或人類的特殊行爲而言的。】

顯然，在當時，老子本人亦無從爲之提供論證，**他的理論還僅僅處于混沌的猜想或模糊的隱喻之狀態或階段**。然而在他借水論道的直覺感悟中却處處流露着對**弱化效應**的深刻體察，故曰"天下莫柔弱于水，而攻堅强者莫之能勝"（《道德經》第七十八章；或帛書·四十三："天下莫柔弱于水，而攻堅强者莫之能先也”)。【老子曰：“上善若水。水善利萬物而不争，處衆人之所惡，故幾于道”(《道德經》第八章)。一般學者都認爲，此乃老子論道的經典之談，殊不知這恰恰是老子時代的局限（古希臘的泰勒斯亦然）。在2500年前，以直觀的隱喻方式討論終極問題幾乎是整個思想界的通例，但也因此造成思者本人及其後人的理序混亂和理解偏差。不難想象，老子作爲周王朝守藏史（幾乎就是當時東亞文明人類群團的文化代表)，應可直接看見兩種社會生態截然不同的區别：即局限于中原一隅的文明進步社會之紛亂、血腥、擾攘和動蕩的現狀，以及遍布于中原周邊的原始氏族社會之有序、安寧、清静和穩定的故態。加上他對自然現象的粗略觀察,因而在其《老子》一書中（漢魏之後衍簒爲《道德經》八十一章傳世通行本)，率然表達了他對宇宙演化和人世變遷的粗略看法。他的深刻恰恰是出于他的原發位點或原始地位，即他站在事物的前端，足以令他直觀地看見初期人文萌芽中顯現的不良傾向，反倒是後來人，難免不讓日益繁華的文明枝葉遮擋住了自己的眼光。】

乍一看,老子所謂的“道”似乎游離于存在之外主宰着存在，其實更根本的哲學動機在于對游移不定的存在本身給以某種柏拉圖式的確定性把握，或者説是對把握不住的存在本身提出了一種獨到的質疑。我們現在可以將此隱含的或潜在的質疑發掘出來，另外展開更深一層的追問：**存在者何以趨弱？趨弱者何以續存？**【正是出于對這個問題的失考與迷茫，老子的社會理想呈現出極爲反動的特徵，他强烈希望人類的生存方式返回到非文明或前文明的動物親緣社會或原始氏族社會中去，即所謂“小國寡民”、“使有什伯之器而不用”、“使民復結繩而用之”、“鄰國相望，鷄犬之聲相聞，民至老死不相往來”(《道德經》第八十章)的那種狀態。他倡導“復歸于樸”、“復歸于其根”、“復歸于無極”(《道德經》第十六章和第二十八章)，倡導“不敢爲天下先”(《道德經》第六十七章)，甚至明確提出“弃智”、“絶學”(《道德經》

第十九章）的反文明或反文化主張，其目的都在于讓人類避免墮入“物壯則老，是謂不道，不道早已”（《道德經》第五十五章）的危境，他問道：“天地尚不能久，而况于人乎？”（《道德經》第二十三章）足見他的“反動之思”正與他的“趨弱之道”相呼應。這既顯示了他的深刻，也顯露了他的幼稚，幼稚在他居然認爲人的行爲可以超自然的游離或反自然的調動，當然，這種失誤與其粗糙的“辯證自然觀”不無幹系。】

這質疑從此竟成爲千古不解或千古不察的哲學玄難。【這個疑問被長期掩藏在老子的含混論説和後人的紛紜注釋之中。仔細梳理一下，應該可以爲上述玄遠而幽暗的“老子猜想”或“老子疑難”總結出這樣幾條頭緒：**其一，“柔弱”是“道”的實現方式**，即所謂“弱者道之用”；但老子尚未在邏輯上將其貫通，故而不免閃爍其詞，結果衹把它表述爲蜻蜓點水般的散亂論點。**其二，“無爲”是“德”的實現方式**，即所謂“無爲而無不爲”；但老子尚未明晰“爲”之屬性與“弱”之道用的内在關系，故而舉出“物德”之效，硬把强存者的“無爲”推薦給衹會越來越“有爲”的人類弱存者。**其三，把人文現象排除在“道”與“德”之外**，故而提出“弃智絶學”的呼吁；就是説，老子認爲人類的文明化進程是走上了偏離“天道”自然律的歧途，是“失道”和“失德”的表現（見《道德經》第三十八章），所以才極力主張“復歸于樸（道）”，這是老子哲學最嚴重的缺陷。**其四，終極理想是“反動”的或“倒行逆施”的**，即所謂“小國寡民”之向往；這是老子道論唯一合理的歸宿，也是老子學説特别可愛之所在，雖然未免顯得有些過于天真，却至少表明他對“弱演之道”已有所覺察，并對文明社會的危化發展趨勢亦有所覺察。**其五，“返璞歸真”或“復歸于其根”的幻想導源于辯證法**，即所謂“反者道之動”；就是説，恰恰是因爲他無法超脱原始辯證邏輯的束縛，所以才導致他會真誠地相信，返回到“結繩而用”的原始生存狀態是可能的。從上述各方面綜合起來看，過去人

們對老子思想的解讀，很可能發生了極大的偏頗。】

化解這一質疑也許正是化解一切哲學困惑的自然機制之所在。

于是，就必須對**自然弱化衍存效應**給出系統的解析和證明。

第十六章

任一**基層存在**或**前體存在**，都是一個**傾向于成全或補償自身不圓滿本性的相對殘弱單元。**

所謂“不圓滿本性”就是某種先天不足的規定，亦即前述注定 < 1 的存在效價或存在度的具體表達。它可以體現爲某種弱勢，也可以體現爲某種殘態，毋寧説殘態是弱勢的現象，弱勢是殘態的本質。殘弱者不免失穩，失穩者終將失存，由以造成存在形勢的動摇。

即是説，存在從一開始就難以自持地存在着，即使其原始存在度處在無限趨近于 1 的最高狀態也罷。

因此，這個最高點或最高值其實也是後來一切存續必須維系的**最低閾限**或**存在基準**，是爲“**存在閾**”。質言之，**低于這個閾限的規定，則任何質態的存在皆不能實現**，是爲“無”的哲學概念。【這裹所謂的“無”并不是絶對意義上的“無”，而是作爲**未能實現**爲某物的“無”，因而是**有待實現爲某物的潛在**，所以才説“有生于無”(老子語)。絶對的“無”與絶對的“有”(或絶對的“存在”)一樣，是抽象在**存在度分布區間**(即第十二章“本體論模型圖”裹所示的**有限衍存區間**)之外的空洞。】

而克服**動摇**以避免**失存**是**存在的必然要求和内在傾向**。

也就是説，**追求成全或補償自身本質性不足的自發傾向就**

構成“演化”或“發展”的内驅原動力。

第十七章

這一補償的**實現**本身同時就是一次幅度不等的**層位躍遷**，亦即**將自身的存在更替爲一個新的轉化形態**，或者説**寄托在一個新的存在方式之中。**

然而，如果補償是某種外來的追加，則被補償者就一定不是那個原始的、同質的、單純的“太一”或本原，因爲在它之外全無其他存在。所以，從根本上講，所謂“補償”反而衹能呈現爲**分化**的過程，以及**分化之後再構合**的過程。

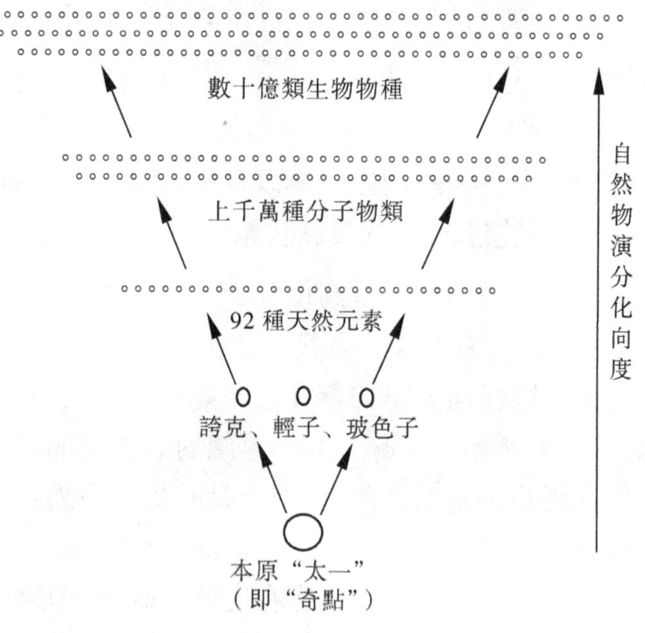

宇宙物演分化進程示意圖

（此圖恰呈第十二章圖示的倒置形態，提示高位存態的殘弱化傾向）

于是，這個過程終于不能使殘缺者有所回補，因爲歸根結底，它所獲得的任何追補都是自身更趨**殘化**而不得不進行的一系列**整合**，或者說**是自殘之後的自救措施**。

換言之，存在從一開始就必須依托于自身來補償自身之不足，是爲**分化**和**殘化**的本質。并由此決定了**分化產物**的本質——即包括人類在内的一切自然分化產物都是自然存在本身的需要，或者說是**自然存在爲了維護其繼續存在**的權宜之計。而不是相反——好像“萬物皆備于我”（孟子語），好像“人是萬物的尺度”（普羅泰戈拉語），或仿佛一切自然存在都是爲了妄自尊大的人類而存在似的。

又，在分化構合的演運進程中，各分化產物的殘化程度或“缺憾”程度**亦遭分化**而有所不同。**失圓滿或殘缺之程度愈深重者，未來獲得追補的内因或内驅力就愈强勁，反之則相對静止，由以造成其後之補償和躍遷態勢的差异，此乃物之分“類”的淵源**。【不要以爲造成上述之“差异”是偶然的，它受到衍存進程的有序規定，由以形成物演梯度的時空分布。換一個角度的話，也就是説，這種差异不僅造成“物類”的分化，而且造成各個物類在“演化前程”和“演動速率”上的分化，即缺憾越深者，其演化前程越遠大，演動的速度也越快；反之，則演化前程不免大受限制，即相對圓滿者通常會變成宇宙進化基幹上的分支或盲端，從而使自然物演的路徑終于呈現爲分歧多端、節外生枝的“進化樹”形態。】

無論如何，經此一番追求**自圓**或**自滿**的“**自我補償**”，原先那個存在者似乎有望克服當時的那種動摇情狀了。

不過實際的結局遠非如此。

第十八章

這種補償終于落爲無效，因爲處于更新層位的那個**變態了**

的自身勢必要將**存在宿性中的缺陷**以某種轉化形式重復表達出來，甚至使之**獲得更趨昭彰和放大的效果**，從而導致**愈益迫切的下一輪補償要求**隨之發生。

即是說，補償所造就的**物態躍遷**或**變質**僅僅是**物態**上的，而**物自性**——指物的不可克服的**自失**或**自缺**的**"自發衰變"及"自我摧殘"之本性**——依然如故。

爲了方便起見，我將"補償"一詞換爲"**代償**"，以示區別。**與前者不同，後者與其對象的關系是内在同質的，或者說代償的對象就是它本身，而且它與自身的遞補關系是一種既不得不補又愈補愈失的窘狀**，所以，此處的概念斷不可與病理生理學或民法中使用該詞的意思相混淆。

很明顯，所謂"**愈補愈失**"蓋出于**愈補愈殘**的緣故，所"**失**"者，無非是**存在效價**或**存在度**之失，是爲**遞弱**的淵源和**代償**的本質。

至于此，**代償的進程與存在的實現已没有區別**，因爲一切後衍性存在不外都是代償性存在；再者，**代償的進程與分化的實現也没有區别**，因爲日益繁復的後衍性存在者正是代償性分化的産物；由此演成**愈弱的物質其種類愈繁**的這樣一個花花世界。

但不可忽略而又特别容易忽略的是，在代償進程的每一步驟之間都暗含着一個重要而又微妙的區别，那就是**故舊存在**與**代償存在**的**度**的差异。【這"**度**"的差异便是**"物"的分别**和**"質"的所在**，亦即"度"的流變就是"否定即規定"或"規定即否定"（斯賓諾莎語）。】

也就是説，在宇宙存續的演化歷程上，存在度作爲一個變項勢將無可逆轉地逐步下滑。或者反過來説也一樣，**正是由于存在度無可逆轉地趨于下傾，才有了代償函項的相應增勢和物存形態的豐化歷程。**

由此達成**遞弱代償的創世法則。**

第十九章

然而，弱化了的存在是不能存在的，因爲最强大的那個本原存在尚且難以永存，故而才有了代償衍運的必要和現實。所以，如前所述，本原性的强存者其實已經規定了一切後衍性弱存者的**基本存在閾限或存在閾**。

因此，上章所謂的“無效代償”又必須是有效的，否則一切代償均不能成立。

有鑒于此，我們非得引出一個“**代償效價**”或“**代償度**”的概念不可，以與“**存在效價**”或“**存在度**”的概念相對應。而且，我們還得考察這個代償效價或代償度究竟在哪一點上無效，又在哪一點上有效，因爲它的無效性已被證明，而它的有效性又不得不予以證明。

不待説，所謂**代償效價的有效性**衹能表達在後衍性存在物在其代償性衍生進程上所獲得的特有**屬性**之中，這些**屬性的效用就是代償的效用。**

“代償效價”或“代償度”被定義爲：

a. 它是一切存在物的**可存在樣態**的外在指標，或者説是一個有關**存在方式**的參數；

b. 它通過其**樣態**或**方式**上的差异，標示着存在物的**能動性**或**依存關系**；

c. 從存在系統的**變態過程**可以反映出它**不是一個根本的要素**，而是一個**因變量**。

而且，**“代償效價”的遞增量一定等于“存在效價”的遞減量，亦即二者之和恰好保持在“存在閾”所規定的基準綫上**，低于此綫則使代償之存續落于**失存**，高于此綫則使代償之過程早告**中止**，須知圓滿的存在自無代償之必要。

進一步説，也正是由于這項理由，**“代償效價”在本質上一定又全然不能等同于“存在效價”**，即代償的作用既要有效于將弱存者維持在存在閾的規定限度上，又絲毫無助于補償存在效價之所失，否則上述“代償落于失存”或“代償告于中止”的悖逆之局照例不能避免。

簡言之，**代償既是有效的，又是無效的，有效于補助衍存者的弱化續存，無效于補助衍存者的弱化本性。**正是由于代償效價的這種兩重性，才有了自然萬物的勃勃生機。

由此達成**遞弱代償的自然原理**。

第二十章

代償過程雖然無效于追補必趨流失的存在效價，却表達着下位層次對上位層次的**派生關系**，即是説，**下位層次代償要求的内涵就構成它對上位層次的基本規定。**

所謂“代償要求的内涵”，在物體的**殘態上**現象爲**有待補合的結構位點**，在物體的**弱質上**現象爲**有待伸展的功能配置。**

愈殘者，**結構整合**的要求愈高，亦即結構愈爲復雜，相應地，爲了達成**結構内部的依存聯系**，各殘體之間**内在的相互感應性能**也就必須愈爲完備，是爲**實體結構與功能屬性互爲表裏**的本質關系。

也就是説，假如没有下位存在的**缺憾**，上位存在就無由發生。反之，**表達着下位層次之殘弱性態的具體缺憾正是上位層次的存在基礎**。補足之，則上位存在得以成立，亦即**一切後衍性存在均建構在對其前體存在的代償關系上**，由以形成層層規定的宇宙統一物演體系。

當然，所謂“補足”祇是針對下位存在的固有性態而言。但**下位存在一旦獲得補益就同時發生了層位的躍遷**，而**躍遷者又在新的層位上展現出自身特有的新的缺憾**，因此，所有的存在者終于都進行性地繼續暴露着各自的殘態，由以形成于**事無補的代償衍運進程**。

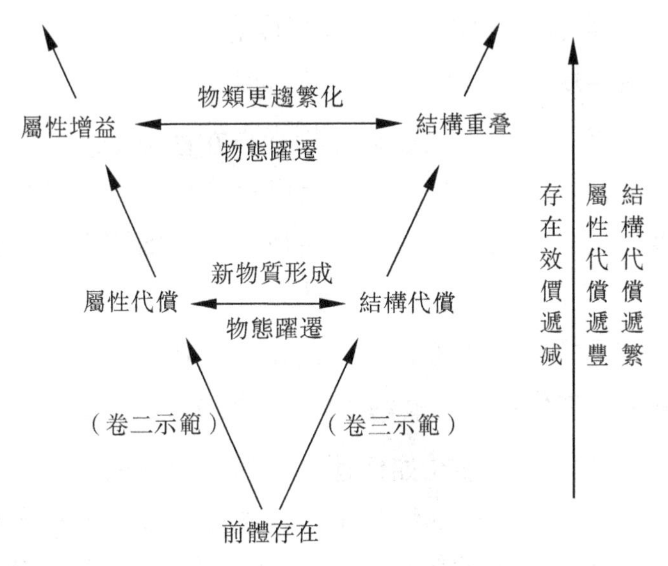

屬性與結構并行代償的路徑示意圖

（此圖與第十七章之圖示重疊，表明分化乃是屬性發生和結構整合的前提）

總之，若欲了然任何事物的本質規定性，都不可忘記這樣一個關鍵：它正綻放于下位存在或前體存在的**失穩因素**之中。

而對于上位存在或本體存在來説，這個有關**自身本質規定**的關鍵位點恰恰處于被完全遮蔽的狀態。

第二十一章

另一方面，**上位層次自身更爲彰顯的失圓滿性亦須要求其他形式的代償**，否則即活躍异常，動蕩不安，是爲**本層存在的**

屬性規定和現象形態。

可見，**"活躍"**一詞所形容的狀態，原本是指**失穩**的狀態，或**强烈期待代償的狀態**。活躍程度愈高，表明存在態勢愈弱，亦即**活躍程度**是**存在程度**的反向指標。

同樣，**"動蕩"**一詞所形容的狀態，已是臨近于**失存**的狀態，或**存在效價劇減的狀態**。動蕩程度愈烈，表明代償危機愈重，亦即**動蕩程度**是**代償程度**的同向指標。

在自然界中，如果以存在物從**自在性被動狀態**到**自爲性主動狀態**的演化序列爲尺度，則**活躍程度**可以直接用**能動性**的進化程度來確定，而**動蕩程度**又可以直接用**活躍性**的進化程度來確定。

也就是説，繼物理存在以及化學存在之後，生物存在無疑是整個宇宙進化系列上最爲薄弱的存在方式。

而薄弱的生物存在如何運用其積重難返的代償"招數"來延續宇宙序列的艱遠進程，正是自然界充分顯示自身**存在性**即**遞弱代償法則**的生動舞臺。在這個舞臺上，生物進化——嚴格地講是**宇宙進化**——終于把物理**感應性**轉化爲生物**感知性**、把理化**運動性**轉化爲生物**能動性**、還把死物的**聚合結構**轉化爲活物的**社會組織**。

總之，任何事物特有的屬性規定，均發祥于其對下位存在代償所得的"自圓"成果之上，盡管它恰恰由此構成自身越發活躍的殘化要素和失穩存態也罷。

而且尤爲不幸的是，它賴以維系自穩的手段又偏偏衹剩下這些體現爲失穩的自殘要素本身。

這才使本來無可指望的代償步驟繼續成爲不得不指望的唯一前途。

第二十二章

這種層層要求代償的驅動力就此延展爲層層轉化的演變過程和向上配位的自發傾向。

值得特别予以注意的是，所謂**“進化”**或**“發展”，在其修辭學後面的自然意藴中實際上深藏着一個逐層遞弱的内在趨勢，這與“進化論”的固有概念大相徑庭。**【一言以蔽之，物態或物種演變自始至終都是朝着存在力度愈來愈弱化的方向遞進，而不是朝着生存力度愈來愈增强的方向發展，盡管從表面上看，進化的歷程的確導致後衍高等物種的生存能力或適應能力不斷上升。顯然，這裏存在着一個深層次的盲區：**在大尺度的自然史上，生物種系的外在“生存能力”與其内在“生存效力”呈反比相關。**也就是説，生物進化的適應性選擇，其實反而造成生物生存的不適應性結果，或者説，目前所謂的高等“優勢”物種，其實反而被逐步推向自然衍存的“劣勢”境遇之中（參閲本卷第十二章）。于是,我們必須對“生存效力”與“生存能力”這兩個概念分别另行予以注解。或者，我們還得就“適者生存”的所謂“適應”一詞進行更深入的研究，并重新排列宇宙物演進化序列的優劣層級。】

即一般化地直觀這個世界的有序性的話，代償轉化的遞進過程固然導致整個自然存在展開爲一個變局緊迫的加速系列，不過活力日增的存在態勢却反而使存在度或生存度的漸次減損外化爲某種傾向“自强”的假象。

此乃出于對**屬性**之性質的無知，即無知于物質屬性的擴張態勢正是存在度弱化的代償産物；亦是出于對**代償**之原理的無知，即無知于遞弱代償的演化過程正是對物存本性的層層掩蔽過程；一句話，是出于對**存在**之所以存在的無知，即無知于存在效價的必然流失正需要代償效價的相應强化來遞補，**由以支**

撑或實現趨于失存的存續。【不妨這樣講，所謂“物競天擇，適者生存”的“**適者**”，説到底其實不過是“**弱者**”的代名詞，須知“適應”無非是弱者不得已而采取的生存方式，强者無需屈尊去適應誰。因此，無機界大可不必玩弄“適應”的花招，倒是生物界不得不表演“適者生存”的鬧劇，所謂“**適應性越强的物種**”其實就是指“**生存度越弱的物種**”，所謂“**適應性是進化的指針**”其實就是説“**遞弱化是物演的方向**”——這就是“**自然選擇”的内在本質**。】

所以，作爲**進化論**之締造者的達爾文，分外樸實地坦承他對造成遺傳和變异的内在原因一無所知。

所以，縱然當代的分子生物學業已探明，主導生命存在的“基因”皆源于某些化學上的分子編碼，然而，何以分子存在非得進而編碼爲生命形態不可，其更深一層的“基本原因”，却斷不是生物學可以解答的**底層**疑難。

也所以，一切科學的、或前科學的、甚至後科學的認知基點或終極標的，終于都要落實爲某種哲學（亦即廣義上的“形而上學”）的糾纏。【其實，除了前科學時代和科學時代初期的哲思真與“形而上學”的舊義名實相符外，成熟科學時代的哲思自應落實到“存在”**下面的深潛機制中**，故此，將本卷所論之“自然哲學”命題爲“形而下學**”，**亦無不可。】

而且，無論哲學如何傲慢，它迄今照例不過是迷失于相對代償途中的有限追究者而已。

這倒應了“無知便是美德”的東方古訓（此與蘇格拉底所謂的“知識就是美德”恰成反題），因爲無知大抵就是安然無惑的穩存之表徵，故曰“弃智絶學”（老子語義），故曰“智者多憂”（莊子語義），何“憂”之有哉？憂能否存在耳。

第二十三章

由于各個層次的物態存在實際上是一個因弱化而代償、又因代償而弱化的衍運過程，甚至可以將某一層位存在之内的點滴變化,都視爲無數代償的“量變”積累,或不同分層方式的“質變”躍遷，因此在任何孤立系統内，代償過程的逐步貫徹就呈現爲遞進不止的“過度代償”或“失代償”狀態。

換言之，**每一步代償其實都是對原有存在度的一次丢失或虧蝕**，它使得任一演進步驟都不免面臨着代償終極的逐漸逼近或突然抵達，是謂“衰竭”或“滅亡”。

就個類存態而言,“衰竭”是存在度趨向于“失度”（即過度代償或失代償）的表現；就整體存續而言,“衰竭”是存在效價趨近于0的指徵。

“滅亡”就是代償效價發揮到個類存在度或整體存在度所限定的極致的結局。

在宇宙演化的初期階段，由于存在效價相對飽滿，代償增量比較單薄，因而物理物態和化學物態的興衰過程就表現出本質性的平滑過渡的直綫動勢；及至宇宙演化的後期階段，由于存在效價流失久遠，代償增量逐漸厚重，因而生命物態的生死輪回隨之呈現爲非本質性的起伏跌宕的波狀曲綫；而且，愈晚近的物種，愈顯示生死關頭的大喜大悲。【反之，回顧原始形態的單細胞生物，幾呈無生無死的平直延續，其分裂增殖的方式，簡直是將“生死交替”化爲“生死同一”。】

可見，直觀上較爲切近的盛衰波動型衍存曲綫，其實僅僅表現了代償屬性的淺層形象，并借以掩蓋了存在本性的深層動勢：即**自然存在效價一往無前的直綫下傾規律。**

質言之，從**存在**到**失存**，是物質演化運動不可逆轉的唯一走向。

這就産生了有關“失存”概念的**内涵**問題：存者何所“失”？失者何所“存”？

第二十四章

嚴格地講，“滅亡”一詞不如“**滅歸**”一詞用義恰當，因爲通常所謂的滅亡事件無非是指某一存在物向另一低級層位上還原或回歸，這個歸原的幅度未必一定要回落到所有存在層次最原始的基點上，它可能復歸于任一中間層位，然後從那裏重新“生長”。【譬如，生命死亡或物種滅亡，其肉身尸體并没有徹底失滅，而是重歸于有機分子（軟組織）或無機分子（骨骼），某些分子物質也可能解離爲原子或亞原子存態，是謂“滅歸”。任何實體結構都有滅歸的自然節點，整個物類或種系鏈條的生滅頻率傾向于不斷提高，表達着存在效價的持續衰減。】

從表面上看，“滅歸”無疑是“演化”的逆動過程，然而**它畢竟不是演化的另一指向，而是演化的臨時告竭**。

因此嚴格説來，**自然演化運動是不可逆的**，“逆”則造成演化的中止，而絶不是演化的轉向。换言之，滅歸過程不能被視爲**演化過程的辯證逆轉**，反而衹能視其爲**演化過程的變態繼續**。

誠然，滅歸者到底衹能**失存**于**存在**之中，或者説**失存**于**衍存**之内。因此，似乎可以認爲，存在永恒不失，即存在絶對地存在着。可這不失的“存在”衹是一個空洞的抽象，而具體的存在却因此反而無從衍存。【“衍存”乃是指**衍化遞進的動態存在**；“存在”乃是指**表象平面上的静態衍存**。前者是**具體的存在**；後者是**存在的抽象**。】

所以才説**存在是一個不間斷的流程**（一如柏格森所謂的“綿延的存在”），或是**一個本質上具有某種無差别動勢亦即同一規定性的流程**（一如達爾文所謂的“自然界裏没有飛躍”），而“流程的存在”或“存在的流程”無非就是代償衍運的存續，它可能因遞弱而流失，但“失”也失之于“存在之流”，于是它得以永存，或曰“**實現爲相對存在**”。

基于此，可知任何滅歸現象都是相對存在的轉化形態，却不是代償演運的轉化形態，毋寧説，它祇不過是某一狹隘系統的代償終極形態。由于小至一個原子或分子，大到一個天體或星系，相對于整個宇宙或整個存在而言都祇是一個微不足道的存在質點而已，因此，從整體的角度來看，所謂“存在”本身依然是豐滿的、制衡的，并在前述那個有限的衍存區間内流變不止地存在着。【我們所處的這個從大爆炸中生成的“宇宙”，大抵也祇是一個“存在中的質點”或“存在流的段落”亦未可知。從邏輯上講，似乎總得有一個“終點”與“起點”相交的契機才能“自圓”（“辯證”之于“邏輯”的規定即見于此），然而**妄猜是無濟于事的**，須知正是由于無可自圓才令人類這種妄猜者得以衍運而生。也就是説，在“我輩”尚未過渡到“非我”的失存境界之前，最好不要一味地追求圓融，盡管這實在是一種發自“前我”的**情不自禁的衝動**，也須有所克制爲宜。】

第二十五章

綜上所述，一統的、簡單的、堅實的本原存在或始基存在隨着自身存在效價的分度遞減而流逝，隨着代償效價的分度遞增而變態。自始至終，存在是同一的存在，是前存的包容，由此達成所謂“單子的原存”及其“預定和諧系統”（萊布尼茨語），亦即由**存在的同一性**達成**衍存的統一性**，盡管處于不同分**度**上的存在者總是**不自覺地視其他存在形態爲异己**。【萊布尼茨對其“單子”的闡釋來得有些過于倉促或過于先知，因而不免失之牽强，其實，那個“不可分的點”（在他看來是非物理的，在常人看來是物理的）究屬何物，人類迄無所知，而且幸好如此，須知正是諸如此類的種種無知表明：人類自身的弱化進程尚未發展到難以爲繼的盡頭（此解見于卷二、三）。】

由此可以推知，**存在内容**與**存在形式**的統一是在**存在程度**或**存在度**上的統一，是**遞失的存在效價**與**相應的代償效價**的統一，盡管在表象上總是呈現爲**質料類别**與其**相應形態**的統一。

由此可以推知，一切**存在類别**（kind ）的差异歸根結底都是**存在程度**（degree）之差异的産物，即存在的統一性首先在于整個存在系統縱向分化的有序性上，而不在于其横向分布的龐雜紛呈。**從存在的本質上講，世間萬物根本没有“類别”之异同，衹有决定其“能否存在”以及“如何存在”的“度”之异同。**【萊布尼茨對此亦有定論，雖然他當時尚無法澄清造成“度之差异”的原因和規律。他甚至企圖尋求一種能够表達這一思想的特殊字母或算術“符號”，以便準確而簡潔地徹底闡明造化之謎，儼然一派爲當代物理學設定目標的先知氣概。】

由此可以推知，物的**進化**之所以日趨精巧，乃是由于物的**缺陷**被層層代償即層層**補缺**的緣故，更是由于每一層代償都造化出另一種**放大了的缺陷**，以便**相應放大下一層補缺**的代償效力或代償效價的緣故。【而舊式進化論勢成如下之悖論：要麽，本原存在必定賦有最大的欠缺和損失，且補之無盡，然則無法解釋此項本原性的缺損和流失何從發生，以及愈原始的存在形態何以反而穩定性愈强；要麽，就必然在其發生第一步進化之後，即無從再進，然則進化之舉早告静止，進化之論根本不能成立；試問，在“圓滿”之上如何可能“增添圓滿”？這就好比説，對于一個已經畫得十分完美的圓形，你尚可添筆加墨，使之愈畫愈圓一樣令人匪夷所思。】

唯因如斯，萬物才漸次衍生而致活化，物性才日趨復雜而致動摇。

而且,唯有當物之缺憾被逐級放大到無可“實”補的地步時,它才得以將自身開放給世間萬物以求“虛”補。【此處所謂的“實”系指**硬態質料**(或“物質”、“實體”,**實質上是指“結構”**);此處所謂的“虛”系指**軟態性能**(或“功能”、“機能”,**實質上是指“屬性”**);顯而易見,上述分法并不確切,因爲任何“實補”均須借助于某種**軟態感應屬性**作爲依存媒介方可實現,而任何“虛補”最終亦須落實爲某種**硬態整合關系**作爲依存結構方告完成。也就是説,任何“實”體存在,哪怕它是最原始、最簡單、最低級的結構形態(譬如由誇克、輕子和玻色子組成的亞核粒子結構或核子結構),亦須有“虛”體屬性(譬如弱作用力、强作用力和電磁力等)作爲其結構得以達成的介導,**二者本屬一體,自成一局,衹是這“虛”體屬性不免會隨着“實”體結構的叠加和弱化而漸次膨脹罷了**。暫且這樣講(指“虛”、“實”截然劃分)衹是爲了讓讀者便于理解**精神的自然造就進程及其淵源**(也是爲了遷就前人的思路和誤解)。(詳見卷二)】

第二十六章

層次性存在度在其遞失進程上逐步達成反比例對應的高度發達的屬性代償,以至于它的**實體存在**呈現出某種漸次受制于其**虛體存在**的别致狀態,亦即非實體性代償層位消逸在“**虛無**”或哲學上所謂的“**虛存**”狀態之中,是爲**生物的智質存在**或曰“**精神存在**”。【此處之“虛無”與前述之“無”的概念明顯不同,其區别在于**代償**與**無代償**、**實現之代償**與**未實現之代償之間**。但這“虛無”同樣正是那“無”的變位存在或後衍形態,亦即是某種晚近之“有”的臨末轉化形態。嚴格説來,這種“虛無”(即“感應性能”或“感知屬性”)的存態在自然發展的理化階段和原始生物階段照例有之,衹不過偏于細微而不易爲人查證罷了。不過,一旦它發展到能够被查證或能够被**自查自證**的階段,則隨即呈現爲形而上的存態并迷失于**形而上學的禁閉**之中。(詳見卷二)】

因此,**虛存**形態其實亦是一切具體**實存**的代償形態之一,即以其**虛化的機能或屬性媒介**來維系**弱化物質的弱態依存**。【注意:把精神和意識隱喻爲或表述爲"虛存"或"虛無"是哲學史上的一種慣例(譬如畢達格拉斯的"數"、柏拉圖的"理念"、亞裏士多德的"形式因"或"形式邏輯"、洛克的"白板"以及康德的那個與彼岸之"自在物"相映照的"現象界"等等),直至薩特明言如是。據薩特説,意識總不免要面對虛無或歸于虛無。其實它本身就是虛無,是一種虛化實存的虛存,或者更準確地説,是一種實存虛弱化的虛性代償。但在既往的哲學討論中,那個"虛無"或"虛存"歷來與"存在"或"實存"總是隔閡的、對立的,而我沿用此説恰恰是要彌合它們之間的隔閡、消解它們之間的對立,因爲它們原本正是**同一存在的不同代償質態或同一存在的一系衍運産物**而已。】

至此彰顯出前述之"**代償**"概念的兩種意義或兩種形態:一乃**實存形式的代償**,亦即**分化結構上的"實體"或"物態"躍遷**;一乃**虛存形式的代償**,亦即**感應屬性上的"虛體"或"精神"躍遷**。前者是一個**在"本體"上致弱的過程**;後者是一個**在"機能"上致强的過程。**二者互爲表裏,在本質上同一,略如質量和能量在本質上屬于同一回事那樣。

至此也彰顯出哲學史上"實體"概念的分裂狀態和混亂淵源:一乃**不包含屬性的實體**,如亞裏士多德的"第一實體或"質料";一乃**失落了實體的屬性**,却反倒把屬性視作實體,如亞裏士多德的"第二實體"、笛卡爾的"心靈實體"以及黑格爾的"絶對精神"等等。通常,正是因爲迷惑于虛存代償的無形膨脹,才釀成人類思想史上對"**物質**(實體)"和"**精神**(屬性)"的種種神秘而繁瑣的論證。

最有趣的莫過于笛卡爾對二元實體的屬性之談，所謂物質實體的“廣延屬性”和心靈實體的“思想屬性”，原本是同一自然實體單憑其廣延屬性已無力存續的遞弱性自我見證，也就是**同一自然屬性從簡單到復雜的代償性擴張進程**，却被笛卡爾弄成**“膨脹的屬性”湮没了“萎縮的實體”**的見證和進程。【現代物理學認爲，在宇宙爆發之前，物的“廣延屬性”亦未必存在或未必是目前這般的“廣而延之”，就像質量大于强德拉塞卡極限的恒星發生引力坍縮（形成黑洞）時，在理論上它會使該恒星的密度趨近于無限大，而使其體積趨近于零一樣。】

君不見，“思想屬性”本身的“廣延屬性”依然處于擴展不止的進程之中？【物的廣延屬性其實受到觀念廣延性的嚴格制約，古人的天地何嘗有今人以光年計的宇宙宏闊？物的長、寬、高是觀念維度的體現，所以康德才誤以爲時間和空間僅僅是先驗的直觀形式。至于自然維度與觀念維度的規定，請分别參閱本卷第五十四章和卷二有關章節。】

第二十七章

顯然，**虚存壓倒實存**乃是自然實體自身趨于傾圮的産物。

也就是説，**虚存的擴展式顯現**表達着**實存的虚弱性或弱化度**，它還直接體現着某種趨向于**“僞在”**和**“危在”**的自然動勢——因此它就是那個**傾圮之勢**本身。

所謂“僞在”并不是“非真實的存在”之意，而恰恰是“真實的存在”（“實存”或“實在”）自身正在失去其真正堅實的存在性之意。堅實的存在性（指高存在度的原初始基存態）被不堅實的存在性（指低存在度的後衍代償屬性）所取代，而不堅實的存在性居然可以發展到標榜獨立的程度，且自以爲自己是最真實、甚至是唯一真實的存在（如柏拉圖認爲“理念”的恒穩性高于實物，由以證明“理念是存在的本原”；又如笛卡爾的“我思故我在”；以及貝克萊的“存在就是被感知”等等），是爲“僞在”。它與“虛存”是同一種存態的不同存在階段，是繼實存支配虛存之後，**虛存反轉過來支配實存，且必須在某種程度上扭曲實存的那樣一種特定存在狀態。**（詳見卷二及卷三）

所謂“危在”，望文生義即可。但特別應該留心更深一層的意蘊：即在虛存支配了實存的“僞在”階段之全過程中，僞在方式將繼續不折不扣地貫徹遞弱代償衍存法則，也就是在同一實存載體之上進一步削弱該載體的存在度，并相應擴展其業已分外囂張的屬性代償，雖然此種代償的質態會另具特色。而且，**造成上述更其危化的存在形勢之禍首，正是那依賴于實存載體的虛存屬性本身**，是爲“危在”之狹義。（詳論亦見于卷二、三）

依據**僞在**和**危在**之宗旨，才可以將這種支配着實存的虛存本身也視爲一層相對獨立的“存在”，故此，我在後文中仍然沿用“精神存在”、“智質存在”等詞項。但讀者切不可忘記既往之哲學對這些詞義不加考究所造成的麻煩後果。

在遞弱演化的自然進程上，虛存代償對于維系摇摇欲墜的存續日顯重要，這是由于**自爲存在者**的**自爲性**——即**復雜到超越于實體之上的屬性代償**足以構成某種**自覺的虛存**即**僞在**態勢——正是其**特定存在性**（或“可存在性”）的基本憑借和直接體現。

從這個意義上講，**生物的智質存在和精神存在是宇宙演化系列的臨末代償屬性或極端代償形態**，而生物，尤其是其最高發展階段的智性生物大概是自然本體存在度趨近于零的可悲載體。【海德格爾的“此在”就這樣“臨場”（“Anwesen”，海氏用詞）了，而且一旦“臨場”當然就呈現爲“敞開的”、“澄明的”狀態，衹是不知如此一尊“在場者”怎麼竟變成“存在”的“本體”或“存在主義”的“人學本體論”。】

總而言之，**表現在人類身上的最完善的生物能，無非就是自**

然存在度趨近于至弱階段的最高代償屬性或最後代償方式而已。【説到這裏，讀者已不僅可以正面回答萊布尼兹那驚人的一問:“爲什麼存在者在而無却不在?”（須知此前的哲人們大多不能從本體論的角度正面回應這一問題，于是要麼回避之，要麼迂回到認識論的角度上虛與周旋。）而且，如果能够耐心地研讀下去，讀者還有望進而明了既往的哲學家連問也未敢直問的問題 :“爲什麼一切存在者——包括人類本身在内——非要如此這般的存在不可?”（須知這個問題非但涉及一般存在者的存在本質，尤其涉及人的存在本質，而這正是哲學得以成爲一門重要學問的落脚點。）再者，倘若萊布尼茨此處所説的“無”不是指老子“有生于無”的那個“尚未代償顯化的潛在的‘有’”，而是指某種虛構的“絶對的無”，則本書同樣給出了明確的回答 : 即“有限衍存區間”的“存在規定”，亦即是指“有限衍存區間之外的存續落空”（詳論見于本卷第三十四章)。】

第二十八章

至此,遞弱代償的自然演化達成了“存在”的無上“善果”——即達成了**追問存在方能存在的自覺的存在者**，或者反過來説也一樣,即達成了**不問存在就不能存在的不自覺的存在者**。他的“完善”與他的“弱質”等價,他的“弱質”又與他的“殘質”等價,于是,所謂“完善”就與“殘弱”無异,或者更準確地説,“完善”不外乎是“殘弱”的形態,而“殘弱”亦不外乎是“完善”的本質。

殘弱者，存在效價或存在度的低度體現者 ;

完善者，代償效價或代償度的高度體現者。

作爲前者，他不得不最大限度地依賴于其他存在，直到**依賴于所有存在**，否則即不足以維持其“自在”;

作爲後者，他因此而最富成效地過問于其他存在，直到**過問于所有存在**，否則即不足以實現其“自爲”。

無論如何，從“存在”或“**落實爲存在**”的根性上講，他無疑是最不優越的存在者，也就是最缺乏存在資格或存在權力的存在者。

在這裏，亞裏士多德的“隱德來希”（希臘文entelecheia的音譯）一開始就無由存在，而且是越來越無由存在。也就是説，任何“完善目的”的“最終實現”一概都不能成立，而且是越來越不能成立。【無論是“神”的“至善”（亞裏士多德語），抑或是“上帝死了”之後的“人”的“完善”（尼采語）均是如此。因此，十九世紀末，尼采對“人的超越”所抱的妄想，着實可以看作是西方哲學史所誤導出來的曲解人性的最大碩果。順便點評一句，亞裏士多德繼承古希臘先哲關于事物變化緣故之探討所提出的“四因説”，實屬皮毛之見，盡管起始于米利都學派的“質料説”最終導出留基伯與德謨克利特的“原子論”，而起始于畢達格拉斯的“形式説”最終導出柏拉圖、歐幾裏德以及亞氏本人對“邏輯形式”的研究，此二者後來恰好構成近代科學與當代物理學的前沿課題（即“物質探源+數理邏輯”），但今天已成定論的“萬物同質説”（萬物皆由誇克和輕子構成）使得“質料分别”觀念全無立足之地；至于亞氏所謂的“動力因”和“目的因”，此二者當時就陷入浮淺之談或迷茫之境；唯有此書之所論，將有望歸并紛紜的“四因”爲終極之“一因”，并徹底澄清“萬物同質”的“質”究屬何物，以及“萬物一系”的“動力”和“目的”身處何方。】

反倒可以説，亞裏士多德“追詢存在”的“主善”論和尼采“改良人性”的“超人”論，以及人類永無止境地追求真理和追求理想的**意志本身**，都是原初那個在追逐圓滿中收獲殘缺、在求取自足中實現自失的自**然物性或物自性之繼續貫徹和特定焕發方式而已。**

第二十九章

基于上述，追本溯源的話，則**這個世界在本原上一定是極簡單的，而且偏于完善一些。**

所以，（果如萊布尼茨之預料，）愛因斯坦認爲整個宇宙的物理存在可以簡約爲一個方程或一種作用力。

也所以，舉凡在“始基存在”上做文章的思者，終于都會無話可説或無話亂説，因爲理論上它可能簡單（也就是“完滿”）到幾乎没有任何屬性的程度，而没有屬性的存在物是無可認識或無可表象的（詳見卷二）。【宇宙物理學上的“奇點”未必就是“存在的始基”，却已成爲既無“時間”亦無“空間”（即連“廣延屬性”也没有）的不可言説的物理對象。】

一切最高深的學問因此一定是最簡明的學問。【頗像最高深的宗教是無話可説的“禪”一樣。】

世界的復雜是由于造成衍存（也造成復合存態）的代償分化的復雜；是由于衍存層次的隔膜以及衍存與原存之間愈來愈遥遠的背離；也是由于人自身的復雜及其相應的存在（或生存）方式的復雜所致。【這就是康德第二組二律背反命題的題解。】

復雜的形式直接就表達着柔弱的本質。

而簡單就是堅實，就是深刻，也就是相對完善和源遠流長，因而成爲存在的基本形式，并顯現爲最高的美。

于是，盡管這個世界有一種不可遏制地超越于**簡一而存**的**潜能**——即從簡到繁、從堅到柔、從滿到殘、從善到惡的内在動力，這個動力或潜能就是自然存在性中“entelecheia”的付諸闕如，以及由于此項闕如所造成的反動于“entelecheia”的自衍趨勢——却在其每一步超越中都頑强地貫徹着這個**簡約原則**，一直延續到生物乃至人類的感知邏輯運動和社會發生進程之中亦不罷休（比如世稱之“奥卡姆剃刀原則”等等)。此乃後話，于玆不贅。

第三十章

簡單而偏于完善的本原因此同時是某種**自性不足而又不甘于不足**的**原存之性質**，也就是説，重要之處不在于那個作爲“原存”的**始基質料**是什麽，而在于**導致原存不能保持爲原存**的**根本因素**是什麽，這個**導致原存不成其爲原存**的**存在性質**就是所謂的“存在”(即可以被感知或可以被容納于觀念中的多屬性衍存物)之**元因**，也就是哲學史上久覓而無踪的那個**“第一因”**。

如前所述，這個“第一因”也就是演成整個存在的**唯一因**，因爲它的特點正像所謂的“神”一樣是一個**自身永遠最顯完善的缺憾**。

從較爲完善之“因”推演出較不完善之“果”,“因”的强大和實在可見一斑。質言之,“因”偉大于“果”，故此足以成就“果”，而無需任何“因”以外之“外因”作爲助力。因爲那“因”就是存在本身，或者説就是那**不足以存在而又不甘于不存在之存在因**，而那“果”就是**存續**之果，即亦是**存在本身**或**不存在就要威脅到前因**的**自存之代償**。凡被視爲“外因”者，皆由于那視者的狹隘,竟將連續而完整的存在本身或“存在因”(亦即“存在性”或“物自性”)弄得支離破碎。故曰“自因”(或“内因”，而“内因”終不如“自因”一詞的用意確切)。【休謨最早提出，因果聯系純屬知覺印象在時空排列上的習慣性誤解，即表現爲恒常性的前後相隨事件之間未必具有客觀上的因果主導關系，這是相當精辟的洞見。但休謨没能揭示因果動勢的深刻内涵和自然本質，反倒借此索性否認了外部世界的衍存序列，從而使知覺現象本身及其邏輯運動規則全都成了無可追究的人性特質。透徹地講，**“因”衹是一個代償分化流程**，這個分化流程使得後衍依存條件發生不間斷的倍增效應，亦即使後衍事物逐步陷入多因素交織的遞繁聯系和復雜影響之下，結果導致任何局限性的因果分析終于一概不能成立。】

再論之,所謂“**自因**”,就是**存在之所以存在的“自主”態勢**，也就是存在者“**不由自主**”地必然趨于遞弱發展的**“自涵”動因**，雖然，彷佛是這個動因造就了相應代償的某種結果，但那個結果其實仍是同一動因的繼續貫徹和自我表現,因而本質上没有“因”與“果”的分别。换言之，不是“因”轉化爲“果”以及“果”又轉化爲“因”，而是**“因”即爲“果”，“果”即爲“因”**。故此才説，“自因”一詞終于又不及“自性”（或“物自性”）一詞用意確切。【所以,一般有“因”必有“果”,但“自因”却無須“自果”的措辭與之相對應。】

基于此，則進而還應糾正一個錯誤，即通常認爲“果”依賴于“因”而存在，“因”則無須依賴于“果”，因爲“因”早已是“成熟的果”，其實不然。須知正是由于“前因”之不足才導致“後果”來爲之代償,否則既不會有“後果”得以衍生,“前因”亦難能自存,【一如没有分子的話，則外殼層電子不圓滿的原子就衹是一個理論上的抽象；或者倘若没有社會，則生存性狀漸趨殘化的生物以及人類勢必無可衍存（詳見卷三）。所以才有“存在之所以存在”之説,和“不存在就要威脅到前因（即“前體存在”）”之説。】

斯賓諾莎正是從這個“自因”（causa sui）出發，認定一切存在都是被决定的,或者説是**自己决定自己的“必然”**,是爲**“自由”的必然**。這個“自己由自己”的“必然”當然成爲鐵一樣的“**决定論**”，因爲**自己對自己是無可選擇**的。即是説，**自己作爲自己原因**的**自由**正是**必然性**的規定之所在。【此項“自由”之概念其實是在談“必然”之概念，二者本質上屬于同一範疇（暫且限于消解康德第四組二律背反命題的狹義而言）；與後文中之“能動性自由”、“社會性自由”等涉及康德第三組二律背反命題的概念有所不同,但又有相通之處,相通在由“自由的物理性必然”演進爲“必然的生物性自由”(消解康德第三組二律背反命題)。】

由無可選擇的“自因”導演的“决定論”,説到底,就是在**物自性**或物的**存在性**這個最根本的基點上被“决定”。質言之,就是**自然存在“决定”讓自身繼續存在下去這樣一個簡單的規定。**

這就是**遞弱代償衍存法則**的嚴峻性所在—— 一個**徹底立足于存在**的規律,或**自身直接就是存在本身**的規律,因而是**宰制一切規律的規律。**

第三十一章

因此,“存在是一”(巴門尼德語)。這“一”既是天衣無縫的**一體**存在,更是連續無間的**一統**存在。【在巴門尼德那裹,這還衹是一句囫圇未展的隱喻之談,就像一粒自閉的種子,一旦發芽生長才顯出歧枝蔓延的另一番景象,即便是巴門尼德本人,衹要他的思緒稍有萌動,立刻就呈現爲初葉分蘖的异端(參閱本書卷二第六十三章)。自此以還,整個哲學史再也没有能够真正回歸到“一”的本原思境之中。】

換言之,**存在的統一性**就在于它**以遞弱代償的方式存在着**。【凡是割裂形態的存在,都是觀念形態的存在,而且是疏淺的觀念存在。譬如物質實存與精神虚存的對立、唯物主義與唯心主義的妄争、自然學科與人文學科的隔離、以及諸如T·H·赫胥黎所謂的“自然過程”與“園藝過程”的分野等等。甚至應該説,就連割裂形態的疏淺的觀念存在本身,都是觀念載體的代償性存在方式或代償性存在階段而已。】

既然存在是一統的存在,就不要爲弱化的衍存以及衍存的弱者悲觀，因爲**弱勢的衍存正表達了存在本身的强勢**——即宇宙存在無論怎樣艱危都要堅持存在下去的那樣一種强勢。而且，正是由于弱化的衍存進程才造就了可樂可悲或忽樂忽悲的“詩意的栖居者”（海德格爾語）【所謂“詩意”，其實就是至弱者對其弱性的無意識抒懷，樂其爲弱性所成就，并繼續有所成就；悲其爲弱性所困擾，且無法克服此困擾。至于哲學上或科學上針對人的衍存及其前途所發生的“悲觀論”和“樂觀論”之辯，却未免失之于無知和無聊，無知在毫無任何學術意義可言，無聊在毫無任何實踐意義可言，因此最好把這類吟唱留給詩人們——以及感情富餘而哲思貧乏的“詩哲”們——去浩嘆。】

也就是説，**存在的弱勢就是存在的締造，而存在的締造就是存在本身**。所以存在的方式是不可變易的，正如存在本身是不可變易的一樣。

從**締造存在**這個角度出發，弱化就是强存。它“强”在如下各項意義之中：

a. 非遞弱而代償之，則無**存在**可予存在；

b. 非代償而衍運之，則無**弱存**可予賡續；

c. 非衍運而維護之，則無**存續**可予綿延。

故此，如果把整個存在體系視爲單一而完整的實體，則弱者不弱，强者不强；或者説，弱者之弱，正爲强者之强。

第三十二章

誠然，作爲“一”的存在是無所謂强弱的，但作爲“一”的存在于是也就無所謂“存在”，因爲我們所説的“存在”必是分化開來的存在，再透徹一步講，即必是能够代償分化出使其屬性復雜到令被**感知者足以被感知**以及令**感知者足以感知**的那樣一系列存在，存在才有了“存在”可“言”。【可見“感知”與“被感知”都是在感知屬性尚未發生以前就已被規定了的東西，其深刻的程度遠非既往之哲學可以説明。而對這“感”之屬性哪怕“知”之不明却已經可“知”進而可“言”者，即構成“哲學”的開端。這可以言説其“感知”的存在者就是哲學上的“主體”，而可以被言説的“被感知者”（不管它在主體的表象中呈現爲怎樣的“感知樣態”或“感知形態”）就是哲學上的“客體”。有關主體如何對客體發生**感知關系**的問題請讀者參閱本書卷二中的論述，有關**前主體**及**前客體**如何從**與感知無關的過程**中發生**衍存關系**的問題才是本卷關注的主題。之所以先討論衍存的主題，乃是由于這個歷來被忽略或被搞錯的**衍存關系**規定着**感知關系**的緣故。】

因此，祇有把這作爲“一”的存在之**存在性**解析開來，才能知道自然存在如何得以成爲**一系存在**。【辯證法的思辨也在“分解”以至“對立”中尋求統一，但它是將有限的存在事先設定爲“絶對的無限”（即“絶對精神”，這才是真正的“惡的無限”），然後又在更爲局限的觀念中進行的一種邏輯思辨活動。所以，黑格爾開宗明義地限定，他的辯證邏輯僅僅屬于“純粹理念”的精神運作，其深邃的哲學感正見于此。後人把這一邏輯運動形式硬要移栽到觀念以外的物質運動中去，無异于抽换了辯證法的合理基礎，須知正是從所謂“唯心主義”的觀念源頭出發（即捨弃掉觀念發生以前的存在過程或衍存階段），才成全了黑格爾辯證邏輯的統一而完美的抽象體系。問題的關鍵在于，黑格爾及其唯物主義的繼承者們都不明白，觀念存在與物質存在的統一性并不在于前者對後者的“反思”或“反映”的同一，而在于其**代償性**的聯系，且**“代償性存在”之統一**恰恰要通過**“反思”或“反映”上某種程度的不同**來實現。（卷二討論）】

也就是説，存在的統一性——包括物質存在與精神存在的

非對象之統一性以及**對象化之非統一性**——蓋源于**存在性**的統一規定性。

如前所述，**"存在性"是存在之所以存在的唯一規定性**，亦即是統一存在體系的唯一存在機制，它由**存在度**的遞減和**代償度**的遞增所合成或保持的**存在閾**來實現存在得以存在的一貫效價：

存在度——存在效價的具體指標，它決定着任一存在者的可存在度或穩定度；（在有限的總體存在度分布區間裏，愈原始的存在形態其存在度愈高，反之則愈低）

代償度——代償效價的具體指標，它決定着任一衍存者在不可避免地損失其存在效價之同時如何維系存續的質態；（因此它也就成爲貫徹存在效價遞失進程的唯一方式）

存在閾——閾效價的一貫指標，它決定着任一存在者或衍存者能否實現爲存在；（即成爲令其存在或令其失存的統一尺度或同一基準）

顯而易見的是，上述三者之間無疑存在着某種嚴格制約的互動關系或演動機制。

由此構成存在性之内核。

第三十三章

分析存在性須從**代償**談起。因爲存在度是深在而隱蔽的自失性基礎，而存在閾又是一個對其所失給予自補之後的上層建構，于是"代償"就成爲聯系二者的中間環節和機制載體。

從表面上看，所謂"代償"似乎與既往哲學上慣用的"轉化"一詞頗爲雷同，然而，"轉化"的詞義僅僅涵容着"演變存續"的意味，既不足以揭示宇宙物質在其有序發展的進程中如何演變的規律，也不足以闡明自然體系在其存在穩定性遞失的流程中如何存續的機制，結果造成人們對諸如精神存在和社會存在等重大課題的深刻困擾，甚至造成人類對自存本質及其行爲後果的茫然無知，一言以蔽之，這相當于拿一個没有**矢量**内容的空洞物理概念去求證物體的運動規律一樣荒唐，因而不免造成人類整體世界觀的嚴重誤導。【物理運動涉及物體的空間位移或機械運動的外部形式；哲學運動涉及物質的本性嬗變或資質演變的内部規定。前者引入有關“矢量”的概念和參數是近代力學物理得以確立的前提；後者迄今找不見它的“向量”關系和演動參數，大概正是哲學作爲一門學術尚處于粗淺境地的具體指徵。】

其實，“代償”與“補償”倒略有相似之處，這就是二者都具有某種定向衡量的特徵，即損失的量值愈大，追補的要求相應也就愈大，而且，“補”與“失”的方向同一，否則，固有的平衡就會喪失。所謂“固有的平衡”，在這裏是指**存在**要保持其**不至于失存**的那種態勢。也就是説，**代償**是一個含有**演變運動矢量**的哲學概念，它既有**演動向度**（“矢”）的深刻規定，又有**演動量度**（“量”）的内在要求，其間隱藏着極其微妙的**互補原理、等效原理**以及歸根結底的**非等效原理**。

——所謂**“互補原理”**，系指存在效價之所“失”必爲代償效價之所“償”予以**遞補**，縱然這樣補充上來的代償效價本身尚有某種**效價十足和效價不足的兩重性**問題存在；

——所謂**“等效原理”**（或“**等價原理**”），系指代償效價之所得必**等于**存在效價之所失，補之不足則會導致存之失存，而補之過量又會導致存之恒存，前者使“存續”不可能存續，後者使“存續”無所謂存續，因而**等價**是**存續**得以成立的前提；

——所謂**“非等效原理”**（或**“非等價原理”**），系指衍存所得之代償效價終于**不能等于**原存所失之存在效價，倘若完全等價，則演化遂即成爲無意義，因爲“演化”及其“衍存者”無非是存在效價分“度”流失的產物，因而**不等價**亦是**存續**得以成立的前提。

也就是説，代償效價存在着**真實效價**和**虛假效價**的奇特分別，這種情形與量子物理學上的光子既具有“粒子性”又具有“波動性”，即呈現出“波粒二相性”那樣的佯謬狀態頗爲相似。

這就有必要對**存在閾的内涵及其關系**再予考察。

第三十四章

存在閾是一個同時涵蓋**存在度**和**代償度**于一體的**度量**概念。如果存在度的遞減可以根據自然衍存物的穩定性遞失現象獲得確證，如果代償度的遞增可以根據自然衍存物的結構遞繁和屬性遞豐等對應現象獲得確證，則有關存在閾守恒的理論根據自必成立：

前者以潛隱的“内性”或“本性”規定了**存在的基準**；

後者以開放的“外性”或“屬性”實現了**基準的存在**。

如果没有存在的基準，則**後衍者**的**屬性**無須作爲**自爲的手段**而豐化；

如果没有基準的存在，則**原存者**的**本性**無須作爲自**在的自然**而立本。

這個既體現着**立本**又體現着**豐化**的**“存在基準”**就是**“存在閾”**。

顯然，這其間暗含着“本”和“末”的位置關系，也暗含着存在效價對代償效價的定量尺度。換言之，所謂代償效價的“度”的規定或代償演化的“矢量”規定即借由存在閾而得以顯現。因此，自然存在對存在閾（*Ts*）的設定必然藴蓄着兩項前提：

A. 從**動向**上看，存在效價必趨衰變而代償效價相應遞補，亦即存在效價一般表現爲**自變遞減量**，代償效價一般表現爲**因變遞增量**，代償效價（*Cd*）是存在效價（*Ed*）的**單向反比綫性函數**；

B. 從**動量**上看，代償效價（*Cd*）的增量不可能大于存在效價（*Ed*）的減量，亦即存在閾（*Ts*）作爲一項**常量**是**以上兩項具有函數關系的變量之和**，由此形成宇宙萬物得以存在的基本强度或基準閾值；

即：$Cd = F(Ed)$

$Ed + Cd = Ts$

據此可以做出一個簡明的物演坐標示意圖（亦可稱其爲“自然坐標”或“物質坐標”）：

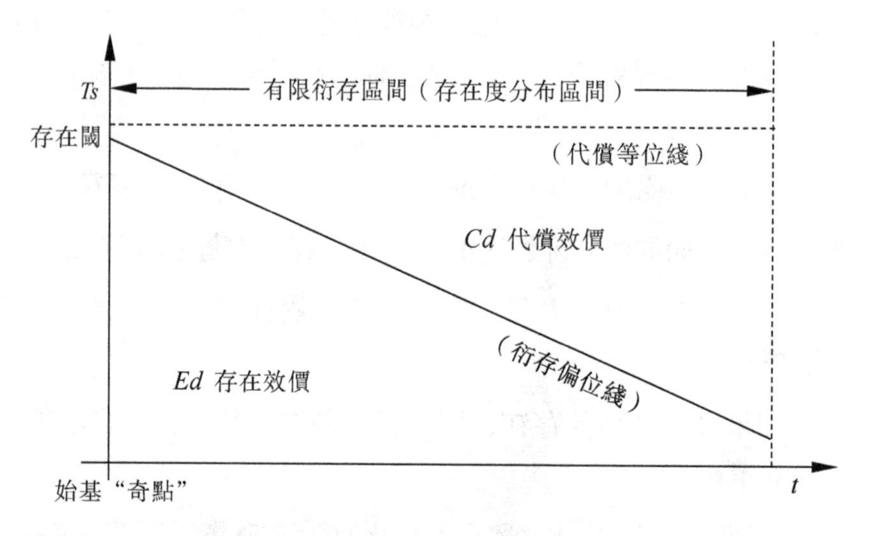

t ——時間或前時間的衍運維，亦即演動向度之指示；

Ts ——存在閾，亦即演動量度之指示；

Ed ——存在效價或存在度；

Cd ——代償效價或代償度；

在這裏，“**物質**”的概念有了別樣的意蘊，即與前宇宙的“能量”概念以及看似超自然的“人物”概念一體銜接；“**自然**”的概念從此也才真正回歸于老莊義理中平滑狀態的“自然而然”之原意。尤爲重要的是，這裏給出了一個**“非時空的物演限定區間”**。所謂“非時空”，系指人類古代的宇宙觀念就是時空觀念（如中國先秦尸子雲：“四方上下曰宇，往古來今曰宙”；再如古希臘芝諾的“飛矢不動”之證明等），即被康德明確地稱之爲“先驗直觀形式”的那種時空觀念，康德的論證是不錯的，此後人們的時空觀不斷變化（先是牛頓的絶對時空觀、爾後是愛因斯坦的相對時空觀、再後是弦理論的9+1維時空觀等等），就證明人類觀念中的時間與空間是主觀預設的和搖擺不定的，衹有剔除了這個無法認真的意象，才能構建穩定可靠的存在觀或實在論；所謂“物演限定區間”（即顯示在卷一第十二章之衍存梯度示意圖和本章之直角坐標示意圖中的“有限衍存區間”、卷二第七十章的“有條件衍存區間”、卷三第一百二十五章的“殘弱化衍存區間”、亦可總稱爲“存在度分布區間”），系指既往一切思想家所曾討論過的“無限”、“有限”或“限度”（包括拜物圖騰時代、神學時代、哲學時代以及科學時代的全體思者），其意涵均爲時空範疇的物理位移之描摹與設想，基于對達爾文主義進化論的宏觀補足與量化修正，本篇所闡發的學理架構才在物系運動的內質演化上真正突破了外在機械論觀念的窠臼，從而建立起一個賦有全新涵義且不可逾越的“物存限度”之宇宙觀或世界觀；于是，全句組的總旨可概括如下：**無論是保留還是抽離時空背景，或者，無論人們怎樣變革時空觀念，宇宙物質的衍存系統（即“存在系統”）及其演化運動（即“物相動遷”）都衹能在這個有限區間內單向定量分布。**這表明，任何存在者之存在或存續不僅有一個時空外延上的限制，而且還有一個更具決定性的非時空內涵上的限制，甚至可以說，那個所謂的“時空存在”或“時空分布”,其實不外就是此種“非時空衍存”或“存在性規定”的展開方式罷了（參閱本卷第十三章與第五十四章）。【馬赫的其他觀點姑且不論，他主張用**函數關系**的概念取代**因果關系**的概念確有一定的道理，其道理在于函數關系有利于超脱“觀念時空”的狹隘制約。但函數關系的運用必須深入到物的內

在動勢中去，否則它完全可能像一般的因果陳述一樣照例衹是經由感知或邏輯割裂了的物的表象聯系。】

【附注：需要特別强調的是，本文僅僅屬于哲學表述。依據羅素的説法，哲學所追求的是提供一套統一體系的知識，用以批判既有的成見、偏見和信仰的基礎，哪怕它尚不具備確定性或精確性，此乃哲學與科學的重要區别。（見《哲學問題》第十五章〈英〉羅素著）换言之，當哲學面對某一系統性問題及早給出求索和解答時，該問題的呈現狀態尚不足以提供所有相關細節或具體參數等信息量，是爲哲學洞見的前瞻性所在，例如古希臘時代的"原子論"與當代原子物理學和粒子物理學的關系。

因此，我在本章節中所擬出的絶非數學或物理學意義上的精確坐標系，而是一個尚無法代入任何參數的坐標示意圖，它粗略到這樣的程度，以至于連存在效價的衰減是否呈綫性運動形態都無法確定。我之所以采取直綫圖例，是借其簡明性和概要性而爲之（通過"坐標變换"也大致可以統攝下述各種情形）。它很有可能是如下的抛物綫形加速動勢，甚至是某種更復雜的非綫性演運狀態也説不定，盡管我所闡述的那個"**從奇點能量存態爆發爲宇宙質量存態的自然總體衰變趨勢**"不容置疑。諸如此類的問題，包括其參數設定方式等等，我們顯然衹能期待後人了。

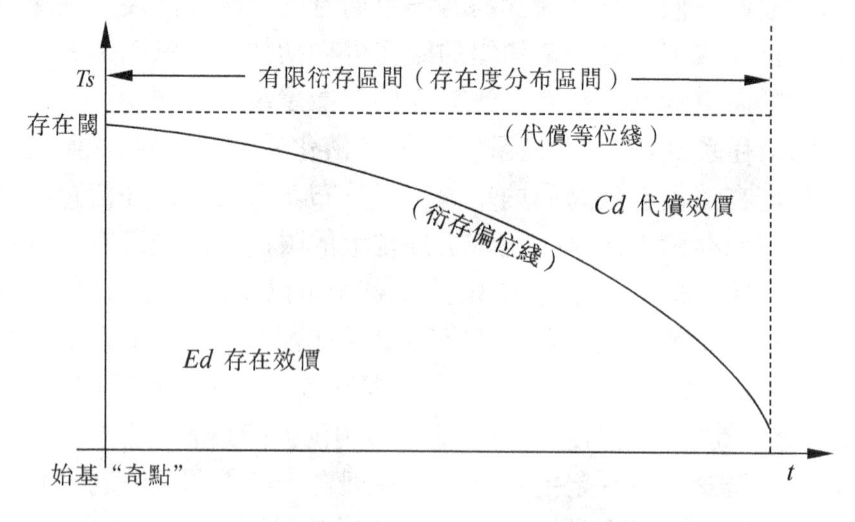

再者，我在本卷第九章中曾經專文説明，既然以"奇點"

爲代表的屬性發生起點乃是存在度的最大值，那麼，嚴格説來，在直角坐標圖上，該系統就應當伸展于第四象限（詳解請復讀第九章），即爲：

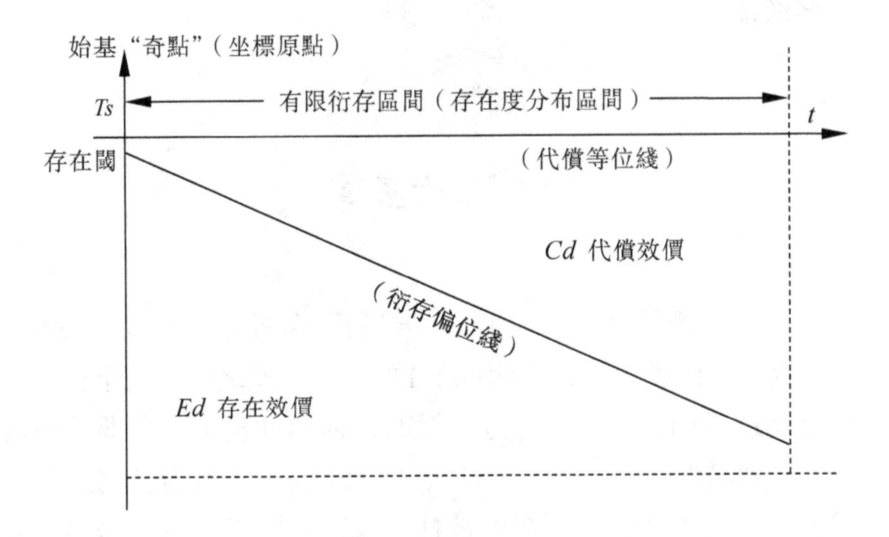

或者，如果仍需將其表達爲拋物綫形運動狀態，則它在坐標第四象限的圖示如下：

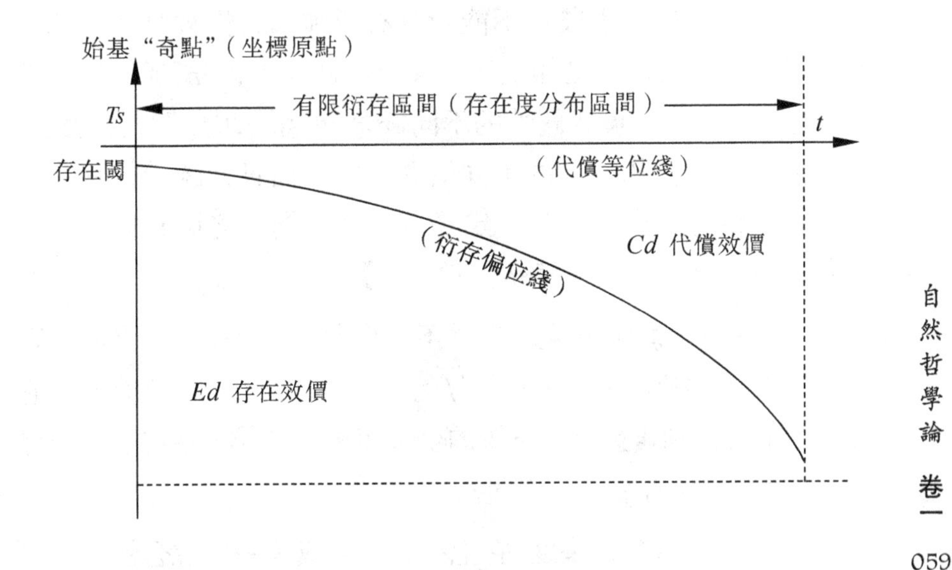

以上諸此圖例，同樣適用于本書第二卷第七十章和第三卷第一百二十五章的圖示擴展涵義，屆時不再復述。

最後我重申，這些繁亂的坐標示意圖僅僅是爲了闡明存在度、代償度與存在閾之間的内在動態關系，它們的精確概念并不能在此類圖例中完全顯現，故而提請讀者務必着重于前後的文字釋義才是要領。】

第三十五章

上述坐標示意圖中的所謂“奇點”在哲學上可以表述爲：當“存在”尚處于存在度趨近于1的存在狀態之際，由于代償性分化幾近闕如，存在本身近乎**没有任何屬性發生**，亦即近乎没有“可認識性”或“可現象性”，因而乃是處于没有任何形容詞或摹狀詞可予修飾或闡發的那樣一種存在狀態之中，是謂“奇點”。【注:“奇點”是移借于現代物理學的一個概念,在這個“點”上，任何感性直觀或邏輯推導、包括數學和物理學上一切可用的演算方法和檢測手段均不能對其有所涉獵，從哲學認識論方面着眼，根本的道理已如上述。又，在此顯示，“認識”與“認知”是兩個具有代償相關性的不同概念,正如“現象”與“表象”是兩個具有代償相關性的不同概念一樣。而且，認識過程一定濫觴于屬性分化過程，且一定是分化了的屬性之間必須發生耦合關系的代償産物。(詳論見于卷二)】

横軸t表示**演動向度**，它并不僅僅是一個空洞的時間流程，而是借以概括第十三章中從a到f的總體演化態勢，也就是説，它包括從**前時空**到**質量時空系統**的**全部宇宙衍運維度**或**物態衰變區間**(坐標縱軸與右端虚綫之間)；

縱軸Ts表示**演動量度**,它把存在閾給成了一個**綜合性的“閾效價”**，即從坐標横軸到存在閾平行綫（上端虚綫）的垂直高度就是**閾效價的恒定值**；

這個**恒定值**之所以不是一個**表達常量的點**（奇點被表達成整個縱軸，閾常量被表達成閾平行綫），乃是由于自然存續的進程把它**從最初的一個點延展成了一條代償等位綫**，所謂“等位綫”，就是一切存在物**既不能有所超越也不能有所缺失**的**普適常數規定**，或者説，是一切存在物實現其存在的**等位效價**或**等位閾**，故謂之“存在閾”；

而這個表現爲平行等位綫的“閾效價”，其實是由坐標中的那條**下傾偏位綫**（呈直綫或拋物綫）所分隔開來的**上下兩種效價共同合成的**，所謂“偏位綫”，就是一切存在物**既不能保持恒定也不能逆向運動**的**基礎變量規定**，或者説，是一切存在物實現其衍存的**必然偏失**，所失者，“存在效價”是也；

所以，偏位綫以下的面積（*Ed*）代表**自然總體存在效價**，其演運形態**呈遞減趨勢**；相應地，偏位綫以上的面積（*Cd*）代表**自然總體代償效價**，其演運形態**呈遞增趨勢**；二者之間的**反比互補動勢**構成了**等位閾效價的内部關系**。

第三十六章

有了存在閾這個恒定的基準，代償效價就成爲可以測量的函項參數，即從存在度下傾綫上取任意一點向上做垂直于存在閾平行綫的綫段，其反映在坐標縱軸上的長度，就是處于該存在度位點上的存在物所具有的代償效價或代償度的測定值。

從上述測量關系中可以更清楚地看到**失存**與**代償**的真切含義：

a. 針對具有具體存在效價或存在度的存在物而言，代償效價或代償度不足就會導致綜合性的**閾效價不足**，即呈現爲必須在**閾下尋求存在**的狀態，于是不得不回溯到存在度較高的位點上去，以彌補代償效價之不足，從而達成**閾效價的復原**和**閾存**

在的退“位”實現，是爲“滅歸”的内部相對構成或源于代償度不足的一般形態。

由此也可以看出代償的**真實效價**之所在，故稱其爲“有功代償”。

b. 針對具有具體代償效價或代償度的存在物而言，該存在物的穩定性遞減正是自身代償性存在的產物，而且穩定性愈爲流失對代償的要求則愈爲迫切，即呈現爲存在度必然下傾的存在態勢，這種不可遏止的下移傾向如此一路發展下去，終將造成存在度滑向自身趨近于0的區間極限，從而達成**閾效價的完成**和**閾存在的無“位”可進**，是爲“非存在”的閾外絶對構成或源于存在度失滅的終極形態。

由此也可以看出代償的**虛假效價**之所在，故稱其爲“無功代償”。

第三十七章

同樣，有了表達下傾動勢的偏位綫，存在效價就成爲可以測量的變項參數，即從存在度下傾綫上取任意一點向下做垂直于坐標横軸的綫段，其反映在坐標縱軸上的高度，就是處于該存在度位點上的存在物所具有的存在效價或存在度的測定值。

從上述測量關係中可以更清楚地看到**存在**與**代償**的真切含義：

a. 所謂“有功代償”或“無功代償”的“**功**”，是將潛含在屬性中的代償之“**效價**”轉化成某種體現于存在或服務于存在的“**作功**”，亦即讓**自爲的功效**得以在存在性的構成中顯現，此種顯現仍須沿着存在閾的恒定基準進行。即是説，上述有關存在度的測定值直接就是該存在物**自在程度的參數**，由于存在度與代償度呈反比相關，因此，在存在閾的平行綫下對存在度

參數的補充值就是代償度的參數，亦即直接就是該存在物的**自爲程度的參數**。

b．隨着衍存偏位綫的逐步下移，衍存者的自在性日趨萎縮，代償性的**自爲空間**相應增大，這個自爲空間就是自爲者的**活動空間**或**行爲空間**，也就是自爲者的**活化樣態的總和**。換句話説，如果從**自在的感應性**發展出**自爲的感知性**，則這個自爲空間的擴張態勢就構成**感知此岸的擴張空間**；如果從**自在的被動性**發展出**自爲的能動性**，則這個自爲空間的具體容積就構成能動者當時**自由度的框範**；如果從**自在的物理波動**發展出**自爲的心理波動**，則這個自爲空間的遞增幅度就構成**心理波動的振幅增勢**；最後，如果從**自在的物類聚合**發展出**自爲的社會整合**，則這個自爲空間的逐步拓展就構成**社會結構的繁化進度**。

總而言之，代償所做的"功"將隨着代償度的擴張而在自爲者的各個**存在領域**或**生存領域**展現出日益光怪陸離的自爲屬性，盡管正是這些自爲屬性本身將存在者從**强態的"存在領域"**帶入了**弱態的"生存領域"**，由以令"有功"終成"無功"。

第三十八章

"存在閾"也就是"閾存在"，即"存在"在"存在閾"的規定中存在，這一點容易理解；再者，"閾下存在"導致"滅歸"，"閾外存在"導致"非存在"，因而**現實的存在**還是皈依于**僅僅變換了存在度和代償度之内涵的同一存在閾**而存在，這一點也容易理解；一般的謬誤大多發生在"閾上存在"的假相裏，故此有必要專門予以澄清。

存在閾作爲一條平行而恒定的基綫，是由不平行的存在度下傾綫以及相應上升的代償效價遞補而成的。然而，除非站在存在閾這條理論基綫上權衡，否則代償效價本身并不成立，**因爲代償過程正是存在度下傾的實現過程**，或者説，代償函項所表現的"强勢"正是存在度趨弱本質的裸裎，**二者在運動上匯聚爲同一個點，因而代償的氣焰愈張揚，提示存在度的跌落愈迅猛**。一句話，所謂"發展趨强"無論如何都不成立。

因此，即使將代償演歷設想成一條圍繞着以存在閾爲中值綫而上下波動的回歸曲綫都是不恰當的，因爲這樣一來，仿佛存在還可以在存在閾的上下保留某種"非閾"餘地似的。須知在與物理運動顯然不同的演化運動中，所謂"波動"衹不過是**弱化物質保持自身處于閾存在的一種特定動蕩存在方式**而已。

也因此，即使將"波動"視爲一種現實，它在實質上仍可被還原爲"無波動"的現實。或者，它的波峰以其上限與存在閾的基綫相切，它的波谷以其下限與存在閾的基綫相切，不是存在閾的基綫在上下跳動，而是相對于存在閾而言波動本身無從波動；或者，再返回到上段陳述：閾常量是一個根本規定值，假如你一定要把它視爲一條中軸回歸綫，其着眼點也必須始終緊扣在這條表達爲普適常量的終極閾直綫上，切不可讓自己迷失于那條招致表觀多因素影響而上下跳躍的現象態波動曲綫之間。【譬如生物的繁殖量與其生存之間的關系，過低有滅種之險，過高亦因環境中賴以爲生的食物等必需品必遭耗竭而同樣使之面臨滅種之險，即它不可能在自然以及自身規定的另一低點或高點上實現自存。】

第三十九章

于是，從存在度偏位綫以及存在閾等位綫的同步演動態勢中，我們可以清楚地看到代償的矢量，仿佛存在度的流失終將獲得完滿的補償，仿佛自然界永遠守恒着同一個最低也是最高的存在閾而存在。

之所以將這個**守恒存在閾**視爲**最低存在閾**，乃由于它是現實存在中存在效價最大的那個宇宙**本原**都堅守不住、因而才需要借助于“補償”或代償以攀越存續的一道**門檻**。也就是説，没有這道門檻就無須代償，而一旦有所代償則表明確有這道門檻暗中存在——由此**確立了代償的真實效價**；

之所以將這個**守恒存在閾**視爲**最高存在閾**，乃由于它是現實存在中存在效價最大的那個宇宙**本原**都不能逾越、因而才導致其後的“補償”或代償越發不能逾越的一道**門檻**。也就是説，設有這道門檻就必須代償，而任何沿着這道門檻所進行的代償終于都未能恢復日益喪失的存在效價——由此又**勾銷了代償的真實效價**。

代償的**真實效價**體現在**不得不維持的**存在閾的規定中；而代償的**虚假效價**體現在**愈要維持愈維持不住的**存在度的規定中。

存在度在其逼近于1的原始啓動點上規定着存在閾限，又在其趨向于0的遞失流程上規定着代償效價，**因此，説到底是存在度構成了“存在”及其“存在性”的核心。**

于是就形成了這樣的**存在格局：存在閾**決定存在者**能否存在；存在度**決定存在者**能否穩存**；結果，**代償度**不過是存在度失量的虚性遞補，從而令趨于失穩的衍存者得以維持在作爲存在基準的存在閾之上**繼續存在**；而存在性的概念内涵至此充實起來：即前述的**所謂“存在性”，實際上就是“存在度”、“代償度”和“存在閾”之間相互關系的内在整合，由此確立任何存在者的存在本質。**

第四十章

可見，無論對于抽象的存在勢態抑或具體的存在事物而言都有**三個不同的視角**需要剖析，否則，囫圇的**存在**概念不免照舊是一團迷惘：

***a*. 基于存在閾（*Ts*）的合成狀態**，可以明察代償的十足效價，即對于一切自身存在度必失的存在者來説，非代償則無以存續，而且代償的幅度反比于存在度的失量而遞增，代償的形迹從此可以測度，這是一方面；另一方面，由于存在度與代償度以等價互補的方式相混淆，致使代償現象直接顯現爲存在性的本體而無從區分，結果造成所有存在者之存在閾在總體上延展成一條平行等位綫的假相，即站在這條代償等位綫上看，萬物的存在（特指“可存在性”）似乎是無差别的，因此甚至湮滅了存在性的概念本身。于是，“存在”僵化爲客觀的或主觀的“對象”，**殊不知“存在”本來是“存在性”弱化代償的展開過程**，這是既往所有哲學渾然不能自覺的痼疾所在。海德格爾對此似有所悟，故將“存在”注解爲“臨場”或“此在”，然而，此在者何以要“臨場”？臨場者何以能“澄明”？却是海氏本人以及存在主義哲學諱莫如深的基底懸惑。

***b*. 基于代償度（*Cd*）的擴張態勢**，代償過程分外奪目，它直接呈現爲整個存在系列的舒展過程和豐化過程，即**對于一切表達爲代償産物的存在者來説，代償就是存在本身**，亦即代償度的增勢就是存在性的體現。于是，在對代償的底蘊缺乏探究的前提下，代償的效價就呈現出自我膨脹或趨于强化的傾向，由此造成這樣一種幻景：仿佛代償度的擴張就是存在性的擴張，一切存在者之所以能够繼發性地衍化出來和拓展開去，就是憑借了自然存在體系中某種固有的自强本性，至于造成表面上的存在性如此自發擴張的深在原因是什麽，**却完全被顯而易見的代償增量或代償“强勢”所屏蔽**，换句話説，站在代償進程的單方面看，萬物的存在和演化不免呈現爲達爾文式的進化論形態，這就是哲學性的進化論觀念得以在人類文化的各個領域廣泛擴散的原因之一。

***c*. 基于存在度（*Ed*）的萎縮態勢**，代償所表達的**演動矢**

量才變得可以理解，由于存在力度的單純萎縮或單向流失使存在本身難以成立，代償過程必須隨之爲其張目，倘若代償不足，即造成滅歸形式的失存後果，反之，充分代償則支持着存在得以衍續。代償由此達成存在性的內涵和外延的統一，亦即**代償過程就是存在度趨于衰變的展開過程**，換言之，代償度是存在度的實現，存在度是代償度的本質，從這個意義上講，代償度與存在度原本屬于同一回事。因此，它們以同一的傾角或斜率推動着衍存偏位綫的延展，站在這條趨于下傾的偏位綫上看，**正是代償過程本身使存在性或存在度的遞弱進程成爲現實，即是說，代償過程既是存在度的載體，又是存在度的失落，它使存在得以續存，也使存在趨于失存。**

第四十一章

至此，我們又回到了最初的佯謬上，即代償既是無效的又是有效的。

代償的無效性使之表達爲這樣一種糟糕的矢量相關關系：要麼進化而呈遞弱趨勢，要麼滅歸而告失存之局；前向是一個減量，後向是一種取消。倘若一定要給它界定一個可以定量的“代償效價”的話,那麼,它的最大值和最小值似乎都是負數,或者説,似乎都衹能趨近于零。因爲，代償效價之所“償”是針對着存在效價之所“失”而言的，如果作爲補償的結果居然超過了損失量，亦即代償效價呈現正值，則事物的躍遷與滅歸已無區別，這是悖理的，因而不能成立；如果這一補償的結果剛好等于損失量，亦即代償效價呈現零值，則事物的躍遷等于保持原位，躍遷成爲多餘的一舉，代償與無代償没有差别，是爲代償的無意義效價；如果這一補償的結果依然趨向于損失量而終歸不能補足，亦即代償效價呈現負值，則事物的躍遷得以實現，代償的作用充分表達，此乃代償唯一有意義的狀態。【這段文字不是定量表述，而是引導性的定性闡釋，旨在説明代償效價之所得絲毫不能彌補存在效價之所失，盡管它表現得極爲豐滿，以至于常常讓人誤以爲它是某種超量遞補或增量演動，譬如達爾文提出的“生物進化適應説”，以及一般人所謂的“社會歷史進步論”和“科學技術發展觀”等等。從這個角度探察，可以講，代償非但不是增量，甚至也不是等值，而是一個不折不扣的減數系統，因爲代償進程就是存在效價趨于流失的實現方式，故此才説“代償效價呈現負值”。（可回顧本卷第九章，且從深層進一步定性其哲理内涵。）】

代償的有效性使之實現爲**失之于弱**而非驟然**失之于存**的存續之流，而且**唯因其弱化才有所代償，唯因其代償才得以活化，**活化不是存續的目標却鑄成目標——即從**言説存在**到**擁有存在**無所不爲其用：弱化不是存在的追求却促成追求——即從**自在存態**到**自爲存態**無所不用其極；于是，**存在**終于在遞弱代償的有限區間内實現爲**存續**，一如**存續**終將在遞弱代償的有限區間内實現爲**失存**一樣。【借此有必要對達爾文進化論給以批判性點評，主要關乎三大缺陷：第一、達爾文的“自然選擇”學説衹涉及物種變异的外部環境作用，其内在動因完全缺失；第二、達爾文發現了“物種變异”（即“基因突變”）是隨機的和多向性的，但爲什麽自然選擇的總體方向却是定向的，也就是物種進化爲什麽衹能從簡單低級向復雜高級的方向發展而不是相反，這一點達爾文避而不答；第三、達爾文在《物種起源》一書中曾專章討論過物種滅絶問題，但也許是由于他没有發現，他所謂的“適應性增强”了的高級進化物種其滅絶速度反見加快，也就是“最適者生存”學説與“不適者被選擇”的現實成爲背反格局。要解决如此令人尷尬的重大失誤，就必須在更大尺度上檢討宇宙物演的統一内在機制，是爲“遞弱代償原理”的深度擴展思境。】

這個代償**存續**和代償**失存**的趨勢，**給代償落實形態或代償**

演化方式以如下規定：

***a*. 愈原始的代償屬性，其總體分布範圍愈廣，亦即它得以落實的普遍性愈大，局限性愈小**；【譬如，電磁感應屬性遍布于粒子、原子、分子和生物等一切分化物之中，而感官感覺屬性僅爲多細胞後生動物所具備。】

***b*. 愈後衍的代償屬性，其總體分布範圍愈窄，亦即它得以落實的普遍性愈小，局限性愈大**；【譬如，電磁感應屬性的普遍感應範圍可以涉獵世間一切分化物的對應屬性，而感官感覺屬性的局限感性範圍，若以視覺爲例，則僅僅對應于某一狹隘頻譜的發光和反光屬性。】

***c*. 由此導致，代償擴展的內在要求愈來愈迫切（與*a*項相通），而代償聚焦的外在效果却愈來愈尖鋭（與*b*項相通），從而令代償進程的實現概率傾向于逐步遞減。**【因此，越後衍的物種，如人類者，其代償花招越繁，意志及欲求也越强，然而他們多向思維的邏輯分化和多種願望的志向分化，又使任一思想成果或意志追求的覆蓋面日趨狹隘，并使其得以落實的幾率日趨下降。（詳見卷二）】

一言以蔽之，代償就是自然體系爲自身循序建構存在的形式，然而，爲了撑起這個非此不可的“花架子”，它又必須付出自身存在穩定性趨于淪喪的代價。假如二者之間真還具有某種“等價關系”或“代償效應”的話，那就是，存在的形態愈繁華，存在的穩勢則愈凋零，或者反過來説也一樣，存在效價之所失與存在招數之所得成反比，亦即存在本性的失量與存在屬性的增量相等,這就是“代爲補償”的償還值—— 一個虛有其表的“等價原理”。

這個代償**虛化**和代償**弱化**的趨勢，**給代償實現形態或代償運動方式以如下規定：**

***a*. 愈原始的代償屬性，其代償效力愈强，且對後衍代償運**

動具有潛在性的决定作用；【譬如，理性活動弱于知性情感反應（故有康德斯言："理智不過是激情的奴僕而已"），而情緒反應又弱于更原始的生理需求（弗洛伊德"性决定論"的合理之處就在于此）。】

***b*. 愈後衍的代償屬性，其代償效力愈弱，且對前體代償形態具有某種程度的抑制作用；**【譬如，理智通常成爲情緒的克制要素，而高尚的情感其實大多不過是卑下的生理需要的變態煥發和實現媒介罷了。】

***c*. 由此導致，代償運動方式也呈現出逐層遞弱的傾向（與*a*項相通），而且，相反地，代償形態本身却恰恰使這種代償效應的遞弱傾向遭到掩蓋（與*b*項相通）。**【因此，常人總不免膚淺地認定，理性以及與理性相關的其他德性是人類最偉大的禀賦，可那些真正深刻的思想家却動輒就要揶揄或嘲弄人性的輕薄，然而，即便如此，它也絲毫無妨于我們盲目的人類在整體上將自己視爲是自然萬物最有力的徵服者，盡管他們其實不過是宇宙物演進程中一個臨時寄托的弱化衍存形態而已，故，莊子的如下警句歷來很難得到真切的領會："生者，假借也。"（見《莊子・外篇・至樂》）】

第四十二章

一般説來，"**自然事件**"總是在"**人爲事件**"以前某個十分遥遠的地方被劃出一道深似鴻溝的終止綫或割裂帶，所以，**自然哲學**——其實就是"**哲學**"，因爲一切哲學不外都是在"**自然（非觀念）中的人**"和"**人（的觀念）中的自然**"之間探詢**人的存在**或**人的自然存在位置**的學問——在亞裏士多德那裏大抵止于（博物學意義上的）物理學，在笛卡爾大抵止于機械力學，在康德大抵止于天文學，在黑格爾大抵止于化學，顯然，這道令"自然”與“人”隔河對壘的鴻溝一直在移動。**如今這道鴻溝正以生物學的狀態移至人的脚下，致使站在“自然”之彼岸的“人”跌落其中**，這就是存在主義哲學以及種種所謂“後現代”哲學的落湯鷄形象。

如何把“人”從這道鴻溝裏打撈上來，使之毫無隔閡地立**于“自然”之此岸**（即立于與“自然”相統一的同一境界）的蒼茫天地之間，并使之自覺自身無可違抗的自然存在位置，就是本卷自然哲學和全卷哲學論題的使命——即徹底闡明“存在”的**自然而然之原理**，還“自然”就是**將一切質態的存在或存在者自然而然地熔煉于自然之一爐**的本來面目。【在人類思想史上，真正有重大建樹的哲學家無不諳熟當代的自然科學進展，這既是“哲學無真”的悲劇所在（因爲自然科學也絶非一般“符合論”意義上的“真理”〈詳論見于卷二〉），又是哲學無可選擇的唯一學術基礎。而今，學科趨于分化、理性趨于褊狹的現狀，弄得研究哲學的人大多不懂自然科學，而研究自然科學的人又很難涉獵哲學，致使哲學越來越傾向于空泛化，這大約才是造成“哲學的貧困”或“貧困的哲學”的真正原因。】

爲此，我們不得不哪怕是極簡略地回顧一下物理物質、化學物質以及生物物質的自然演續狀況，因爲所謂“**人性**”就潛涵在這“**物性**”之中，或者説，**“人性”就是“物性”自身綻放出來的嬌艷而柔弱的花朵。**

也爲此，我們必須首先打消一個常見的誤解，以爲衹有“人”或“活物”才有**求存**的問題存在，其實非生物亦有，衹不過是以另外的方式——即自在的方式——求存而已，這個求存的方式就是**在面臨失穩或失存之際變换自身的存在形態**，從而**也變换了自身的求存方式**。换言之，物之變態蓋由于物亦有“不變通即不足以存在”之“苦衷”，**人類的通權達變之能**無非是秉承了“識時務者爲俊杰”的**物性之狡黠**罷了。

但有一點始終不變：那就是**使一切存在物均得求存且須調動**

出愈來愈多的物之屬性方能求存的那個**物自性**或**存在性**不變。【衹在這個不可分割的非時空的意義上,芝諾(Zenon of Eleates)的“飛矢不動”的邏輯演繹才能成立。然而,如果無空間可以分割,則芝諾據以進行演繹的邏輯基礎也就消失了。由此暗示“物質的非定位運動”(指運動的不間斷無目的性)和“觀念的非運動定位”(指邏輯不能掙脱的間斷目的性)的不對應通約關系;也由此暗示“自然時空”與“觀念時空”的本質性差异。】

第四十三章

依據愛因斯坦質能轉换的著名公式:$E = mc^2$(E代表能量、m代表質量、c代表光速),物質與能量的分别被消除了。【基于愛因斯坦的質能方程,宇宙的爆發和形成,是**能量總系統**部分地衍生爲**質量物態系統**或**質量時空系統**的過程。這一過程始終遵循熱力學第二定律,即熵增定律。**但熱力學第二定律的缺憾在于,它没有把信息增量與熵增量總結爲一個具有内在關系的同一過程。**(注:此處的“**信息**”一詞,較日常用語或信息論中的概念大爲擴延并涵蓋其範疇,可定義爲:一切物質,即一切分化物之間,借以發生任何聯絡或依存關系的所有能量效應、作用力和信號之總稱,可别稱爲“**分化邊界信息**”或“**邊界依存條件**”,亦可統稱爲“**分化邊際效應**”或“**邊際耦合效應**”。如電子與質子之間的電磁作用力或電磁信息感應,由以形成原子結構,等等。)即,在熵值不可爲零且未抵近極大值的有限區間内(如前述之“有限衍存區間”),**熵增量與信息增量成正比,或者説,有序能量(含系統有序程度)的遞減與信息總量的遞增成反比。**前者是宇宙或前宇宙的物質和能量轉化運動的“**本性**”規定(在此特指“**自然總體存在效價**”);後者,即那個信息增量及其轉化形態(在此泛指“**一切感應代償結構**”),我們把它

總稱爲質量物態的“**屬性**”。(參閲第五十五章)】

也就是説，物質存在原本即没有固定性態的質料可言，所謂“質料”不過是**不知“對象的總體”爲何物**的一種抽象的假設，或者説是**對一系列“存在狀態”的表象化誤讀**。因此，相對于觀念形式的“對象”而言，質料是“存在的内容”；相對于物質自身的“存在性”而言，質料是“存在的形式”。其實，從本質上講，物質的存在形式直接就是物質的存在内容，亦即 **“存在”直接就是“存在性”的體現，**它被間接裂化爲“内容”與“形式”之别，乃是感知運動或“感”“知”分裂運動的邏輯需要。(詳見卷二)

進一步講，“質”的規定性與“態”的規定性是同一規定性，即被規定在存在性的同一“度”位上(如前所述，存在度與代償度實際上源于偏位綫的同一位點上，因此可簡稱爲“存在性”的“度”)，基于此，“質”就是“態”，“態”亦是“質”，故應將存在物的“質料”、“内容”與其“形態”、“形式”等詞項統合稱謂爲**該存在物的“質態”**或**該“質態”的存在物**(文中凡涉及如上詞組，均在此“**質態同一**”的意義上沿用之或批判之)。如果一定要人爲地(即從“感知”角度上)分割“質態”，則勉强可以説**“質”大約主要表達了存在度的規定，“態”大約主要表達了代償度的規定，而代償度就是存在度的實現，故任何分割終究不能成立。**

所以，“能量”在其不同的“度”的勢位上就呈現爲不同“質態”的物，這一特點在亞原子以及原子層次之間得到了最充分的表達。【某些“粒子”或所謂“量子”及其“波粒二相性”等物理特徵，其實就是能量存態向質量物態轉化的初始過渡形式。于是才有了如下的能級分化與差别：亞核基本粒子是高能質態的存在，即在物理實驗中變革基本粒子所需的能量最高，故謂之“高能物理”；原子核是降位能量的存在質態，即變革原子核所需的能量在原子層次内居中(如從核裏打出一個質子)，故謂之“中能物理”；原子的核外結構是低能質態的存在，即變革原子所需的

能量最低（如打掉原子外層的一個電子），故謂之“低能物理”。】

而且，捨去其他物理學上的有關內容和條件不談，可以發現在原子層内部，**存在着物質微觀質態的結構强度自下而上漸次減弱的現象**。進一步往後看，這種**結構耦聯力度傾向減弱的趨勢**從此一路發展下去，即：原子結構（内構力度逐層漸減）→分子結構（入水電離、輻射解構等）→單細胞結構（自然生存條件下的極低成活率）→多細胞有機體（機體結構的脆弱性大于細胞結構）→社會結構（動蕩不止且永無寧日），其間，結構形成的能量分布也呈流失趨勢，即從内含能量的釋放遞減狀態漸次發展爲外攝能量的消耗遞增狀態。【懷特海（A·N·Whitehead）看到了當代物理學關于質能同一的存在關系，于是他敏鋭地提出，事物是由非感知的性質和關系在某種條件下構成的“機體”,并將存在視爲純粹的活動或物之間相互“把握”的“事件之流”,可問題是:事件“爲何”以及“如何”成爲“機體”或流爲“過程”呢?】

第四十四章

體現着存在性的“度”的物質是一個在代償機制作用下趨弱的“本質”之流，同時也就是一個在分化機制作用下趨殘的“本態”之流,**“弱質”與“殘態”同一**，有如**“弱態”與“殘質”同一**那樣是毫無區别的表述。

由此提示,在既往的哲學概念中,與“物態”或“現象形態”相對應的所謂“**本質**”，其實是不存在的，或者至少可以説**它不是一種獨立的本體性存在**。它在不同層級的表象中幻化爲某一現象系統的内核，并不表明它是外在分立的，而恰恰表明或體現着主體自身存在性的“度”的移位,以及由此引發的主體内“質”的變動和感應外“態”的相應遞變（這個問題的深入討論另見本書卷二第八十八章）。

目前，我們姑且仍舊單純地着眼于主客無分的“物態”層面，即首先確認“殘”與“弱”自始至終都是自然物演的同一“質態”。【以原子以上層次爲例。如果不加比較，氫原子就顯得是一個自體圓滿的小宇宙，它的原子核僅由一個帶正電荷的質子構成，核外有一個帶負電荷的電子環繞運轉，并不顯出任何弱或殘的表徵。然而，與由它造化的其他原子比照，唯有氫核内不含有中子，也唯有氫原子第一層電子殼上的電子數不得滿足，它的殘質和它的存在一樣深沉，因此它就成了其他所有原子的始祖核質，而且，它也就成了化學上較活潑的元素之一。由氫原子結合中子聚化而成的其他大多數元素，不但在核質上愈發不能穩定，而且還繼承了氫原子外殼層電子不得成全的先天“殘疾”，以其K層之外電子殼層的不圓滿性爲特徵，爲建立起不同元素之間相互補充的廣泛化合奠定了基礎。在這裏，其他元素的形成其實是對氫原子殘弱本性的代償，盡管代償者本身可能因此而處于更爲不寧的代償期待狀態。】

第四十五章

弱和殘既是前一步代償的産物，又是進一步代償的指徵，即遞弱代償是自行滚動的内驅力或物自性。而且，這個代償的過程**以“致殘”作爲分化的手段，以“别類”作爲分化的實現，同時以“結構整合”作爲進一步分化的基礎**，從而達成了**“度”的遞衰和“類”的豐化**。

由于**“度”就是“質”的規定性**，而**“度”本身直接就是存在效價的“量”的指標**，所以，**“質”的嬗變就是“量”的實現，一如“量”的遞進就是“質”的實現一樣。**所謂“質變”與“量變”的區分，其實是由于感知對質變缺乏細微體察或必須缺乏細微體察，才能够使感知者得以受到感知屬性的維護之緣故。

如果説質與量之間還有某種“質”的差别的話，那就是被特定的質所規定的量、即外化爲“類”的量的擴增含有質本身的存在效價隨之遞減的意味，結果是質與量仍然同一。這種情形儼如數學上的無限數值衹不過是在無限趨遠于哲學上的“1”一樣，因爲所有大于“1”的數其實都是對“1”的分有或解離，從哲學的高度上看，任何其他數值中的單位實質含量都不可能超過“1”，而且數值愈大，真含愈小，因爲歸根結底它們全都是對“存在是一”的分化代償。【故此可以説，黑格爾的質量轉化雙項式中最缺乏的就是他本人所强調的“質的規定性”或“存在者的規定性”。】

分子的形成機制即通過化學層次對物理層次的代償而典型地表達着上述原理。

【原子核中的質子數亦即原子序數决定着圍繞原子核旋轉的電子數，核外帶負電荷的電子總數與核内帶正電荷的質子數相等，所以每個原子整體上的電中性似乎使它們足以保持這種表面上的自我圓融狀態。根據量子理論，圍繞着核的電子處于不同的能級（量級）上。電子總是盡量靠攏原子核運動，但是能够占據每一個量級的電子數却有天然的極限，于是，當内層的量級被電子占滿以後，其餘的電子衹能占據在離核較遠的量級上。這些外層電子最易被激發,同時具有較高的能量。同心“殼”的層數（或者説電子的軌道數）隨元素而异，緊靠原子核的第一殼層最多能容納2個電子（氫原子衹有一個）、第二殼層最多能容納8個，即各個殼層能容納的最多電子數是$2n^2$個，$n = 1$代表K層，$n = 2$代表L層，依次類推。内殼層先被充滿，如果没有足够的電子來充滿所有殼層的話，那麼外殼層就呈不完全狀態。然而正是由于這種潛在的不圓滿狀態，才使各元素處于比較活躍的化合期待狀態或尋求代償狀態，所謂“活躍”，即是説它們的外殼層電子數不得圓滿，因而難以穩定自在。每個原子都有成全其外殼層以增加自身穩定性的傾向，要獲得這種補償，各個原子就得去追拉其他原子外殼層上同樣不圓滿的電子，由此形成化學鍵，也由此形成種類繁多的化合物（嚴格地講，不同化合物的存在度是有所不同的，猶如下兩章中所談的有機化合物甚至生命都是存在度不同的化合物一樣）。可見，由獨立自在的物理原子態躍遷爲復雜多態的化學化合態，有一個最起碼的前提，那就是基質自身規定上的不圓滿性。這一法則，有惰性元素爲其提供反證，所謂“惰性”是指外殼層電子數達到了相對滿足值，所以該殼層被關閉，從而暫時杜絶了一切化學活性，亦即暫時杜絶了通過代償使自身躍遷到更難自圓和更難穩定的那些層次上去的遠大前程。】

第四十六章

如果代償的無效性表達爲殘弱性的加劇，則代償的有效性就表達爲在更深廣的範圍去實現無謂的“補缺”。

而“補缺”的過程或“質態”的演變就是**屬性發生和豐化**的同一過程，也就是**存在實現爲存在**或**潛在實現爲存在**的**層位躍遷過程**，亦即**物類紛呈**的進化機制。

【很明顯，被代償的原子物理性質規定着上位化學物質的基本屬性，分子不過是原子得以寄身其中的另一種存在形式（或存在質態）罷了。不過，分子的構成雖然暫時補償了原子的缺憾，却使自身處于遞弱流程的下一輪變局之中。尤其是其中最殘化的一族，其難以自持的低下存在度竟使往後的代償非得拿出不同尋常的招數不可，個中之原委，頗有值得加以深究的意趣。從某種意義上講，含碳化合物就是有機化合物的代名詞，作爲生命的奠基元素，碳元素一定要比其他元素更有“特色”才行。碳的原子序數爲6，6個電子中的2個電子用以填充第一電子K層，餘給以8爲滿足值的第二電子L層的電子數恰恰是4這樣一個中間值，在氧化還原反應過程中這是一個頗爲尷尬的局面，若電子數目小于4，可以作爲電子供體而自“圓”，若電子數目大于4，可以作爲電子受體而自“滿”。可見，在元素電子外殼層的缺失方面，碳原子達到了無以復加的程度。由于電子的得失無可權衡，碳原子盡可以張開“四”臂，任由供取，這種全方位的聯構潛能，使得一個碳原子與四個氫原子共用電子而形成甲烷（CH_4），兩個碳原子雙鍵相連再與四個氫原子共用電子即形成乙烯（C_2H_4），如此等等，不一而足。倘若四價碳進而展開自身獨具的殘勢，在一定條件下去和其他碳原子結成不同長度和構型的碳鏈，則上述簡單有機物就會趨于合成有其他元素參加的、以碳—碳鍵和碳—氫鍵爲基幹的有機大分子，由此奏響了生命登場的序曲。】

從這裏我們可以隱約看到代償的效價，也就是那個丟失越多、回補越大的“等價原理”或“代償效應”，這個相關效應將在生物演進與社會發展的代償過程中充分顯現，**因爲衹有在十分弱化的層位上，代償現象才能够相應擴展爲一個清晰可辨的互動過程**。然而，無論如何不要忘記，代償的“效果”有虛假的一面，或者説終將是一個積極的虛無，它的“補償”從來没有充實到存在效價或存在度那樣深在的位點上，衹不過徒然使自然事體的存在質態被逐漸鏤空。

第四十七章

“質”和“態”的同一性隨着物的演化而**實現爲“本性”和“屬性”的同一**。由于愈晚近的衍存物屬性愈繁，致使屬性的概念陷落在混亂的表象中不能自拔。**屬性者，本性的延展或舒展**；**本性者，屬性的根系或脉系**；二者同歸于存在性的自然演動和自然顯現。**本性就是屬性的載體，屬性就是本性的實現**，説“有某某屬性”就等于説“有某物”,説“某物的本性”就等于説“某物屬性的總和”。**物的本性或屬性的差异僅僅在于同一自然存在性的内部動勢的差异，**并不因此而造成本性與屬性之間的差异。不過，屬性終于擴大到連屬性的載體都失落在一片茫然之中，却是存在性之本的最高“表態”方式。（本書之二、三卷可以説都是爲了廓清此類茫然）

這種離奇的情狀將在生命的舞臺上予以酣暢淋灕的演示。

【回過頭來看，那些相對獲得了自身滿足態的無機物質暫時衹好停留在僵化的層面上。而由于自身弱質的緣故失却了穩態的有機物，被迫繼續處于要求代償的活躍狀態之中，在一定條件下撞合爲益發失穩的有機大分子。這些有機大分子起初一定合成過無數次不能復制或增殖自身的“生命”雛形，即生物大分子，但這樣的生命與非生命物質實在没有什麽太大的區别，雖然它是典型意義上的自然“生命”，就像岩石或水分子一樣被自然造就，認自然爲父，與自然同在，然而它太虚弱了，于是它歸于死滅，死亡以此獲得了先于生命而存在的地位，因爲死亡無非就是回歸本原，或者説生命無非就是從化合煉獄中飛出來的火鳳凰。後來人類遠離了這個根基，也喊出了返璞歸真的心聲，就是出于存在度流失的同一壓力。

終于有一天，一組生物大分子突然完成了某種可以進行自我復制的化學編碼程序，真正意義上的生命誕生了。可是生命中與生俱來的孅弱素質如此突出，它居然不堪耐受自身的存在（即“非自在”或“失自在”的存在形勢）和創造了自身的前體自然存在（俗稱“外部自然條件”），生物性代償旋即發生，此前暗含于萬物之内的殘弱本性一下子都被翻騰出來了：代償周期日短，生死輪回緊迫，高度的活躍加上高度的動蕩，就成爲生命這個活性層面的“活”着的指徵。而“滅歸”這一萬古常存的自然存在形態之一，也就轉化爲“死亡”的形式，并使之呈現爲生命特有的痛苦和一切生存性焦慮的根源。于是，一種堅持自身存在的内在要求就爲生命設計了兩個必不可少的代償機制：一乃遺傳，二乃變异。前者使生命的存在具有了某種自爲的穩定性，它要求保持遺傳的增殖行爲，在能力上必須大于或等于生命弱質變數與環境波動變數之和的最大閾值（可以視爲是“存在閾”的一次硬性而生動的亮相），因而導致任一生物物種的自我復制能力一般總是遠遠超過延續自身簡單存在的需要，社會之魔的潘多拉盒子由此被打開了；後者使生命的存在展開爲一個新層次上的進化歷程，它幾乎形象地變態重演了自然存在的分化遞弱發展序列，直到作爲物質最終代償形態的人類出現，拿着没有物態質量的思維——也就是“存在的虛無”，去迎合那個原始的“存在的存在”（亞裏士多德語）爲止。】

第四十八章

老子曰：“天下之至柔，馳騁天下之至堅。”（《道德經》第四十三章）這一千古玄論，至此有了**系統性的題解**。

不過，生命因而應該被看作是自然的“弃兒”，它的所有生物機能其實是對這種“遺弃”的代償，宛如失去父母養育的孩子衹好掌握自我照料的本領一樣，是乃哲學上所謂“自爲”的本質和淵源。自爲者，不能“無爲而在”之嘆也；所謂“**無爲而治**”，須有**不必治理**即成**穩然存序之格局**的自然前提；至于老子“無爲而無不爲”的“守静”之道，則早已是失之久遠的“自在”型天理了。【所以，老子“出世無爲”的勸世箴言終于不能成爲人類生存方式的主流，甚至不能成爲人類行爲方式的支流，即便是那些看似“無爲”的“出家人”，也照例免不了面壁時的魂不守捨或教團内的爾虞我詐，何嘗真正得以“守静”？更有甚者，恰恰是這些所謂的“出世者”，歷史上曾多次以“國師”、“仙賢”的身份擠入廟堂，教唆天子，偶或更攪得朝野不寧，人間離亂。回過頭來看，反動于老子的“無爲而無不爲”，孔子標榜的“知

其不可而爲之”似乎更能道出人生掙扎求存的根源性無奈，亦即更能表達“至柔者”不得不“馳騁天下”的强迫性困苦。】

基于同義，人類最好不要再把自己誤稱爲“天之驕子”，他實在衹是“天之耄耋”，且不幸愈老反而愈不得安寧，于是衹好替天行道，身不由己地表演着老來風流的鬧劇而已，這種情形，就像立不住的陀螺必須高速旋轉起來才能實現其自立一樣。

——也就是説，**這場鬧劇并不衹是人間的鬧劇，而是自然導演于自身之存在或存續的鬧劇。**

故，此劇堪稱**“天幕之舞”**，我們的思緒僅僅在于爲不能（或佯能）退出舞列的欣賞者理出它的情節主綫。

第四十九章

綜上所述，可知遞弱代償法則既是**存在之所以成爲存在的造化**，也是**存在愈來愈背離存在的迷津。**【古希臘愛利亞學派就是夾在這個“造化”與“迷津”之間的早期受難者。當芝諾（Zenon of Eleates）在作爲“一”的存在和作爲“多”的存在之間以及在作爲“静”的存在和作爲“動”的存在之間確認前者而否認後者之時，他着實是在進行這樣一樁費力的工程：既要爲“造化之源頭”提出證明，又要爲“造化之産物”提出證僞。】

所以，從蘇格拉底批判自然哲學肇始，他的學生柏拉圖就産生了一種人皆處于“洞若觀影”之困境的悲哀，而且，自此以降，無論是柏拉圖本人還是其後的聖哲們，誰也未能走出洞穴，看到真正的光明。

這困境并不與哲人的智或不智相幹，乃是由于作爲光源的自然前體不能自視其光，而作爲受光的自然産物又不能直視其光的緣故。换言之，生命必須扭曲存在方可實現存在，宛如光量子須經感官歪曲才成可見之光綫一樣。

也所以，自然哲學自始至終都無從自然，而這不自然的曲折正是自然本身的規定。所謂“自然哲學”，不在于追尋自然，而在于追尋使自然成爲不自然的原委。【蘇格拉底從自然轉向人自身，即提出“認識你自己”的主張，看似迷途知返，實則令“你自己”越發不能被“認識”。以此爲契機，作爲“原造化”的自然和作爲“被造化”的人驟然對立起來，再也未能緩解彼此的緊張關系。】

于是，返回自然哲學，即**把人歸還給自然，是人與自然雙雙獲致澄明的唯一出路。**雖然，這樣一來，“人”像是“物”，然而人誠然就是一種物，甚至誠然就是全體物的展望和先行物的歸宿。

第五十章

人是有條件的存在者——這樣説并不確切，因爲一切衍存物都是有條件的存在者，衹是**衍存條件隨衍存序列的遞進而遞增**，故衹能如此説：人是依賴于衍存條件最多的那樣一種自然存在物。

可見與“根據”一詞相對立的“條件”詞項原是一個空洞，因爲條件就是存在的根據，或者説是不知如何使之成其爲根據的那樣一些根據。

可以認爲，最原始的始基性存在應該是一種近乎于無條件的存在，因爲所謂“條件”無非就是指可賴以實現相繼衍存（即縱向上的弱化發展）和相互依存（即横向上的殘化發展）的那些存在物本身；反過來看，一個存在者一旦呈現爲有條件的存在，就表明它自身的失圓滿狀態要求須有其他存在者先其存在并與之共在，也就是説，它由此體現着自然存續的存在程度和相應質態。這程度和質態中就包含着有關條件之全體，或者說這條件之全體就構成存在者的具體程度和質態。衍存者之所以需要種種條件（舊稱“内外條件”）方得自存，乃是由于自身之存在效價有所流失或存在度有所降低的緣故。條件者，存在之根據和支持也，猶如母體之對于胎兒，猶如拐杖之對于老者，非此則無以自存，非此則不能自持。較弱者，條件較少；再弱者，條件益多。每一致弱步驟均使條件量遞增，每一遞增步驟均使依存者更殘。**這個條件的遞增過程就是物系的分化演動**，亦即物存形態的豐潤化過程和物存本性的殘弱化過程。足見某一條件本身就是某一具體的存在者，在自身爲自存，在他物爲條件，條件因此與存在物無可區分。**這種互爲條件的依存關系即形成“系統”或“結構”，而不可逆轉的弱化過程及其條件遞增過程就造成“系統化”或“結構化”傾向致密的進程，直至生命“織體”得以組成，直至社會“織體”日趨繁復。**

——是爲**條件量之遞增趨勢。**

顯而易見，依賴條件愈多的存在者，其自身之存在效價或存在度愈弱，因爲任何一個條件發生變易都可能導致自存的根據或基礎崩坍，這是條件量遞增的分化代償效應對演化遞弱效應的反證。

第五十一章

作爲“一”的未分化原始存在是無所謂“存在單元”或“存在個性”的，因爲最初還没有“多”的存在，即没有什麽“在”和“在者”的區别，海德格爾説得好：當在者談論在時，他其實衹是在談論在者。因爲對在者説來，在已無可依托，他（或它）必須依托于其他在者（即以其他在者爲條件）而存在，故此，“在”才退爲背景，成爲抽象。【請讀者留心，下一卷中擬予討論的“感知層次”和“精神層次”即源于此。也就是說，“在”在尚未分化爲“在者”以前，在并不是一種抽象，而是最具體、最堅實的存在。“抽象”是觀念載體爲了求得自身作爲“在者”的弱存而不得不向“在”變態靠攏的一種代償性規定，因此也將隨着弱化過程的進展而進展。】

相互依存的存在者之間既然是一種互爲條件的關系，則各自作爲一個存在單元（即作爲“在者”）本質上就仍然是“一”的整體存在（即“在”）的繼續，也就是説，凡依存者必然被賦予某種對于作爲自身條件的他存有所“感”和有所“應”的屬性，而且，這種屬性必然隨着條件量的遞增而變得相應復雜起來。物理學上的電磁力及萬有引力等等，就是物質存在度相對偏高狀態下的初級感應形式；這種初級作用力又是較爲復雜的化學鍵作用力的前提；接下來，再以種種理化感應力爲基礎，隨存在度或生存度之日趨弱化而代償性地相繼發生出單細胞生物的動趨能力、低等多細胞生物的趨性反應、脊索動物的反射行爲、乃至較高等動物的感官發育、本能應答以及學習能力等等；至于人，則已弱化到所需感應的條件如此之多，僅憑感覺和本能反應不足以迎合諸多自存之條件，反而造成感性的迷亂，這才有了大腦皮層和思維邏輯得以發生的代償基礎，由此導致感、知、應的分段整合及分裂狀態，也由此導致人們對“知性”本身的茫然無知。

——是爲**感應性之放大趨勢**。

可見，**人類的“感知能力”本質上不過是物質“感應作用”的自然延展或代償性擴容**，有如原子狀態下的電子以其負電荷去感應核内質子的正電荷，或如盲目的蝙蝠以其超聲波掃描于依存環境所得的回應，它淺到得不出掠影，深到足以體察他存和自存，這就是“真知”的定義：**感應于自身在自然梯度中的存在定位而已。**（本書第二卷就是對此項論題的展開）

第五十二章

物質的感應狀態與物質的運動狀態密切相關，或者説，物質的依存狀態與物質的自存狀態密切相關。自主（即自爲）的自存即爲“自我”存態，非自主（即自在）的自存即爲“無我”存態，而“自我存態”正是“無我存態”的**弱化賡續**，一如“某物的自存”正是“物類的通存”的**殘態體現**。【人道之“自私”是天道之“自弱”的物性表達，人道之“無私”是天道之“自殘”的物性表達。就“存在之道”而言，人與物的本性全然出自同一規定。所以，朱熹將物的“所以然之故”與人的“所當然之則”同歸于主宰着“天下之物”的“太極”（見《大學或問》及《朱子語類》），雖屬粗淺的猜測，却見其直覺之深刻；而劉禹錫所謂“天之道在生植，其用在强弱；人之道在法制，其用在是非”（《天論》），雖然距離溝通天道（即存在性）的“强弱”與人道（即弱存者）的“是非”已近在咫尺，却終于失之遠矣。】

既然感應性的發展是爲了追逐自存的條件，則當某類存在者業已迷失于過度繁多的依賴條件或條件載體之中時，相應程度的**能動性**就會代償性地發生，借以改變被動的遭遇條件爲主動的追尋條件，從而力求提高或恢復迎合自身存在條件的幾率。即是説，能動性是在**依賴條件量過度膨脹**以及**與迎合所需條件的機遇呈反比減縮的情况下**不得不發展出來的**屬性代償**。前生命物質的被動運動如光子的波動或分子的布朗運動等等，是其自存條件比較簡單亦即存在度較高的表徵之一；而生命物質的主動運動，即所謂的“能動性”，是其自存條件比較復雜以及存在度趨于低下的表徵之一。故此，在生物進化的序列上，物種能動性的增强傾向其實表達着物種存在度或生存度的減弱趨勢，雖然在進化論的表淺理解中它反而成了生存能力或生存適應性增高的證明。看來，諸如“能力”、“適應性”之類的觀念原本就是一些浮泛的表象，它非但不能揭示生命在自然界中的位置，反而掩蔽了生命存在的自然本質。

——是爲**能動性之擴張趨勢**。

能動性的同義轉化概念就是“**自由**”，可見“**自由**”**首先具有某種自然哲學的意義**，如果設定一個不受社會偶然因素幹擾的理想自由度,則**生物的自由度必與生物的生存度成反比**。由此也提示，自由化了的存在物自需某種形式的結構化組織來代償其動蕩不寧的**失位**態勢，因爲自由化正是殘弱化的現象形態。

第五十三章

精深言之,“自爲”或“自在”并不是某種存在形態，而是某種存在質態，或是同一種存在質素的自性演動。也就是説，**自爲并不是自爲者獨有的内性和樣態，而是自在者之自在質素的展開**。因此，自在者亦有自爲的屬性，衹是較爲細微罷了;反之，自爲者亦有自在的本性，而且正是這個深刻的自在性主宰着自爲的樣態。説到底,“自爲”無非是**自在者愈來愈不能“自在”而不得不有所“爲”**（或曰“有所作爲”）的自然存在方式或自然存在質態而已。【弗洛伊德對人性中之“本我”、“自我”和“超我”的區分,以及榮格向“意識層”以下發掘“無意識”的支配性基礎，就是在最富有自爲色彩的精神現象中追溯和分析其自在性本原的一種嘗試。】

物的自爲質態表達爲物的感應狀態和物的能動狀態之增勢，即表達爲對自存條件愈來愈迫切的依賴和占有，而互爲條件的依存關系和互爲對象的感應機制是任何結構化狀態必然發生的基礎。因此，從物理學的理論上講，在宇宙爆發的初始瞬間，最簡單的亞核結構及氫核結構就有可能出現，隨着宇宙存在質態的演化，亦即隨着所有存在者依賴條件的遞增和感應性能的擴大，結構化的發展勢在必行。也就是說，“存在”表現爲**結構存在**，“物性”表現爲**物性相關**，這是近代物理學從牛頓式的絕對實體（絶對時空、絶對質量）向愛因斯坦式的相對存在（時空彎曲、質能互換）逐漸深化的客觀規定，也是海德格爾哀嘆人類的思想史從着實追詢于本體論上的“存在”滑入面對三論（系統論、控制論、信息論）的“空殼”虛與周旋的根源所在。這種自然意義上的結構化趨勢具有某些規律性的特徵：首先，從原子結構層次上氫核聚變或重核裂變的釋能狀態，到分子結構層次上離子鍵能的平衡狀態，再到生命結構乃至社會進化層次上的耗能日劇狀態，系統結構的能量維系越來越艱巨（即符合整個宇宙演化的熵增和熱寂趨勢）；其次，更重要的是，各層結構自下而上（亞原子粒子、由粒子演化而成的原子、由原子化合而成的分子、由分子編碼而成的生命、由生命聚合而成的社會）依次呈現出内部構態的逐步分化，具體地說，即宇宙代償進程的結構質態隨着衍存條件量的增加而日趨繁復，隨着依存感應性的擴張而日趨動摇；前者使結構狀態傾向于復雜和致密，後者使結構狀態傾向于疏離和鬆動，二者相輔相成，推動着自然界的結構化衍存形態向日益令人目眩的脆弱高度挺進。

——是爲**結構化之繁復趨勢**。

㑹至生命物質的條件依賴和感應依存發展到非得借助于自主能動性的代償方可實現之時，社會結構由以顯形，它表明，物演分化和殘化的進程業已達到了一個嶄新的高度，從而迫切需要更爲龐大和更爲復雜的結構形態予以整合。實際上，社會的代償性發生是與生物之問世同時肇始的，即社會的演進照例有一個從無結構狀態向結構化狀態嬗變的過程，且隨着生物生存度趨于下傾，社會結構度相應上升，也就是說，**生物的生存度與生物的社會度呈反比相關**，這一定律勢必貫徹始終，衹不過在不同階段采取不同的貫徹方式而已。因此，如上所述，它一方面表達爲社會結構的日益嚴謹和高密合趨勢，另一方面又表達爲社會行爲的日益自由和高動蕩傾向，從而提示**生物的社會存在與生物的理化存在同樣都是宇宙遞弱代償進程的自然產物。**（本書之第三卷就是對此項論題的展開。）

第五十四章

時間和空間在科學的直觀表象中是運動的“維度”，在哲學的直觀表象中是實體的“廣延”，而在存在的自性中就是**存在本身。**

即是説，維度或廣延是自然存在演化的產物，或者説是物的存在質態對于物的存在性的表達。所以，從存在的本原或存在度趨近于 1 的那個原始奇點出發，物的存在幾乎無“維”可分，亦即幾無“廣延”可言，換一個更爲精確的表述的話，則應該説：時空存在與物的存在共和爲“一維存在”（即“一系存在”）而存在，這就是時空的本質。【上述“一維存在”，僅指**貫徹始終的演動向度**之内涵和規定，而不是指時空上的某一維度。按照現代宇宙論的物理學推導，宇宙是在大爆炸的過程中才有了“空間”的拓展，是在相對運動的背景下才有了“時間”的規定，即在高存在度的“奇點”上，三維空間或四維時空都是不存在的（即物理學上的“零維度”），盡管“非時空的存在”令時空性存在的衍存者全然無法想象也罷。依此推測，或許海森伯的“不確定性原理”以及“量子糾纏”、“薛定諤猫”等量子力學的諸多奇异現象，大抵就是“時空廣延屬性”在量子原始發生階段尚未代償展開的前時空或亞時空表現形式及其觀念形態而已。】

可見時空本身照例不過是一種**偏于原始的存在屬性**而已，細分起來，可以説，空間是物質失存于高“度”勢位的**“失位性”存在方式**，所以它反而對存在者提出了某種“定位”存在的要求；

時間是物質失存于高“穩”勢態的**“失穩性”存在方式**，所以它反而對存在者提出了某種“求穩”存在的要求；這些要求就表達爲一切衍存物在時空中不斷發展的種種後繼屬性，而這些屬性及其代償功效就是爲了解决**失位**和**失穩**的存在難題才使之得以有所表達。【所謂“失位”，是指從“存在是一”的分化演歷中**脱失**而又不得不**尋求回歸和整合**的那樣一種狀態；所謂“失穩”，是指從“存在是一”的分化演歷中**游離**而又不得不**尋求還原和依附**的那樣一種狀態；二者其實是同一狀態的不同觀照角度。由此亦可看出，在不得不因衰變而演化的自然進程中，一切**順向發展的動勢**，其實都不過是爲了**達成逆向歸原的内在目標**而不可得的一種尷尬，亦即一切**代償舉措**都不過是爲了**回溯高存在度的原狀**而不可得的一場徒勞，因此，可以説，**代償的激進**正表達着**保守的内質**，這就是“激進（變革）”與“保守（守舊）”二者各自具有的價值和悲劇之**根本所在**。】

于是，隨着物質存在度不可遏止的衰變，四維時空在維度上相應呈現出不斷延展的態勢（從某種非時空的狀態膨脹到“光年”乃至“億光年”而不止），這種態勢其實并不是抽象的“時空”（即“絶對時空”）在自行顯現，而是失位和失穩的相對性衍存物在尋求自穩的相對存在位置。

因此，時空絶不是物質以外的某種存在，而直接就是物性的體現，所體現的正是自然弱化演運越來越**趨向于局限的一隅**，即在空間化的規定下後衍性存在者呈現爲質量遞减的褊狹存態（從以“億光年”計的距離尺度退縮到以“米”或“公裏”計的活動範圍），在時間化的規定下後衍性存在者呈現爲時度遞短的褊狹存態（從以“億萬年”計的演動尺度退縮到以“時”或“年度”計的歷史範圍）。而且，相應地，物質運動速度也由亞原子微粒的光速或近光速頽變爲愈來愈慢的分子運動速度乃至生物運動速度，這正是**失位性存在者要求定位存在**或**失穩性存在者要求自穩存在**的自然配套措施。

也因此，時空存在從與物共在的一維存在演化爲多維存在，從與物同臺的前景存在退化爲背景存在。所謂“時空是物質固有的存在形式”之説顯然是一句像抽象時空本身一樣空洞的哲言，因爲時空既不是“固有”的，也不是“存在的形式”，它虛化爲觀念中的“存在形式”正是它不能“固有”的生動表現。故而應這樣定義之：**時空是物質失穩和失位的質態表達**，或者説是**物質以失穩和失位質態實現衍存的方式**。

——是爲**時空維度之舒展趨勢**。

簡言之，時空既是自在之物的自然屬性延展，又是自爲之物的“先天直觀形式”。也就是説，時空作爲物的屬性**同時規定着**物對自身失穩和失位的**體現方式**與**體察方式**（從根本上看，“體察方式”仍是“體現方式”之一種或一個方面罷了），這就是康德“先驗時空”的合理真髓。【康德衹關注着觀念的、體察的一面，乃是由于他不明白“先驗主體”與“先驗對象”之間的**非經驗的衍存關系**或**非觀念的派生關系**，雖然從認識論的角度出發，康德實在又是對這種非經驗關系有所覺察的第一人，因爲所謂的“先驗規定性”正是失位的弱存者必須依據非經驗的“先天規定性”（即“自然規定性”或“生理規定性”）來建立包括經驗本身在内的自爲定位機制而已。可見**失位的物性**規定着**拮抗失位的經驗**，即不僅僅是“時空的直觀形式”，而是**“認知性”（或“感知性”）本身不外就是某種在實施感知以前即已被規定了的先驗屬性。**】

第五十五章

失位和失穩是物的時空化演運的存續質態，反過來説也一樣，即時空演化是物自性或存在性的自然展開，于是，如上所述，**存在**在總體上就表達爲一系列**存在的趨勢**或**衍存律**：

——條件量的遞增使依存基礎易于坍塌；（衍存條件遞增律）

——感應性的放大使共存關系易生錯亂；（衍存感應泛化律）

——能動性的擴張使存在者發生迷失的概率增大；（衍存動勢自主律）

——結構化的繁復使系統的穩定性難以保持；（衍存結構自繁律）

——總而言之，物的時空演化或時空化的物性演運不免造成衍存物或衍存態勢在時空分布上的萎縮格局。（衍存質量遞減律和衍存時度遞減律）

由此充分暴露出自然存在性的如下本質及其演動法則：存在效價的必然流失儼如熱力學第二定律中的熵值必趨增大（即有序能量傾向無序化耗散均衡而終至“熱寂”）一樣不可變易，然而正是這一**衰變大勢**才使整個存在得以代償性地展開和實現。即是說，無效代償正是有效存在的基本前提，遞弱代償正是自然一統的貫徹方式。【**能量存態的熵增定律**與**質量存態的弱演法則**由此**達成統一**，但二者的表現方式却大相徑庭。對于後者來説，它的現象形態似乎是日趨强勢的，它的生存結構甚至被誤判爲負熵演動（此處不否定普利高津的“耗散結構理論”與“負熵流”概念，但須注意：任何“耗散結構”必定是遠離平衡態的“開放系統”，它并不違背廣域或廣義上的熵增原理；而且，各類耗散結構之間同樣始終存在着發生序列上的持恒穩定度級差即存在度級差，這一點經常被有關研究者及引用者忽視），此乃諸多借助于熱力學第二定律來詮釋質量宇宙和人文世界的學者及其學説所無法規避的麻煩和陷阱。實質上，“耗散結構”正是“自然結構層累代償”的階段性物理運動表象而已。這裏的關鍵在于，怎樣才能把代償屬性的增量與存在效價的減量剥離開來，或者説，怎樣才能將存在度的下傾與代償度的上揚構建成一個動態相關體系，做不到這一點，即揭不開這一層遮蔽，熵增定律就跨不出能量運動領域，也就實現不了質能轉换的統一理論系統。而且，更爲重要的是，一旦借此把熱力學第二定律從能量系統貫徹到宇宙質量時空系統中來，我們就同時將“**物質、能量和信息**”三者真正統合成**一個存在系統**或**一脉演化流程**了（回顧第四十三章）；進而，我們也就同時將“自然現象”與“人文現象”，亦即將“**自然、精神和社會**”三者歸并爲**一個衍存系統**或**一脉進化流程**了（詳見下述各卷章）。】

生物存在作爲對理化存在的代償使之走向**物質實存的至弱一級**；智質存在作爲對體質存在的代償使之走向**屬性虛存的至弱一級**；社會存在作爲對生物存在的代償使之走向**系統結構的至弱一級**；這些臨末代償的極端表達終于**都體現在人類文明的存在形態之中**，于是，文明的浪潮愈逼愈急，人類的生存日漸緊張。【它的潜臺詞顯然仍是弱演法則之厲行，其表觀引伸涵義是：越原始越低級的東西，越具有奠基性、決定性和穩定性；反之，越進步越高級的事物，越呈現淺薄態、飄移態和動蕩態。由此注定了人類文明史的惡化發展趨勢及其晚近緊張形勢。（參閲第四十一章）】

這種緊張可以被扼要地劃分爲：

經濟與資源範疇的緊張或物欲張力上升；（與衍存條件遞增律相對應）

文化與信息範疇的緊張或知性張力上升；（與衍存感應泛化律相對應）

行爲與信仰範疇的緊張或自由張力上升；（與衍存動勢自主律相對應）

政治與制度範疇的緊張或社會張力上升；（與衍存結構自繁律相對應）

環境與人口範疇的緊張或生態張力上升；（與衍存時空遞減律相對應）

諸如此類的種種緊張歸根結底都是**自然存在本身的緊張**，

或者説是由于存在度的趨降所導致的**自然代償張力的上升**使然，一言以蔽之：**“人類”這種自然衍存物的生存緊張與存在自爲化的程度成正比。**【基于此，所謂“意識對存在的反作用力”之談，從根本上講是不能成立的，因爲意識的反作用力正表達着存在本身的代償作用力，即意識的反作用力正是代償功效的直接貫徹，衹不過此項貫徹不免給“自我意識”自身造成了某種反客爲主的“自爲表象”罷了，而代償無效的終局才真正體現着“無意識作用力”對“意識”本身的宰制。】

第五十六章

顯而易見，**接續于生物存態的“文明存態”本質上依然是那個原一的自然範疇。**它的文明演歷誠然是物的自爲化進程最奪目的表現，却畢竟不能改變自爲本身的自在性質——即不能改變自爲存在與自在存在是出于同源基態和同源規定的自然本質。

因此，才會形成這樣**荒謬的存在之局**：自然界之所以要爲至弱存在者代償性地締造出足以導向文明化的體智質態，乃是爲了讓它在極端失穩的失位境遇中自爲地延續自身的存在，而不是爲了讓它更敏捷地奔向失存，因爲自爲存在正代表着自然存在本身；然而唯因如此，自爲的存在者才必須更投入地體現危在，因爲它無休止地繼續讓自身的存在效價趨于流失同樣是自然存在本身實現存在的必然；所以，**人類出于某種無可奈何的內外壓力而不得不將自己的渾身解數都調動出來以尋求更快的發展，恰恰是遞弱代償法則運行到理性階段的又一個通例和證明—— 一個對自然存在性和自然統一性的最後也是最輝煌的證明。**【即指“人的存在”或“人文存在”已然趨近于存在度極低而代償度又極高的某個下傾位點之處，這就是“人類”

在“自然坐標”上的尷尬位置。（參閱本卷第三十四章的坐標示意圖）】

有鑒于此，人類應該明白，他們的一切努力和造作都不能改變自身失穩與失位的存在處境，反而勢必將自身帶入更其失穩與失位的境界之中，盡管他們又不得不一如既往地努力奮鬥下去才能勉强獲準苟存。【故此，人類的求穩意識和保守行爲同樣是合乎天理的自然秉性，就像人類的求變心理和激進行爲是合乎天理的自然秉性一樣。進一步說，東方哲思的保守素質源于前者；西方哲思的躁動素質源于後者。而且，**愈原始的存態愈偏于保守，愈發展的存態愈偏于躁動**。】

這就是“不以人的意志爲轉移”或“**正以人的意志爲指歸**”的人類自身的存在形勢。【故此，應該承認如下說法是不錯的：**人的意志是“自然意志”的暗中繼續和明快勃發**。衹不過叔本華黯然淒楚的唯意志論主要表現了“暗中繼續”的**自然企圖**，而尼采昂然囂張的唯意志論主要表現了“明快勃發”的**自然操作**罷了。】

第五十七章

自然的意志——或者換成較易爲本書讀者接受的説法即“存在在自失中衍存的存在性”——使**物性**升華爲**人性**，而**物的質態**一旦進化爲**人的性狀**，**自然的存在**就自失爲（或“躍遷”爲、“顯現”爲）**形而上學的“存在”**。【注意：“**性狀**”一詞是“**質態**”一詞的不等位或進位同義詞；“**形而上學的存在**”一語是“**自然的存在**”一語的不等位或進位同義詞組。兩兩對應的話，“**性狀化的形而上學存在**”就構成了康德意義上的先驗的此岸的主觀的存在，“**質態化的自在之物**”就構成了康德意義上的超驗的彼岸的客觀的存在。二者的溝通，正在于“性狀存在”與“質態存在”的**演替性溝通**，否則，

單純從感知或邏輯出發是不可溝通的,是謂"形而上學的禁閉"。(詳見卷二)】

説到底,舉凡由人類引發的一切事件(或"一切與人有關的特定對象的存在")不外都導源于人類這種自然衍存物的存在弱性之中,亦即**人類"存在性"的失穩或失位是人類一切問題的唯一源泉。**【依據上章"荒謬的存在之局"模擬一個"荒謬的存在之物",也許有助于啓迪"冥頑":設若有一磐石居然弱化到這般田地,它的體表必須布滿神經末梢和種種感受器,以便敏鋭地將任何細小的不利刺激轉化爲"痛苦"的感覺而逃避之;必須賦有精致的生理構造和運動機能,以便不失時機地將任何微薄的生存條件轉化爲"欣快"的欲望一概捕獲到手;甚至必須具備邏輯思維能力和選擇判斷能力,否則便會在蒼茫天地之間找不到自己安身立命的位置;則這塊石頭也一定得去追問存在,縱然這種追問不免造成愈問愈疑的無窮困惑也罷——這塊軟化或弱化了的石頭就是"人"。須知那硬化的石頭之所以能够安然沉默,蓋由于其存在的問題早在未問之前就已相對解决了的緣故。】

這就是一切人文現象的自然根據,也是一切哲學論題的生發基礎。

第五十八章

存在自失于觀念中的"存在",使存在本身在另一個層位上**變態重演着它的豐化過程**,就像存在曾經自失于非觀念的各個層位上變態重演着它的豐化過程一樣。【所謂"重演",乃是同一機制的連續貫徹,故在非歷史的、不可變易的**内性**範疇中完全成立,而在歷史的、流變失存的**外延**範疇中不完全成立。换言之,**存在的質態終不能重演,但導致質態演化的機制總在重演。**】

從原始的客觀存在到客觀的層位躍遷，再躍遷到主觀的“存在”層位，即是“存在實現爲存在的全體”或“存在實現爲存在的對象”的自然歷程（請回顧第七章）。【這一歷程以後還將在康德所謂的“純粹理性”（即精神領域）和“實踐理性”（即社會領域）中繼續演運，直至走完它的自然全程。】

也就是説，形而上之“存在”是形而下之存在的繼續，并在本質上受其支配，盡管這種支配未必呈現爲刻板的“反映論”式的等一。

無論“存在”在形而下實演抑或在形而上虛演，它的演運都受到同一法則的規定，那就是遞弱代償的存在性的規定。

所以，追問存在的存在者一定是由于自身的弱質而發問，或者説一定是由于自身需要代償而發問，**這就是作爲“存在者”的“設問者”何以要追問存在的原因**（請回顧第一章）。

第五十九章

因此，作爲設問者的物（即作爲“人”的物）就是不問即無可自存的物（仍是自然之物），所問者，**無非是要追尋業已從自身中遺失而又不可任其遺失的東西**，故呈“追問”之勢。

若無“追問”的内在要求，則斷不會爲不相幹的事而生出無緣無故的“驚异”，也斷不會有可以“設問”的自身素質。“驚异”是從特定素質的自身出發觀望于异己的存在而驚异，尤其是爲這些异己的存在如何可能成爲自存的要素或自存的前提而驚异，即本質上是爲自存與他存的關系而驚异，雖然從表面上看，驚异常常發自于無緣由的“美”或無緣由的“疑”，而并不直接呈現爲求存的動機。可見“美”與“疑”一樣都是自身存在性或自然存在性的特定産物，二者共同表現爲“誘惑”的聯系——**借以聯系于自然整體存在（或借以維系自然整體存在）而已**。

所以，驚异的本質不在于亞裏士多德所謂的“對自然萬物的驚异”，而在于“**自身居然必須以自然萬物爲依存對象**”才使驚异油然而生。可見“對象”不僅僅是一個抽象的認識論上的概念，而是一個潛涵着“自身必須通過設立對象而存在”的非認識論規定性的概念，**這個“必須設立對象”的存在規定性規定着“如何設立對象”的認識過程，因而哲學上的認識論問題歸根結底是一個存在論的問題**，或者説是一個關乎自然哲學的“本體論”問題——不言而喻，**這裏所講的“本體論”不僅涉及“對象”的本體規定性，更涉及“認識主體”自身作爲一個存在物的本體規定性。**【既往的全部哲學之所以漏洞百出、牽强附會，蓋由于“自然本體”與“精神意識”、“本體論”與“認識論”完全處于**無法彌合的分立狀態**使然。換言之，搞不清“人”的**自然衍存位置**，當然也就弄不明“人的精神屬性”**由何而來**以及**如何運作**。自笛卡爾以降，哲學家們似乎突然清醒過來，他們發現，如果不能澄**清精神與意識的性質**及其**認識能力本身的規定**（即“能知”是什麼的問題），則我們就**没有可能，甚至没有資格**去談論古希臘哲學關心的所謂“存在本體”問題（即“所知”是什麼的問題），哲學由此超越唯物的本體論研究階段，而跨入唯心的認識論研究階段，這不能不説是人類思想史上的一大進步。然而，既然“我思”也是一種“在”（笛卡爾的“我思故我在”），那麼，**倘若無能探究“我在”的淵源、性質和規定，又如何能够澄清“我思”的本來面目呢？**——這使得一切認識論哲學（即“精神哲學”）終于墮入遠比本體論哲學（即“自然哲學”）更黑暗的深淵。看來，出路衹有一條，那就是：**讓“本體論”（存在論）與“認識論”（精神論）共有一個起點、一系規定、一脉動勢，并最終達成“追求存在”這樣一種結果，亦即讓“認識論”問題與“本體論”問題還原爲一個問題、闡釋爲一種答案。】**

這才是哲學的真正的或元始的開端——一個對“驚异”本身産生驚异、對“追問”本身加以追問的開端——由此跨入哲學的聖殿，窺見存在的堂奥。

第六十章

綜上所述，已知**自然存在或一切存在者一概統一于存在性的演化**，正是這同一存在性的演運才造成了“質料”或“質態”的分化，才造成了“本體論意義上的存在”之落實，也才造成了“存在之所以存在”或“從存在到存在的對象”之實現。

而且，基于對此項存在性的系統證明，“存在”無論以何種質態存在，即無論以此岸之“對象”（即巴門尼德的“非存在”範疇）或彼岸之“非對象”（即巴門尼德的“存在”範疇）的狀態存在，都無礙于將它們**一概并入總體存**在來加以討論，這種情形，頗像門捷列夫編排化學元素周期表時毋庸在乎若幹元素的缺檔一樣。即是説，當我們從“作爲對象的存在”之中探求“前對象的存在”或“非對象的存在”時，毋庸顧慮“形而上學的禁閉”所造成的武斷之局。【因爲“形而上”式的觀念封閉和主觀武斷本身就是衍化爲弱存者或依存系統的存在方式之規定。】

再者，既然**邏輯的展開**與**存在的展開**受同一存在性的制約，即存在性的演運使存在在不同層次上以不同的質態重演，則“邏輯中的存在”與“非邏輯的存在”就成爲**既可以區分又可以重合**的存在，進而**邏輯本身的層次化運動也就會以并不與非邏輯的存在相矛盾的形態展開**，從而令精神存在無須勾銷非精神存在亦可達成自身的豁然明朗，再不必像黑格爾那樣把“存在”與“真理”永遠套死在邏輯的格式中攪混。【至于完全看不見精神本身的“虛存規定性”（即呈現爲“主觀唯心狀態”的那種客觀規定性）的哲學，就像隔着玻璃亂撞而又不能將玻璃納入視界的蒼蠅那樣失掉了前途。因此，自康德以降，嚴肅的哲學家寧可匍匐在貌似“透明”的“心靈實體”（笛卡爾語）上琢磨，也不肯貿然碰壁了。然而，這衹能算是在先前那個阻擋物的垂直平面上跳滑步舞，却不能標榜爲一條出路。】

總之，存在性使**物質的規定性與邏輯的規定性同一，使作爲物的規定性與作爲人的規定性同一**，從而足以成就**符合邏輯的自然哲學、符合自然的精神哲學**以及**既符合自然弱演又符合精神舒展的社會哲學**之統一。【如果說“人類”是自然物演序列的後衍形態，如果說“精神”是自然弱化動勢的屬性代償，則“社會”就不可能不是自然結構進化的延續產物。而且，正是基于從無機到有機的實體生物化（體質）進程，以及從感應到感知的屬性精神化（智質）進程，生物生存性狀的社會化耦合進程才能在自然結構化的固有軌迹上繼續運行（從體質性狀的分化耦合形態發展到智質性狀的殘化整合結構）。既往的認識論之所以與本體論完全斷裂，就在于它根本找不到物質存在與精神存在的代償演運脉絡，結果不免導致整個認識論的基本問題都必須復審（卷二題旨）；同樣，既往的社會學之所以與自然學完全斷裂，就在于它根本找不到自然存在與社會存在的物演動進環節，結果不免導致整個社會學的基本概念都必須重鑄（卷三題旨）。】

卷二

精神哲學論

——精神哲學的感應屬性增益原理

第六十一章

所謂**“哲學”**無非就是對**精神存在**或**精神現象**的總結。

【一般認爲，哲學作爲“宇宙觀”或“世界觀”一定是包羅萬象的，這實在是大錯特錯了。因爲，從根源上講，哲學正是要將一切知識所“包羅”的“**萬象**”還原爲精神之“**單相**”或“**單元**”，甚至不無理由地被許多最富頭腦的哲學家認爲是**唯一可以言説的存在單元**。也就是説，哲學首先遭遇到這樣一重難關：你能否超越于精神之外去探尋存在？倘若不能，難道你面臨的**第一道存在**（甚或是**唯一的存在**）不就是作爲**存在統攝者**的精神存在嗎？由于精神和感知的這種暗箱封閉性，我們一時尚無法直接探討這個精神世界内的種種“幻象”是如何形成的，所以才祇好在本書卷一中**事先建構**一個“遞弱代償原理”的邏輯模型，以便能够**先行説明精神存在本身可能是一種怎樣的存在**，從而使精神現象的内部解析有了一個得以依托的基礎。實際上，波普爾的“世界3”、黑格爾的“絶對精神”、笛卡爾的“心靈實體”以及柏拉圖的“理念”等等都是指這個**孤自存在的單元**，但是由于他們不能講清它的**來龍去脉及其流程規定**，所以才造成其理論系統的輕飄無根和矛盾百出。】

因爲即使我們衹是在討論具體的“某物”，那**某物**也早已是**現象在精神中的某物**了。即是說，“物的存在”或“非精神的存在”是不可直接指謂的存在，凡指謂爲“存在”的存在均不免當即呈現爲“觀念中的存在”，是謂“**形而上學的禁閉**”。

有鑒于此，我們其實并没有資格討論存在，至少没有資格討論“精神本體”以外的存在，除非你能够證明，你的精神觀照就在于**指謂他在**而全然不在于**維系自存**。然而，這不啻説，“精神”是一個没有任何自身規定性的**絶對的虚無**，因爲即使精神衹是一面鏡子，那鏡子是黄色的銅鏡抑或是無色的玻璃鏡，是平鏡抑或是凹凸鏡，其中被反映物的影像仍會因鏡子的不同而不同；照相使立體變成了平面；洛克式的“白板”又使白色的描摹了無痕迹可顯；總之，**你衹要不是“無”，你就不能無條件、無規定地接受外來的影響**。若然，則你所説的“存在”究竟是“你的存在”還是“存在的存在”，立刻成了一個令人茫然的問題。

所以，笛卡爾小心翼翼地求證“存在”，衹能得出“我思故我在”（cogito ergo sum）這個哲學史上唯一有效的“形而上之存在”的證明。也所以，一切有關自然哲學的本體論的探討從此轉化爲精神哲學的認識論的問題，而且，更有甚者，這個“認識論”的問題竟成爲不知道要去“認識什麽”的問題。

可見，精神哲學并不僅僅是一個單純的有關認識論的學問。

换言之，與其説**“形而上學”是一種學問**，毋寧説**“形而上”是一種存在方式或存在質態**。

關鍵在于，正是這種存在質態規定着**存在**被“統覺”（在康德之意義上借用該詞項）爲**存在的樣態**，從而使“形而上學中的存在”問題轉化爲針對“形而上”本身——即精神存在或精神現象——**爲何**（Why）存在以及**如何**（How）存在的問題。

故，精神哲學的**第一質疑**或**形而上學前的潛在疑問**應該是：**作爲形而上質態的存在者何以必須通過指謂存在來實現存在**？

第六十二章

上述問題在未答之前業已提示：

A. “指謂存在”純屬**客觀的**產物和過程，因爲指謂者或感知者正是作爲**追隨存在的存在者**才必須通過有所指謂或有所感知以**實現自存**；

B. “指謂存在”純屬**主觀的**產物和過程，因爲指謂者或感知者正是出于自**身質態的規定性**才必須通過指謂性狀或感知稟賦以**響應他存**；

C. 由此形成這樣一種**佯謬：**借以指謂存在的“精神本體”及其“感知內涵”既是**純粹客觀的又是純粹主觀的。**

換句話說，***A***項涉及感知主體（或感應質態）的**非感知性衍存**之本質，已在本書第一卷中予以闡述。***B***項涉及感知主體如何以**性狀化的感知規定**（或**質態化的感應屬性**）在自性禁閉中實現主體自存；***C***項涉及感知主體如何以**非感知性衍存之本質**以及**自性禁閉之感知規定**的聯動方式與客體溝通，從而達成二元樣態的自然通存；***B***、***C***兩項乃是本卷擬予討論的主題。【再換一個表述方式，即是問：如果世界不是一個或一系整體存在（笛卡爾稱其爲“二元性”），那麼，精神存在或觀念本體如何使自身得以**載體化的存在**？（注：所謂“載體化”的存在，是指精神必須有肉體作爲載體、觀念必須有對象作爲載體的那種存在。）反之，如果世界是一個或一系整體存在（黑格爾稱其爲“總體性”），那麼，精神存在或觀念本體又如何**使自身融合到載體中**或**使載體融合到自身中**呢？（注：所謂“融合到”的狀態，是指精神必須與肉體相適配、觀念必須與對象相照應的那種狀態。）很明顯，全部的麻煩可以歸結爲這樣一問：存在爲什麼必須呈現爲**并列的外在**或**外在的并存**，以及存在又如何使之成全爲**并列的共在**或**共在的并存**？這就是精神哲學的根本題旨——一個迄今得不到解決、故而令一切哲學都不免陷于胡纏的題旨。而之所以如此，可能恰恰是由于此前的哲人們總是習慣于**橫向并列**地或**瞬時共在**地處理上述問題，卻不曾想到那“被感知的存在”其實正是“感知性存在”的**前體派生者，即認知主體與其對象的關系首先是一個縱向規定的關系或一脉衍存的關系，其次才可以涉及它們之間的橫向規定關系或二元并存關系。】**

第六十三章

笛卡爾的睿智之處在于他將精神（即cogito“我思”）首先視爲是一種“在”，笛卡爾的無奈之處在于他用以證明“在”的根據又衹有這個“思”本身（即“在”僅指“cogito”在）。前者使精神成爲純客體，後者使精神成爲純主體，這就是令精神呈現爲主客無分的佯謬存態之原因。

然而，如何才能够**超然于精神之外或精神之上**來把握和俯瞰**一切存在**呢？

此一嘗試由來久矣。早在古希臘愛利亞學派誕生之初，巴門尼德就曾借正義女神之口指出了三條“認識之路”，恰好與上章之***A***、***B***、***C***三種情形遥相呼應：

第一條路是：“存在者存在，它不可能不存在”；可注釋如下：無論感知是否能够認識存在，存在自必存在；或者說，不是認識了存在才有存在，而是有了存在才需要確證認識。不過此刻所謂的“存在”**不以認識爲前提**，因而衹是一個**武斷**。

第二條路是：“存在者不存在，非存在必然存在”；可注釋如下：無論存在是否存在，感知造就了唯一的存在表象，如果把這種意識化了的表象視爲非存在，則非存在才是可證明的存在。不過這裏所謂的“非存在”**僅以認識爲前提，卻没有對“認識”本身加以認識**，即尚缺乏充分的理由判定“非存在”本身的性質以及它與“存在”的异同，因而**也是一個武斷**。

第三條路是：“存在和非存在同一又不同一”。可注釋如下：既然存在與非存在可能都存在着，且相互關聯而又不能被統合爲一種東西，則捨此没有其他出路。不過這條出路**以上述兩項武斷爲前提**，因而不免仍是一個武斷，而且是建立在**武斷之上的武斷。**

結果，衹能給人這樣一種印象：巴門尼德認定第一條路是“真理之路”，却無“**理**”可言（“理”指派生于感知的**邏輯**）；認定第二條路是“意見之路”，却無“**真**”可言（“真”指與感知無關的**本在**）；認定第三條路是由于普通人的理智“誤入歧途”所致，但却似乎是唯一既含“**真**”又含“**理**”的認知法門（衹是“真”與“理”的**關系**無法得到證明）。

如此尷尬的局面，豈不令哲學無地自容？

曾幾何時，正義女神的啓示竟成爲數千年來哲學狀態的讖言。【有史爲證：唯物主義在第一條路上目不斜視地挺進（它的典型代表主要在哲學史的初期階段，大致以古希臘的自然哲學時代爲鼎盛期，而以培根、洛克、費爾巴哈等爲尾聲）；唯心主義在第二條路上小心謹慎地求證（它的典型代表主要在哲學史的中期階段，大約可從畢達哥拉斯和柏拉圖算起直到貝克萊爲止）；大凡想彌合對立兩派者則衹好在第三條路上蹣跚舉步（它的典型代表主要在哲學史的近期，大約始于笛卡爾，歷經休謨、康德、黑格爾，至邏輯實證論及存在主義爲訖）。一望而知，這三條路恰恰反映着精神存在的自性封閉狀態，以及爲打破這種自閉而尋求出路的徒勞無功。】

第六十四章

實際上，哲學歷來未能擺脱這樣一種兩難處境：**不知“感知”**

之規定性，則不知"存在"爲何物；反過來看，由于感知主體本身也是一種存在物，因而，如果不知"存在"爲何物，則對"感知"的規定性又無從談起。此乃一切哲學困惑之根源。

【西方哲學史的發展大體上經歷了這樣一個過程：

起初是率然追問身外的世界，即"存在的本體"，如古希臘的自然哲學時期；盡管隨之也發現了所欲追問的世界總不免折射出追問者自身的精神痕迹，或"理念的背景"，如畢達哥拉斯學派、愛利亞學派，尤其是柏拉圖；但終究未曾想到或未曾證明：**對自然本體的設問本身**（即"本體論"）直接就關聯着**對精神本體的設問**。

直至公元十七世紀，笛卡爾敏鋭地意識到，所謂"外部世界的存在"總須**被統攝在精神之中**才成爲可以指謂的"存在"，從而提出，衹有"我思"是唯一可以證明的存在，由此開創了近代"認識論"的先河。不過，從直覺上，笛卡爾又不能否認外部世界的存在，于是，著名的"二元論"就此誕生了。

然而，一系列問題也由此發生：既然"心靈實體"是唯一可以確證的存在，那麼，怎麼能够又説"物質實體"存在或不存在呢？這豈不是明擺着要爲自己認定不能證明的東西予以證明嗎？顯然，笛卡爾從**懷疑**出發却走入**獨斷**，合理的推論應該是：精神以外的東西到底存在不存在一概不可知。這便順理成章地造就了休謨。

既然**"不可知"**，何以又會**"有所知"**？"知性"——哪怕是"純粹知性"——這時總該探討一下了吧，否則，説什麼"可知"或"不可知"不是照例也屬于一種**新的獨斷**嗎？康德就爲此思索到老，并成爲繼亞裏士多德之後着意拷問"知的規定性"的近代第一人，誠然，他的這番努力不可謂業績不著，但終于還是未能澄清**知的規定性**如何與**在的規定性**統一，反倒更弄出一大堆"二律背反"的麻煩。

至此，必須有人出來收拾這個殘局：他**既不能**跑到"精神"

以外去獨斷地大發議論,**亦不能**全然置精神認知的“對象”于不顧,同時,他**還得設法消解**康德及其前人所提出的知性或理性中的種種**矛盾和混亂**。這可不是一件容易的事情,因此,即便他運用某種穿鑿附會的方法,衹要能够一舉解决如此復雜的一攬子問題就值得給以大大的喝彩。于是,黑格爾那“辯證的絶對的理念”之光輝一時把人照得眼花繚亂也就不足爲怪了。

此後的哲人就是依據這樣一部思想史而嘆息“哲學終結了”。】

基于此,應該説,黑格爾其實并没有擺脱形而上學的框範,衹不過在形而上學内部玩弄了一番機巧、换用了一個别稱而已。【也就是説,繼笛卡爾、休謨之後,康德雖然致力于尋求“純粹知性”和“純粹理性”自身的規定性,却依然無論如何也無法將彼岸的“自在之物”擺渡到此岸的“我思”中來,結果導致對物自體的指謂本身就是一個無意義的或無效的武斷;于是,黑格爾才以邏輯學統領一切存在,即通過被封閉的“絶對精神”來克服形而上學本身暫時無法克服的矛盾,這就是所謂“辯證法”或“辯證邏輯”的原初宗旨。可見,黑格爾的高明之處僅僅在于他比别人更老實更徹底地默認了這種“形而上學的禁閉”,并且毫不僭越地自限于天定的邏輯限局之内探求邏輯自身正、反、合的限局運動之規定,從而通過消解形而上學以外的武斷達成對形而上學本身的消解。】

顯然,“形而上學的禁閉”其實就是具有“形而上”之屬性的存在者不能超脱自身相對性或自身有限性之規定的具體體現和直接證明。【它之所以成爲“絶對精神”或“絶對理念”,恰恰是由于處在這種“相對規定的有限格局中”無可自拔的緣故。】

至此再度表明,縱然是内向地“自己追問自己”(即具有“自我意識”)的精神存在,衹要還是“存在”,就照例問不得。【即如本書卷一中之所談:“存在”是一個不可直接涉及的無限語境。參閲第六、七章。】

即是説,精神的本性不是因爲它存在着就足以自明,而是同樣必須通過對其“存在性”的探討才可望獲得澄清。【至于究竟是存在的有限性導致了精神的有限性，抑或是精神的有限性決定着存在的有限性，才是唯一不問而自明的問題，因爲這兩種存在在本質上同一：不是同一在黑格爾式的邏輯推論中，而是同一在笛卡爾式的非邏輯元在中。這裏所謂的“**元在**”是指，在笛卡爾“我思故我在”的命題中暗含着這樣一個武斷：衹要**我在思想**，哪怕是**尚未想到我在**，“我思”已**固然自在**。換言之，之所以説笛卡爾對存在的證明最初是唯一有效的證明，就在于其中暗含着這樣一個**無須證明**的**非邏輯性武斷**。】

而精神的存在性正體現在它那“**非理性的物態素質**”之中——即體現在上述那種“**認識的武斷素質**”之中。【亦即體現在“**感應屬性必然地或斷然地要有所生發的代償規定**”之中】

因爲衹有“在”才是**決然武斷**的，一如衹有“在”才是**決然自在**的一樣。“武斷”不過是物的“自在”素質**在精神存在階段的表達方式**而已。【注釋：如果“在”或“自在”是不容商榷的，那麼“屬性代償”或“自爲素質”也就是不容商榷的，因爲它們就是**“在”的本身**或**“在”的組成部分**。而且，“屬性代償”或“感應屬性代償”衹爲**求存**而發生，別無其他任何目的或任何雜念，即是説，它并不肩負**求真**的使命或人爲賦予的其他意義，假如“失真”才更有利于求存，則它必取斷然“扭曲真相”的捷徑而率性直達“求實以存”（“求存”或“依存”）的目標。】

換句話説，**潛在的武斷大抵是一切認識過程的基礎，而不是認識結果的失誤。**【本文所謂的“武斷”與哲學史上常用的“獨斷”一詞在詞義上類似，但强調這種“武斷”**是不可克服的**，即無論你是“獨斷論者”抑或是“懷疑論者”，衹要你還是一個**認識主體**，你借以抨擊對方的“獨斷性體認”或“懷疑性體認”其實都照樣建立在這個**武斷認知的基本規定**之上。】

問題在于，對于這個**非邏輯的“武斷”本身**，我們却必須**邏輯地證明它**，否則即不能取信于“思”。這正是既往一切哲思不免一概發生悖謬的原因。【其悖謬之處（1）**不在于邏輯不能證明非邏輯**（笛卡爾式的“思”與“在”的後續證明即屬于此）；而在于（2）**單憑邏輯不能證明邏輯本身**（維特根斯坦的“應該沉默”即指本項）；但邏輯中的非邏輯内涵其實已經邏輯化地給出了邏輯的淵源，也就是説，（3）**唯有非邏輯才能够爲邏輯的自性規定提供證據**（盡管將此“證據”轉化爲“邏輯的證明過程”看起來仿佛是邏輯自身的演動形式或演動函項）；因此，如果做出徹底（即“徹于基底”）的批判的話，則可以説，此前所有哲學家的疏淺均表現在他們對**邏輯本身的非邏輯性潜在規定**幾無所知，其不同點僅僅在于：笛卡爾對此初有直覺并給出了點睛之證；康德試圖予以探察却茫茫然無處置根；于是黑格爾用純邏輯的辯證形式幹脆合并或掩蔽了它；而維特根斯坦又分析證明這種純邏輯的覆蓋全然無效。】

因此，我們不妨對這個“無須證明”甚或“無可證明”的**邏輯中的非邏輯規定**予以證明。【馬赫、羅素等人，尤其是維特根斯坦認爲，形而上學問題是全然不能獲得事實和邏輯證明的“僞命題”或“無意義命題”，維氏甚至輕率地提出，衹有從可經驗的“原子事實”（或“原子命題”）出發，邏輯的運行才有了可靠的起點，而從這個起點發端是不可能導向純思辨的形而上學問題的，并斷言，衹有自然科學才是真命題（見《邏輯哲學論》4. 11）。然而，如果我恰恰從這個起點出發（包括從自然科學所給出的種種“事實”出發）（本書之卷一即是如此，卷二、卷三仍然如此），却從中導出（并力求解决）傳統形而上學的全部基本問題，那麽，維氏邏輯學的基礎和結論（指“對于不能談的事情就應當沉默”）是否還能够成立呢？須知，正是身爲純粹科學家的愛因斯坦曾在其《自述》中指出：“動摇了以力學作爲一切物理學思想的最終基礎這一信念的人，正是恩斯特·馬赫。……但是我認爲，**馬赫的唯心主義還不够徹底**。因爲它没有正確闡明在思想中，特别是科學思想中本質上是**構造的和思辨的性質**。因此，正是在理論的構造的——**思辨的特徵**赤裸裸地表現出來的那些地方，它却指責了理論，比如在原子動力論中就是這樣。”（重點爲本書作者所加）由此可見，那些自認爲是科學辯護士的哲學家，其實連科學和哲學最基本的邏輯性質和思維方法都没有搞清。（嚴格説來，包括自然科學在内的人類所有知識，都衹具有**求實的含義**，而不具有**求真的含義**，至于“求實”與“求真”的概念差别及其演動形態，詳見後文。）】

第六十五章

讓我們從所謂的初級感性階段，即一般以爲是“認識過程”得以發生的起點給以簡要考察。【注意：**所謂“認識過程”就是“邏輯過程”**，因爲“感覺”本身就是一個在感官水平上以及感覺中樞内將種種非圖像要素綜合處理成感性圖像或表象的初級邏輯過程。笛卡爾使用的“觀念”一詞，就包含着這個**由感覺發生的一瞬間所引發的一切内容**（由“觀”到“念”的一切内容），這是十分正確的。至于“觀念”後來何以日益遠離了感官而顯得愈發縹緲起來，已是有待容後討論的另外一個問題了。】

視覺——它大約占去人類感覺信息量的70 ~ 80%，然而，視覺衹是生物生理感光系統（源自于原始無感官生物之光合作用的代謝需要及其趨光性，而原始生物的“趨光”并不是爲了“趨求真理”）的一種機能表現，它衹在極有限的照度内對400 ~ 700毫微米之間的光波可感（故謂之“可見光波”）。即是説，凡不在這個波長範圍内發光或反光的物體對視覺來説均屬不存在，或者，凡不以發光或反光呈現其屬性的物體對視覺來説均屬不存在，而且物體的基本構成如何影響着它與光綫的關系，并不是目力可以直接探察的事情。再者，**對光的“可感”并不意味着對光的“真感”**，因爲把“光”（即“光量子”或某種“能量單位”）感覺爲“亮”非但没有澄清“光”是什麽，反而令光子的本性在恍恍惚惚的光感中失之盡凈。【試想一下，假若讓這一束“能量單位”不是作用于視網膜和視中樞，而是作用于其他物體譬如溴化銀底片上，則它所產生的理化反應可能反而是使感光者不自覺地變“暗”了。進一步講，倘若貝克萊追問：何以見得引起“亮”感的東西一定是“光”？你其實已經無法爲之提供更進一步的證明了，因爲當你數説種種有關“光”或“光子”的特性時，你的根據仍然不外乎是“亮”。可是，“眼見爲實”却歷來成爲檢驗知識的最可靠的根據，即使是那些以排除主觀傾向爲基本原則的科學性“實驗觀察”亦須以“觀”爲證。如果動輒就提出如下質疑：我們何以會將物體發出或反射光波的單一屬性武斷爲對物體本身的可靠認識？以及，我們何以證明“引起亮感的過程是由于光”的所謂“科學結論”不是一種武斷？則“認識過程”在其尚未進行以前就應該休矣。】

色覺——**世界本無色**，所謂“顏色”不過是可見光譜中不同波長的光波作用于視覺系統的**感覺轉換產物**。【混合光產生白色光覺，單一波長的光波衹要相差5毫微米，人眼即可產生不同的色覺，故從400～700毫微米之間的光波中大約能變換出150多種不同的“色”，主要爲：紅（700～610）、橙（610～590）、黄（590～570）、緑（570～500）、青（500～460）、藍（460～440）、紫（440～400）等七色。至于紅和紫以外波長的光綫，則陡然成爲没有任何“顏色”的“理念之光”了。】

聽覺——世界本無聲，所謂“聲音”不過是16～20000赫兹的各種振動波通過空氣傳導**刺激聽器官所引起的“錯覺”**。【錯就錯在這“聲音”本身并不能反映出“什麽是聲音”，反而讓聽者誤以爲“聲音”即使在耳朵之外也直接是一種客觀的音響。而導致此項錯誤的不僅僅是鼓膜、耳蝸毛細胞和聽神經中樞，就連外耳道也參與作祟，致使較小的振頻變成很大的聲音，却對較高的振頻充耳不聞：“根據物理學上的共振原理，一端密封的管道，能對波長比它大4倍的聲波發生最好的共振。人的外耳道平均長度爲2.7厘米，它的4倍是10.8厘米，後者與3000赫兹聲音的波長（11.4厘米）相仿。因此，人類外耳道的共振頻率爲3000赫兹左右。由于這種共振因素的存在，當3000赫兹的振動波傳到鼓膜時，聽力可增加10分貝左右。”（引自《生理學》）】

也就是説，在真實的身外世界中原本并没有艷麗的色彩或悦耳的聲音，倘若人類的眼睛和耳朵在構造上起初直接就是光譜儀和振頻儀的話，那麼，我們現在所看到或聽到的世界一定已經是另外一番景象了。可見，“有聲有色”衹不過是某類自然存在物（如某些動物）爲維持其存在而不得不對“异我者類”（即一切依存對象）加以扭曲的**特定感應方式**而已，但對于這些動物來説，把世界武斷爲“聲色迷離”的生存舞臺却又是一個講不得道理的必須。

——再者，縱然我們閉目塞聽，以防“上當”，觸覺摸索出來的世界照例不過是形狀、體積、温度和硬度等有所差异的“感覺要素的集合”（馬赫語）而已，且由“感”成“覺”的過程仍然必須借助于武斷方能完成，譬如，從銅、岩、鐵、鋼一直到鑽石，各類固體物質的實際硬度差异頗大，但觸覺所示幾無分别；又如，熱是物體内部原子或分子不規則運動釋放的一種能，生物的温度覺把它轉化爲冷或熱的感受加以認知，雖然就此感觸本身而言不能不説知之確切，然而那被武斷爲“熱”的要素若未接觸到皮膚究竟會是一種什麼東西，受熱者其實連自己已經武斷過一遭也毫無覺察。

——氨和吲哚等揮發性混合氣體分子作用于鼻腔最上端的淡黄色嗅上皮細胞，于是我們要爲不愉快的糞臭味而蹙眉屏息，從嗅覺中我們并不能直接得出氣味與分子結構之間關系的結論，但是大凡對人體不利的東西總會被我們體驗爲不够美妙（不够舒適）的刺激，而美（舒適）與不美（不適）純屬主觀的武斷，猶如蒼蠅一定認爲上述氣息正是美味一樣。

——味覺感受器味蕾給出的各種口腹之欲，不過是由酸、甜、苦、咸四種基本味覺相互配合而形成的，它們與産生味感的物質之關系，迄今亦無任何專家能够說得清楚，譬如“酸”味是由溶質中的氫在液體中電離出來的氫離子亦即質子造成的，那麽，其他元素或其他離子是什麽味道？或者何以就没有味道？這樣的問題顯然超出了以“武斷爲知”的一切感性覺悟的能力範圍。實際上，味覺中的“甜”與“香”祇不過是對可利用能量譬如水果（内含果糖，即雙分子葡萄糖，1克葡萄糖可爲人體提供4大卡能量）或肉類（1克脂肪可爲人體提供9大卡能量）加以識别獲取的主觀設定，而味覺中的“苦”與“澀”也同樣不過是動物系統在長期進化過程中建立的對有毒或有害物質予以鑒别排斥的保護機制，僅此而已。

——人類對空間位置和自體運動的感覺來自深藏于内耳的前庭器官，即使閉上眼睛，人體極輕微的傾斜也瞞不過它，然而人類隨着地球高速翻轉，靈敏的前庭半規管却對此一無感知，致使人類空活了上百萬年還不知道自己脚下的大地竟是一個自行轉動的球體。拉開了人類科學史序幕的哥白尼，在很大程度上祇不過填補了小小前庭器官的失能，可是如果我們整天都處在對這種天體旋轉運動的準確感知之中，恐怕眩暈渾噩的人類——如果他們不肯失之于上述種種先驗性武斷的話——早就已經不知所終了。

然而，人類用這種變换了物態的感官和感覺照樣**有效地**建立了自己**生存所需的識辨系統**，而且對于所有的動物來説，**祇有這種扭曲了真實的感覺才能最經濟、最和諧地維系生命微弱的存在**，誰又能指責這種不爲發現“真理”而設置的感性武斷認識方式是生命存在的一種錯誤呢？一言以蔽之，我們的**感知系統不是爲“求真”設定的，而是爲“求存”設定的**。【馬赫在其《感覺的分析》一書中談到，“思維經濟原則”不僅體現在理性推導的簡約化和精練化方面，而且首先體現在對感覺過程和感覺整合的無意識認真上，這是獨具慧眼的見解。依我看來，其更深刻的意義在于，這種源自人性或動物性深處的盲目和無知正是一種必要的生存保護機制。試想一下，如果人類經常處在不能確定自身天賦的識辨系統是否可靠的遲疑狀態中，將會是一種怎樣糟糕的局面！（此處主要指建立在感性和知性基礎上的當即行爲反應，這是包括人類在內的所有生物借以生存的基本用智方式，理性化的滯後行爲反應另當別論。）實際上，“可靠”歷來與“求真”無關，因爲“求真”（姑且不論可能與否）難免使處理對象的過程復雜化，然則一切可靠而敏捷的求生行爲潛能想必都會因此而化爲烏有。（至于支配着包括“思維經濟原則”在内的更具普遍性的自然簡約原理，容後再談。）另外，自波義耳于十七世紀提出“第一性的質”（如物的廣延、大小、運動等）和“第二性的質”（如物的顏色、聲音、氣味等）以來，許多著名哲人將此視爲大有深意的課題加以探討，然在我看來，二者其實衹有五十步與百步的差別，甚至連五十步與百步的差別也沒有，因爲從根本上講，它們都不能證明各自究竟在多大程度上反映了“本真”或在多大程度上未能反映“本真”。說到底，問題不在于**作爲對象的客體性質是什麽**，而在于**使客體成爲對象的性質是什麽**，對于這個更關鍵的課題，既往的哲學却很少問津。】

第六十六章

武斷之必要，對于感性認識是如此，對于理性認識亦是如此。【注意：既然“邏輯過程”與“認識過程”同一（可謂之“廣義邏輯”），那麽，**“理性邏輯”**（可謂之“狹義邏輯”）**作爲“感性邏輯”和“知性邏輯”的後發衍生階段或後衍形態就不可能與之不相適配**。也就是說，理性認識非但不能糾正感性認識的失真，反而一定要把它處理成某種系統性真實或曰“真理系統”方才罷休，**此謂之“廣義邏輯自洽”或“廣義邏輯融洽”**。這就是在非哲學層面上——即常態生存的一般直觀層面或科學理性層面——所必然達成的“實踐檢驗”效應或“實驗證明”體系。】

"理智"的武斷性以如下形態在不同層次上全面表達出來——

I. 但凡究詰知或知性的根蒂，也就是借助于純邏輯的推理和思辨方式，譬如問：純粹理性的幾何學推導或數學方程與外部客體的運動狀態是否完全一致？你憑什麼確認客觀世界運動一定會按照你的主觀邏輯方式而層層推進？再譬如問：邏輯運動究竟是按照自身固有的程式自行展開呢？還是通過真空般的感知"孔道"（恩培多克勒語）完全無我地反映着外部世界的運動程式？則究詰者必自陷于哲學上那個永劫不復的泥淖——舉凡你能提出來作爲證據的東西，正是你應加以證明的東西，或者說，所有你能拿出來的證據本身就是你要證明的對象，**這使得一切證明都落于無效，也使得一切證僞都落于無效**。除非你盲目地事先假定，你所給出的任何東西或證據都是精神源性的，或者都是外物源性的，然則你的所有證據都會立刻有效，而且足以充分自如地互相印證。但是，這樣一來，你原本所擬探索的那個最基本的"知與在"的本質及其關系問題就仍然祇是一個**武斷**。可見哲學史上的唯物論與唯心論之争在邏輯上純屬無意義，難怪維特根斯坦認爲既往的形而上學統統是語言病的産物。【但這并不表明維特根斯坦的哲學議論是完全正確的，也不表明形而上學問題是毫無意義的庸人自擾，反倒應該説，**形而上學成爲一門顯學**以及**理性用智成爲一種必須**都提示，人類的**自然生存形勢**及其**感應依存形態**正在逐步趨于**危在**和**僞在**的方向，亦即人類的**求存代償進度**正在跨入一個**愈來愈精神化的嶄新而虚妄的境界**。因此，柏拉圖的哲學思考應可視爲人類智質進化的裏程碑和自然感應代償的新階段，而且，正是基于這一點，才使隨後的"休謨陷阱"有了得以發現和化解的内在參照系。盡管這樣一來，我們確實墮入了**感知效應越來越失真**以及**糾錯頻率越來越緊迫**的惡性循環之中也是一件無可奈何的事情。】

II. 但凡借助于邏輯上的歸納法來求知，則獲知者之所知注定成爲**祇能證僞不能證明**的偏見，然後，你還必須用這種以偏概全之知作爲驗證所知的根據，因此到頭來依舊不過是一局徹頭徹尾的**武斷**罷了。譬如說，此一天鵝是白色的，彼一天鵝也是白色的，于是得出凡天鵝皆爲白色之結論。可你畢竟未能一一考察世間所有的天鵝而使之窮盡，因此作爲一項證明是無效的。雖然如此，你還是得將上述結論作爲有效證明姑且武斷地接受下來，否則，你可能陷于永無所知的困境。如果有一天，澳洲的黑天鵝作爲有效的證僞項亦被歸納進來，你的所知不免頃刻間崩潰，而且，爲了謹慎起見，你最好不要再對天鵝的顏色作什麼結論，盡管諸事皆處于這種無知狀態又爲你的生存所不允許。可見，**歸納法是如此糟糕的武斷求知之法：它要麼導致誤知，要麼導致無知。**然而你却不能因此就說，以前的誤知還不如今天的無知，因爲終究得靠武斷的誤知才使知者有知。【休謨是一個經驗論者，他的"知識源于感覺經驗"之說，是對柏拉圖的"知識源于理念回憶"之說的糾偏。但他首次發現，從單稱判斷和特稱命題的系列中不可能導出全稱判斷和普遍命題（一切合規律性的知識、見解以及科學理論均屬普遍命題），從而否定了亞裏士多德的"歸納是從特殊過渡到一般"的錯誤結論，也就是我們大家所堅信不疑的"新知來源于經驗積累"的那種錯誤（是謂"休謨陷阱"或"休謨問題"），這給康德造成很大震動，促使康德重新思考知識的起源問題，康德後來提出的"先天綜合判斷"學說實際上就是對柏拉圖理念論和休謨不可知論的一次綜合，也是爲遭到否定的歸納法尋求出路的一次必要而又難免含混的嘗試。】

III. 但凡借助于邏輯上的演繹法來求知，則獲知者之所知注定成爲**祇能證明不能證僞**的偏見，而且，由于你借以進行推演的根據恰恰來自于有限的歸納，因此看起來似乎成立的證明其實不過是建立在**武斷基礎上的武斷**而已。譬如說，凡天鵝皆是白色的，若澳洲有天鵝，則可得出澳洲的天鵝亦爲白色之推論。單從邏輯出發，此項證明成立，然而，對于這項證明的可靠性，你却根本無從求證，即完全没有邏輯上的證僞之餘地。因爲如果你去實地考察，發現澳洲的天鵝竟有黑種，則作爲證僞這已是歸納法的證僞，而不是演繹法的證僞了。除非你借以進行演繹的根據全不與歸納相關，而是來自于所謂純粹邏輯的公設和推導（假如神學、形而上學、幾何學或數學演繹算是如此的話），然則你又不免陷入前述Ⅰ項那個既不能證明也不能證僞的循環論證之窠臼。【基于對休謨問題的深刻理解和對科學史的深入考察，波普爾（K·R·Popper）一反過去那種“觀察——理論——再觀察”的俗套，提出了“理論——觀察——新理論”亦即“猜測——證僞”的知識創新思維模式，并指出一切學識的科學性與其可證僞性相一致，即科學性愈高，可證僞度就愈大（神學、占星術、形而上學以及所有那些以信仰爲前提、以歸納爲佐證的顛撲不破的學説都一概與科學無緣，是爲科學與非科學的分野）。這既是對康德先驗綜合演繹論的更明快的表述，也是對科學創新起于“猜想”和“假説”這一歷史事實的哲學性確認。然而，**倘若非科學是不證即僞的學識，而科學又是凡證皆僞的學識，那麽，包括歸納法和演繹法在内的一切人類思想成果，其可靠性或有效性的基點又在哪裏呢？**這是波普爾哲學必將面臨却無從回答的一個大難題——我們可以把它稱作“波普爾懸念”，留待以後解惑。】

如此看來，**不自覺的武斷同樣是“理性之知”的前提。**

第六十七章

那麽，武斷之知可否謂之爲“知”？或者問得更貼切一些，即**武斷之知如何成其爲“知”？**

這個問題可以借助于**反證的方法**來求解，即通過抽掉那個潛在的武斷基礎，看看“認識”的格局還能否達成。

哲學上一般是這樣劃分的：指謂具體之對象或存在物的學問乃爲一般的學問或科學的學問，而對“指謂”本身加以指謂的學問就是哲學或形而上學。前者是在**形而上之中**求知，後者是對**形而上本身**研修；前者表達爲指謂存在的存在者與指謂對象（即“感應對象”）的**依存關系**，後者表達爲指謂存在的存在者對自身狀態（即“感應屬性”）的**自我意識**。

然而，這裏馬上發生了一個悖論——

作爲前者，他雖然自以爲知道自己所關注的“對象”爲何物，但由于他全然不知自己借以關注對象的那個“關注”本身爲何物，即不知自身之“**能指**”如何作用于“**所指**”，因而其“所指”究竟爲何物到底仍舊是一個疑團；【所以，縱然是身爲科學泰鬥的愛因斯坦亦不太那麼自信，故有斯言：“一切科學，不論自然科學還是心理學，其目的都在于使我們的經驗互相協調并將它們納入邏輯體系。”（引自《相對論的意義》）顯然，此處已先有一個必須對“經驗”和“邏輯體系”之類的東西加以澄清的問題存在。】

作爲後者，他其實根本找不見那個形而上的“能指”本身，一如眼睛看不見眼球自己一樣，他所謂的“能指”必是**已經包含着某種“所指”的“能指”**，就像一旦說到“視力”（“能視”）必得借助于某個“所視”才可以將“能視”抽象出來一樣。既往那些具體化了的“能指”（如知性、邏輯、精神等等）因此皆已成爲“所指”，猶如眼睛一旦看到了“眼球”，那眼球對于“能視者”來說已是擺在解剖臺上的“所視”而不是“能視”了。【所以，從柏拉圖到貝克萊，舉凡企圖以究察“能指”來澄清“所指”者，非但未能說明“能指何以能指”，反而終于連“所指”與“能指”何者真存都一概迷失了。爲此，維特根斯坦不無道理地指出，“形而上學的主體”（此處不是指“人、人體或心理學上所說的人的靈魂”《邏輯哲學論》（5.641），而是指“形而上本身”或“能指”）是缺乏真值條件或真值函項的無意義命題或假命題；“命題能表述整個實在，但它們不能表述它們爲了能表述實在而必須和實在共有的東西——即邏輯形式”（4.12），因此屬于“不可說，而是顯示其自己”（6.522）的東西，而“真命題之總和即是全部自然科學”（4.11）。】

結果，我們終于陷入一無所知。【反之，假若愛因斯坦或維特根斯坦不去對那個“潛在的武斷”加以質疑，則知者非但無疑于其“知”，通常倒是自以爲這個一時所得的“武斷之知”就是不容置疑的“真理顯現”。】

于是，可以肯定地説：**恰恰是武斷才成全了“知”。**

第六十八章

“武斷”一詞，就其原意而言，是“以無知爲知”的稱謂。也就是説，**如果從一般概念上推論，則“知”不成立。**【請注意，倘若你以爲這衹是一種蘇格拉底式的詭辯，我建議你仔細重閱前面的各個章節，并切實逐句弄懂弄通，否則下文簡直不堪卒讀。】

但無可否認的是，人們歷來覺得自己確有所“知”，而且，**唯因有“知”，才得以生存。**

若然，則須發一問：所“知”者何？

對于正常人，此問無由發生，因爲“所知”是什麽，早在所知之中給出。譬如有問：“人是什麽？”答曰：“人就是人。”誠然這衹是一句無意義的同語反復，即謂語中之所予絲毫也不比主語中之所求多出什麽，然而這并不説明答得不對，反而表明問得多餘，即**原本就不會有此一問。**【所以，邏輯學的第一法則就是同一律（A = A），**而同一律無非就是“武斷律”**，或者説，無非就是自爲性存在者對自身存在狀態的**意識化確認**（或“意識化武斷”），它相當于一般物質對其自在存在狀態的**無意識確定**（或“無意識武斷”），即**與無須爲自身之存在發生疑問的自**

在物僅以自身之存在就**無意識地確定了存在**（A在＝A在）是出于同樣的規定。是故，**確認者**常常不自覺這其間已發生了一個**加以確認**（或“加以武斷地確定”）的過程，即“能知”的中介——**由以達成“能知”與“能在”的統一。】**

一旦有所“問”，則表明問者**發生了存在上的動摇**，是爲“疑懼”（海德格爾那種“無由而畏，無所爲畏”的此在之“畏”即源于此）。譬如有問：“那紅色的東西是否可食？”乃是由于問者已面臨餓斃之險，倘若意識或邏輯給予的答復是：“那紅色的東西（假設爲一草莓）既可食又不可食”，則問者危矣。即是説，“問”是出于對自存和他存**皆不能確定**而發，而且首先是由于**自存的不確定性**（或“自存的非武斷性”），才相應造成**對他存的有待確定狀態**（或“有待武斷狀態”）；“知”是對**此種不確定狀態的一種代償**，既爲代償，則“知”（即“加以確定”或“加以武斷”）的程度自與“疑”（即“失于確定”或“失于武斷”）的程度**相當**，是爲“致知”。【所以，邏輯學上的其餘法則（如矛盾律、排中律、充足理由律等等）本質上**都是同一律發生了迷惘的產物**，或者説都是爲了保持同一律之爲武斷律的“**失穩輔助裝置**”。是故，致知者一旦有所知，那“所知”即**還原爲**同一律的**確認狀態**或**武斷狀態**（亦即還原爲存在者的存在“確定”狀態）——**由以達成“所知”與“能知”的統一。】**

換言之，“存在”即使是相對的存在，也是被存在本身確定的存在，或者説是被存在本身相對確定的存在，是謂“定在”。【即指被存在效價或存在度之移位所“確定的在”，此乃對從沃爾夫到黑格爾援用“定在”一詞的內涵充實。】

相應地，“知”即使是相對的知，也同樣是被知者本身確定的知，或者説是被知者之存在本身相對武斷的知，是謂“定知”。【即指被代償效價或代償度之動進所“確定的知”，此乃對德國古典哲學之“定在”詞項的呼應性自擬詞。】

于是，認識論或邏輯學上“A＝A”的“定知”就與本體論或存在論上“A在＝A在”的“定在”同一。【同一于“感應屬性代償

或感知代償終將達致存在閾的臨機滿足"，由以成全後衍性弱存者的"存在之落實"。】

可見，"問"是爲了求存，"知"是成就求存。"此知"之所以爲"知"，全在于"此在"之所以爲"在"。【海德格爾的"此在"與"澄明"就是在這個意義上一并獲得其根據，而且"澄明"之屬性正表達着"此在"之艱難，以及"此在"其實并不能"守恒于此"的相對性規定。】

也就是説，**"知"并不與"真知"相幹，而與"真存"相幹**。凡滿足了"真存"的"知"即爲滿足的或武斷的"知"，而滿足的"知"是無須再去進一步求知的。反過來看，"知"後來之所以又變成了"無知"或變成了"疑問"，乃是由于作爲"知者"的"此在"在"知"的一瞬間或基礎上**發生了難以爲繼的衰變**之緣故。【所以，哲人（或一切創新者）嚴格説來都不是正常人，或者説是正常人從**武斷的常態**（即"現實存態"或"此在態"）趨向于**失武斷的非常態**（即"遞弱存態"或"躍遷態"）的先行者。他們作爲**疑問**和**求知**的代表，其實并不代表真理，而是代表**失存的態勢**罷了。】

第六十九章

倘若**認識之路**果然基于**武斷**，則"真理"之達成就不可能僅與"認識"相關，而應該**更與某種制約着"武斷"本身的因素相關**。【從某種意義上講，哥德爾的不完全性定理就是對這一自然規定或自然制約所給出的邏輯學旁證，或者也可以反過來説，正是這一自然規定或自然制約構成了哥德爾不完全性定理得以發生的深在原因。】

換言之，**使武斷得以武斷的前提正在于知者自身的存在本質**。

存在使"知"成爲"武斷"，或使之實現爲被賦予了某種代

償度的規定性的“武斷”；武斷使“知者”成爲“在者”，或使之實現爲被賦予了某種**存在度的規定性**的“在者”。

于是，對“知”之本身，開始有了一個**基本的定義**：即“知者”之所“知”，無非限于“在者”之所“在”。質言之，**知者衹能獲知與自身之存在程度相關的要素；而且衹能以與自身之代償程度相關的方式求取其知。**

前者顯示**知者之被規定的在**規定了**知的範圍**或“**所知**”；【基于此，而不是基于“在邏輯空間中的事實就是世界”〈1.13〉，維特根斯坦用以梳理其“邏輯實證”的“圖式論”才能够成立。】

後者顯示**知者之被規定的在**規定了**知的方式**或“**能知**”；【基于此，而不是基于個人存在的“純粹的個别的主觀性”，克爾凱郭爾用以對抗笛卡爾的那個反命題“我在故我思”才能够成立。】

一言以蔽之，“所知”與“能知”蓋出于知者的**存在規定性**或曰**存在性的度的規定**之制約。【即“非知”對“知”的制約，“非邏輯”對“邏輯”的制約，亦即“存在動勢”對“精神演化”的制約，盡管**這個制約要素并不直接呈現于邏輯之中**。（有哥德爾第二定理爲證）】

也就是説，“知”不論把自身呈現爲“所知”抑或“能知”，都未曾真正顯示出**知的規定性**或**知性的本原**。

因此，前章之所述，不是説我們一無所知，而是説我們對“知”本身尚一無所知。蘇格拉底曾經自謙地宣稱：“我知道我一無所知”，大抵就是在這個意義上提醒人們應該小心**對知的無知。**

第七十章

之所以説**知性取决于存在性**，乃是由于表達爲“**能知**”的**知性**其實表達着“**能在**”的**在性**——即**能知的存在者**在多大的

程度上**能在**。【上述所謂的“知性”乃屬廣義之用，它姑且涵蓋“感性、知性和理性”之全體。】

“能在”的程度越大（譬如“自在”之物），**“能知”的程度則越小**；反之，**“能在”的程度越小**（譬如“自爲”之物），**“能知”的程度則越大**。因爲“能知”無非就是對能在之不足（或曰“存在度之不足”）的一種代償，而隨着這種代償度之增加（或曰“能知程度之遞增”），“所知”相應擴展。

于是，“在者”之“知”，與其存在的性質相當。亦即，**“知的程度”（“感應度”或“感知度”）與“在的程度”（“存在度”或“生存度”）呈反比相關**。

沿用卷一中關于“遞弱代償原理”的圖解（參閱第三十四章），可將上述題旨復示于下（亦可稱其爲“精神坐標”或“真理坐標”）：

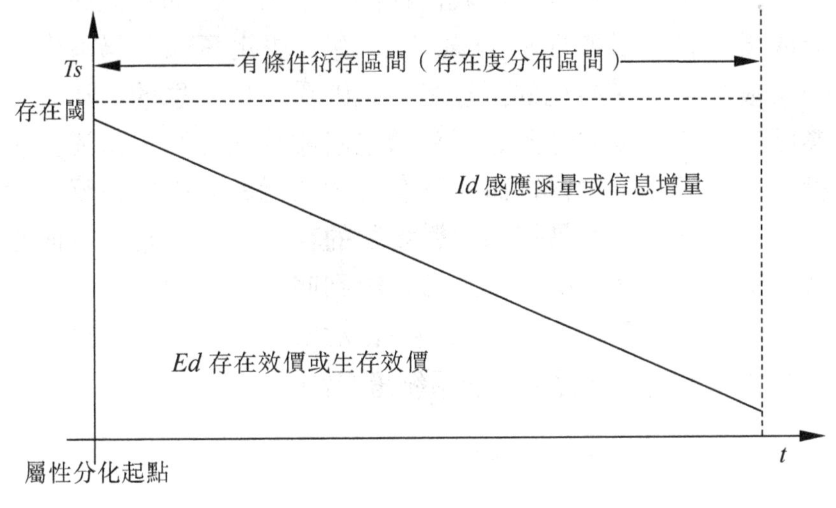

即：$Id = F(Ed)$

$Ed + Id = Ts$

這裏提示，“知”是一個被規定的**自然演動矢量**，它不僅有一個**下限的規定**——即“知者”自身之存在度的規定（指**存在度流失量的制約**）；而且有一個**上限的規定**——即“知者”自身之代償度的規定（指**存在閾補充值的制約**）；然而這正是**知的本**

原或**精神存在的氣脉**。

以後的討論**均從這裏出發**并**以此爲唯一的根據：所知**受**能知**之規定，而**能知**受**能在**之規定。或者反過來説也一樣：**所知的程度**表達着**能知的程度，能知的程度**表達着**存在的程度**，如此而已。【馬克思曾説“存在决定意識”，幾乎一語道破天機。然而不幸的是，他的哲學觀尚停滯在對黑格爾學説與費爾巴哈學説胡亂拼凑的層面上，因此，他所謂的“存在”及其被决定的“意識”不免僅限于文明社會歷史的膚淺而狹隘的範疇，結果導致連社會歷史的成因亦未能深入闡明的終局(參閱卷三)(嚴格説來，馬克思不是一個哲學家，而是一個集經濟學和政治學于一體的巨匠，所以把他的學術體系冠以“政治經濟學”之名實在是很恰當的，至于用他的眼光看，由配第創立的經濟學一開始就是一種“政治算術”，由黑格爾創立的辯證法深藏着某種“革命意識”，則大抵衹能表白他的政治情懷，却不能證明經濟學或辯證論的學術性格)。不過，“存在决定意識”仍不失爲是一句最富于哲學灼見的至理名言，因爲在馬克思的上述語意中業已暗含着這樣的底蘊，即**意識之狀**態首先受制于**意識主體的存在狀態**或**反應素質**，而不與**意識的二元對立格局**或**反映狀態**相關，换言之，不是**作爲“對象”的存在**决定着意識，而是**作爲“主體”的存在**决定着意識，説到底，意識的二元格局和反映狀態不過是**意識載體自身的存在狀態**的産物而已。問題在于：**怎樣才能對其做出哲學性的系統證明？**】

第七十一章

凡有限的存在必屬衍動性存在，反過來説也一樣，凡屬衍動性存在者必是有限的存在者。即是説，任何**有限的存在形式或存在形態**一律不可能作爲**存在的元質或絶對的存在**而存在。

【如卷一所述，一切所謂的“存在形式”或“存在形態”就其“形式”或“形態”而言，都已經是存在的“屬性”了，唯有奇點前的未分化存在才是没有任何屬性、亦即連“形式”或“形態”都無從談起的高“度”存在（指存在度極高以至没有任何屬性代償的那種存在），而由于一切感應或感知都衹是**對屬性有所感**，故此，對于無屬性或前屬性的所謂“絶對存在”，才真正是我們没有資格議論的存在。至于感應和感知爲什麼衹能對屬性有所感，隨後即談。】

這道理很簡單：所謂有限狀態就是**具有臨界關系的特定狀態**，其前向臨界面是它的**衍生之源**，其後向臨界面是它**代償轉化或失代償終結的歸宿**。精神存在既然如前所述是一種**有限的存在質態**或**有限存在形態的屬性代償**，則它必有一個**從异己狀態向自身狀態演化的過程**，這個過程就形成**本體論意義上的精神規定性**，而且，嚴格地講，衹有在這個基礎上才能涉及所謂“本體論意義上的存在規定性或物質規定性”。【注意：我所謂的“前”，一般是指某種特定衍存狀態的原始前體；我所謂的“後”，一般是指某種演化派生進程的當下存態；即是説，“發展”衹能沿着從“原始前體物態”向“後衍進化産物”的不可逆方向“向後發展”，盡管有時我又不得不照顧到中文的表意習慣而偶或將其説成“向前發展”。諸此講法及其單向度演動的義理在全書中是一貫的。】

也就是説，不管精神載體如何衹能從“精神本體”（此處特指“形而上學的禁閉”）出發才有望追溯到决定着精神存在的存在前因，精神存在終究不能成爲“存在的本體”。【所以，在本書卷一的開題性論證中，我們寧可從“所知”出發而不從“能知”出發，寧可從“所知中間接提示的存在性”出發而不從“所知中直接給出的存在”出發，就是爲了避免陷入“從非本體的精神出發去探求作爲本體的存在”這樣一種悖論之中。至于“存在性”（指對“存在性”這一概念的理性抽象和邏輯處理）何以就可能逃脱或不可能逃脱“精神觀照對客觀存在的扭曲”，我將

在本卷中隨後予以答復。】

爲了闡明上述説法的意蘊，就得返回到自然哲學的遞弱代償原理上來才好討論，有必要再次强調的是，這項原理來自于對有限區間内的存在態勢及其存在本性進行符合邏輯的現實總結，因而它才在一定程度上具有了可以作爲某種演繹根據的根據性。依據遞弱代償原理，任何具體存在者的存在效價或存在度都將不免趨向衰減，從而要求必須有相應程度的屬性代償以維系存續，這個代償過程即造成物存形態的變遷，并將存在效價不足的本性缺憾逐級放大，由于這一進程不可逆轉地長此推演，終于導致屬性代償的形態發展到十分復雜的程度，是爲**精神存在的淵源**。

可見，精神現象完全是自然物存演歷的一個派生產物，而且它那令人迷茫的**復雜性**恰恰標志着自身作爲**終端屬性存在**與**自然本原存在**之間日趨背離和日漸遥遠的**距離尺度**。

基于此，前述所謂“認知活動的武斷形態”原本并不是一個**邏輯運用的問題**，而是在思維邏輯甚至感官感覺尚未發生以前，就已被自然物質的衍存法則貫徹下來的**存在狀態的繼續**。

第七十二章

最令哲學家們困惑的問題莫過于“精神”與“物質”的二元對立格局，也就是被笛卡爾剥離開來的那個“思”與“在”的二元哲學難題。如前所述，從精神或物質的任一立場出發，我們非但不能證明這種二元格局是否成立以及如何成立，甚至連處于二元分裂之中的任何一方是否真存都會成爲疑問。【所以，貝克萊不知“感知”以外到底有没有物質存在，其情形儼如洛克一旦確認了“外物”就必得勾銷感知自身之規定性那樣，結果導致英國的經驗主義流派隨即在休謨那裏使認識論走入死胡同;以此爲前鑒,德國的理性主義流派相繼在康德那裏另辟蹊徑,却讓黑格爾用同樣空洞無物的循環論證方法再次將認識論導入絶境,衹不過從表面上看他仿佛可以借助于思辨的柔滑在經驗的死胡同盡頭無休止地兜圈子罷了,但稍加琢磨就會發現,黑格爾解决二元認知結構的手段不外乎是斷然勾銷作爲物質對象一方的存在這樣一個老套子;于是,從十九世紀末到二十世紀初,弗雷格以及羅素等人改用邏輯分析的方法對認識過程中的邏輯結構重新檢討,直到羅素的學生維特根斯坦終于以“請君沉默”的告誡依舊將認識論中的形而上學問題引向斷崖爲止。】

很明顯,無論讓“二元形勢”在邏輯上處于對立狀態,抑或使之處于統一狀態,都將不免陷入同一個險惡的認識論怪圈。

但若逆向溯源的話,我們會發現這種二元對立的局勢早已有之,而且,它從來没有造成**自然“認識”進程**的中斷或停滯。【我在卷一中曾暗示,“認識”與“認知”是兩個具有代償相關性的不同概念(“現象”與“表象”亦然)。“認識”是指早在**物理感應階段**就已發生了的分化物之間的**原始識辨屬性**(如粒子或原子之間的電磁感應);“認知”是指遲至**精神感知階段**才代償增益而成的智性動物獨具的**終末識辨屬性**(如靈長類或人類的思維能力);换言之,“認識”是**所有分化衍存物統統具備的感應屬性**,“認知”衹不過是“認識”的**後衍屬性代償産物**和**後衍屬性增益狀態**而已。同樣,“現象”是所有分化衍存物(即依存者)之間統統具備的感應屬性耦合媒介,“表象”是“現象”的邏輯擴展形態。具體地説,“精神存在”或“感知能力”的自然發育歷經了如下的漸進過程:**感應**(理化階段)→**感性**(原始低等生物階段)→**知性**(脊椎動物階段)→**理性**(人類文明符號化以後);且在任一後項之中都無例外地**包含着各前項**,并以全部前項作爲自身的**基礎**和**支配項**。】

以原子結構爲例,電子的常態存在以感應于質子的核態存在爲前提,對電子來説,它以自身先驗的負電性來感知并應答質子的正電性，反之，質子亦以其固有的正電性作爲被反映者的現象形態來回應電子對自身的“感知”，也就是説，電子亦有類似于“精神”那樣的某種縮微化了的認識屬性或識别能力。此刻，電子和質子都可能真實地存在着，但各自在發生感應的一瞬間却都不過僅僅“感”到了對方的電荷屬性，而且，這種感性過程之所以能够建立起來，端賴于“感者”**必須首先具備自身先驗的電荷“感性”或“能知”**，于是歸根結底**其“所知”也就衹能限于自身之感應（屬）性規定的範疇**，却又**不能自明這種天限的緣由和邊際**。倘若有一個笛卡爾式的聰明電子也對自身提出笛卡爾式的同樣質詢，那麼，當這個聰明反被聰明誤的電子照例不可避免地陷入了“究竟是自身的負電荷派生了世界抑或世界就是外部的一個正電荷”等等諸如此類的困惑之中時，我們是不是應該令其暫且撇開對二元演動的循環求證，并協助它先來考察造成這種二元對立態勢的更深層的原因，才算找到了一條唯一可行的出路呢?

不難看出，一切人類已知的自然物體都不同程度和不同方式地具有此種**感應屬性**或**感知能力**，而且其間顯然潛存着某種**自發的演化傾向**以及**統一的自然規定性**。

第七十三章

何謂“**感應屬性**”？——讓我們就從這裏切入主題。

簡而言之，所謂“感應屬性”，就是指原始物質從存在度最高的無條件自在態滑落到存在度遞減的有條件依存態（既往亦籠統地視其爲“自在”狀態，而實際上此刻已是“自爲”狀態的起點）的代償性物理存在方式。【所謂“無條件自在態”（僅在相對的意義上成立），目前姑且可以假定系指宇宙物理學上的那個連時空屬性或廣延屬性都不具備的“原初奇點”，由于尚無任何分化，故此形成邏輯抽象中最幽遠的“在”（此處暗示，所謂“邏輯抽象”或“抽象”可能是某種最原始的規定對其後感應屬性代償的奠基）；所謂“有條件依存態”，目前姑且假定其起點可以從“誇克”或“頂誇克”之類的基本粒子結構分化計起，由于遞弱而致分化，故此演成邏輯直觀中較切近的“在者”（此處暗示，所謂“邏輯直觀”或“直觀”可能是某種較晚近的屬性對此前感應代償規定的遮蔽）。】

即是説，自然存在有一個從無條件狀態向有條件狀態弱化演進的過程，這個條件化的衍存過程也就是自然存在從無結構狀態向結構化狀態演進的同一過程。所謂“結構化進程”無非就是**各個分化了的存在者對自存條件的確認過程**，而所謂“確認過程”就是**“感應屬性”的發展過程**。【此處暗示，一切“感應”或“感知”均以物質分化的屬性範疇爲對象，也就是説，所謂“屬性”、“範疇”、“對象”等概念可能原本是同一個東西（詳論參閱另章）；所以，作爲自然分化産物的精神屬性，其認知能力無論如何都無法追溯到那個没有任何屬性分化的“奇點存在”上去，這個奇點在物理學上就是無可言傳的“前宇宙存態”，在哲學上就是無法深究的“始基存在”之深淵（即“無生有”的那個“無”的深淵）。】

總之，一切感應性存在者必是一種有條件的局限存在狀態或有限存在形式，在宇宙存在的發生序列上，感應物性的出現正是其前體存在形態（或“奇點”存在）之存在度流失代償的産物，這使後續的存在者相繼進入某種更趨弱化或殘化的存在態勢之中。所謂“殘化”其實就是“弱化”的表達形式之一，即存在者的相對依存性或條件依賴性增加；而所謂“條件”其實就是某種形式的先在性派生（即“時間性存態”）或共在性扶持（即“空間性存態”）；换言之，有限的存在者必然陷于依存狀態日趨繁紛的相對存在格局之中。在此形勢下，任何有限存在者自需發展出對依存條件的某種**感應能力**或**依存屬性**，否則鑲嵌在**依存**關系中的**自存**之局根本就無從實現。説到底，“感應”即是相對存在者的依存方式，**此乃感應性得以發生的基礎**。

第七十四章

根據上述，我們可以獲得這樣一個特殊的視角：即**早在亞原子以前的宇宙進程中，作爲精神前體的物理感應屬性就已經將未來精神存在的基本素質及其表達樣態規定下來了。**

針對感應性而言，所謂依存的**條件**就此轉化爲感應的**對象**或**客體**，而依存者自身亦相應轉化爲**感知者**的角色或**主體**；反過來看，站在被感應者譬如質子的立場上，則質子亦可自視爲一個**感知主體**，電子同樣不過是其他依存者的**條件載體**或**對象化了的客體**而已。

不過，這裏存在着某種有關感應性進位程度的差别，即處于較低存在層次上的殘化者，其相互依賴的程度相應偏低，甚至近乎呈現爲**彼此對等的簡單依存**，由此造成**“感”與“應”之雙重步驟在發生上的共時狀態和在作用上的同一狀態**。

隨着存在度遞失進程的發展，後繼衍存者得以存續的條件相應增加，這種增勢同時在兩個向度上展開，其一是在垂直方向上，即作爲自身派生者的前體存在物構成自身須臾不可離失的縱向依存條件；其二是在水平方向上，即作爲自身共在者的同類分化物構成自身片刻無法擺脱的横向依存條件；這就要求感應者必須對日益繁復的諸多依存條件同時加以感應。也就是説，**物存感應性并不是一個静態的屬性存在，而是一個動態的演化過程**，如果對這種有所變遷的自然屬性同樣給出可以定量的表述的話，則**任一存在者的“感應度”必與其“存在度”成反比**。實際上，就人類目前所知，在原子之前和之後的其他所有存在形態或存在物之間都不同程度地呈現出各種形式的感應屬性及結構關系，而且這種感應性能隨着自然演化進程亦即存在度遞弱進程的發展而代償性地趨于增强。所以，後原子形態的分子化合過程更顯出某種多態活躍性；而無視無嗅的高分子病毒或單細胞菌類竟能在茫茫乾坤之間覓得并識别自身賴以繁衍的生物宿主；直至多細胞動物分化出復雜的感官和能動的體質，這是“感”與“應”的初次分裂；再至自詡爲“萬物之精魂”的人類發育出賦有大腦新皮層和邏輯思維能力的智質，從而完成了“感”、“知”、“應”的徹底裂變；**此乃感應性演動分化的結果**。

第七十五章

可見，所謂“感應性”，**是一切有條件的存在者對自身存在條件加以“確認”（是爲“感”）從而加以“占有”（是爲“應”）的必備屬性**，從這一點上看，**所有自然存在物的感應規定性在本質上是同一的**，至于各類存在者之間呈現出**感應能度**（即“感應度”）和**感應方式**（即“感應類”）上的巨大差别，恰恰揭示了**自然感應性**（或“感應度”）在**自然存在性**（或“存在度”）趨于遞弱的流程中始終如一地**維護存在**的統一規定性。

而且，嚴格地講，所謂**“感應方式”的差别**其實僅僅表達着**“感應能度”的代償量級**，其情形儼如一切自然存在物的**“存在形態”（或“類别”）**其實僅僅表達着它們各自的**“存在能度”（或“程度”）**一樣。【譬如，石頭（分子存態）與美洲豹（生物存態）這兩“類”東西其實并没有質料組分上的差别（都是由誇克和輕子組成的），他們之間之所以形成了截然不同的類别，全在于處在不同衍存位置上的存在形式或存在形態，其内涵的存在效價和代償效價有所不同使然。相應的，石頭在分子水平上的感應方式與美洲豹在感官水平上的感知方式亦隨之大相徑庭，這種感應或感知方式的差别同樣不與它們之間的外在類别相關，而與它們各自内涵的存在性之構成相關，即它們各自必定采取（或生成）與其存在程度相一致（或相適應）的感應感知方式以求衍存。（請記住，“感知”不過是“感應”的屬性增益延展而已，因此在基本概念上仍屬“感應”一族；正如“生存”不過是“存在”的衰變存續方式罷了，因此在基本概念上照例亦屬“存在”一族。）如果説，美洲豹的感知方式與感知效能遠比石頭的感應方式與感應效能來的强大和復雜，那衹是由于美洲豹的生存方式與生存效能遠比石頭的存在方式與存在效能柔弱得多也艱難得多的緣故。】

換句話説，**處在某一存在度層級上的存在者必然采取相應的存在形態以及相應的感應方式**，或者反過來説也一樣，即**采取某一特定存在形態和特定感應方式的存在者必然處于某一特定的存在度層次上**，所謂“類型”的分化就是“度量”分化的現象形態，衹不過分“度”之間的微妙差别常被人們忽略失察或忽略不計罷了。

總之，自然界中一切形式的感應性能都不外乎是與感應者自身的存在態勢（即“存在度”）相匹配的存在規定性（即“存在性”）之産物，**此乃物質感應現象的自然共性或自然統一性之所在**。

第七十六章

從這個統一的共性出發，**一切感應者的感應性**必有如下三點基本規定：

a. 任何感應者必須**首先是一個具有自身規定性或存在度定位的有條件存在者**，由以造就自身**客觀上的感應方式**和**主觀上的感應形態**，此乃各類特定的感應屬性得以發生或發揮的**原始根據**，是爲“**相對存在的感應原理**”；【所謂“感應方式”，是指

由感應者自身的特定衍存質態所決定的“能知”類型或内能狀態，它是先于感應運作（或經驗行爲）的主體自身的客觀禀賦，即主體在行使主觀能動性之前，自身作爲一個客體存在物的固有物性或既成屬性。所謂“感應形態”,是指感應者自身先驗固有的“能知”屬性作用于依存客體的認識結果，它是感應過程得以達成的後來行爲（或經驗實踐），所依據的首先是主體自身的内在需要，即主體本身客觀賦有的主觀性，因此它借以收獲的“所知”不是原本意義上的依存“客體”，而衹能是折射着它的内需和内能的變態“對象”。】

b. 任何感應者所欲感而應之的那個**感應標的**或**感應成果**無非在于**框定自身存在所需的若許條件**，此乃所有**感應載體**及其**感應性**設定各自**感應對象**及其**對象性**的天然限度，如果作爲感應對象的那個**客體**并没有以其全部存在内涵作爲**具有可感性質的對象性要素**，再者，如果具有可感性質的對象性要素在**被感受**的過程中不能不遭到**感應者自身規定性的扭曲和變態**，則**對象**與**對象載體**（即客體）之間就可能存在着某種**不爲感者所覺察的差别**，是爲“**感應作用的模擬原理**”；【面對同一客體，不同的“能知”類型必然使之現象爲不同的對象樣式，即同一客體在不同感應方式的觀照之下必然呈現出不同的感應形態，是爲“對象性”。譬如蝙蝠以超聲回波所感知的外部圖景，一定與視覺動物借用反射光和折射光所達成的環境影像全然不同，盡管它們所面對的是同一個世界。也就是説，不同的“能知”禀賦將會抽取同一對象的不同屬性作爲自身的經驗素材，從而恰恰是由于自身的客觀賦性，反而偏偏造就了主觀化的對象形態。因此，處于二元形勢之此岸一方且以觀念化爲前提的“對象”，自與主體屬性尚未加之其上的彼岸單邊“客體”本在不可同日而語。】

c. 倘若物的感應性能呈現出某種**似乎要突破上述天然限度的遞進趨勢**，則表明該感應物正在逐步地**趨近于失存**，或者説其存在度正在漸次趨近于極端弱化的境域，因爲**感應屬性**無非是

感應載體的一種**代償屬性**，是爲“**感應代償的增益原理**”。【上述所謂的“天然限度”有兩種含義：其一是指感應載體（即主體）自身的依存所需之範圍，這是有關對象的量（即信息量）的問題，或者説是有關把客體轉化爲對象的問題；其二是指感應性能（即主體的能知）本身的感應深度之界限，這是有關對象的質（即信息的含真程度）的問題，或者説是有關把對象還原爲客體的問題。所謂“突破”這個天然限度，衹對前一種情形有效，而對後一種情形無效。因爲它之所以有效于前者，恰恰是由于主體自身的存在度下降從而導致其感應屬性增强（即主觀性增大），而主觀性增大當然衹能使對象的客觀性（或對象的客體性）越發遭到遮蔽和扭曲，亦即使之越發無效于後者。】

第七十七章

基于*a*項，則任何感應者都必定是“唯物主義”者。即是説，任何感應者都必須在**自身客觀存在**或**自身作爲一種客體存在**的基礎上（即自身“存在度”所限定的“自在規定性”上），來建立**自身特定的感應質態**或**感應性狀**（即自身“代償度”所限定的“自爲規定性”）。【這裏所謂的“感應質態”和“感應性狀”，與卷一五十七章對“質態”和“性狀”的詮釋同義，亦與前章的“感應方式”同義，所强調的是感應性的**先驗物態規定**，或是感應屬性的**驗前本體規定**。通俗而直觀地説，就是指任何物質在發生感應或感知動作之前，必有一個實體性的感應位點或感覺器官事先存在，并由此位點或器官的構造决定其感應或感覺的方式和樣態。譬如，細胞對鈉鉀離子的吐納感應，是借由細胞膜上的一種特殊質態的蛋白體（謂之“鈉鉀泵”）及其相應的膜電位（可視爲“感應性”）來實現的；再如，動物的視感覺，是借由動物機體頭部的一種特殊性狀的視器官（謂之“眼睛”）

及其相應的光刺激生物電傳導（可視爲“感知性”或“感應屬性”之一種）來實現的。也就是說，任何形式的感應或感知，首先受制于主體自身的質態規定或性狀規定，其次才受制于對象彼方的物態規定或物性規定。而且，正是這個“感應質態”（或“感應位點”如鈉鉀泵）和“感應性狀”（或“感覺器官”如眼睛）的進化衍存本身，表達着載體存在度遞減及其代償度相應遞增的具體實現，亦即表達着“感應方式”對“感應形態”的具體規定。既往唯物主義的錯失在于，他們衹關注對象的物質規定性，却忘記了主體自身也是一種客體存在物，因而也具有自己的物質規定性及其相應的感知規定性。而且正是出于主體自身的客觀規定性，它才不可能“唯物地反映”對象載體（即客體）的純粹物性，從而使唯心主義得以在某種程度上成立。】

存在度高者，則感應度偏低，相應地，**其感應性能自然偏于簡單**；反之，存在度低者，則感應度偏高，相應地，**其感應性能自然偏于復雜**；有如電子的感應質態全在于它的負電荷或正電感性，而蝙蝠的感知性狀又前定于它的超聲裝置或回波接應。看起來，似乎電子或蝙蝠都是“盲目”的，然而，它們都已滿足于各自特有的那種“真知”，而且**知之愈少者愈易滿足**，因爲這表明**它的“無知”正與它“無需求知”即可穩定存在的本性相吻合**；再者，**知之愈少者所知愈深**，因爲這表明**它的存在位置就處于那個尚未分化故而簡約純真的“本真”之側**。蝙蝠之所以有一個遠較電子感應場爲大的超聲搜索範圍，乃是由于它的生存條件遠較電子龐雜和脆弱之故；而蝙蝠對物性感知的真度無疑遠不及電子深刻，因爲電子本身幾乎直接就是物性的本原。可見感應以及感知的性質**首先在于感應者或感知者自身的存在規定性**，暫且**不與感應或感知的對象相幹**，或者説，自以爲是的（即“武斷”的）主觀化和表象化了的“感知形態”，其實首先受制于不自覺的固有“感應方式”之規定。這就是康德語焉不詳的那個所謂“先驗性”（及其“先天純粹知性”）的**概念本質**及其**自然淵源**。

第七十八章

基于*b*項,則任何感應者都必定是“唯心主義”者。即是説,任何感應者都必須在**自身主觀存在的基礎上**（或自身“代償度”所限定的“自爲先驗性”上）來**建立自身特定的感應形態或感應模式**。【這裏所謂的“感應形態”或“感應模式”,就是一切作爲感應主體的感應者所“看”到的世界或世界表象,亦即我們確信是獨立于我們之外的“事實”。然而,這“事實”和由此諸多事實組成的“世界”却會因**作爲主體的物**的不同而不同,也就是説會因**不同主體類型**各自的“心”的不同而不同,這“心”就是前述的那個受自身存在性所規定的“感應方式”或“感知稟賦”,譬如就是電子的負電荷、單細胞的鈉鉀受體、蝙蝠的超聲感受器、高等動物的眼耳鼻舌等感覺器官以及我們人類從“觀”（感性）到“念”（理性）的全部精神感知系統。須知人類并不是世間唯一的主體或主體形態,相反,人類這種主體恰恰是從作爲他衍存前身的原始主體（也是客體）中增長出來的。所以,“唯”其“心”之不同而令世界异化,這正是唯心主義的深刻之處。但既往唯心主義的錯失在于,它從來没有搞懂“心”的根據正源于“物”的本身（而不是物的對象）,也從來没有搞懂“心”的性能正源于“物”的流脉（而不是物的作用）,這使得唯物主義恰恰在其蒙昧失察的盲區裏給自己留下了一片合理存在的天地。】

誠然,感應者之所以要以感應者的姿態出現,乃是由于它原本就不是一個能够孤立永存的“絶對自在”者,它的存在(或“相對自在”）是以“他在”作爲前提條件或并列條件的,爲了把必趨分化的“自在”和“他在”**整合成相對穩定的一統存在**或**現實的存在**,感應性才和存在性同一,自在者才向自爲者過渡,是故,僅有感應者存在而没有感應的對象存在,自爲者及其感應性就没有存在的意義。此乃所謂“模擬感應”的**模擬基礎**，亦即是模擬者必須**有所模擬**的二元化規定：**模擬**者，“模于客體”而“擬于主體”之謂也，或“實有所模”而“虛有所擬”之謂也。站在客體一端看是“模擬”，站在主體一端看是“虛擬”；或站在“初擬”（譬如感性）的層次上看是“模擬”，站在“再擬”（譬如理性）的層次上看是“虛擬”。故，用“模擬”一詞與用“虛擬”一詞**并無本原意義上的差別**，但却**未必没有進位意義上的差別**。【這個虛擬化進程是層層迭代且步步虛映的，它沿着“感應失形、感性失象、知性失聯、理性失構”的“失真總路綫”一脉擴延，及至發展到今天，作爲感知序列末段載體的人類已經在體外聯機的信息終端上擺弄出各種圖像處理的“虛擬失實”情境（美其名曰“虛擬現實”），足見當前所謂的“虛擬時代”絶非突然涌現的人爲怪誕，而是感應屬性增益趨勢終將達致“僞在”極點的路徑依賴。】

然而，**條件**或**條件載體**并不是直接呈現爲**對象全體**的，就像**感應屬性**并不等同于**具有感應屬性的物體**一樣；**感應**既然衹是**感應者的一種屬性**，則**作爲依存條件被加以感應的感應對象**也就同樣衹是**條件載體的可感屬性**，是謂“對象性”。也就是説，**可感屬性的集合**就是“對象”，但“對象”并不等于**對象載體的全部**（即并不等于“客體”），有三個方面可能被遺漏或被置换：

（1）. 客體的**全部屬性**與其**可感屬性**的差，即不能爲某類主體的感應屬性**可感**的那些屬性；【如質子除了具有電子**可感**的正電屬性而外，還有憑借電子的負電屬性（即“電荷感性”）所**不可感**的質量屬性、廣延屬性等被遺漏。】

（2）. 客體的**非屬性基幹**，自然不能爲任何主體的感應屬性**所感**，因爲作爲屬性之一的感應能力**衹能以物的屬性爲感應要素**；【而那個“非屬性基幹”可能在任一對象中存在的根據，導源于宇宙物理學對“奇點存在”的推論。】

（3）. 另外，由于上章所述的“主體感應規定性”有可能將對象的可感屬性按自身的規定性加以扭曲和變塑（參閲本卷第

六十五、六十六章），所以，即使對那些**可感屬性**，感應者也未必就敢于認定爲是對象的**客觀屬性之原樣**。因爲，所謂“**感應**”，就其作爲一個具體過程或具體實現而言，無非是指**主體以自身的感應屬性去耦合對象的可感屬性**；而所謂“**耦合**”，就其作爲一個具體動作或具體結果而言，無非是指**彼此具有内在對應關系的兩種或數種屬性融化爲一種新的産物**。于是，不可避免地，即使主體借助自身的感應屬性捕獲到了對象的某些**相對應的**可感屬性（這種“相對應性”就是**使客體屬性變成未被遺漏的可感屬性**之原因），那對象的可感屬性也早已不是其原本樣態的可感屬性，而是**被置换爲**某種夾雜（或“耦合”）進了主體自身之感應屬性的**變態産物**了。【譬如，假若指定“酸分子”是主體，并以自身的酸根作爲其感應屬性（即“能知”）；指定“碱分子”是客體，并以自身的碱基作爲與之相對應的可感屬性（即“對象”）；則“酸”感應于“碱”的結果（包括“現象”和“本質”在内的一切主觀收獲即“所知”），終于衹能是“鹽”，而不可能是碱或碱的屬性（即碱基）本身（至于“現象”和“本質”的差别究竟何在，詳見本卷第八十八章）。另外，我們借此也可以更透徹地解開波普爾關于“三個世界”的相互聯系之謎：他的“世界1”其實就是指客體的可感屬性的總和；“世界2”就是指主體的感應屬性的質態；“世界3”就是指對應屬性耦合的結果和集成。而他關于“科學證僞進程”的理論，其實就是對主體和客體在自然物演軸上以不同速率衍動所導致的認知耦合變换現象的表觀描述。】

質言之，所謂“對象”歷來就不成其爲一個**完整的存在物**，而是被其依存者**按照自己特有的感應方式予以抽象和虚擬（即“屬性耦合”）的原物變態**，唯因有了這個主觀虚擬的中介，各個支離破碎的分化殘體（指任何層級的主體與客體）才得以**結構化爲一個統一的存在系統**。（至于“主體”和“客體”的層源演化概念，詳見本卷第八十七章）因此，在電子“看”來，它的對象和整個世界衹不過是一個正負相抵的電荷，而未必是一個賦有質量和形狀的質子或其他什麼東西;同樣,在蝙蝠“看”來,它一定生存在一個聲波激蕩的介質環境之中,凡是不能引起超聲反射的媒體一概屬于蝙蝠哲學的“無”的範疇,雖然那個容蝙蝠于其中的大千世界其實遠比蝙蝠感知的表象世界要豐富和完整得多,顯然,**這兩個世界的虛實形態既密切相關又大不相同**。這就是康德據以猜測的那個所謂“超驗性”(及其“彼岸的自在之物”)的**概念本質**及其**自然淵源**。

第七十九章

綜合***a***、***b***兩項,可見任何感應者都具有**“唯物”與“唯心”的復合性質**,而且**其唯心的性質恰恰要建立在其唯物性質的基礎之上**:一方面,作爲感應者的自存以及作爲感應對象的他存都是“唯物”的自然存在者,甚至感應者的**感應性能本身**都是**自然物性演化發展的產物**,并具有“不以感應主體之意志爲轉移”的先驗規定性;另一方面,正是這個被感應者自身的物性所規定的先驗感應方式決定着一切感應者的主觀感應形態,甚至“唯心地”**虛擬**或**再造**着自身所依存的**存在對象**(譬如原子事實)或**非存在對象**(譬如從原子事實推導出來的作爲邏輯函項的後衍“概念”),并將“對象”改塑到連感應者自己亦全然不能自覺“對象已被重塑”的程度。【這裏所謂的“存在對象”和“非存在對象”其實都應劃歸巴門尼德的“非存在”範疇,因爲它們都已不是主體的感應屬性尚未加于(或耦合)客體的可感屬性之前的那個客體原型了。也就是說,巴門尼德所謂的“存在”範疇——我稱之爲“元在”或“本在”、康德稱之爲“自在之物”或“物自體”——的確是任何感應者或認知主體永遠不可企及的領域,因爲我們永遠不可能具備、也永遠不可能建立一條無屬性或非屬性的認識通道,相反,我們衹能在屬性代償愈益豐化的自然軌道上單向度地運行下去，這就是“不可知論”得以成立的根據。這根據恰好有兩個支點：一個是别出“心”裁的“唯物論”，它確證一切客體（也就是分布在不同層級上的主體）和一切主體（同時也是序列化的客體之一種）都是自然分化的產物；另一個是别出“物”裁地“唯心論”，它確證一切精神存在（也就是遞弱代償的感應屬性）和一切對象存在（同樣也是序列化的載體屬性）都是屬性耦合的變態；由于這“二元存在”的不可溝通，使陳舊意義上的不可知論成立。但也恰恰是由于如上的邏輯“裁”定，又使這二元存在歸結爲“一元存在”或“一系存續”，從而令陳舊意義上的不可知論終于不成立——不成立在對“知”的**基本定義**上：即，過去那種追求對客體本在的“真知”（**求真**之“知”）是根本不可能實現的虚妄假設和徹底誤會（它假設主體的感知性能是一條接納外物的真空管道并由此造成對“知”的誤會），反倒是通過屬性耦合變態所獲得的“假知”（**求實**之“知”）才是唯一現實的“知”的内涵（它確證“知”的定義爲主體之感應屬性與對象之可感屬性的二相耦合體），也才能够真正達成主體與客體之間追求依存的實際效果，那效果就是：**讓知者還原爲在者**，或者説，**讓“我在”還原爲“本在”**，亦即**讓主體自身借以復歸于（耦合于）客體系統中。】**

而且，從“感應（屬）性”的**自然演化進程上看**，顯然**“唯心”的成分或比重始終保持着傾向于增大的勢頭**，即感應度的擴展或深化非但不能改變感應方式的虚擬性態，反而使感應者一方面越來越遠離存在的本原，另一方面又使感應者在自身與其對象之間必須**添加**越來越多的**虚擬環節**或**虚擬層次**（即“主觀環節”或“主觀層次”）：從物理基層的“電磁”感應；到化學分子的“受體”絡合；再到生物層級的“感官”感覺；直至高級生命的“邏輯”思維；儼然構成了一個**對初級虚擬素材再加以虚擬處理**的感應進位系統或曰“虚擬感應增益”系統。换一個較爲直觀的表述方式即是：由于感應性的擴張過程正是感應者趨于弱化以及依存條件趨于遞增的同一自然代償過程，這就造成感應者的"感性對象"和"感性容量"逐漸膨脹，在這種似無止境的動態形勢下，面對日益增多的"可感的"自存條件如何做出適當而充分的"反應"，就成爲横亘在"感"與"應"之間的一個令感應者無所適從的無形障礙，"知性"或"理性"至此應運而生，它實際上是對**感性模擬素材**給予又一次**理性虛擬整理**的**反應前預備程序**，同時也是感應者自身的存在度近乎喪失盡净的一種**等價代償産物**或**增益代償屬性**。【在人類思想史上，經常可以見到如下兩種極爲有趣的現象：(1) **在邏輯發生的序列上**，處于邏輯終端的結論性概念一般總比處于邏輯肇端的推論性前提要縹緲得多，也不穩定得多，譬如"神"、"以太"、"燃素"、"奇點"以及種種作爲意識形態的"主義"或"論斷"等，相對于做出如是判斷的前提命題而言，它們通常很快就會被否定、修正或推翻，盡管它們歷來都是當時某一文化系統的基礎，即呈現爲支撑着整個知識系統（精神系統）或觀念系統（世界系統）的基礎理論。(2) **在歷史發生的序列上**，同樣是這種虛無縹緲的邏輯函項概念，越原始者其穩定性越高，有效延續的時間越長（譬如古代的神或上帝）；反之，越晚近者其穩定性越低，遭到證僞的速率越快（譬如近代的科學理論）。這表明，即使對于屬性耦合的精神産物來説，它也不能逃脱穩定度遞失的宿命規定。而這又與**精神發生學**上的如下現象絲絲相扣：**感應所得的穩定度大于感性所得**（譬如借電磁感應達成的原子結構當然比任何生物結構或生物屬性結構穩定得多）；**感性所得的穩定度又大于知性所得**（譬如視覺或聽覺等感官感覺表象的穩定程度與本能或動機所主導的知覺表象的游移不定根本就無法相提并論）；**知性所得的穩定度更大于理性所得**（譬如由動物求食本能所規定的求食知識及其求食行爲變异一定不會比人類關于食物營養學的學術理論翻新來得頻繁）。上述之種種均表明：感應屬性的代償增益進程既表達着**感應載體或感知載體的衍存遞弱法則**，也表達着**感應效益或感知效應的代償衰減趨勢**（可參閲卷一第四十一章）。如果將此一定律轉化爲解答前章關于“波普爾懸念”的話題，則可以這樣表述：**世間的一切感應效果和感知成果，包括人類的所有非科學文化和科學知識在内，非但歷來不能達成“真知”，而且越來越不能達成“真知”，即是説，屬性耦合形態的感應增益放大進程具有越來越背離元在的傾向，盡管它的“求實效應”，也就是它的“代償有效性”始終都會維持在那條標志爲存在閾的常量平行綫上也罷。**這就是波普爾的“證僞主義”學説得以成立的哲學根據和基礎論證。（當然，至此衹能算是論證的開題而非論證的完結，因爲由此還會引出更多的其他問題需要討論。）】

也就是説，正是**基于c項的規定**，才奠定了知性和理性得以發生的基礎，從而爲屬于自然界代償存在序列之終極一環的“精神存在”煅造出它的核心要素。

第八十章

以上討論是借助于“形而下學”（即科學的）的邏輯方法來求證“形而上學”（即哲學的）的發生學根源，以便揭示“精神存在”—— 也就是“形而上的虛體存在”的本質。**概括地説，精神存在——就其作爲感應屬性的演化系統而言——不是超然物外的特殊存在，也不是某一種特殊物質的獨具性能，而是普遍物性的自然焕發和因勢張揚，是整個宇宙存在平淡而樸實的基本存在方式。**所不同的，僅在于它作爲一種普遍的物性居然可以發展到必須自問自身爲何物、以及自問亦不知自身爲何物的程度，這就是“一般感應（屬）性”演化到“精神”或“意識”這個至高自然境界的標志，也是“人類”這種至弱自然物質所特有的所謂“心自有理性所不知的理”（盧梭語）的“理”之所在。

換言之，精神的本質不在于精神與物質是否在横向觀照上對立，而在于精神與物質如何在縱向衍存上統一。【作一個不太恰當的比喻：出于存在性的規定，精神與物質的哲學派生關系頗有些像愛因斯坦在其相對論中就能量與質量所給出的物理轉換關系，不過，這裏有很大的區别，後者表現爲物質實體（質量）與物質虚體（能量）之間在存在形態上的等量互换關系，前者表現爲物質本性（存在效價）與物質屬性（代償效價）之間在存在性質上的等量消長關系。】

因此，可以認爲：所謂“精神存在”或“精神現象”終究依然屬于“物理存在”或“物理現象”的自然範疇，祇不過無論如何你都**不能運用一般的物理學方法來處理這個物理對象**，因爲你所**能够使用的手段**正是你要**加以處理的對象本身**，也就是説，**你的這個“對象”**恰恰就是**無法使之成爲對象的你自己（指“精神自我”）**，從而至少在理論上存在着某種永遠不可企及的盲區之險，這就是分析哲學在邏輯極點上所遭遇的“形而上學奇點”，也是邏輯實證論者認定一切形而上學問題概屬僞命題的原因。所謂“形而上學的奇點”是指，以這個“點”爲邊界，所有直觀的常識、科學的定律和可經驗的存在狀態均歸無效，此乃邏輯實證論者認爲一切知識概屬“假説”的原因。亦即恰恰從這一“點”出發，又可以反過來説，凡屬自然的或物理的存在不免同樣可以被視爲是精神形態的存在，停留在這一點上無休止地争論下去既没有意義也没有出路。【注意：恰恰是按照維特根斯坦的邏輯實證論，祇要我們能够運用物理學和生物神經生理學等科學方法逐步驗證“感應屬性的進化發展”（有關生物神經生理機能的進化現象放在本書卷三第一百五十九章中簡述），則此種證明在邏輯上就應該是成立的。于是我們便照此行事，并由此引發對經典哲學問題的重新探討，以免讓維氏的虔誠信徒誤以爲從此没有了形而上學的話題可談。實際上，那種起始于經驗的證明同樣不是真理，甚至未必能够達成一時的階段性正確，反倒可能剛好落入古老的“休謨陷阱”裏而不能自拔（回顧第六十六章）。】

所以，目前讀者衹需記住我已給出的最關鍵論證：即一切主觀意識及其感知程序本身都是客觀存在及其自然演運的產物；而一切感知形態及其邏輯函項都是預先被規定下來了的主觀存在及其精神演運的產物；由此形成了一個主客之間的“斷裂帶”，彷佛一束光綫穿越空氣與水的界面時不免發生光柱斷裂式的折射現象那樣。不過，正是這個斷裂帶造就了前述認知形態的武斷特徵，也就是說，**那個貌似不講道理的認知武斷性其實恰恰是一切“道理”的基礎**，既往邏輯學上的那個似乎可以無限延伸因而終歸不能成立的“充足理由律”亦同樣僅在這個斷帶上才能獲得最後的根據。一句話，**認知過程的武斷規定性**無非就是滑動在這個“斷帶”上的**主觀與客觀**、**精神與物質**的**自然銜接方式**。【“客觀”一詞，僅在與“主觀”一詞相對應時才略具意義，即便如此，就中文的嚴格字義論之，此詞亦難自相融洽，反倒顯得十分悖謬，站在以人爲主體的立場上，“客”者無從“觀”，“觀”者自非“客”，且無以借“觀”的形式直達于“客”，而衹能繞行于“客”的屬性之間，并隨即使之主觀化。故，我用此詞，僅僅沿襲其與“主觀”一詞的對立性，義同“客體”而已。由是亦可見得，處在後衍位相上的主體與客體早已失去了相互感應或感知的對稱性（參閱第八十七章）。】

由此引發的下一個詰難是：這種**斷裂式的銜接**如何可能達成？也就是説，我們必須爲“精神與物質之間的關系”這樣一個千載懸案求證出一套合理而又可靠的“奇性定理”或哲學性的“定理模型”。【原則上講，衹有給定了奇點外的邊界條件，才有可能達成某種奇性定理，然而由于**形而上學禁閉的不可突破性**，所謂“奇點外的邊界條件”着實無從給出，因此我們説即使真能找到這樣的定理，它也僅僅是一個**哲學性的定理模型或邏輯模型**（即照例是一個對既往哲學理論予以證僞後的猜想和假説）。在這個意義上，讀者可以將本書卷一中論述的“遞弱代償法則”視爲“奇點外的存在模型”和“假設的邊界條件”。至于這類**精神衍生性的“模型”或“假説”**爲什麼可能就是“真理”（“求實”意義上的真理）或是“真

理的近似”（“失真”意義上的求實），請讀者耐心地隨我一起追思下去即可了然。】

第八十一章

首先，我們要面臨這樣一個問題：感應屬性（及其演化産物感知屬性）爲什麽不能對**客體的全部屬性**發生**可感效應**？再則，感應主體（及其演化産物感知主體）爲什麽必須將**對象的可感屬性**予以**變態感化**？【往深裏説，哲學上以及認識論上的一切争議之所以終究不能擺脱**形而上學幽靈**的糾纏，一概出于這個**不顯示爲問題的問題**之蒙蔽和誤導。】

依據上文，如果以下兩點得以確認，即：

一、任何**感應者**必定業已是一個**客觀存在者**；

二、任何**存在者的感應性**必定業已受到**自然存在的客觀規定**；

則物理學上的“**最小作用原理**”就不可避免地要在一切感應性存在者中間貫徹下去，而且必然要以與物的感應屬性有關的特種方式加以貫徹。【數學家歐拉（1707—1783）和莫培都（1698—1759）于十八世紀提出該原理時，主要限于對一般力學物理的研究。所謂“最小作用原理”，系指自然萬物的運動和結構總是采取某種最簡便、最經濟的方式。“光綫以直綫的方式傳播就是最小作用原理的一個直觀體現，因爲直綫是最短的路徑”；莫培都甚至索性“把‘作用’定義爲‘質量、速度和所經距離的乘積的積分’，并且認爲，在孤立系統中這一積分必定取極小值。”（引自《科學的歷程》吴國盛 著）然而，**物的一切“作用”其實首先在于保持物的存在及存續，而物的一切“屬性”即是物的一切“作用”的相應基礎。**也就是説，**在任何存在物的任何一種代償屬性中，上述最小作用原理都是有效的。**其區别僅僅在于，該原理在“力學物理”中和在“感應物性”中勢將采

取不同的貫徹方式而已（可參閱第六十五章和第六十六章）。】

我們亦可將這個最小作用原理叫作“**簡約原理**”。從哲學角度上看，**它的核心**不外乎是將一切可有可無的屬性、作用和消耗壓縮到最有利于存在——亦即最接近于高存在度的單純圓滿——的原始簡約狀態；**它的本質**其實就是爲了把存在效價的必趨衰落減小到最低限度，或者，把代償效價的相應遞補發揮到最高限度。質言之，“最小作用原理”或“簡約原理”首先是一個涉及自然存在性的相對存在原理，或者說是一個涉及自然存在閾的有限代償原理（請回顧卷一第二十九章）。所以，這項原理不僅適用于物理學和本卷所談的精神現象學，而且適用于對社會存在的解析（詳見卷三）。【試想，倘若人的眼睛直接就是一架色譜儀，或者，耳朵直接就是一臺振頻儀，甚至味覺和嗅覺也不得不被構造成某種具有仿生功能的原子（含質子和離子）分析儀以及分子分析儀，從而要求人體的整個神經系統和中樞系統必須相應變構爲一個遠比現代最先進的互聯網和超大型電子計算機還要敏捷高效的信息處理系統，以便我們的感知過程能够達成與外物的直接溝通或原樣反映，那麼，即便把人體物能代謝所産生的全部能量都調動出來，使之僅僅用于維持感知系統的運轉而置生命的其他組織器官于不顧，恐怕也無法應付上列“官能”之能量需求的萬分之一吧。何況，這樣一個龐大的系統是否就能够“達成與外物的直接溝通和原樣反映”亦實屬可疑，按理説，它作爲人類感知系統的叠加物，衹會加劇對外感知的扭曲和變塑，亦即衹會在固有的歪曲之上再叠加以新的幹擾，量子物理學家海森伯所發現的“測不準原理”就是一個明證。】

爲此，感應過程以及感知過程才表現爲那種**有所取捨**和**有所變塑**的主觀形態，即是説，感應作用的**主觀認知性**正是感應者之**客觀存在性**的表達和實現。【早在十四世紀前葉，生于英國蘇來郡奥卡姆村的威廉就提出了著名的“思維經濟原則”，世稱“奥卡姆的剃刀”，他的名言是：“能以較少者完成的事情若以較多者去做即屬徒勞。”此後的科學化用智方式進一步證明了這一原則的有效性，例如，牛頓的力學基礎方程F=ma和愛因斯坦的質能等價方程$E=mc^2$，都被世人看作是一語道盡宇宙成因的杰作，它絕不會因其簡明和精練而令人生疑，反倒可以這樣認定：精練性是衡量理論正確性的尺度之一，盡管誰也不知道這精練的理論框架是否就是那宇宙本身的框架原型。（注意！這裏所説的“正確”并不等于“真理”，而僅表示針對當時衍存情狀的代償舉措實際而有效；另外，世事或思想都不免終將趨于復雜化并不等于説簡約原則失效了，而僅表示任何“正確”的代償舉措終歸無效或終歸“不正確”，于是衹好再次運用盡可能簡約的方式尋求下一步代償或尋求下一個“正確”；前後之間没有絲毫的矛盾，有疑問的讀者可回顧卷一第三十三章和第四十一章。）又，馬赫對“思維經濟原則”也深表贊賞，他的“感覺要素論”就是對這種有所變塑和有所取捨的感應特徵的覺察，衹是由于他未能對造成這一結局的感知主觀性之原因予以深入探究，才使他那敏鋭的哲思反而顯得有些怪誕和荒唐。這與他認爲一切形而上學的東西都是應該“徹底排除”的“無聊的、無法用經驗檢查的假定”有關，不過，他似乎忘記了，如果他所推崇的“科學”終究衹能依據“要素化”的感覺經驗和“經濟化”的思維處理方能建立起來的話，那麽，一切科學理論又何嘗不是徹頭徹尾的“假定”呢？】

第八十二章

顯而易見，全部的問題在于，被“假定化”了的感應過程或認知結局**究竟要達成一個什麽效果**？

這就牽涉到“**失位性存在**”的窘迫形勢。正如在卷一中所談的那樣，凡一切**屬性載體**（此處特指“感應者”）無非是自身存在效價在一定程度上被削弱了的**自失性衍存者**，致使原始自然界從**存在即存在着**的相對自在狀態漸次衰變爲**存在者如何才能不至于不存在**的相對自爲狀態，也就是使**無所謂“定位”的一維性存在**分化爲**“必須尋求自身立足點”的時空態存在者**，是謂“**失位**”。失位者必然“**失穩**”，失穩者唯有通過覓得一個**結構性定位**或**依存性定位**才能暫且自穩下來。然而，對于一個已經弱化了的存在者來説，它所可以指望的“補償”又衹能來自于它自身，猶如一匹陷入沼澤地的駑馬雖已十分困苦，却唯因其所處的不利境遇反而更有必要疲馬加鞭一樣，是謂“**代償**”。這就要求一切代償過程非得采取最“省力”亦即最簡約的舉措不可，足見物理學上的所謂“最小作用原理”其實仍舊是**存在性**的一種規定。即便如此，疲馬亦不能免于更疲，也就是説，代償終不能免于失代償的無功效結局。

從這個角度來看，所有呈現爲各種“作用”（或“功能”）的屬性，其實都不過是爲了借助于這些作用來糾正自身的失位勢態。而所有表達爲“屬性”（或“特性”）的代償，包括呆滯的感應屬性和神靈般的感知屬性在内，無疑也就都成了一種格外沉重的負擔。

于是，**如何把這些負擔減縮到剛好滿足于負擔者建立起自己最簡捷的“識辨定位系統”**，就成爲自然界雕塑自身存在質態的鬼斧神工之所在。

落實到感應屬性或感知作用的具體過程上，就呈現爲前述種種片面的和失真的形而上學之禁閉情狀及非邏輯之武斷情狀。爲此，原子階段前後**低度代償**的原始物質（前至亞原子粒子、後至分子等），例如電子，則主要以自身的電磁屬性來達成其電荷感應作用，雖然就其感應表觀而言，它對“對象”之所感僅限于一個正電荷，亦即由此丢失了對象的有關電磁屬性以外的所有其他客體素質，甚至都不“明白”該對象究竟是一個質子、離子還是一個構態龐然的大分子，但它畢竟借以實現了自身的定位性依存，而且其效果可能一點也不比它把對象本體全然生吞活剥下去爲差；進一步看，處于**中度代償**階段的低等生物（向前可推至單細胞生物乃至純核糖核酸體生物、向後可延及人類以先的哺乳動物）如蝙蝠者類，盡管其感應能度遠較低代償階段的非生命物質高超得多，却絲毫不能改變原始感應屬性的簡約規定性，因此，無論蝙蝠的超聲掃描範圍較之亞原子粒子的電磁場有了多大程度的擴展，它照例衹能以物質反射聲波的片面屬性來感應世界，不過，恰恰是依據這樣一種“錯誤的”表象，蝙蝠才最爲有效地確立了自身在陰冷洞天中的優越地位；推而演之，發生在人類這種屬性載體身上的**高度代償**的“感知”飛躍，其實是從電子到蝙蝠進程的“感應”躍遷的**繼續和翻版**，也就是說，**人類在總體上的“感知程度”一定與他的“存在程度”（或“生存形勢”）相匹配**。

總之，從“萬物有知”到“有知萬物”，整個知識之流僅僅落實爲一脉物演之流，把這個流程反映在邏輯上，最終衹能導出一項事實或一句斷語：**失真**的感應或感知非但不會使感應者或感知者**失實**，反而是其求實的**首要基礎**和**唯一途徑**——即，首先憑借簡約原則來維護**自身作爲存在者的弱化存態**，即求取**自存**（是爲“首要基礎”）；其次才談得上通過感應或感知來維系**自身作爲分化者的艱難依存**，即有賴**他在**（是爲“唯一途徑”）。于是，傲視天下的人類終于照例不能逃脱柏拉圖所隱喻的黑暗洞穴，雖然唯有他們高擎着智慧的火炬，誇耀着精神的光明。【這既是柏拉圖潛藏着歡樂的悲嘆，也是衆智人隱含着悲哀的歡呼，一切取决于你是祈求生存還是向往真理；或者更準確地説，正是由于這一切并不取决于你的祈求和向往，反而是你的祈求和向往被某種支配性的暗中力量困擾着，讓你誤以爲衹有獲得真理方能獲準生存，所以你才悲歡無常，也悲歡無着，并將鬧哄哄的人類史演成如此一部荒誕劇：大凡追求真理者，猶如誇父追日，不免終成犧牲；大凡庸俗求生者，猶如行尸走肉，反令命運悠長。】

質言之，**具有感應屬性的物**和**具有感知屬性的人**原本都是**被規定在統一的衍存位相上的盲存者**。

第八十三章

上述所謂的“盲存”，系指物的存在性**決定着**物的感應性，而不是物的感應性**指導着**物的存在性。從表面上看,“知”是“行”的前提，“感”是“應”的向導，然而，知與行、感與應其實是**同一層面上的淺部運作**，本質上誰也不主宰誰，倒是**盲目的存在本身**深在地主導着**貌似澄明的感應過程**，而澄明的感應或感知**反而對此一無察覺或盡可以一無察覺**。

感應者之所以表現爲**澄明的盲存**狀態，其原因之一仍在于**簡約原理**的作祟。且不說**存在性**是決定一切的**存在本性**，故此并不將自己顯現爲某種鮮明可感的**存在屬性**。即使它能够通過一系列屬性演化來暗示自己“垂簾統治”的威權，也由于它所施行的“鈍化育導”而造成被統治者對其潛隱勢力的失察。如果用哲學語言加以闡釋的話，即是說，簡約化過程必然令感應物的**感應度**在發生代償性擴張的同時也伴隨發生感應屬性的**進位性揚弃**，亦即感應樣態的**規定性進程**同時就是一個**否定性進程**。所以，蝙蝠獲得了超聲感應能力，就喪失了粒子物態固有的微觀電磁感應性，而後來的動物一旦形成了五官感受器，則不能兼備蝙蝠的超聲感應技巧，結果導致人類的知性進化以感性退化爲代價，其視不如鷹，嗅不及犬，甚至他的光感頻段都有所萎縮，因爲據實驗觀察，身爲人類先輩的靈長目動物尚能看見波長比紫外綫還短的X光。總之，擴張性的感應代償一直就未能擺脱“奥卡姆剃刀”的簡約化刮削，難怪理性思維雖然勃發到“感想無涯”的超時空境界，但其邏輯程式的簡化狀態却一如既往。簡言之，正是由于**貫徹在代償增益態勢之中的種**

種簡約化處理（包括針對“實存”的或“體質性”的“屬性硬件”之處理以及針對“虛存”的或“精神性”的“屬性軟件”之處理），才使一脉相承的所有感應者展示出迥然不同的自存形態，也使**本屬同根的高位感應者不能在自身的感知直觀中輕易比較出感應進位的前後差异**。【這裏需要注明的是，上述有關“否定性進程”的意思并不是説將處于前位的感應機制徹底丢弃，而是指將它埋藏或潛含在後位感應機制的基礎層面之下，故此特别選用黑格爾的“揚弃”概念。譬如，高等動物的感覺器官雖然已經具有非常復雜的結構，也已能够感受遠比離子或分子更爲宏觀的對象和場景，但它的基礎生理機制仍然建立在單細胞質膜層面的電磁感應上，并由以形成生物電激發、傳導和中樞整合的神經反射弧。】

于是，“盲存”與“定在”無异，或者説“澄明的盲存”就是“物性的定在”的質態，而“定在”的内涵就是“確定在某一存在度上的在或在者”，由此引出“位相”的概念。所謂“**位相**”，系指物的**存在性**（存在度、代償度與存在閾三者之間的内部構成）先于物的**感應尋位方式**而在，亦即**物的失位本身**就是一種**確切的定位**或**框定的位格——框定在某一確切的存在度和相應的代償度的衍運位階上，并呈現爲特定的物類形態和求存方式**。“位格”或“位階”是實現在存在度上的具體的位點或位相。换言之，正是“位格”及其“位相”從本質上决定着物的失位存態，而不是物的感應識辨能力成就了物的定位存在。因此，從根本上講，物的失位存態是不可糾正的，而且恰恰是由于這種糾正的無效性（即“代償的無效性”），才使感應性代償不得不無休止地擴展下去。也就是説，**以識辨定位爲己任的感應屬性其實并不能改善感應載體的失位窘境，它至多不過是失位性存在者表達其位相規定的一種存在方式而已**。

基于此，那種被“假定化”（即“簡約化”）了的感應過程或認知結局**所擬達成的效果**已經不言而自明：**它無非是爲了讓那**

些必然演成分化失存態勢的遞弱物質，以最有利于其當下苟存的自補方式（“有效代償”或“有功代償”的體現），亦即最不利于其長遠穩存的自殘方式（“無效代償”或“無功代償”的體現），在有條件的結構化自然系統中堅持存在下去。【具體到感應或感知效果上説，就是假如簡約化的代償規定有利于求存而不利于求真，則寧可放弃求真；假如代償化的簡約規定有利于衍續而不利于自明，則寧可采取盲存。説到底，聰明靈慧并不是一件好事，它直接標志着聰明者的虛弱和靈慧者的無奈，况且，它非但不能從根本上解决之所以要派生它并不得不借重于它的深在問題，反而衹能使固有的麻煩愈發膨脹——所以才有了鄭板橋那“難得糊塗”的告誡。而實際上，即使没有這番告誡，我們也一直都糊塗着并將繼續糊塗下去，因爲歸根結底，我們運用智慧所能達成的終極效果畢竟與糊塗無异。到頭來，我們衹落得了一個讓“糊塗”也分外“難得”的苦果——“難”就難在你已經處于必須聰明起來的境地，或者説，你已經處于必須以聰明的樣態來表達糊塗的規定之“位相”。】

第八十四章

“位相”的限定使感應者的**感應識辨能度**固化爲某種**感應識辨格式**，“盲存”的制約又使感應者的**感應識辨格式**硬化爲某種**感應識辨體系**，這個發展過程就表達爲一切感應者的具體**認識程序**或**認知程序**（總稱“**邏輯程序**”），這個演化體系就呈現爲各類感應者的不同**現象體系**或**表象體系**（總稱“**世界體系**”）——也就是顯現在感知屬性的“自明”或“澄明”介質中的那個仿佛發生過折射式斷裂的“**存在系統**”。簡而言之，“邏輯程序”**是隨着物演進化逐步形成的**，“世界體系”**是隨着邏輯代償漸次豐化的**。

通過**簡約化感應程式**的介導所形成的**主觀化世界體系**因而

一定是十分客觀的，它的客觀性逼近在如下陳述之中：

a. 簡約化的規定本身表明，任何感應程式或認知程序都不是爲了達成某種“主觀信念”（如“信仰”或“真理”）才得以派生的，換言之，**它之所以不能達成客觀本真正是由于它自身的客觀本真所致**；【可見一切“自信”都來源于**盲存**或**盲存所致的武斷**】

b. 主觀化的體系本身表明，雖然任何感知中的“世界圖景”（如“存在”或“宇宙”）都不是外部事物的原樣反映，**但它却最真實地反映了感知者自身的客觀位相和依存條件**；【可見“唯物反映論”恰好**顛倒了反映的關系**】

c. 簡約化或主觀化的實際感應效果表明，由此形成的“觀照態世界體系”（相對于“感應”或“認識”而言）和“觀念態世界體系”（相對于“感知”或“認知”而言）**一定與客觀上的（即“非感認”意義上的）“自然態世界體系”達到最融洽的和諧**。【可見即使是被我們虛擬化了的“世界體系”也**實實在在地就是唯一可以信賴的“存在之反映”。**】

于是，相應的結論祇能是，感應者在主觀認知上的“唯心”狀態**恰恰導源于**它作爲感應物在客觀存在上的“唯物”性質。

所以，我們在本書一開始就説，存在并不直接在“指謂中存在”，而是“指謂中的存在”僅僅表達着指謂者自身的相對存在性，以及如果把它延展開來，還表達着指謂者之所以成爲指謂者的“性質上的原委”。【由此可見，所謂“形而上學”其實是對“形而中學”的一種誤談，即是説，精神哲學無非是在進行這樣一種自我檢討：它祇能涉及被限制在“自身存在形質的規定之中”的有關“學問”，或者是祇能將一切可以涉及的東西都無可奈何地統攝在“自身感應屬性的自然限定之中”來加以反思的“學問”，是謂“形而中學”。一言以蔽之：“形而上學的禁閉”本身就使“形而上學”成爲“形而中學”。】

而上述那個“性質上的原委”，即有關存在性以及由存在性（或存在閾）所設定的“簡約化感應原理”，就是造成前述“斷裂式銜接”的契機所在。

第八十五章

有鑒于此，我們必須對感應或感知中的所謂“世界體系”重新予以審視。因爲它既不像**廣義上的科學所假定的那樣**是純客觀的東西，也不像**内省式的哲學所認定的那樣**是純主觀的東西，而是在它之中正體現着**純主觀的認知表象**怎樣被**純客觀的衍存序列**所規定。

這就要求我們不得不對既往慣用的一系列概念給出另外的闡發。

對象——是被主體的感應性或感知性**簡約化了的虛擬客體**，是客體的**可感屬性的變態集合**，也是**客體被引出到主體中**或**主體被引入到客體中**的僅有**依據**。由于這種“依據”有可能衹是某些深在的超驗的真正根據的**向導性聯帶媒介**（或曰“**屬性耦合媒介**”），所以感知中和邏輯中的一切“根據”暫時都暗含着不足爲憑之嫌。直到感應者的存在度下降到某一相應的代償度增量上，從而使對象的對象性亦隨之延展到該深在根據的位點或程度上爲止。即縱如此，對象本身仍不能明示其可根據性或確定性，因爲感知者并不能由以獲悉對象性進一步延展的後果，此乃認知的不確定性或武斷性無論如何都無法消除的原因之一。【維特根斯坦晚年探討的“確定性”問題與“生活形式”之關系，就是對上述“可根據性”與“感應者的存在性狀態”之間關系的隱約直覺。】

顯然，全部的問題在于，“對象”是如何被“對”成爲“象”的，即必須考察對象與主體之間相互作用的基本原理。實際上，“對”

衹能是指主、客體之間的可耦合屬性的“對接”，而“象”亦無非是指主體憑借自身之感應屬性“抽取”對象的可感屬性，并進而將其耦合化地處理成“象”的邏輯過程。由此提示：

a. “抽象”之舉絕不是單純發生在**理性對感性表象的處理階段**的事情，而是**貫穿在整個感應序列的全過程之中**。差別僅僅在于，在物理感應階段，“抽象”尚停留在有所“抽取”而無以“成象”的水平，但毫無疑問的是，這個**從“抽取物性”到“加工成象”的處理過程**一定發生在能够形成直觀表象的感性階段上或感性階段以前；【嚴格説來，屬性的耦合過程直接就是感應或感知的抽象過程，即“抽象”與“屬性耦合”是兩個可以互换的等價概念，他們之間至多衹有進位意義上的差别，即“抽象”不過是“屬性耦合”的高分化後衍集合形態罷了。不理解“抽象”就無從理解“感性”（或“感覺”），而在不理解“感性”的情况下居然大談“理性的抽象”（或“抽象的理性”），豈能不謬？（另論見于第八十九章）】

b. 衹有在**所抽取的物性**業已成爲一個**多因素系列**之際，**物性**才有可能被加工處理成**物象**（即“表象”），而且，要把**物性**處理成**物象**必有一個即使不能被意識所覺察的**邏輯程序**先在，這就表明：（1）**從感應到感性**必是一個“感”及其“可感要素”**共同分化擴展的過程**；（2）所謂“邏輯”一定也**發生在能够形成直觀表象的感性階段上或感性階段以前**；【可見，“邏輯之花”自有一個從“無意識”到“潛意識”再到“顯意識”的綻放過程，衹在“顯意識”之中摘取和欣賞它的芬芳，不免使“邏輯學”成爲無本之木，這是既往的邏輯學迄今未能完整而統一地揭示出邏輯的本性及其運動規律之原因所在。（詳見第九十四章前後的系統論述）】

c. 可見，“對象”**最初并不是**後來那種捉摸不定的物象式的東西，而**直接就是可以被稱爲“對應物”（更確切地説是“對應物性”）的東西**，這一方面表明對象的本原必是物質性的，但另一方面也表明從一開始對象（或“對應物性”）就已經不再是本原意義

上的、完整無遺的物自體了；【所以，“彼岸”的概念成立。但它既不是成立在“不可知論”的意義上，因爲“現象之知”恰恰是建立在“彼岸存在”這個“半壁”基礎之上的；也不是成立在“本質遠隔”的意義上，因爲“本質之知”反而是進一步擴展到“此岸屬性”之中的産物（詳見第八十八章）。】

換言之，當**主體的感應性**將**客體的對象性**實現爲某種**非客觀的可感知要素**時，貫穿在感應屬性中的最小作用原理實際上已使本原意義上的“客體”悄然隱退，而使簡約化了的“對象”冒充頂替上來。然而，正是這種經過主觀省略和改塑的“對象”**成爲主體與客體之間最有效的聯絡中介**，也就是説，**認知的虚擬化或對象化過程是達成認知的唯一方式**。

于是，“對象”或“對象的總和”就成了感應者或感知者的“世界體系”，而實際上這個“世界體系”原本可能并不是這種對象化或表象化的平面存在系統，因爲感應者或感知者之所以要把客體對象化，乃是由于客觀的存在系統如果一一被原樣感知，則主體就不成其爲該客觀存在系統中的一個客體，也不堪成爲如此重負的存在者。因此，**對象後面必定有一個使對象凸顯爲對象的支撑架構，也就是使主體自身客體化亦即結構化在“有條件的存在系統”中的那個自然體系。**

這就需要對“條件”的詞義給以立體解析。

第八十六章

條件——雖然可能是感應主體賴以依存的依存物的整體，但它總是通過對該依存物的某一或某些可感屬性發生感應而實現的。由此暗示，其中的非可感屬性或非可感“本在”（指存在物的“非屬性基幹”）實質上構成了**條件的支持或潛在的條件**，即一般所謂的“條件”既可能直接就是感應者當時所依托的

可感的條件要素，也可能僅僅是對象化了的**條件誘導屬性**——即它雖然呈現爲條件載體的可感屬性，却未必是感應者有求于該項載體的主要依賴要素。但不管怎樣講，主宰着相對依存關系的物的**條件性**（即物的“有條件存在性”及其“屬性化代償態”）終究是一切“客體”得以實現爲“對象”的終極原因。所謂“條件誘導屬性”，可以視爲感應者與被感應者之間的一種**最簡約的自然屬性耦聯接點**，衹要**被感應的誘導屬性**必然又牽挂着**條件載體的其他非可感條件要素**就行。

這種情形儼如某一動物看見了（即可“感”）草莓的紅色折光屬性和外形廣延屬性，隨即采而食之（即以其爲“條件誘導屬性”而“應”之），然而它真正所需依賴的條件要素却是草莓的另外一些當時不可感甚或終究不可感（此處特指感官之“感”）的屬性，如其中含有的碳水化合物、蛋白質、維生素和微量元素等等。現實條件的這種區分既是感應性得以簡化的基礎，也是感知性得以進化的必須，即是説，上述區分暗含着如下可能性：**當某物弱化到所需依賴的條件更趨繁復，以至于單憑簡約化的“感性”已不能在可感屬性與不可感條件之間作出適當的反應之時，“知性”乃至“理性”的代償即成必然。**這是自然界在進行性結構分化的過程中解決分化物依存關系的唯一平衡手段。【此處還提示，“建立在武斷基礎上的誤知”（即“感”）一般并不引發“錯誤”的行爲（即“應”），而衹引起與該感應者的“存在形勢”（即維特根斯坦所謂的“生活形式”）相一致的反應效果。也就是説，“實踐”過程非但不能打破**虛擬感應的統一性**（此乃一般人所謂的“實踐是檢驗真理的唯一標準”之失誤所在），反而成爲掩蔽**“感”與“應”共享一個虛擬基礎**的障眼法（此乃黑格爾所謂的“真理的唯一尺度就是真理”之虛妄所在），結果鼓勵武斷者**越發自信于其武斷**，直至造成該感應者的“存在形勢”（即存在度與代償度之間的固有内在關系）**發生崩潰和躍遷**而不止（此乃我要説的“物演進度是真理得以成立或遭致廢弃的唯一根據”之基礎所在），是爲“**形而上學的不可檢驗原則**”（即“僞在”情狀）

與“**形而上存態的代償遞進法則**”（即“危在”情狀）之連鎖關系。（參閱卷一第二十七章）】

再之，所謂“條件”是相對于依賴物而存在的被依賴物——即從根本上講，二者都同樣是**自然一體存在的分化物**——而依賴物對條件**加以依賴的唯一方式就是感應**。所以，**如果感應者的存在狀態是一個演化遞進結構的話，那麽，條件的存在狀態也就自然被排列成一個對應的層級結構**。按照分化程序，這個層級結構祇能以倒金字塔形的扇面展開，愈晚近的條件愈龐雜，愈原始的條件愈本質，因爲**原始條件必是後續所有條件的條件**。于是，就感應者而言，它的感應性或感知性需要這樣建立才最爲有效：

a. 對于較切近的條件，**在感受上應保持最大限度的鮮明性和普遍性，且須保持二者之間表面上的統一，**否則，面對諸多依存對象的感應主體就會由于缺乏明確的針對性而使自身的感應過程陷于無所適從的混亂境地；【故此，亞裏士多德的形式邏輯雖然看起來不過是一系列至爲淺顯的同語反復，却最真切地（盡管是不自覺地）揭示了感知性淵源于感應性的演化關系。出于同理，浮淺而平庸的人總是正常而平衡的人，反而是追逐深刻者常常失之于顛三倒四，是爲“庸人不自擾”的道理。】

b. 然而，對于較原始的條件，**感應者又應該將其作爲感受切近條件的媒介條件加以利用，祇有這樣才能達成感受的普遍性；**【故此，一切生物的視覺均建立在各種物體對原始光粒子的激發或反射的基礎上，其聽覺又以原始波粒子所奠定的萬物基本運動形式之一的振動爲刺激源，而組成味覺的基本要素之一“酸”亦同樣來自于原子核物質中的質子（即氫離子）對味蕾感受器的生理作用等等，由以達成生物感覺的高度效能。值得注意的是，這裏暗示着“生物感覺”與“非生物感應”之間的某種很難驗證的同源關系。（參閱卷一第四十一章）】

c. 若然，則**由于一般總是將原始條件混淆在切近條件的**

可感屬性之中（或混淆爲切近條件的可感屬性之一）加以感受，所以對于原始條件本身的感受不免失去鮮明性；【故此，感性的效能終于暴露出經不起深究的混亂和短視，理智的代償由以發生，并隨之展現出某種深層整理的增益效應。（注意:"深層整理"未必是"深層真理"，所謂"深層"之類的層次之分，是指非感應意義上的自然演化序列，對于已經感應和即將感應的條件或對象而言，它僅僅表現爲信息量的增加，而不能理解爲新舊信息之間發生了孰"真"孰"假"的質的分別。）值得一提的是，從柏拉圖到笛卡爾，哲人們早已發現感覺的不可靠，却一直未能弄清其原因：**即感應性對層次性條件的簡化疊加利用原理**。】

可見，**條件的層次性結構决定着感應屬性的代償結構**，反過來看，**感應屬性又把層次性條件轉化爲與感應者的存在形勢相適應的對象系統，從而建立起主客交融的依存格局**。不過，主體與客體的具體關系實際上并不完全是相互對等的，它也同樣受到代償性層次結構的規定，正是由于此種層次化的推演，主體才得以從客體中逐漸嶄露頭角，爾後居然反客爲主，盡顯風流。

以下就討論主體與客體的共通本質及其位相關系。

第八十七章

主體與客體——從本原意義上講，也就是從自然分化的源頭考察，以客體的可感屬性爲對象的各個分立的客體就是主體，相對于彼客體而言，此客體的可感屬性也就是當它被視爲主體時的感應屬性。即是説，主體本身就是客體的組成部分，當某一分化物作爲感應者將另一分化物（也是感應者）變换成對象從而實現自身爲主體之時，那個（或那些）被變换爲對象的客體又以該主體的鏡像式感應屬性作爲可感屬性之素材而同時亦將該主體變換爲對象，也就是令該主體立刻還原爲客體，是爲主體與客體的**原始可換位狀態**。【譬如電子與質子、與原子核、甚至與分子的那種簡一的電荷對偶關系。】

這種可以還原爲客體的主體才是主體的根本質態。

後來，隨着客體（也就是主體）的繼續弱化和分化，作爲客體某一部分的衍存者如果還要成爲可存在的客體，就必須使自身演變成能與其他日益復雜化的客體相溝通的復雜感應體，而且其自身的復雜程度——包括自身之實物狀態亦即“體質狀態”的復雜程度和自身之感應狀態亦即“精神狀態”的復雜程度——必須等于或大于此前縱向演化過程的總體復雜程度。因爲，此前所有那些相對簡單的存在物都是後衍性存在者須臾不可脫失的存續條件，何況這些後來者還得與跟自己一樣怪誕甚至比自己更怪誕的復雜物體相溝通。于是，凡屬後來的感應者，勢必集如下一系列“**客體性質**”（或“衍存感應泛化律”）于一身，是爲“**主體素質**”：

a．它是從無條件的“在”流離爲有條件的“在者”的失位本性的體現者，即它自身直接就是自然分化過程的弱質載體或代償先行者；【所謂“代償先行者”，是指由分化速度或分化程度之不同所造成的物類分化或物類差別。（參閱卷一第十七章）】

b．它自身的分化狀態首先要求將它自己造就成某種具有內在感應結構的復合體（指非生命物質），進而要求將它自己造就成某種具有更復雜的內在感應結構的有機體（指被薛定諤定義爲違反熱力學第二定律的所謂負熵化或高序化的生命物質）；【應當指出，薛氏的說法顯然是一個誤談，其實宇宙演運的結構化過程正是能量上的熵增定律在質量上的物態體現，即自然結構的演化進程表現爲結構內能傾向衰減的趨勢，且恰好自生命結構開始衰減爲負值耗能的代謝狀態，從此該項負值隨着生物物種和社會結構的同步進化而日漸加劇，由以達成“熱寂傾向”與“遞弱存續”的自然統一。（參閱卷一第五十三章）即是說，無機結構和生物結構的能量演化關系并不是兩個方向相反的動

勢，而是同一動向的嚴格承繼和一脉順延。（具體的熱力學論證屬于另一學術專題，故不贅言。）】

c．它自身結構的復雜程度必與其前體物類的總體復雜化程度或總體演化復雜度相吻合，建立這種吻合關系的前提是：它的實體分化度或體質分化度（亦即“結構度”）必須等于或大于其前體物態的分化度之和；【譬如，分子的分化度及其結構度必然包含着各組成元素的原子分化結構和亞原子分化結構，而單細胞的分化度及其結構度又必然包含着各分子組分乃至前分子物態的全部分化結構，依此類推。】

d．它的外向感應能度必與它本身的内在分化程度及内向感應程度呈正比例地發展，因爲它的外向感應能度無非就是它的内向感應結構的延伸；【由此造成進一步的外向化新結構的叠加形成和演動發展，譬如繼粒子結構之後（或之上）的原子結構、繼原子結構之後（或之上）的分子結構、繼分子結構之後（或之上）的單細胞結構、繼單細胞之後（或之上）的多細胞有機體結構、以及繼多細胞有機體之後（或之上）的生物群落社會結構。】

e．它自身内外的整體感應能度必與其前體物類的總體感應程度相吻合，建立這種吻合關系的前提同樣是：它的非精神感應度（連帶其後的精神感應度統稱“感應度”）或精神感應度（特稱“感知度”）必須等于或大于其前體物態的感應度之和。【譬如，單細胞的感應度必然包含着各分子組分乃至前分子物態的微觀感應屬性，而多細胞有機體的感應能度或感知能度又必然包含着各細胞組分乃至亞細胞物態的全部感應屬性，甚至多細胞有機體的感官效能和思維效能直接就是此前所有理化感應效能的集中體現與匯合發揮。】

總之，**整個自然物的分化度或結構度與整個自然界的感應度或感知度相一致；而任一存在物的分化度或結構度與該存在者的感應度或感知度相一致。**此乃“主體的客體性”與“客體的主體性”的統一關系或演化機制之所在。【綜合以上從 ***a*** 到 ***e***

之各項，換一個角度，也可以這樣概括：宇宙中的信息總量或知識總量是一個給定值，它體現在兩個方面，其一、自然界的最大信息量終究不會溢出宇宙物演的限定區間；其二、自然界的最高感應度終究不會超出物態分化的演動極限。（此間意蘊請參照卷一第三十四章和卷二第七十章的坐標示意圖來加深理解。）】

不過，處在後衍位相上的主體相對于它的前位客體而言已成爲**不可换位的主體**，即由于**存在位相的不等位性**，或者説，由于後位存在者與前位存在者之間相互依賴程度的不對等性（後位存在者對前位存在者的依賴程度大于前位存在者對後位存在者的依賴程度），從而**造成感應效能的非對稱性**，即造成後位感應者的感應效能可以覆蓋前位存在者，而前位感應者的感應效能却不能對等地覆蓋後位存在者——是爲**衍存位相對感應效能的自然制約**，亦即**依存向度對感應向度的具體規定**。【據此可以解決基督教神學上關于"神的位格"的問題：如果主（至高的"主體"）或上帝存在，則他一定衹能處于人的衍存位相之後，而不可能成爲人的創生者（當然更不可能成爲宇宙和自然的創世者），因爲人從來未能普遍地瞻仰到神的尊容（即人的感應效能不能對等地覆蓋其後位存在者），但據説神却無時無刻不在俯察着人的造孽（即神的感應效能足以覆蓋其前位存在者）。另外，據此也可以解决莊子與惠子的那場著名争論：莊、惠相偕游于濠梁之上，莊子不禁贊嘆魚的"出游從容之樂"，當惠子提出"子非魚安知魚之樂"這一問題時，莊子的所答"子非我安知我不知魚之樂"實在衹能算是一個機智而空洞的狡辯，因爲惠子的問題實際上是在追問感知的效能和界限，而莊子徒然衹給出了一個空虛的"我"及其無邊界無規定的"我知"，却絲毫没有應答惠子的問題本身。這個問題的答案應該是："我乃魚之嗣故知魚之樂"。注解如下：我處在魚的感應上位（即後位），因而足以體會魚的下位（即前位）感應狀態，須知我自己曾經就是一條魚（在物種系統進化的古生代志留紀前後并且重演于人體胚胎發育的早期階段），而當我在母腹中作爲一條魚的時候，我沒能感受到强烈的苦樂顛簸，這種低感應度的麻木狀態就是魚的“悠然樂懷”之所在，如今我作爲更其弱化的人，不得不相應生出更其富厚的心理感應或情愫代償（參閱本卷第一百零八章及其後有關章節），却自覺尚不如魚類那般木然無爲的無聊穩態爲佳，是以生此感嘆耳。】

就這樣，**“人”變成了萬物的感應物**，而萬物變成了麻木不仁的“現象”——存在一概消失在“現象”之中，“本質”由以成爲一個不知是代表着**現象前面的人**抑或是代表着**現象後面的物**的神秘主宰和空洞詞項。

第八十八章

現象與本質——現象是對象的元素，或者説，對象是現象的集合，這一點毋庸細説。值得深究的是：就物演感應性的**原始實現形態**而言，現象是**分化依存物單向對應屬性的耦合媒介**，其遠距離的代償增益參照系是**表象**（參閱卷一第三十五章及卷二第七十二章）；就物演感知性的**晚近實現形態**而言，現象是**理性化載體多向感知綜合的迷惑之源**，其近距離的代償演動參照系是**本質**（此乃傳統哲學的褊狹視野，也是本章擬予重新討論的重點）。

從上述之後一種意義着眼，可以説，現象是對象的可感屬性的觀念形態。【不言而喻，凡屬觀念的東西，都是已遭主觀（屬）性叠加扭曲過了的東西（回顧第六十五章和第六十六章）。然而，觀念會因主觀性的叠加層次或扭曲程度之不同而發生一項重要的變化，在理性階段以前（指感應、感性和知性階段），它直接就是不自覺的鏡内映照；在理性階段以後，它已是經過理性再次濾清（或濾濁）的反思産物了，是謂“自我意識”。换言之，前者是直觀本身，一如鏡中的影像；後者是反觀之思，一如對鏡的觀察。（注意：從這裏開始，才演化出黑格爾哲學的起點、基礎及其對象之全體。）】

之所以説它是觀念的東西，乃由于它是那種要追尋對象後面的“本質”，從而必須對感應本身加以感應的進化晚程的産物。因此，一方面，把現象理解爲“天賦觀念”的内涵是不對的，但另一方面，如果把現象理解爲對象的抛射物也大錯特錯，因爲所謂“現象”正是主體與客體的某些屬性相互耦合（這是它的原始感應規定），并**將其産物分立于令主體迷惑的“觀念”和“對象”之間所發生出來的質疑或質疑載體**（這是它的後衍理性規定）。【所以，拉姆貝特早在十八世紀就將“現象學”定義爲“關于幻覺的理論”；而胡塞爾所謂的“現象學還原法”，其主旨亦不外是要有所“透過”；問題在于，“透”到“純粹意識”上去是否就意味着“透”到了終極？如果還不及，是否又得去求助于那個漂浮在“現象”上的“存在”？出此萬般無奈，才逼迫着海德格爾調頭追查“前邏輯”的“此在”，雖然這種憑空指點終于不免一無所獲，但海氏本人斷不肯承認他的哲學是“存在主義”却着實并非自命清高。】

即是説，“現象”一定是客體的可感屬性與主體的感應屬性交互作用的結果，而且它雖然是客體與主體都衹有通過它才能體現其存在的東西，却同時又是使感知主體足以覺察到某種紊亂或“失對應性”的東西。

所謂“失對應性”是指現象與對象之間時常顯露的錯動關系，一般正是出于對這種錯動關系的感知，導致感知者認定必有某個更本質的東西存在于對象之中。殊不知正是這種“錯動關系”造成了“本質”的迷失。【羅素很敏感，曾公然懷疑“本質”一詞是個空洞的虚設，他問道：難道“本質”像一個鈎子，好讓“現象”挂在上面不成？這一問，問出了一個大麻煩：説來荒唐，數千年的哲學史，無非是想要找出“常識”或“現象”後面的“本質”，倘若

"本質"無存，哲學豈不是成了自作多情的單思狂？】

由此引出的第一個問題是：假若"本質"的確不在對象之中，則它何以偏要顯現在對象之中？

由此引出的第二個問題是：假若"本質"的確在于對象之外，則它如何使之成爲"現象"的決定因素？

第一個問題的解可以概括爲這樣一句話：感應屬性（即"能知"）唯有通過與可感屬性發生耦合（即顯現爲"所知"），方能使自身獲得實現。（參閱本卷第六十七章）

第二個問題的解亦須從這句話說起：既然達成感知的"現象"衹能來自于感應屬性與可感屬性的耦合，則引起感知狀態發生變化的動點不外有主體與客體兩者。依據遞弱代償法則，愈晚近的衍存者——此處特指不可換位的感知主體——其穩定度愈低，也就是說，即縱主體與客體各自同時發生不間斷的質變，由于主體的動勢較强，客體相對静止，因此造成上述錯動的主動一方一般主要是主體應該没有什麽疑問。也就是說，主體自身之感應屬性所發生的某種代償性躍遷，是造成對象的"對象性"或"現象形態"——即對象屬性的可感性或"可耦合性"——發生相應"錯動"的原因。

可見，現象與對象之間的"錯動"狀態，實質上**表達着不可換位的主客體之間各自存在度的差异和各自存變速率的差异，以及由此造成的二元耦合關系的錯動。這才是"本質"的淵源或"本質的本質"。**【再回到上述"失對應性"上來討論，你會覺得它彷佛可以在兩個層面上去理解：其一，不是指主體的感應屬性與客體的可感屬性之間發生了對應關系的錯落，而是指經過理性檢驗或反思後發現對象與主體之間出現了對應關系的錯落；其二，就是指主體的感應屬性與客體的可感屬性之間發生了對應關系的錯落，即隨着主體存在效價的加速度衰變，其代償屬性相應擴展，致使主、客體之間原先對應的屬性耦合過程出現錯動并爲主體有所覺察。一般說來，既往的哲人們是在前一種蒙蔽狀態（指對屬性耦合及其動態關系的無知）下詮釋失對應性的；但嚴格説來，那後一種錯落或錯動才具有**根本的決定性**，它不僅決定着主體感知上的失對應性，而且決定着借以察覺此種失對應性的理性生發基礎——即**理性本身得以代償衍生或增益發展的基礎**。】

再者，對象一旦被分割爲“現象”與“本質”，則表明感知屬性本身已經分化出一系列**感知層次**或**感知結構**，因爲如果要對現象與對象之間的錯動給以任何進一步的整理，都不得不在**感知内部的不同層次之間**進行，須知祇有憑借“現象”——後來的“本質”其實不過是它的演進轉化形態或感知層次進位——才能實現主體與客體的基本聯系。【所以，任何能够對“現象”加以説明的“本質”最終仍得依靠“現象”給以驗證，盡管二者之間的距離似乎變得愈來愈遥遠，從而使驗證過程變得愈來愈困難也罷。也就是説，感知過程是不允許出現斷層的，邏輯鏈條是不允許出現斷環的。】

即，隨着這種“基本聯系”的日益渺茫，作爲感應者的感知者在難以爲“應”的情況下就需要某些中間環節來接續這種薄弱的聯系。到那時，你會發現，表現在**現象與對象之間的錯動關系**，實際上反映着**感知結構内部各層次之間的錯動機制**。【以同一律爲核心的形式邏輯是主體應付前一種錯動的規定方式；以對立統一爲核心的辯證邏輯是主體應付後一種錯動的規定方式（詳見後文）。僅在這個基礎上——即當主體自身的虛存代償業已產生出**可供自相觀照的層次分化和精神現象**之時——將邏輯學（也就是廣義上的“主體性”或“主體感知屬性”）視爲某種黑格爾式的純粹理念的“反思”才能够成立。】

第八十九章

感知及感知結構——感知就是感應屬性的層次化或結構化

産物。因爲感應本來是同一個動機（或曰“觸機”）的兩個方面，即在原始意義上，“感”的瞬間同時就是“應”的實現，“應”的實現同時就是“感”的過程。隨着自然存在從“一”到“多”的分化發展，亦即體現爲**感應者自身的復雜化**和**感應對象的繁復化**，感應過程已不能通過**一個動機**或**一點觸機**完成，于是“感應”漸次裂化爲“感”、“知”、“應”，同時又必須對這種裂變反應予以整合，是爲“感知”。【不過，一旦言說“感知”，我們其實已經將“應”人爲地分割在外了，“應”就此轉化爲精神中的“意志”、觀念中的“實踐”和現實中的“行爲”。然在自然程序上（即在主觀運作的客觀規定上），**實踐活動**（同時體現着“意志”與“行爲”的“應”的總和）依舊不能與**感知活動**相分離——即實踐過程就是認知過程，認知過程衹能貫穿在實踐過程中一并進行——足見**感應同源**的自然規定終究不可背離；而且，從**一點觸機**發展爲**系列活動**，還暴露出**物的能動化過程**（“體質”硬件屬性）與**物的感知化過程**（“精神”軟件屬性）亦**存在着某種内在同源聯系**。】

即是説，出于簡約原理或曰“代償閾限”的制約，**感應的一觸式完成**與**感知的系列化動作**并不能在原感應載體上直接實現，由此演成**感應屬性**與**載體結構**的同步進化規律。這種“**同步演化律**”被如此强硬地一貫到底：

a. 如果感應載體在某一結構代償閾限的允許範圍内尚有繼續發展的餘地，則從感應到感知的演動**必與感應載體自身的分化和結構化過程相一致**。【譬如，高等動物的感知能力是建立在低等生物的感應能力的一系列基礎上的，雖然像胚胎組織或非神經組織那樣一些處于較低分化層級上的半原始細胞對營養物質的感應代謝過程盡可以不被高度分化的感覺器官和腦組織所感知。】

b. 如果感知載體進而發展到機體分化和結構化代償的自然閾限之極致，則該物種感知屬性的繼續演進就**必須借助于某些**

體外性狀的支持方可實現。【所以，人類知識上的進步必與其工具上的進步相一致，從這一角度出發，可以而且應該將人類的一切物質生產及其工具分化統統視爲自然演化代償進程的必然繼續，即視爲有機物質序列之感應性狀的自然延伸。（詳見卷三）】

以上所談僅僅涉及**實存載體**與**虛存屬性**之間的結構分化關系。實際上，虛存屬性本身（此處特指"感知屬性"）亦有其"軟件"內部的結構分化，而且，這種"軟件結構"才是本章所謂的"感知結構"之內涵。按照衍運進程的先後次序，大致可以借傳統上的排列方式非傳統地演示如下：

感性層級——如原始單細胞或機體低分化細胞的物質交換和代謝，以及從具有神經網的輻射動物開始，直至具有外向型感受器和高級神經中樞的人類等一切多細胞後生動物的所有感覺經驗活動；【意思是說：發生在細胞膜高分子結構上的粒子、離子或分子感應（譬如原始生物的"趨性"反應以至"動趨行爲"〈Kinesis〉等），其實就是亞原子電磁感應（以及物理學或量子力學上的其他種種作用力）的代償性擴展，而發生在"感官—中樞反射"結構上的感性經驗無疑又是對"細胞分子學感應"的進一步代償，如此一往，以至下列。】

知性層級——如脊椎動物（僅作爲代表而不是作爲限定範圍）之識辨選擇行爲的全過程，包括應激本能、行爲邏輯、後天學習以及造用工具等等；【注意：既往總是傾向于將知性、邏輯、學習行爲、造用工具等晚近生物的感知或感應方式視爲人類所獨有，現已證明絶非如此。從演化過程的本質而不是從其現象形態上講，我尊奉"自然界裏没有飛躍"的古老信條，所以，在全書中，我盡量不去人爲地劃分自然演化的具體界綫——或爲便于讀者理解而僅限于極粗略地劃分之——因爲至少在目前，這還不是一件可以精確標定的事情。】

理性層級——如人類超感官、超時空的抽象思維邏輯運動。【此處之"抽象"一詞仍沿襲既往的狹義概念，即"抽取共相"

似乎衹是理性思維特有的能力。然而正是由于這種誤解才導致“共相”的涵義自柏拉圖以來迄今無解。實際上，一切感應或感知過程都是某種抽象過程，或曰“主客體之間對應屬性的抽象觸媒”過程，故此，一切感知中的表象和一切語言中的實詞均是某種“抽象的呈現”，所不同的衹是在哪個層級上抽象，或對“抽象素材本身再加以抽象化處理亦即簡約化處理”而已。此言雖簡，其意已盡，衹要讀者尚能記得：感應的根本規定就在于“揚弃客體而抽象對象”即可釋然。所以，作爲對象的“萬物”（即“殊相”）皆乃“共相的集合”（即“可感要素的分别抽象與再集合”），柏拉圖的困惑其實不是對“共相”本身的困惑，而是對“共相如何在不同的感知代償層次上演動爲具體的殊相”的困惑。】

顯然，“感知結構”是個過大的題目，後文中的討論均可看作是對它的繼續闡發。

第九十章

感性與直觀——感性在最切近處接續着感應性。所不同的是，感應之“感”以“應”爲其直接結局（即“感應一體”），而感性之“感”以“直觀表象”爲其直接結局（即“感應遲滯”）。

誠然**表象并不限于直觀**，它將在不同程度或深度上發展出各種非直觀的**辨析關系式**或**理想模型式**的表象（如幾何構圖或數學坐標等等），因此可以這樣看待表象并賦予其在代償系統中的存在意義：**它是後來一切超“感”性的思維邏輯終究不能擺脱感應性或感知性之統一規定的聯系環節和恒久依據**。但表象必須將**感應之點**擴展爲**感性之面**（進而還要擴展爲**知性和理性之立體**），才能使之形成某種**全景式的圖像**，所以，**表象之感**令感應者**面臨一個“世界系統”去“應”**，而再也不能像以前那樣僅僅**針對一個“外界觸點”爲“應”**了（即“感應分裂”）。【可見，以**對象**或**理念**形態而存在的“世界體系”**并不像柏拉圖所説的那樣是恒定不變的存在根據**，恰恰相反，**它也必須從零維的“觸點”逐步演變爲多維的“體系”**。如果物理學上的邏輯推導所給出的“非理念的前宇宙存在”具有某種“探真”性質的話（這“真”恰好是一片空白或“感知上的虚無”），那麽“真存”與“僞在”之間就會呈現爲這樣一種如影隨形般的同步跟進情形：宇宙的起始“分化點”先在于并對應于原始感應中的“外界觸點”，而宇宙的膨脹“大系統”又先在于并對應于後衍感知中的“世界體系”（這裏提示：宇宙維度的擴張與康德時空的形成之間所具有的某種先于經驗〈即“先驗”〉并規定着經驗〈即“超驗”〉的自然對應關系或預定和諧關系）。而且，由于感知載體本身是自然物質的弱化先行者，它的**自變加速度**遠遠大于對象載體（即“客體”，此處特指感知者的前體存在物）的流變速度，即**感知主體自身反而成爲可塑性最大的一項變數**，因此柏拉圖的“理念”（也就是某種“理性表象”）其實一定**越來越不如那個非理念的對應物穩定**，這一點現在很容易證明，譬如，天體運行大致還是哥白尼以前的那樣一種狀態，可是觀念或“理念”中的托勒密體系早已變得面目全非了（這裏提示：感知上的“經驗”或“理念”的流變發展并不僅僅是感知者**在“認識”上的單方面進展**，而是**感知者自身的“非認識素質”所發生的流變進度的同步指標**）。】

由此不難看出**感性**固有的如下特點：

a. 它像物理感應過程一樣必然處于感應者與被感應者之間的二元格局之中，也就是説，它必須**有所直面**，盡管一成**直觀**即令被觀者**爲之改觀**也罷。因而**感性成像**一定是客體的**對象化摹本**，盡管與此同時**觀者自身的物性或屬性也一并重叠在這摹本之中**了。【所以，“直觀”其實一開始就是“曲觀”，衹由于這“曲觀”乃是被觀者之一觀本身所“曲”，故不易爲觀者自覺之，更不易爲觀者求證之。爲此，我們不但可以諒解康德對“先天直觀形式”所曾進行的蹩脚論證，而且應該驚嘆他以并非是直

觀薄弱之處的時間和空間作爲撬動點，居然能够較系統地揭示"感性直觀"甚至"知性純粹概念"的先驗規定性，盡管他在這一點上至少犯了兩項錯誤：一則所謂"先天直觀形式"并不限于時間和空間，而是一切直觀都無例外地内涵着某種先天禀賦且呈現出某種扭曲形式；二則直觀甚至知性并不是純粹先驗的，而是必須在後天的感應屬性耦合過程中達成。換言之，像其他所有作爲對象而存在的東西一樣，時空一定是一種客觀屬性或客觀維度，但它的"客觀狀態"一定又與"感性直觀"（即處在"主觀狀態"）中的時空維度有所不同，這一點目前已被愛因斯坦給出了旁證。】

b. 由它達成的**直觀表象**（或直媒表象）必然遠比由後衍知性所達成的**辨析表象**（或分辨表象）以及更後衍理性所達成的**模型表象**（或模式表象）來得穩固，因爲，按照遞弱衍存法則，即便是虛存屬性的演進也**照例不能擺脱愈進愈衰的厄運**。【所以，我們雖然覺得自己總是面對着亘古未移的同一個大千世界（"直觀表象"的體現），却又不得不常常改變對其構成關系的理解（"辨析表象"的體現），而且尤以更費神的理論原理翻新得最快（"模型表象"的體現）。這也是有關形而上學的問題特別難以説清的原因之一，因爲要想説明形而上學的本原，必須首先揭開那個最爲穩固的直觀表象之殼，而你借以撬開那個堅殼的用具却恰恰衹能是最易折彎的柔弱理性。又，借此也可以深化理解史蒂芬·霍金在其《大設計》一書中所説的"依賴模型的實在論"之哲學涵義，盡管這類"認知模型"的"可依賴程度"是否是一個負值變數尚未進入當代所有思想者的視野。】

c. 基于上述，感性直觀必然是整個感知結構中**最貼近于本真的東西**，盡管那"本真"早在原始感應階段就已不真。換句話説，感性直觀的失真程度一定小于**對感性直觀再加以主觀處理**的知性和理性産物的失真程度，盡管就人類而言（更準確地説，是就人類生存度的弱化發展而言），它若不經過知性和理性

的再處理，則可能**連上述那種“失真之真”也無從把握**。【不過這裏所謂的“本真”仍然是邏輯因果鏈中的“無本之真”，因爲如果追本溯源的話，即便是最原始的基本粒子感應也僅僅是對處于後分化階段的分化屬性有所感應，却到底不能對前分化階段的無屬性存在發生感應。可見本真并不藴含在某種結果的“前因”之中，而是體現在包括感應發展在内的整個存在序列得以序列化存在的“自因”之中，亦即體現在整個存在序列上任一位點的存在性規定之中。從這一點出發，則“本真”必然與整個感應或感知進程始終保持着等距離的照應（參考第三十四章和第七十章的坐標示意圖，相當于代表無屬性分化奇點的横坐標延伸綫與代表屬性代償必需量的存在閾平行綫之間的等距離運動），因爲那“失真”的感應或感知本身就是“本真”的直系産物和直接體現——這才是貫穿在“盲存的本真”與“感知的失真”之間的通約關系。】

d. 因此，相應地，對于處在狹義感應（廣義之感應囊括從原始感應到理性感知的全過程）之最高階段的感應者來説，感性直觀必然是感應進程中**最易發生混淆和迷亂**的東西，盡管站在感知代償的末端回顧，**它又呈現爲感知結構中最底層、最明晰的東西**。唯因如此，知性和理性才會代償性地相繼發生，盡管由此導致我們對本真的日益趨遠也衹好在所不顧，因爲這正是我們把握“本真”的**唯一可行的“真理之路”或無可挑剔的“先驗規定”**。【在這裏，“感性”被視爲介乎于“感應”和“感知”之間的過渡性臨界點，于是，上述所謂的“迷亂”就衹具有某種位相性的意義，即相對于“知性”和“理性”的後位代償才顯得迷亂（其實是後位代償的迷亂）。也就是説，對于那些尚未發展出知性和理性代償的感性存在者而言，感性直觀本身必是最澄明的“知”。而且正是由于那格外簡明的感性之知，導致感性載體得以依照遠較知性載體和理性載體更穩定的存在方式而存在。所以，在認識史上，人類總是不由自主地堅守着“眼見爲實”的基本準則，盡管我們并不知道“眼見”到底是否“真實”，也不

能證明“眼見”一定等于“真實”，然而我們却無論如何都没法徹底抛弃感官的自欺。結果是，雖然出于對“眼見”的“事實”抱以疑慮，科學家才有必要鑽進實驗室裏去另起爐竈，到頭來却不過是演了一場借助于“觀察”來否定“眼見”的鬧劇，而且那“觀察之所得”一般尚未立穩脚跟，就被越來越迅猛的下一輪“實驗觀察”予以否定或修正。在這種情況下，誰又能證明所謂的“認識過程”最終不是在走向迷失呢？不過，自然代償演化本身就是在走向“迷失”——即爲了存續而不得不“迷于失存”的那種迷失。故此一切簡明的東西雖然終將一概被日益迷惘的東西所取代，然而“迷惘者”却認定唯有自己處于“澄明”之中——這正是貫穿在“不明的定在”與“迷失的澄明”之間的通約關系。】

説到底，“感性”及其“直觀表象”衹不過是感知屬性演化過程的一個前存階段，它**因其“前”而逼近于真**，也**因其“前”而靠近于穩**，雖然它**同樣因其“前”而不免要被後位代償作爲“無序的亂源”而予以重整**。

第九十一章

知性與判斷——之所以把知性與判斷聯系起來討論，乃是由于知性之所“知”就是建立在對感性之所“感”的判斷上，如果感性之所“感”業已直接成就了感應之所“應”，**則知性全然無由發生**。换言之，所謂“判斷”，是指對“感”來的諸“多”對象或表象系統加以判别和决斷，以便于“應”有所“應”，倘若“感”來的對象原本就是未分化的“一”體囫圇，**則判斷自然没有了可供“判别求斷”的前提**。【説得更明白一些：知性比感性增加了兩個要素，即“分離”（分化）和“確定”（確認），對象在知性那裏分化成A、B、C……，知性主體必須首先完成A = A（同一律）的判斷性確認之後方能加以反應，此乃知性區別于感性和理性的關鍵點。理性的繼發性特徵是，在知性完成了A = A的分離性確認之後，理性主體仍然不能直接達成“應”（指與對象實現反應及依存），而是將上述確認轉化爲一組概念和命題，再通過一系列或簡或繁的推理之後方才有望落實爲“應”。由此可見，我這裏所說的“知性”與康德的知性概念有很大的不同，在我看來，康德混淆了知性與理性的界限，即他所謂的“知性”其實是知性與理性的混合體（人類的知性不免如此），盡管他一心想要研究“純粹知性”。問題出在他當時不可能獲悉，衹有脊椎動物才是“純粹知性”的載體或主體。】

基于此，可見“知性判斷”無非是自然存在從“一”到“多”的分化產物——既是作爲被感應物的實存體系從一到多的分化產物（由以形成客觀上的“宇宙結構”）；也是作爲感應屬性的虛存系統從一到多的分化產物（由以形成主觀上的“感知結構”）；而且，**由于二者（實存載體與虛存屬性）完全是同一自然存在的兩個方面，或者說是同一自然存在的存在質態和存在方式，所以必然呈現出萊布尼茨所謂的“預定和諧”狀態。**【如果把萊布尼茨關于獨立封閉的“無窗單子論”視爲是他對“形而上學禁閉”的某種變相確認的話，那麼，他的“預定和諧學說”無疑就是整個哲學史上對“精神禁閉”與“禁閉外互聯”之間如何可能和諧一致這一重大問題所進行的第一次認真思考。這種“和諧一致”應該涉及三方面的聯系：第一是“靈魂”（即精神）與“形體”（即精神載體）之間如何達成有機和諧的一體（本書卷一之主題）；第二是主體（即感知者）與客體（即被感知物）之間如何保持對應如一的關系（本書卷二之主題）；第三是“物理界”（即自然界）與“倫理界”（即社會）之間如何實現預先規定的統一（本書卷三之主題）。由于萊布尼茨的精神性“單子”直接就是構成萬物的基本元素，所以他的“預定和諧系統”衹涉及第一和第三兩個方面，縱然如此，他也必須求助于超單子的上帝來幹預“兩具時鐘”的精確運行，結果最終仍舊未能達成徹底的預定和諧（譬如可以問：上帝與它所造就的“時鐘”

之間的“和諧”由誰“預定”或如何“預定”？)】

也就是說，**知性**與**感性直觀中的對象**之間的**和諧**，恰恰導源于**知性載體**（主體）與**對象載體**（客體）之間的**非知性的物演統一之和諧**。這種“和諧”以如下方式得到貫徹：

a. 知性的運作過程呈現爲對感性直觀中的對象**在不知不覺中直接加以判斷**的過程，即，如果感性對象是**低分化的單一的對象**就無所謂**“知性”**，如果感性對象是**高分化的復多的對象**則**感性立刻成爲知性**，所謂“高分化的復多的對象”就是前述的“**辨析關系式表象**”，此乃知性與感性的唯一區别。于是，**“判斷”不過是“應”的轉化形態，亦即“（知性）判斷”與“（原始）感應”重合爲同一個過程。**須知把感性與知性區别開來不是知性範疇内的事情，而是理性範疇内的事情，即是說，知性不自知。【所以，在邏輯學裏，知性常常得不到顯現，它要麽被混淆于感性之中，要麽被埋藏于理性之下。衹有康德把它作爲理智的核心對待，從而發現“知性”不過是某種“先驗直觀形式”，却到底未能説清“知性直觀”與“感性直觀”的差别。】

b. 因此，**判斷中的推理過程**（如三段論式的推理判斷）其實已是**理性層級的知**，而不是**前理性層級的知**，前理性層級的知是一種**直覺判斷**或**識辨判斷**，而不是一種**推理判斷**或**思辨判斷**。**所謂“直覺判斷”亦可叫作“應式判斷”，即在“感”的一瞬間完成了判斷或在“應”的一瞬間實現了判斷，是爲“本能”或“行爲”。**【譬如，低等動物的逃生行爲雖有一個對其天敵的事先判斷，但這判斷并不包含“天敵爲什麽是天敵”的推理，而且這種無推理的識辨反應正表達着知性判斷的完成；其實在幼兒甚至成人的日常行爲中，某些極簡單的判斷亦屬此類，不同點僅僅在于，對動物的判斷無從考問，而對成人的這類判斷一經考問就可以使之上升爲“事後的思維”（亦可能竟是一番無以應對的愕然），即便這思維推理并不成理也罷。】

c. 可見**知性判斷**誠然是一個**識辨**或**辨析**的過程，却**全然没**

有推理的必要,這就産生出一個疑問:那"識辨"的判斷如何在"辨析關系式的表象"中達成?答案可以用一句話表述:此刻的"知性判斷"必須借助于某種物質實存結構(如低級腦中樞)的和諧遞變,才能成就它對"感性直觀"的進一步整合,就像未來的"理性思維"必須借助于高級腦中樞的和諧遞變才能實現其對"知性直觀"的進一步整合一樣。即是説,既然從**感性直觀者**發展出**知性直觀者**是**自然演化的客觀規定**,則**辨析表象**作爲**直觀表象**的直接分化産物**必然也是一種客觀規定**。具體地講,**"辨析表象"在形成表象之同時就已經完成了"辨析"的步驟——**故亦可稱爲知性"識辨邏輯",以與其後代償的理性"思辨邏輯"相對應,因爲對于處在比**感性直觀者**更高的條件依存層級上的**知性直觀者**來説,它的**感知鮮明性**或**感知狀態**(即其"對象性"或"對象狀態")會自動發生相應的變异,即感性對象的**鮮明性**會隨感知者**存在位相的移動而另行分布**。(參閲第八十六章)

d. 所以,**不同的知性載體(即不同的生物物種),自有不同的知性狀態或"所知内涵",盡管它們面對着同一個世界。**也所以,在後來高度分化的人類知性中,世界直接地——即不加思考地——呈現出"範圍"的差别和"範疇"的差别。換句話説,**在人類的直覺中,世界就存在着横向的類别(即"範圍")和縱向的差异(即"範疇")**,正是這種種"异趣"構成了"理性"的用武之地。【所謂"横向的類别"是指物的空間分布狀態;所謂"縱向的差异"是指物的時間分布狀態;從這一點上講,應該承認康德是第一個將範疇聯系在時間軸上的思想家,但康德的時間是一個空洞的延續(這與康德的絶對時空觀有關),而我所説的時間却直接代表物存質態的演動内涵或衍續函量。可見,哲學上所謂的"範疇"雖然是**抽象的産物**,却絶不是**理性抽象的産物**,理性抽象的産物**是範疇的結構關系**,而**不是範疇本身**。**對範疇的結構關系加以圖解,就形成了理性的"理想模型式"表象。**顯然,全部的問題在于對"抽象"一詞怎樣理解,如前所述(第八十九章),**抽象是屬性感應或屬性耦合的統一方式**,即,

不是在**哪一個感知層級上才能抽象**的問題，而是在**哪一個分化層級上如何抽象**的問題——同樣是抽象，在感性層級就抽象出**廣義的"現象"**；在知性層級就抽象出**現象的"差别"**；而在理性層級則抽象出**差别的"構成"**；如此而已。再者，請讀者特别留意：正是由于抽象過程（也就是"認識過程"）的**縱向演動**，以及意識深層**對縱向演動的體察和迷惑**，才使有關"範疇"的概念得以形成，這一點可以從哲學史上已被引出的各個雙項式或三項式範疇中一一驗證，鑒于所涉太繁，兹不贅述。爲了便于理解，在這裏僅舉"必然性與偶然性"一例示之：必然性是指**物質趨于指數分化的注定走勢**，偶然性是指**任一分化者與其他分化物發生隨機耦合或點式依存之幾率遞减的當下狀態**，二者之間非但不矛盾，反而恰恰是一脉涵融的，即**"偶然（性）狀態"正是"必然（性）進程"處在貫徹途中的位相指標**，亦即越**後衍**的依存者之間**邂逅相依的概率越小**（呈現爲**偶然態**），越**前衍**的依存者之間**實現碰合的概率越大**（呈現爲**非偶然態**）。這裏表達着某種連續遞進的單向分化量增動勢，其間絶没有跳躍兩端或雙向圖解的辯證餘地。】

以往有關"知性"的問題多是由于如下緣故才弄成麻煩：**人類總想獨占知性的體面和優越，却不知知性正是人類的一種動物源性禀賦**，結果，當我們把"動物的知性"稱爲"本能"（包括達爾文在《物種起源》一書中所談到的"特種本能"），而又把"人類的本能"叫作"知性"時，我們自己就此已將"知性"的含義抽空成"無知"的含義了。所以，在哲學史上，"直覺"——它就是"知性"并被正確地命義爲"理智直觀"——雖然一直受到許多哲人莫名其妙地垂青，却從來没有人能够講清"理智"如何可能"直觀"，結果不免造成"理智的内訌"：從古羅馬的普洛提諾和中世紀前夜的奥古斯丁借以"證明"神的存在——可是直覺本身尚待證明；到唯理論者笛卡爾借以建立其推理的"起點"——却説不清這起點到底是"理"的起點還是"非理"的終點；再到斯賓諾莎將其視爲高于推理并使心靈獲得"最高滿足"的"真觀念”——然則還要那反而可能導出假觀念的思維推理何用；乃至二十世紀初葉以柏格森爲代表的“直覺主義”天真地發出拋弃理智的呼吁——不過這呼吁正是那無法被拋弃的理智自己在呼吁。

其實，對“直覺”的體驗和懷舊，正表達出從**更易發生錯亂的理性層次**上反觀**知性層次的鮮明性**所引發的某種**不自覺的感應失落**，但這并不表示直覺可以成爲“心靈的最高滿足”，而恰恰是**自然感應屬性**（至此已可以稱爲“心靈”）**愈來愈不能滿足**的標志。

第九十二章

理性與思維——思維**以推理爲其最高形式**，但**推理并不是思維的唯一形式**，在感性和知性的演進發育階段，思維呈現爲較低級的無序暗流（即被弗洛伊德以及柏格森分別稱爲“潛意識”和“意識流”的那種狀態），這正是知性對感性素材加以整理的潛在過程，也是理性“顯意識”（或“明意識”）即推理思維的**建構基礎**和**前預備階段**。

隨着自然分化物的存在效價逐步遞減，亦即隨着殘弱物體的條件依存程度漸次遞增，物的感應屬性勢必依循如下趨勢而相應發生代償性的擴張：理化感應→感性直觀→知性判斷→思維推理。**這就是“理性”的總體内涵，也就是“感知層次”的總體架構。**【進一步講，理性層次本身也在繼續分化和擴張，姑且不論作爲人類理性基礎的高等動物之推理活動，僅拿人類思想史來看，可以這樣排序：神學（含從圖騰到宗教的發展全過程）是物演感應屬性或感知屬性進位至理性層級的初始階段，它以“信仰”方式作爲簡捷推理和達標定格的代償實現形態；而後是哲學（含科學之胚的博物學），它主要繼承了神學縱向探求終極原因的傳統（兼以未分化的横向觀照），却借助于典型的“理性”方式作爲邏輯推理和格物致知的代償實現形態；再後，科學問世，“科學”者，“分科之學”也（亞裏士多德定義），它標志着感知屬性的徹底分化，同時繼承哲學的“理性”工具（兼以神學階段所用的雖屬低級却簡捷有力的“猜想”），全面展開了縱向演化軸上的求知和横向多態系上的識辨，從而實現了邏輯分化和感知結構得以最終形成的理性代償形態。】

在這個層次性結構中，下位層級（即前位狀態）必然受到其上位層級（即後位狀態）的壓抑與削弱，此乃簡約原理（即“存在閾”或“代償度”）的規定。（參閱卷一第四十一章）所以，在“精神存在”中，處于最前列的“理化感應”已無絲毫踪迹可覓（固然它正是“感性”生理的神經質基礎），而處于最後列的“思維推理”就凸顯爲華麗的理性浮雕——結果，**“精神”被掩蔽成“純理性”的東西**。【在這裏，讀者可以很清楚地看到“存在”怎樣從“感應屬性的演化過程中”消失，以及“精神”怎樣從“感知屬性的膨脹序列中”誕生。而且由此亦可見得：從泰勒斯發軔的古希臘自然哲學（唯針對“外物”而發論的“自然論”或“唯物論”），到笛卡爾以降的近現代精神哲學（唯針對“體驗”而發論的“經驗論”或“唯理論”），簡直就是自然存在從實到虚的縮影和重演。】

其實，正是這種**從“存在”到“精神”的總和**，既構成了“**非精神的存在**”，又構成了“**非存在的精神**”。

也就是説，**“精神構成”本身就是“非精神構成”的産物，而“非精神構成”的存在又衹能在“精神構成”中以精神特定的樣態“被指謂”，或者更準確地説是“被體現”**——由以達成**遞弱代償法則**在精神載體（實體或體質）上和精神虚存（屬性或智質）中的**繼續貫徹**。

這就是“理性思維”的宏觀概念，也就是“精神核心”在感知結構中的衍存勢態。

它因此成爲後文討論的重點内容。

第九十三章

推理與合理——直覺是面對一幅“系統表象”所進行的“點”式反應，這就使“應”(“應式判斷”或“知性判斷”的“應”)有可能呈現爲“所應非所感”的碰壁效果，尤其是當那個“系統表象”分化或擴展到令感應者“應接”不暇的時候。然而，任何“應”永遠都衹能是“點”狀的“應”，因爲任何感應者相對于它所面臨的“表象系統”而言都衹能是一個有待反應的小小“質點”，所以，隨着物演分化系統的進展和感知表象系統的擴容，“應”的碰壁概率勢必傾向于不斷增大。除非它之所“感”也是一個同樣的“小點”，可那已經是過去的故事了。

于是，這個“有待反應的點”就必須在“系統表象”上推導出自己的反應位點，或曰“實現自己的定位依存”，是爲“推理”。由此表明，我們通常所謂的“理”，無非是指受主體自身狀態規定的(即“主觀”的)那些條件依存系統的(即“客觀”的)自然脉絡。換言之，**“理”的本身就是主體與客體原本屬于一個體系并使之實現爲一個體系的感應代償産物。**

誠然，任何**表象**的**系統分化**正是**表象者自身分化的結果**，但如前所述，那**表象者**的分化恰恰與**可表象或可對象的對象**之分化相協調，因爲它的前身就是那些對象，或者説它就是那些對象的後衍性傳裔或代償性繼承者，所以，它的**表象分化**自與那**被表象者的分化**先存着某種**預定的和諧**。這種和諧首先表達爲**“感性耦合”的“直觀摹本式”中介**，而後表達爲**“知性判斷”的“點狀反應式”行爲**，如果這“行爲”終于不能使之與對象系統扣合，則下一步的演化就必須締造出可以**在行爲之前針對“直觀摹本”進行某種“鏈狀反應式”的系統整理程序**，是爲“思維”與“邏輯”——顯而易見，這個過程早已爲“思維邏輯”**埋下了“合理”的基礎，預定了“合理”的終局**，而不管這所謂的“合

理”是否會隨着“思維推理者”及其“思維推理函項”同樣被預定了的變位趨勢而**發生相應的變質**。【所以，在人類的邏輯表象中，世界永遠是“合理”的，以至于“合理”到這樣的程度：仿佛自然存在的“目的”就是爲了讓人類存在似的。而且，無論人類的認識進程怎樣發展，也無論這種發展使以往（或當前乃至往後）的認識顯得多麽荒謬，“表象世界”的“合理”狀態却始終保持不變。這就是黑格爾的那句名言——“凡是現實的都是合乎理性的，凡是合乎理性的都是現實的”——得以成立的原因。不過，話説回來，假若在非邏輯的存在系統中（指我們特定的“形而上”之外的存在系統中）還有一脉演運維度，譬如沿着反物質（物理學上對反常態粒子的稱謂，如帶正電荷的電子、帶負電荷的質子等）的方向也同樣造化出了一種理性精靈，則在他們看來，我們的觀念、乃至于我們的“現實”，一定都是“不合理”的，即一定都是“不合乎自然演化而成的理性邏輯”的。】

總之，一句話：**世界的“合理性”導源于“理”的“合物性”，或者説，導源于它們總體上的“合存在性”。**【這就是自巴門尼德以來哲學史上争論不休的關于“思維與存在的同一性”問題之終極答案。】

所謂“物性”，就是物的**客觀“存在性”**；所謂“理性”，就是**“存在性”的屬性表達和主觀體現**。基于此，則“理性”同樣是一個含有自身之代償效價、故而絶不能穩定守恒的東西。【所以，凡是合乎“理性”的東西（即呈現爲“推理産物”的東西，譬如“學説”或“真理”之類），都是短命的東西（或曰“暫時代償成就了存在閾的滿足”），而且勢必愈來愈短命（亦即“隨着存在度的加速度衰減而失代償或要求新的代償”），這實在令“真理”難堪，却恰恰是“真理之所以成爲真理”的“真理”。（本書之所論，自然亦在此列。）】

如此説來，在表面上，“思維邏輯”就成了“真理”的創生者和宰制者，似乎衹要能够説明了“邏輯”就有望澄清“真理”。【這

大抵就是黑格爾直接以“邏輯學”作爲“終極真理”之本的緣由。】

第九十四章

邏輯——邏輯（Logic）一詞源于希臘文Logos（邏各斯），本意有“自然尺度和規律”與“人的話語和理性”不可區分或不加區分的內涵。斯多阿派視宇宙爲活的實體，認爲宇宙受制于邏各斯就像人受理性的支配一樣，而且人的理性就是邏各斯的延續和傳承。這種看法固然深刻——深刻在無以爲證的直覺根性之中——却不免失之于“籠統的猜測”，結果反而導致近代以來的“邏輯”概念被狹義化爲“思維活動的格式或格律”。

把邏輯廣義地定義爲“衍存或依存的規定和方式”，似乎更有利于澄清理性的存在原理。即是說，**邏輯既是自然感應屬性的代償增益產物，又直接就是感應屬性的代償實現本身。**

因爲，作爲理性前身的物的感應性并不是存在所必需的，未分化的存在——即不呈現爲“在者”的“在”——自無借助于感應求依存的必要；“在”殘化成“在者”，感應屬性由以代償；“在者”再弱化成愈益失位的“爲者”（“自爲”意義上的“爲”），感應屬性則相應遞變爲感知屬性乃至理性；足見理性思維的邏輯一定先存于感應屬性之中，而感應屬性的邏輯又一定先存于“在”的邏各斯之中。所謂**在的邏各斯**就是主導着一切存在和存在方式的**遞弱代償法則**。

不過，**邏輯**也因此被注定爲**從“非思”到“思”的全過程**，或者說被注定爲**從“非思”到“思”的統一規定**。這個**過程性的規定**就是**虛擬感應屬性的增益代償原理**——即在“最小作用”的代償度限制下對依存條件或對象加以變態感應或感知的基本方式。

于是，在原始感應階段，邏輯先是單純地體現爲某類物理屬性之間的耦合；在生物感性階段，邏輯開始表達爲感覺要素的整合，這其中已經暗藏着十分復雜的表象化處理機制，就像電腦的圖像化處理有賴于某種程序規定一樣；到了知性階段，這個表象化處理過程必須與一系列簡捷的直選性反應相結合，所以邏輯的整合度又有提高（這種高于“感覺”的“覺”就是俗稱的“知覺”或哲學上的“直覺”）；然而，**由于此前的邏輯一概處在直接明快的感應一體狀態**，即無須在多因素之間琢磨選擇或游移不定，故而**邏輯本身**也就不能作爲一個**對象性因素**呈現出來。

及至理性階段，**紛紜龐雜的依存條件或對象已使理性載體無所適從**，“意識”或“思想”應運而生，它的活動方式就是“推理”，它的推理過程就是“邏輯”，**這“思維邏輯”與此前的“應式邏輯”和“行爲邏輯”必是出于同一的規定，因爲它們都不過是要達成對自身存在條件的感而受之。**【説得更明確一些，在我這裏，“邏輯”一詞在概念上有“**廣義邏輯**”和“**狹義邏輯**”之分，它的廣義概念自當包括從感應→感性→知性→理性的全過程；它的狹義概念才是人們通常所謂的理性“思維邏輯”。這種情形儼如我對“精神”一詞所注入的全新内涵，即“精神”一定是自然原始感應屬性的代償增益產物，因而在它的後衍高級質態中一定包含着自身前體的全部素質，并以其前體素質作爲自身規定性的基礎。再進一步，也就由此導出了“**廣義邏輯融洽**”與“**廣義邏輯失洽**”的兩組概念或兩路問題，但它們本質上又是同一回事情或同一個過程。即，所謂“廣義邏輯融洽”，是指在整個感應代償的邏輯發育過程中，其結構化步驟是層層生長、逐級接力、相續遺傳的，各層級之間的内部關系是繼承性的、統攝性的、自洽且相互確認的；所謂“廣義邏輯失洽”，是指在分段邏輯增長的感應代償過程中，其疊加化步驟是層層生疑、逐級接管、相續變异的，各層級之間的外部形式是斷裂態的、發散態的、不洽且相互否認的。**借助于“廣義邏輯融洽”**，你才能真正理解“形而上學的禁閉”何以無由打破，以及“一切感應或感知不免失真却行之有效”的緣由，亦即“感”與“應”的所謂“預定和諧”之内在規定；**借助于“廣義邏輯失洽”**，你才能真正理解感性、知性、理性何以必須遞進代償，以及理性對感知失序的逐次省察和糾正，亦即“邏輯變革”與“知識增進”過程之所以能够不斷發生發展的深在原因。前者表達的是被信息增量所推動的感應屬性之順延貫通或有效代償，它呈現爲規定性即肯定性樣態；後者表達的是隨信息增量而演進的邏輯序列之範式遷動或無效代償，它呈現爲揚弃性即否定性樣態。】

所不同的，衹是這時的**邏輯代償**業已發展到足以**將邏輯本身也作爲一種對象來處理的程度**，于是，我們就以爲唯有我們自己才具備了“邏輯地認識什麼”以及“認識什麼是邏輯”的天賦。【其實，人類讓“邏輯”自現爲“可供思考的對象”至多不過兩千餘年的歷史，而人類（甚至不能排除其他動物）運用“推理邏輯”進行“思考”至少已有數百萬年（對于其他高等動物而言甚至已有數千萬年）以上的歷史了，這表明，即便是“思維邏輯”這一高級階段本身也依然運行在代償發展的演化軌道上。】

很明顯，要想闡釋“邏輯”，就得在**邏輯固有的來龍去脉**中求索，即把邏輯當作一個“邏輯序列”來看待。

第九十五章

邏輯序列——是一個從**局限的、僵化的低級感應狀態**向**開闊的、可塑的高級感知狀態**漸進的過程和結構。這個過程既與宇宙從**非時空存態**向**時空多維化存態**的演進過程相吻合，也與物質從**强穩存態**向**失穩存態**的嬗變過程相吻合，更與自然從**無結構存態**向**結構化存態**的發展過程相吻合。

所謂“局限的、僵化的低級感應狀態”，是指發生在可換位主、客體之間的觸點式屬性耦合，**它僅僅表達爲一個"確認"與"反應"的聯動**，雖然極爲單純，雖然毫無結構，**却是自然邏輯演化和認知邏輯活動的真正起點**。

所謂"開闊的、可塑的高級感知狀態"，是指發生在不可換位的主、客體之間的表象式屬性耦合，**它逐步表達爲"確認"（即"感"）、"辨析"（即"知"）和"行爲"（即"應"）的聯動**，雖然起初層次不清，結構含混，**但終將達成可以在多個向度上有選擇地進行推理的思維邏輯**。即是說，從最原始的感應到最復雜的感知之間其實**是一個逐漸進行結構演變的判斷過程或邏輯序列**，一切人爲的概念劃分（如"感性"、"知性"和"理性"的劃分）都會造成對這個完整序列的歪曲和誤解。如果給出某種形式的概念分割是語言表述的必需，則應該説明："感官感覺"意義上的"感性"無非是"理化感應"意義上的"感"的代償漸變產物，因而可以統統歸于"感性"的範疇；而"知性"的辨析過程其實在感性階段早已開始（如任何感應者之"有所感"與"有所不感"），即便硬要把它從感性中分離出來，則它至少既是感性階段的終結，亦是理性階段的起點，所以**廣義的知性是囊括從直覺到推理的全部理智活動的**。也就是説，狹義的"理性"、"邏輯"和"思維推理"不過是高度結構化的"知性"而已。【因此，在本卷中（尤其是前半部），我常在這種廣義的概念上使用"知"字，也常在這種廣義的概念上使用"感知"一詞，請讀者務必加以留心。】

凡屬"結構"，都是某種**關聯**與**互動**的**復合體**。于是，**思維邏輯就呈現爲在感知結構中有所關聯并發生互動的序列**，這"關聯"就是推理的"根據"，這"互動"就是邏輯的"程序"。"關聯"愈繁，"根據"愈顯得無根；"互動"愈烈，"程序"愈顯得失序；這就是**從"局限的、僵化的"感應形態**到**"開闊的、可塑的"感知形態**（即一般所謂的"邏輯形態"或"多向思維"）**得以達成的原委**。【正是基于對這種"無根"和"失序"的迷惘，"邏輯"及其"邏輯函項"才有必要作爲一個"梳理的對象"來處置，是乃"邏輯學"（以及研究數理邏輯的“分析哲學”）得以成爲一門顯學的原因；同樣是基于對這種“無根”和“失序”的迷惘,“科學”及其“科學素材”才有必要借助于“數學的梳理”來處置，是乃狹義的“科學”（以及“數學”）得以在近代蓬勃興起的原因。（至于“數學”爲何可以成爲“梳理邏輯”的工具，請參閱本卷第一百零二章。）】

凡屬“序列”，都是對某種**結構復合體**的**縱觀**。即**結構的關聯與互動**必與該結構**縱向發生的演化過程相吻合**，且由于這個連綿延展的代償擴張過程不免造成過度復雜的前後叠加，于是一個相應的**簡約化處理程式**也就自然而然地**貫穿其間**，這就是“邏輯序列”或“邏輯本體”的基本規定和構成狀態。【換言之,從“理化感應邏輯”（亦即“應式邏輯”或“感性邏輯”）到“生物本能邏輯”（亦即“行爲邏輯”或“知性邏輯”）再到“人類思維邏輯”（亦即狹義的“推理邏輯”或“理性邏輯”），這個“邏輯序列”本身就是“邏輯本體”的完整架構——所謂“邏輯學”就是把這個自然架構對象化地投射出來而已。所以，邏輯學上的“感性”概念其實與理化感應沒有質的差别；而邏輯學上的“知性”概念其實與生物本能没有質的差别；也所以，在以感官感覺爲基礎的人類智質性狀中，作爲其最高結晶的意識能力和思維邏輯非但不去糾正感覺以及知覺的武斷和誤差，反而通過進一步簡化各種感覺要素來達成愈益抽象的推理判斷或曰“邏輯武斷”。】

從根本上講，這個**結構化的邏輯序列**實在就是**衍存過程或生存過程本身**，因爲它實在就是自然存在從**無須結構的强存態勢**到**必須結構的弱存態勢**的具體體現。換言之，在物質實體中**體現爲自然衍存法則的邏各斯**（logos）就是在物質虛體中**體現爲自然精神法則的邏輯**（logic），二者同屬一體，如影隨形，由此構成非物理性“質能同源”和“質能轉换”的另外一番景象。【形象地看，在logos上具有“强質”（指“大質量、長時度、强穩態”）的存在者，在logic上必然具有對應的“弱能”（指“低感性、弱應激、被動態”）;反之，在logos上具有“弱質”（指“小質量、短時度、失穩態”)的存在者,在logic上必然具有對應的“强能”(指“高知性、强應激、主動態”)。于是，在整個宇宙中占據着最大質量、最長時度和最穩定存態的理化粒子及分子，却顯示出最微弱的相互作用力或感應力；反之，在整個宇宙中占據着最小質量、最短時度和最失穩存態的靈長之王人類，却顯示出最强大的精神能力或感知力。再看一下中間過程：在動物行爲中，捕獲“結果”總得要對“原因”有所體察，猴子若想吃上桃子，最好對遠遠就能看見的桃樹有所知識，至于這作爲“因”的桃樹何以就會結“果”,對于猴子來説并不十分重要;雌蚊嗅到人味就會趨“因”而來，來後到底是挨了一巴掌還是吸了一肚子的營養液，其“結果”的迥异都絲毫無須對“前因”的判定加以修正，它如此不理智反而使之綿延不絶，無論你用滅蚊劑怎樣荼毒都無濟于事，假如蚊子們果真透徹地搞清了邏輯因果律，則它們衹能背負着理性去餓癟自己(在這裏,無知好像表現爲一種保護機制,而實際上,無知所體現的是强存載體無需保護的機制)。是故，古今的哲學家們把人類的思維邏輯翻來覆去地加以研究，發現它總不外乎是在簡單的感覺確認(A = A. A ≠ B等）和因果鏈環(從A中求B，即A→B；再從B中求C，即B→C等）上演動，而不管這種推論常常顯得何其荒誕或貧乏。實際上，更爲復雜的邏輯程式如等量轉換或累積差額轉換（如果A = B，B = C，那麼A = C；或者，如果A < B，B < C，那麼A < C等），以及其他種種邏輯運算和推導，都是建立在上述感覺確認和因果鏈環基礎上的抽象延展或本體演動。這裏暗含着生物學上的適應性規定（也就是前述的“自然預定和諧系統”之規定），所謂“適應”，在此就是指認識主體本身的客體衍生關系，以及主體被結構化在客體系統中的自然存在狀態。换句話説，作爲認識主體的生物自身本來即是作爲認識對象的自然客體的流變産物，因此它的logic代償(即“感應屬性代償”或“感知代償”）必與它的logos本性（即“存在性”或“存在度”的位相規定）相一致，亦即它的邏輯程式禀賦在具體的邏輯操作發生之前就已在某種程度上注定了與自身物性以及自然客體的對應性銜接關系（即遞弱代償之演運

規定和存在閾的限度規定)。】

故，在此機制上建立起來的邏輯表達式或“表達序列”，必然同樣是一條始于“確認”的“因果鏈”。【哪怕那“確認”其實是一個并不知道如何被確認的“武斷形式”；以及，哪怕那“因果鏈”終歸是一個窮究不盡、于是衹好將其簡化爲“循環往復”的“辯證方法”也罷。】

第九十六章

形式邏輯——亞裏士多德的邏輯學是一個典型的“知性邏輯”(而知性邏輯是典型的脊椎動物邏輯或後脊椎動物邏輯〈參閱第八十九章〉)。它既反映了源于“觸機式”原始感應性的“定知”——有同一律爲證；又反映了對“系統表象”所造成的混亂必須予以不自覺或自覺的“辨析”——有排中律、矛盾律和充足理由律等輔助律爲證(可參閱第六十八章)；因此，它起着承上啓下的作用。“承上”者，在于“同一律”本來就是**原始物質屬性之間的對偶感應律或耦合律**；“啓下”者，在于“輔助律”其實就是**對後衍系統表象的迷惘和梳理**(無論這梳理是潛意識的本能梳理還是顯意識的推理梳理)。【實際上，排中律和矛盾律(即“不矛盾律”)在其邏輯源頭上與同一律一樣，皆可完成于潛意識的本能性辨析過程之中，衹有被萊布尼茨和沃爾夫所附加的充足理由律(尤指其“充足性”而言)是有待在顯意識中加以推敲的東西。而且，正是由于這“充足理由律”終究不得“充足”，才導致後來的理性邏輯得以衍生。足見亞裏士多德的邏輯學着實是對“基礎知性”或“本能知性”十分地道的探查，而其後的追加部分又着實是對“全體知性”十分地道的總結。】

不過，把上述“知性邏輯”命名爲“形式邏輯”却是犯了視界狹隘與膚淺的雙重錯誤，盡管它在專門研究邏輯(學)運行格律方面的確顯得十分高明也十分有效。首先（錯誤一），形式邏輯的**形式化推演**并不僅僅限于人類特有的**概念化和命題化階段**，如前所述，既然知性邏輯是**源自于脊椎動物的漸進邏輯模式**（參考第九十一章），則形式化推演的**識辨判斷過程**就一定發生在概念和命題之前，即它一定**先行呈現爲動物知性表象上的"實體抽象形式"或"姿體符號形式"**等等，而且這種**知性表象形式**（而非概念形式）及其**即刻判斷反應**（而非命題推導）才是形式邏輯的**主要應用方式**（而非表達方式），即便在人類（的日常活動中）也是如此。其次（錯誤二），鑒于一切感應性或感知性本身都是**作爲感應者或感知者的物**的存在性所給定的一系列代償屬性，就像一切被感應性或被感知性都是**作爲被感應者或被感知者的物**的存在性所給定的一系列代償屬性一樣，如果説感應性或感知性的**主觀**產物是某種**屬性耦合的形式**或**觀念形式**的話，則恰恰是這些"**形式**"直接標志着感知主體的**客觀**素質以及**主客體之間依存關系的自然本質**。換言之，**感應"形式"或感知"形態"正是感應者或感知者之存在"性質"的完整體現**，是謂"感應質態"或"感知質態"。【這裏所用的"質態"一詞與卷一中的概念（參閱第四十三章）完全同義，衹不過在卷一中我們是把"自然物"作爲仿佛是客體的"對象"來看待，而在本卷中我們是把"自然物"作爲"對象的對象"即主體來看待而已。讀者可以這樣設想：還原到感應的初始狀態，作爲"對象"或"客體"的質子與作爲"對象的對象"或"主體"的電子，它們的"質態"或"質"與"態"之概念會有何不同？】

倘若一定要追查這個被稱之爲"形式"的概念是怎樣產生的，則衹能説它完全是感知層次之分化和錯動的產物。即處于代償後位的"知"對前位的"感"發生了疑惑，以至于全然弄不明白"感何以會有所感"，進而也全然弄不明白"知何以會有所知"，于是將"感知之所能"（即"邏輯"）視爲感知的"形式"，而將"感知之所得"（即"對象"）視爲感知的"内容"，殊不知正是作爲"形式"的"能知"決定着作爲"内容"的"所知"，而"能知"本身（即"知的形式"）又受制于感知者自身的存在度和代償度（即"在的性質"）之規定。

【如果不管“存在的性質”怎樣決定了“能知的形式”，而祇看“能知的形式”怎樣決定了“所知的內容”，你就可以明白亞裏士多德關于“形式決定內容”這個歷來令人費解的思想淵源了。顯然，這是對邏輯表層關系的灼見和洞察，却也是對邏輯深層本質的無知和誤解。】

其實，所謂的“形式邏輯”就是**停留在直觀層次或直覺層次上的“知”**，它以自身的感性屬性去迎合對象的可感屬性，從而實現了“知”的質態——也就是説，**它不必對物質固定屬性的直接耦合本身進行再處理**，從而實現了“知”的**靜態完成**。故此，它遠比後來以它爲對象或以它爲基礎表象的理性屬性或理性邏輯要穩定得多，這種情形首先要求它的載體必須具有較强大的生存力度，即具有較爲簡單而穩定的生存方式。【仍以蚊子爲例：它那不理智的、本能的“行爲邏輯”，正與它簡單的生存依賴條件、强大的生殖繁衍能力相吻合，即它的“低感知度”正與它的“高存在度”相吻合。】

可見，**“形式邏輯”的靜態表觀正體現着“知性載體”的相對穩定存態**。【至于亞裏士多德對詞項、命題和三段論的探討，其間雖然始終貫穿着“定知”的規範，但這推論本身當然早已屬于理性對知性的反思了。須知處于主、客體之間屬性耦合的“知性”是不可能以“知的素材”以及“知性本身”爲對象的，正如黑格爾所説，精神本體的“自我意識”是理性邏輯的開端。】

第九十七章

辯證邏輯——黑格爾的邏輯學是一個不典型的“理性邏輯”。説它是理性邏輯，乃由于它確實是出于對“知性邏輯”陷入迷惘的一種整頓，并且深知自己的對象不是感性表象，而是知性本體；説它是不典型的理性邏輯，乃由于它終于未能把握住知性的本質，從而也未能把握住理性的精髓，當他將“理性實體”（其實是“精神或智質虛存”或“高度代償的感應屬性”）視爲“絕對存在”（其實是“相對衍存”），并以對立循環的方式來規範知性運動之時，他祇不過是以建立起一個**克服感知結構之矛盾與混亂而不可得**的有限邏輯模型來**實現從知性到理性的邏輯過渡**而已。【哲學界對黑格爾的狂熱崇拜近乎是一場“皇帝新衣”式的瞎起哄，即很少有人從根本上弄通過他的學説，但每個人都要造作出一副欣賞不已的扭捏姿態，結果，本來是“理性對知性玩弄機巧的尷尬”，又鬧成了“群氓對投機者玩弄機巧的無聊”，唯有叔本華像個純樸的小兒，當時就不忍旁觀這赤裸裸的表演，却照例不免受到衆人的冷落。】

黑格爾的“絶對精神”論是蒙昧于**感應屬性的發生學原理**的獨斷産物。【在當時——即研究理性的哲學正從康德批判知性的哲學中萌芽之時——他全然無法設想“精神與其載體的代償性衍生關系”，因此他衹能沿襲舊式哲思的那種或者排斥物質或者排斥精神的對立方式來處理整個存在系統。實際上，辯證邏輯是與感性表象最接近的初級理性思維模式，是知性失判斷或知性動摇的繼發性邏輯代償階段，因而也就是形成初級概念以及達成初級概念之内涵與外延的初級命題摸索方式，由此注定了它那游移不定、首鼠兩端的運動形態。】

黑格爾的“矛盾轉化”論是蒙昧于**精神存在的有限性和失位性**的專斷産物。【如果精神存在真是無限的和全方位的，則它就没有必要立足于像地球這樣的狹小天體上去爲相對無限的宇宙設定諸如“上”和“下”、“高”和“低”等如此無稽的對立性定位標志。也就是説，“矛盾”的觀念純屬愈益有限化的存在者尋求自身存在位置的應景舉措，“轉化”的觀念純屬愈益動摇化的存在者求解自身存在位相的淺顯之談。這樣的東西在黄老時代尚可以算作簡化處理認知表象的有用模型，而在黑格爾時代就未免有點兒像是過時的兒戲和自欺了，這也就難怪擅長研究現代數理邏輯的羅素會對他的哲學體系給出如此惡評："黑格爾的學説幾乎全部是錯誤的。"（見羅素所著之《西方哲學史》卷三第二十二章）所以，在黑格爾時代前後的真正有成就的科學家——亦是繼神學家和哲學家之後的人類第三代思想家——中，沒有多少人會認真地把花架子式的"辯證邏輯"當作可用的思想方法，倒是古老的"形式邏輯"仍然是當代理性思維必須繼承的重要遺產。（詳見隨後兩章）】

黑格爾的"對立同一"論是蒙昧于**自然存續之遞弱代償法則**的臆斷産物。【因爲世界根本就不是在概念的對立兩極上來回躍遷以達成同一，而是在元存的一脉相承上弱化代償以實現統一。兩極的同一不過是古老的"中庸"論的翻版，儼如在以孤立的自身作爲參照系的視野中，"前"、"後"、"左"、"右"等一切區分都可以同一于那個"狹隘的中點"上一樣。】

一言以蔽之，黑格爾的邏輯學不是理性邏輯的成熟表達，而是理性邏輯的幼稚體現。如前所述（參閱第十五章），黑氏的功勞就在于他居然能够將如此稚嫩的邏輯思緒給出如此淋漓盡致的邏輯闡發。【有史爲證：在人類還沒有文字以前，辯證法就已經通行于世了，所以，中國人歷來把老子的辯證思想稱爲"黄老之學"，即從東方的第一個文明先祖"黄帝"開始，所使用的基本思想方法就是辯證邏輯。再看，中國最早的一部經書《易》，裏面充斥着陰陽辯證的所有花樣，那是後人對原始部落慣用的占卜巫術所作的文字化整理，其中的基本符號"爻"，實際上就是原始人用折斷的樹枝或吃剩的殘骨（爾後改用蓍草之棱莖），擺出來代替文字的卜筮圖形。西方也不例外，早在古希臘，大多數哲人或智者都是自覺的或不自覺的辯證思想家，如赫拉克利特、芝諾、蘇格拉底以及柏拉圖等等，衹不過，嚴肅的希臘人更傾向于把它看作是一種不登大雅之堂的"詭辯術"，因此，當時的學者大約不屑于將它視爲研究的宗旨，頂多偶或借來穿鑿一下暫時實在説不清楚的難題，所以，亞裏士多德精心研究邏輯學，却反而給出了被我們稱爲“形而上學方法論”的“形式邏輯”（即“知性邏輯”），也就是説，亞氏認爲，在邏輯上出現矛盾是不允許的，是思維混亂的表現。不過，公允地講，辯證邏輯一定是高于知性邏輯的後衍代償邏輯質態，它那摇擺不定的動蕩情狀正表達着人類在自然物演進程上的失位存態，爲了糾正這種失位之危局，其後的理想邏輯才必將取代辯證邏輯，從而使理性邏輯發展到它的最高代償境界，盡管這樣一來，理性邏輯的運動形態及其落實效應不免更趨失穩也是一件無可奈何的事情（詳論見于本卷隨後各章，即第九十八章至第一百零三章）。如果把這個過程簡略地濃縮在哲學史上，也可以這樣來看：在哲學誕生之初，巴門尼德衹能將整個宇宙實存和精神虚存籠統地歸結爲“存在是一”（略如老子之“道生一”）；隨着理性的漸次發育，以黑格爾爲代表的哲學家稍稍前進了一步，即把那作爲“一”的存在，剥離成“一分爲二”或“二而爲一”的閉合系統，從而使那渾沌的“一”終于分化爲“動蕩的結構”（略如老子之“一生二”）；而今，我們的使命是要窺探這結構“爲何必然分化”以及“如何成就分化”的堂奥（略如老子之“道生一，一生二，二生三，三生萬物”的全序列）。】

由此也可以見得，從知性邏輯的堅硬板塊中發育出理性邏輯的繁華體系是一個何其艱巨的進化歷程。實際上，這個哲學的進化歷程僅僅是從知性邏輯到理性邏輯的極爲漫長的自然代償演化歷程的瞬間重演，須知那個“自然代償演化歷程”至少要經過億萬年以上的歲月磨礪和百萬種以上的物種交替才能完成，或者説才有望實現。

有必要重申，黑格爾的邏輯學是對**加速流變的理性層次**與**相對穩定的知性層次**之間所發生的紊亂或“矛盾”（即“**錯動**”）的敏鋭覺察，不過，他也同時被這個**動態的紊亂**拖入了五裏霧中，因此，他以思維淺層的“矛盾運動”作爲邏輯學基礎，自然衹能締造出牽强而又粗略的辯證邏輯。

第九十八章

理想邏輯——這裏所説的“理想”姑且不與任何烏托邦式的“願望”相幹，而是指**超然于感性直觀和知性判斷之上**的一種思維方式。“**理想**”者,“**純粹推理之想**”的稱謂，即**起之于“理”，又終之于“理”的純思想的過程**，是乃**典型意義上的理性邏輯**或**理性邏輯的高級形態**。這個“純思想的過程”，也就是黑格爾認爲高于“辯證理性”或“辯證邏輯”的所謂“**思辨理性**”或“**思辨邏輯**”，一望而知，它的前體代償基礎或對應代償詞項應該是動物的“**識辨知性**”或“**識辨邏輯**”。【這樣講，很有些像是黑格爾邏輯學的復述，不過讀者若能耐心鑽研下去的話，一定會發現其間所含的是全然不同的内核。由此也可以明白，我在上一章（第九十七章）第一段中對黑格爾邏輯學的正面評價所指者何。盡管許多人對黑格爾邏輯的批判與我恰恰相反：他們較多地贊揚他的辯證法，却一口咬定他的出發點及其終止點是不值一提的。】

即是説，“理性邏輯”必定是對“知性邏輯”的超越和揚弃，但這種“揚弃”不是向知性的反面發生莫名其妙地轉化，而是**對知性本身的自然代償和順勢發揚**。

由于既往所謂的“理性”早已被各種五花八門的哲學奢論弄成了一個神秘的空洞，因此，我們有必要首先描繪出理性勢態的大體形象：哥白尼的天文學革命，是對托勒密的直觀天文體系的否定，太陽東升西墜繞地而行的感覺其實正是造成謬誤的基礎；保持物體處于直綫勻速運動狀態并不需要力，改變物體的運動狀態，譬如使之静止反而需要外力的幹預，這一與經驗完全背反的邏輯變革正是從伽利略到牛頓的經典力學得以創立的起點；愛因斯坦更是以“觀察者如果以光速運行”爲前提假設，通過**理想實驗**對麥克斯韋方程由以確立的“以太參考系”提出質疑，從而建構起現代物理學的基礎理論體系，即相對論學説。有意思的是，托勒密的體系主要源自“感官上的事實”；哥白尼的體系亦須借助于“觀察”來輔導“邏輯運籌”；而伽利略僅受擺的等時性和斜面實驗這樣一些簡單現象的啓發就精確地計算出著名的自由落體定律；及至愛因斯坦，**“觀察”和“實驗”都已成爲與感官無涉的邏輯結構内部的事情了**。于是，仿佛唯獨那些充斥着種種佯謬的“邏輯推導”最有可能趨近于“真理”，仿佛人類認知史的進化就是一個**從“眼見爲實”向“邏輯爲證”的方向發展**的進程。若然，**則“符合邏輯”便是最深刻的“符合事實”**，或者説，**“邏輯比事實更真實”這句看似笑談的格言竟然可能是精神演運的一種趨勢——是乃“理想邏輯”的特定狀態和淵源。**【爲了避免不應有的誤會，請注意如下三點聲明：第一，理性并不從根本上脱離感性，反而恰恰是感性的發展或感性基礎上的發展，須知知性本來就包含着感性，或者説，知性本來就是“對感性素材的本能整合性感知”（參閲第九十一章和第九十六章等）；第二，上述例證仍然衹是一個縮影式的比擬，如前所述，實際的演化過程要經歷億萬年以上的自然史和百萬年以上的古人類史才能够實現；第三，嚴格説來，理想邏輯的發揚并不僅僅限于科學時代，實際上，發生在遠古氏族和部落中的一切原始宗教，例如從圖騰到人神之類，都可以視爲理想邏輯或理想模型式表象的初衷。】

這意味着，倘若感性和知性僅僅是某種**失真于對象**的**屬性耦合之本真**，則理性也就同樣是一種**失真于表象**的**感應屬性之延展**。然而正由于它們都是**自然客體屬性的代償體現**或**自然客體屬性的存在本身**，因此它們無疑都是“真理”的直接顯現，當然也是對“真理”的間接背離。

于是，我們可以就理性邏輯——亦即“理想邏輯”——的本體狀態給以如下概括：

a. 如果理性邏輯淵源于感性邏輯和知性邏輯之中，則它們當然禀賦着**一脉相承的統一規定性**，由此決定了**理想邏輯勢必**

與其前體邏輯之間存在着某種絲絲扣合的運動定律；

b. 超越于感性耦合及知性本能之硬化程式的理性思維，自是**感應屬性進一步致虛代償的極品**，由此決定了理想邏輯必有較其前體邏輯**更顯可塑的“僞在”運動質態**；

c. 致虛演動的思維可塑性，造成某種**業已擺脱感應載體之束縛的不踏實的“獨進”態勢**，由此決定了理想邏輯必然呈現出**浮囂誇張的“危在”運動向度**；

d. 邏輯可塑性是超時空的高度代償方式，它體現着**感應載體自身之條件依賴性日益加劇的程度**，由此決定了理想邏輯**必須深廣地追索“存在”的運動函量**；

e. 既然理性化的“logic”就是自然化的“logos”的終極結晶，則所謂的“真理”就是**等價代償原理**或**等價代償產物**，由此決定了理想邏輯**必將以“窮盡其知”作爲“窮盡其存”的運動歸宿**。

以下各章即是上述各項論點的展開。

第九十九章

理想邏輯之定律——理性思維一旦得出某種結論即成其爲“知”，也交付于“知”。這意思是説，既然知性是介乎于感性和理性之間的層面，則它自然就有兩個來源或雙向延展性，一方面是直觀的潛意識（或下意識）的知，一方面是推理的顯意識（或明意識）的知，然顯意識的知一經確定爲“知”，即從推理中擺脱出來，或者説也隨之沉澱爲某種潛意識，這就是上中樞與下中樞的生理性逆向轉遞機制。這表明“知”**必有一系列完全契合的貫通原則**，也表明“知”**必有某種發生着位移的基本準則**。【這個基本準則就是由存在度或“在的程度”所決定的感知度或“知的程度”（否則推理就會没有片刻間歇的止境，即永遠得不出當

下的結論)，也就是我們在本卷前十章中（第六十一章至第七十章）所曾論及的"知的武斷性"之限。】

目前，我們着重討論那個令縱向延展的"知"得以上下契合的貫通原則。毫無疑問，這個貫通原則必然體現在理想邏輯的定式或定律之中：

簡一律——與知性邏輯的"同一律"相對應。**即在整理知性素材時，思維運動必然自覺或不自覺地遵奉着"諸物一系"的事先預設，并竭力將這"一系"簡約爲（或在感知序列的更高一級上抽象爲）"一理"，是謂"簡一律"。**它與同一律的不同之處以及對應之處在于：同一律是在任何一個**知覺系統的點或面**上嚴守着"A = A"的規定，而簡一律是在任何一組**知覺系統的分化體系**上嚴守着"A系 = A理"的規定，如此而已。【凡屬真正理性化的思想系統，它一般都會運行在一條基本原理上，也就是說，你可以最終把它歸結爲一個極簡約的概念序列，而且愈高深者就一定愈簡約。倒是那些没有達到理想層面的粗淺想法，反見其頭緒多端，含混蕪雜。所以，牛頓的力學動量系統可以表達爲一個方程式 $F = ma$；愛因斯坦的質能理論可以用 $E = mc^2$ 予以闡明；達爾文關于《物種起源》的巨著及其全部進化論學説可以歸結爲"自然選擇"這樣一個基本概念；而我在本書中所擬表述的宇宙總體物演法則歸根結底也就是一條"遞弱代償原理"。而且，正是由這些符合簡一律的理性概念組合搭配（它其實早已出現于人類的原始思想成果中，譬如"圖騰崇拜"、"神"、"上帝"，再如泰勒斯的"水"、老子的"道"、柏拉圖的"理念論"、托勒密的"地心説"等等)，才建構起人類精神體系中的基礎性"文化基因"（即類似于裏查德·道金斯在《自私的基因》一書中所説的"文化傳播單位" mimeme 或"擬子" memes)，并通過這些文化基因的發展、揚弃或變异，終于逐步促成了人類精神體系的代償增長和演動進化。再者，即便有人認爲世界是雜亂無章的，他也一定要提出"世界之所以雜亂無章"的"一條道理”，否則即不成其爲理性思維，而僅僅是一片不連貫的知性表象或曰“知性的朦朧”，于是他一般也就不會産生出世界是雜亂無章的“想法”，或者至少不會産生出世界是雜亂無章的“道理”。説到底，人類之所以是可以“明理”的或可以“理喻”的，即人類之所以總是傾向于發現或接受“道理”（包括普通的“事理”和嚴格漢字意義上的“道之理”），皆源自于理性邏輯的此一規定。另外一個很有趣的現象是，動物在知性邏輯表象上必須達成“同一律”的狀態，以及人類在理性邏輯表象上最終達成“簡一律”的狀態，頗像是原始主、客體之間“一點式”對偶感應關系的繼續（譬如電子與質子、與原子核、甚至與分子之間的那種簡一對偶關系），這裏暗示着從“感應”到“感知”的自然統一代償規定，也暗示着“簡約原理”在邏輯發展全程上的物演統一貫徹效應。】

排序律——與知性邏輯的“排中律”相對應。**即在整理知覺表象系統時，思維運動必須將業已無法簡單“排中”的繁復系統分解爲若幹組成單元，并參照整個系統就各單元的存在狀態予以定性、定量或定位，是謂“排序律”。**它與排中律的不同之處以及對應之處在于：排中律是在任何一個**知覺系統的點或面**上規範着“A是B或不是B”的關系，而排序律是在任何一組**知覺系統的分化體系**上規範着“A是B以及C、以及D……”的織合，由以確立邏輯系統的有序結構。【在這裏，排中律所要“排除”的“中”正是排序律所要“排列”的“序”之空檔或位置所在，顯然，此刻的A與B、C、D等完全相容，而且A之所以成爲A，就在于它是B、C、D等的相容關系的體現。這個邏輯變態恰好與物演進程的結構分化和感知序列的系統分化相吻合，也就是説，哲學上所謂的“分析判斷”及“綜合判斷”之淵藪盡源于此。回過頭來看，可見“判斷”本身亦須經歷那個從“點”到“面”到“體”的發展過程，即在自然感應代償的進化途中，最初的判斷衹是一個無所“判别”的“斷”（指感應過程落實在一個“孤立的無面的點”上，故無所謂“判斷”）；爾後變爲“判”之同時就完成了“斷”的簡單復合（指感應過程已落實在一個“多點的平面的點”上,排中律就實現在此一位格上);再往後才形成了“判而斷之”的這個分析與綜合共和于其中的所謂“判斷”(指感應過程須落實在一個“多面的立體的點”上,此乃排序律的邏輯位相)。由此實現了邏輯維度——或曰“邏輯空間”(表現爲復多維度的“感想無涯”狀態)——與自然維度(表現爲復多維度的“時空無限”存在)的統一,以及邏輯序列從低維度態向高維度態遞進的自身之統一。】

消矛盾律——與知性邏輯的“不矛盾律”相對應。**即在整理感知系統各層級上的諸類抽象要素時,思維運動必定要設法消除其間的種種混亂、迷失和關聯障礙,并按照簡一律所規定的“一系化”(即“一理化”)原則將表面上互不相容甚或相互矛盾的諸端梳理成一個統一和諧的系統,是謂“消矛盾律”。**它與不矛盾律的不同之處以及對應之處在于:不矛盾律是在任何一個**知覺系統的點或面**上受制于“A不是非A”的規定,而消矛盾律是在任何一組**知覺系統的分化體系**上發掘着“A之爲A正在于它源自非A或導致非A”的機制,從而使矛盾終于不成立。【由此可見,一切“矛盾”都是A與非A之間發生隔絕的產物,或者說是A與非A之間未能溝通的觀念迷失。黑格爾的對立同一論之“對立”和“同一”,就分別是從上述之“隔絕狀態”到“溝通狀態”的籠統寫照,而他的整個哲學體系最終衹能落實在“絕對精神”這一個“A”點上,却不能同時落實在“絕對物質”那一個“非A”點上,就表明即便是某種專論“矛盾”的思維系統也照例必須遵循“消矛盾律”這一鐵定的理性邏輯法則。再説,“非A”(或漢字意義上的“盾”)未必恰恰是“A”(或漢字意義上的“矛”)的對立面,盡管它確實是“非A”(即確實不是“矛”),把一切“非A”(譬如“盾”以外的其他東西)都統統歸結爲“A”的反極,着實是理性思維暫且無法擺脱知性表象之混淆狀態的原始困窘表現,或者説是不成熟的理性邏輯不得不亟盡附會用智之能事的低級過渡階段。順便説一下,這個始于赫拉克利特(更早可追溯到建立起華夏陰陽學説的“文王演周易”時代甚至黃老思脉之前)、

終于（或集大成于）黑格爾、橫跨不止數千年人類思想史的窘態邏輯，如今正在迅速衰微并終將被理想邏輯所取代。】

追本溯源律——與知性邏輯的“充足理由律”相對應。**即在整理感知表象結構的互動關系時，思維運動勢必傾向于追索各個相依單元的存在因和聯動因，并通過對其內在關系的推求于不同深度（即“程度”）上達至“元一”（即“簡一”）的境界，是謂“追本溯源律”**。它與充足理由律的不同之處以及對應之處在于：充足理由律是在任何一個**知覺系統的點或面**上直接判定其前因的自足性反應，而追本溯源律是在任何一組**知覺系統的分化體系**上間接探討其總體聯系或“多因本原”的反應前預備程序，由以造成“知”從“感應一體”中分離出來的結局（即分離爲“感”、“知”、“應”的結局）。【邏輯（logic）就這樣從邏各斯（logos）中獨立成“理性實體”（或曰“理念”、“精神”、“靈魂”、“意識”等等）。實際上，知性邏輯的四條定律本身就是理性邏輯得以衍生的自然進化步驟，即同一律→排中律→不矛盾律→充足理由律，依次表達着感應確定→感應動摇→感應混亂→感應延伸的失位性代償進度，從而引導着理性邏輯漸漸凸顯出來。嚴格説來，最初被留基伯表達爲“因果關系”的所謂“充足理由律”（後來被萊布尼茨表述爲“事實真理”的根據和準則），其實還是以“因果律”的稱謂爲妥，因爲在知性的前期階段，“因”尚不能呈現爲“理”（或“理由”），而仍是某種“非理”的直觀表象或直覺表象，即便它後來萌發成“理由”（此刻的“知性”已與原始的“理性”無大分別），那“以因爲理”的“理”亦照例不能澄清“前因”何以“成因”的原委，于是也就不可能使作“因”的“理由”真正得以“充足”，固然這“理由”不能“充足”的緣故又恰恰是因爲相對于知者自身的存在度而言，這淺顯的“理由”已足够支用或代償充足了。僅在這個意義上，“充足理由律”才能够成立，直到“追本溯源律”與之天衣無縫地銜接起來，從而令“理由”得以繼續“充足”下去。這個進程在理性邏輯代償演運的各個階段還將繼續不停頓地發展，例如，愛因斯坦畢其後半生都在追溯和探究有關綜合物理學四大作用力的“統一場論”，他的信念和動力其實就來自于這條邏輯律，盡管他未能完成這一事業，但最終一旦實現，它就會把今天的物理學理論帶入一個更高的“簡一律”境界。】

基于上述，可見**理性邏輯并不是知性邏輯的辯證反動，而是知性邏輯的代償順延**，它其實**表達着“廣義邏輯自洽”的內在規定**。而且,那個從知性中走來的“直覺的因”要想成爲理性中之“充足的理”，就必須超脱于相對僵硬的“直觀”與“直覺”之束縛，亦即必須沿着“虛擬感應”的路綫進一步“虛化”下去，以至于使之抵達“純理之想”的境界——是乃“理想邏輯”之質態。

第一百章

理想邏輯之質態——“感”是存在物之間依存屬性（或可感屬性）的耦合；“知”是不可換位的依存主體對感應屬性（或直觀表象）的定位整合；然則“理”就是至弱存在者對泛化感應屬性（或非直觀表象）的失位性梳理。換句話説，所謂“理”，乃是依存者的依存度業已膨脹到“無所不依”，以至于“無所適依（從）”，因而必須將極端泛化了的感知表象“梳理成序”，以便至弱感應者順“序”爲“依”或“依理而應”之謂。于是，所謂“想”，當然就是指上述那個“理”化過程的主觀動勢，而這個動勢同時又是“依理而應”的過程，由以達成“理想”就是“感應”之順勢延展和高位重疊的代償態勢——亦即“邏輯程序”或“邏輯序列”是也。

可見，“理”首先表達着理性主體的衍存位相及其感應質態；其次表達着理性思維的邏輯序位及其運動形態；同時還表達着理想邏輯的邏輯函量及其函項真值。【所謂“邏輯函量”就是前述之“感應度”的函數關係和代償增量（參閱第七十章）。所謂“函項真值”

乃是借用維特根斯坦的“真值函項”一詞,但偏重于講“如何成真”以及“真的所值”。(從根本上看,維特根斯坦既没有講清“邏輯函項”的“函”源,也没有講清“真值函項”的“真”本。)】

“感”既然是主、客體之間依存屬性的耦合,則它必然失去了“單純客體之真”(可視爲“對物質屬性的抽象”或“初級虛擬”);“知”既然是對感之所得的局限整頓,則它不免進一步丟失“普遍對象之真”(可視爲“對感性表觀的抽象”或“中級虛擬”);“理”既然是對多點之知的有序梳理,則它更得依據自身存在之需要重塑“感來之知”及“知中之感”(可視爲“對知性表象的抽象”或“晚級虛擬”);于是,感應發展或感知代償儼然是一個“對虛擬之結果再加以虛擬”的進程(可視爲“虛化”進程或老子所謂的“致虛”進程),其間,**感知“函量”是愈益增值的,而感知“函真”是愈益減值的**(此處的“真”僅指“作爲對象的客體本真”)。也就是説,**在邏輯的發展序列中,“客觀性”隨感知函量的遞增呈反比例地遞減,而“主觀性”又隨客觀性的遞減相應遞增,且始終保持等量平衡或曰“等閾代償”。**(參考第三十四章和第七十章的坐標示意圖,相當于代表存在度遞減的衍存偏位綫與代表屬性代償增量的存在閾平行綫之間的背離型運動。)【按照波普爾“證僞主義”的理論走向,他原本應該得出與我的上述觀點相同的意見,沿着自己的思想路徑,他甚至已經發現了科學發展上的信息量與成功概率趨于背離的動向。然而,當他用“P_1(問題)→TT(試探性理論)→EE(消除錯誤)→P_2(新的問題)……”這樣一種試錯法模式來詮釋知識增長的進程時,却給出了一個“主觀認識的‘確認度’和‘逼真度’愈來愈高”的陳舊結論,從而使他的理論體系發生了內在的矛盾和悖繆。仔細考察的話,這是由于他的學説最初就没有深入探討認識論的基層問題,即主體感應屬性如何産生與如何衍動的問題,以及自然感應進程如何啓動與如何演化的問題,所以,他終于不能説清主客體之間的本原關系,以及知識增長(即感應增益)的總體趨勢。由此可見,現代西方哲學竭力躲開傳統經典哲學尚未根本解決的所謂“形而上學”問題，并借助種種新奇華麗的技術化邏輯來掩蓋自己的逃避企圖，其實僅僅暴露了他們的目光短淺和學術浮躁，這就是我對二十世紀西方哲學的總體評價。説起來，波普爾還要算是勇于抵制風靡一時的邏輯實證主義的一位難得的代表人物，他對維特根斯坦的批評可謂一針見血、入木三分，可惜他多少也染上了一點兒當時流行于整個西方學術界的“科學崇拜癥”或“形而上學恐懼癥”。】

這個漂浮在“大函量”和“小函真”上的晚級感知虛擬運動就是理想邏輯的“主觀可塑性”質態：“大函量”使之必須游移，因爲它越來越迷失于層次性依存條件的倍增分化；“小函真”使之游移無礙，因爲它越來越遠離于對象可感屬性的直接束縛；由以逐步擺脱感性邏輯的僵化和知性邏輯的自障。（可參閱第七十九章）【那些可變的“理”，以及體現着變易并進一步引發變易的“推理”，則是邏輯可塑性的具體表達（亦成爲一般邏輯學的具體內容）。即，由“理”的主格和“推理”的謂格——而“推出”的“理”又可以進位到主格上來，成爲在下一謂格層次上繼續“推理”的前提和基礎，日益多維化的邏輯空間就這樣被漸漸開辟出來——建構起來的存在模式就是“理想模型式”的感知表象。故，在理性表象的世界中，用以指謂存在的任何“詞項”（表象中的“點”）總不免既是命題的涵載，又是命題的構成；而“命題”（表象中的“面”）的推演復令詞項的內容發生抽换和位移（如“太陽”一詞必然潛含着一組命題，這命題先可以是“太陽是太陽神的體現和居所”，爾後又可以是“太陽是氫核聚變的天體”）；從而不斷地締造出變動不居的存在模型。這種由主謂理序編織而成的“事實”已不是“事物”本身。所以，維特根斯坦才説：“世界是事實的總和，而不是事物的總和。”也所以，“在邏輯空間中的事實就是世界。”（引自《邏輯哲學論》）**不過，被如此“理想化”和“變塑化”的“世界”所表達的，首先是理性化衍存者的存在境界或存在位相，而不僅僅是客體世界的存在原型。】**

由此引發的問題是：對于這個“理想邏輯模型”而言（指

任何形式的“理論系統”或“科學假説”)，如何才能確定它的臨機“正確性”或“代償有效性”呢？答曰，指標有三：第一、邏輯體系周全圓融，即**邏輯自洽**（此處特指符合前章之狹義理想邏輯定律，亦可將下款b項條目移至此處而使之廣義化）；第二、足以覆蓋或貫通它所不能否證的前體邏輯内涵，即**邏輯他洽**（此處所謂的“前體邏輯”包括〔a〕此前的其他理想邏輯系統或學説系統，以及〔b〕作爲理性邏輯之基礎的感性邏輯和知性邏輯）；第三、與新的經驗或感知分化對象相容，即**邏輯續洽**（此處特指表現爲相關信息增量的感應函量遞增態勢）。**此乃“廣義邏輯融洽”或曰“廣義邏輯通洽”在理想依存層面的高級表現形式**（可回顧本卷第六十六章及第九十四章等）。【不待説，這裏所謂的“正確”或“正確性”，并不意味着該邏輯系統與作爲其對象的客體系統之間達成了本真意義上的相符，而衹是説，它由此暫時達成了與主體自身或主體類群的存在效價相吻合的代償滿足狀態或代償有效狀態而已。從這個意義上講，它必將變得不正確，即必將隨着自身存在度的加速度衰減而愈來愈快地被證僞。**此乃“廣義邏輯失洽”在理想依存層面的高級表現形式**（可回顧本卷第八十八章及第九十五章等）。可見，所謂“絶對真理”要麼從來不存在，要麼就衹存在于尚無任何感應屬性得以發生的奇點前幽在狀態之中，而實際上，這正是既無“真”可言又無“理”可言的前宇宙衍存狀態。于是，一切所謂的“相對真理”，因此絶不可能呈現出逐漸趨近于“絶對真理”的運動態勢，恰恰相反，它注定衹能愈來愈背離“絶對真理”，即呈現出如下態勢：如果把“物演認識運動”或“自然感應代償”視爲一條“相對真理”的長河，則這條長河的流向衹能逐漸趨遠于“絶對真理”的源頭或起點，直至達到“絶對失真”亦即“徹底失存”的臨界終點爲止。（參閲本卷第一百零三章）】

于是，一切可以指謂爲“存在”的存在當然都是“形而上學的存在”或“僞在”（參閲卷一第二十七章），而恰恰是這“僞在”標示着指謂者及其指謂對象的衍存和依存之“真性”（指“屬性”的代償性耦合實現，經層層虛擬或層層抽象即成“真理”）。也就是説，“性”（或“理”）誠然已不是**作爲對象的客體的“原態”**，却無疑保留或體現着主、客體之間通過感應依存方式共和而成的**自然統一存在系統的“元質”**，即體現着**作爲以及成爲對象之對象的主體的“客觀質態”**。可見凡“理”必“真”，無“理”不“真”，但所“真”的是“理”（邏輯序列）而不是“物”（客體序列），所“理”（指邏輯化）的是“性”（耦合屬性）而不是“體”（依存客體），盡管最終達成的客觀效果是“物物相合”或“體體相依”（前一個“物”或“體”如果指的是客體，則後一個“物”或“體”就指的是主體，反之亦然），**是乃“心物合一”的自然道法**。【中國古典哲學中有關“性”和“性學”的討論，就在這個意義上成立；我之所謂“存在是建立在‘存在性’上的存在”，也在這個意義上成立。由此亦可見得唯心主義的“道理所在”及其“非理所在”，即恰恰是“非理的存在”引出了“道理的存在”，或者説，恰恰是“無理的存在”引出了“理性的存在”（注意：這裏提示，“無理”的“無”其實正是“物的潛在”，而“有”一旦成其爲“有”，其實早已是“理中的有”、“無物的有”或“虛化的有”了）——這才是唯物主義的“合理性”亦即“合心性”所在，即凡屬“可指謂的物”必須在“理”上成立，雖然“理”又告訴理性存在者，“理”是以“非理的物”爲其存在前提的（不過，這“非理的物”當然不能與一般唯物論中的那個“合理的物”相提并論，因爲“非理的物”斷不是任何唯物主義者或唯心主義者可以指謂的“物”）——同樣，不可知論也在這一點上成立和不成立，即“非理的物”固不可知，然“合理的物”正是“非理的、不可知的物”所給予的“知”，如果這種“知”不能算“知”，試問還有什麼狀態可以稱之爲“知”？】

既然邏輯可塑態所表達的衹不過是後衍主體依存對象的繁復化和依存方式的游移化，亦即理性主體的感應運動不免飄浮于大函量和小函真的晚級致虛僞在位相上，那麼，毋庸諱言，邏輯可塑化的發展形勢最終衹能引出如下後果：

***a.* 理想邏輯的函量倍增進程與其依存對應度的關系成反比，**

即多向思維使其感應實現的正確概率或準確幾率傾向于遞減。【用波普爾的話説，就是科學是向着信息量愈來愈大，成功率愈來愈小的方向發展的。實際上，這個過程并不僅僅局限于科學階段，須知理化感應的準確度一定高于生物感性，而知性和理性早已是依存反應日趨混亂的相繼代償産物了。譬如，可以試想一下，電子與質子的對偶電荷感應是何等的簡捷無誤；臨到單細胞生物的物能代謝，它已必須面對上萬種化合物去進行質膜上的篩選了；後生動物生存狀態的紛亂擾動自不必説；作爲高等動物傳承者的人類更要面臨無以計數的對象和麻煩，以致在分辨不出輕重緩急的情形下時常讓人失于應對，而且，你每解決一個問題，就會在此基礎上又産生出數倍于前的更多問題撲面而來，這就是自然分化效應給人生鋪墊的無邊苦海。】

***b.* 理想邏輯的函真遞減進程與其普解覆蓋面的萎縮趨勢相一致，即多向思維在任一專業分化方位上的片面性和狹隘性傾向于加劇。**【波普爾曾經提出，衡量一個理論或學説是否成立的標準有四條：即相符性、普解性、一致性和精練性。但他没有對這四條標準爲什麽能够成爲標準給以深入説明，我現在替他注釋如下：相符性不是指主觀認知與客體本真相符，而是指與主體自身當前位移的感應代償境遇相符，因此才會面臨動輒招致證僞的厄運；一致性乃是指理性邏輯系統的自相融洽狀態或無矛盾狀態；精練性不外乎是指自然“簡約原則”和理性“簡一律”在邏輯運動中的落實；而所謂的普解性，雖然指的是在該理論所覆蓋的範圍内不應出現與之相悖的案例，但各專業化的理論觀照面相對于超專業的全局而言不免趨于狹隘和片面却是一樁無可回避的現實。】

***c.* 理想邏輯的函量倍增及函真遞減進程與其自身被證僞的速度成正比，即多向思維的感知分化態勢使任何思想成果的實用時度傾向于縮短。**【波普爾在其證僞主義學説裏未曾探討有關證僞進程的趨勢和速率問題，衹在分界問題上談到，科學與神

學、形而上學等的區别就在于前者的可證僞性與後者的不可證僞性。但他没有發現，神學（人類思想史的早期邏輯形態）不可證僞的程度大于哲學，因此哲學的翻新和批判進程遠比神學活躍，而哲學（人類思想史的中期邏輯形態）不可證僞的程度又大于科學（人類思想史的晚近邏輯形態），因此科學的日新月异才會如此令人目眩。這表明,波普爾的截然分界是過于簡單了，實際的情形可以用一句話概括完畢，那就是：愈原始的代償其效益愈顯著，即落實狀態的穩定性愈高超；愈後衍的代償其效益愈低迷，即落實狀態的失穩性愈强烈；代表着感應屬性代償的邏輯演化進程亦不例外，如此而已。】

總之，理想邏輯的可塑性質態决定了它的感應操作情狀及其代償演運前途。（參閲卷一第四十一章）

第一百零一章

理想邏輯之向度——上述之邏輯可塑性非但不能使理想思維擺脱非邏輯的自然規定，反而是可塑性的質態本身正貫徹和表達着宇宙存在性的總體制約。因爲logic（邏輯）的向量與logos（邏各斯）的向量是一個反比共和常數，亦即“精神代償”與“載體遞弱”之間的關系正是自然物演矢量的具體體現。如前所述，這“向量”中的“向”度是不可逆轉的，這“向量”中的“量”度是無可增減的。在理想質態以前的感應或感知序列中，邏輯的演動向度及其增益量度與存在度遞減的物質或物種進化序列相匹配，即愈高級的物種，其邏輯能力愈强，生存力度愈弱。問題在于，作爲理想邏輯載體的“人物”（“人”也是一種“物”的漢語字面詞解）如何使邏輯演化的自然向度得以繼續?【從表面上看，人的體質變化是微不足道的，但理性觀

念却似乎可以呈現出某種自演的、獨進的態勢，上述問題即由此生發。】

這就表明，理想邏輯載體自有某種先驗的、可塑的**非邏輯衍存基態**或**非邏輯演化動勢**與之相吻合。【也就是說，邏輯的不可塑性或可塑性必與其載體的不可塑性或可塑性相一致：物理存在的不可塑性導致物理感應的不可塑性；生物機體的結構可塑態導致生物感應的邏輯可塑態；從理化物質的“感應”到原始生物的“感性”，再到脊椎動物的“知性”乃至高級靈長動物的“理性”，就是這種對應性過渡關系的明證。而且，後生動物機體的可復制性、可發育性以及內部結構的可運動性，相應要求具備某種與其可塑程度大體一致的內交感反饋應激系統，這個內交感系統實際上就是生物外感知系統的邏輯先聲。

順便多說一句：此處暗示，由內交感系統主持的機體細胞結構化過程（可視爲“體內社會化”過程）與由外感知系統主導的個體生物社會化過程（可視爲“體外結構化”過程）同樣具有一脉相承的自然規定性。（詳見卷三）】

顯然，下一步的發展趨勢衹能是，**隨着外感知系統的繼續分化和繼續結構化，理性邏輯之載體自身必須建立身外的“類體質”可塑系統**（工具化的體質結構代償），這就要求兩項前提，并由此兩項前提引出兩項結果：

第一項前提是，發展到理想邏輯階段的**感知代償業已成爲該主體存在性的主要構成成分**，即感應屬性的虛體存在（可簡稱爲“精神存在”），在決定該主體能否存在的存在閾量效指標中，其所占的代償效價業已大于純粹載體的效價份額，**從而使虛體代償**（指“屬性代償”或“精神代償”）**成爲實體存在**（指“結構代償”或“載體代償”）**的主導要素**。結果導致“我思故我在”（笛卡爾語）甚至“存在就是被感知”（貝克萊語）的**僞在**之局。【其實更早可以追溯到斯多葛派及其遺風流布的時代，故有馬爾庫斯·奧勒留的千古趣談：“人就是一點靈魂載負着一具尸體。”進一步講，人類的精神文明就是從對“靈魂”的關懷開始的（所謂“靈魂”即是“虛體代償主導實體存在”的初步自覺），所以才有了古埃及的木乃伊、金字塔以及自發于各種族中的寄托靈魂的天堂、地獄和宗教思想。】

第二項前提是，發展到理想邏輯階段的**感知載體業已成爲極度殘弱化的衍存物**，即該主體的實體存態（指“體質”狀態）必須借助于其虛體代償（指“智質”作用）來**重塑自身的存在質態**（或曰“改造自身的生物性狀”，謂之“智質性狀”，詳見卷三），且其**工具化體質延伸**的重塑成分（可視爲“體質代償”）較之**生物衍存原型**（可視爲“體質元在”）具有越來越大的依賴性比例，**從而令載體之繼續變塑與邏輯之可塑趨勢保持吻合**。結果導致主體存態愈益失穩（或美其名曰“日新月异的科技化”）以至愈益自失（或美其名曰“自我實現的社會化”）的**危在**之局。【其實早在數十萬年前的舊石器時代之初，人類以工具補償和重塑體質的物質文明即告開始，工具使用周期的日益縮短深刻地體現着“類體質”（即“智質性狀”）的不踏實性或遞弱性。而且，正是這種遞弱演化的**載體可塑性**造就了代償發展的**可塑態邏輯**。】

也就是説，**通稱爲“感應載體”的物演系統，可以這樣人爲地劃分：從理化階段的“物質”**（即“物衍質態”）**發展到生物階段的“體質”**（即“生物性狀”或“生存性狀”），**再從生物階段的“體質”**（亦即“體質性狀”）**發展到後生物階段的“類體質”**（即“智質性狀”），**由此達成一脉相承的代償衍存系統。**是故，作爲類體質的工具必然既分化有**“感”的屬性**（指“感受器”的擴展），又分化有**“應”的屬性**（指“效應器”的擴展），即**類體質無疑是感應載體代償序列的自然延伸**（從而也有力地證明，作爲“認識”之源頭的物理性“感應一體”原則終將被自然界貫徹到底）。【就精神哲學而言，有關“體質可塑性”的這般簡述已經足以説明問題了。不過，在隨後的社會哲學卷中，此項討論將被换一個角度予以更詳盡的闡發，請讀者屆時再行賞析。】

于是，理想邏輯的運動“向度”完全沿襲着感應邏輯和感知邏輯的固有路綫繼續挺進，而且完全遵循着自然物質演化運動的遞弱代償法則，令“邏輯空間”——也就是虛存代償的“量度”——繼續保持加速擴張的態勢。【由此可以解釋，“人類”這種生物何以會突然掙脱物種衍化的自然梯度而呈現出孤軍獨進的氣概，以至于不管生物學怎樣發展都很難把人類與其他動物相提并論。實際上，**如果將人類的類體質進化也放在自然物態或物種演運的同一尺度上看待，則人類工具化體質延伸的每一步變遷都不啻是物種變异的更快捷的繼續（或存在度更低的代償衍存方式）而已。**也難怪弗洛姆要憤恨地説：人是“死的”（nekrophil），他們越來越敵視生命，却崇拜無生命的機器。】

第一百零二章

理想邏輯之函量——所謂“邏輯函量”（即前述“矢量”或“向量”中的“量”），系指“以函數關系式遞增的感知代償量”（參閱第七十章之示意圖）。當序列化邏輯函量增益到理性層級時，它的可塑性質態同時表達爲超時空的巨大擴容，即呈現出某種幾乎不受時空限制的虛載運動形態，其容積盡可以囊括一切可能的分化態存在，其動勢又類似于無所不包的非時空幽在格局——即從“多”又還原爲“一”那樣的本原一統存在格局。**這表明，此刻的邏輯主體正高速趨近于對全部分化客體的依存，也表明，此刻的邏輯運動已必須借助“與最高存在度相對應的最高代償度”之手段，來應付自身分外艱危的衍存形勢。**【邏輯函量的增長，就其具體實施步驟或實現方式而言，可大致分爲三種類型：在無機物演階段，它以物態的分化重構式躍遷來實現其感應屬性的增益；在生物演運階段，它以物種的基因突變式進化來實現其感知能力的擴張；在人類問世以後，它以具有自我意識的理性邏輯變革以及相應的類體質工具改進來實現其知識的創新和增長，這個相對獨立了的邏輯模型變革可能表現爲靈感的突發（新思想的閃現和創造）、證僞後的猜想（波普爾論點）或新概念的累加與重組（即道金斯稱之爲“meme擬子”的文化基因）等等，但歸根結底，它們都不過是自然分化代償進程的變態實現方式而已。】

說到這裏，我們有必要回過頭來專門討論“幽在”，所謂“幽在”，就是一直潛含在本項哲學中而又令我們無法直面的那個極端抽象、極端幽遠（或者説是“在極端幽遠處加以抽象”）的“在”（即海德格爾用以烘托“在者”的“在”），也就是元初那個存在度最高、故毫無分化、毫無屬性代償、從而自身既没有感應性、亦令感應者無從感應的“非時空存在”。它之所以可能存在，乃是因爲分化者必須有所分化，它之所以無從感應，乃是因爲它全然没有任何可感屬性。于是，它就成爲物理學上的“奇點存在”，也就成爲哲學上的“幽在”——由此形成一切感應得以發生的臨界源頭和一切感知可能企及的臨界極限。【因此，我在前文中多次暗示，“在”并不是“理性抽象”的産物，而是來自“作爲理性基礎的原始感應屬性”之最深厚的沉澱。也因此，正常的人絶不會爲有“存在”而驚异，反倒是這“驚异”本身顯出了哲學的多事和杞憂。】

從這個既是源頭又是極限的界點，到任一感應者或感知者演化抵達的存在位格，這兩端之間的代償性感應區間（參閲第七十章示意圖中的“有條件衍存區間”）就構成該感應者或感知者的邏輯函量。即從“在”到“在者”的演化歷程，體現着從“一”到“多”的分化，也體現着遞弱衍運的代償矢量。這個歷程就是感應屬性的擴展進程，也就是有條件存在者的**條件層次化**依存序列，于是，感應性把**層次性條件**轉化爲**層次性對象**，而對**代表着依存條件的對象**的無窮追索就成爲**邏輯可塑性的淵源**，因爲這時的邏輯載體已經**趨近于無窮弱化的境地**，由此終于導致**理想邏輯的超時空運動方式**——即跨越分布于時空維度上的條件層次，以便在立體化的存在系統中不受時空限制地追索載體自身的全部存在條件，是理想邏輯維護其載體存續的必須，亦是**理想邏輯函量的自然規定**。

基于此，如果把理想邏輯的“函量”轉化爲定性的“函項”來考察，則它不外乎是對主體自身之依存條件的感知或感應，即是說，理想邏輯的“理”不在乎它是否把握住了**依存對象的“真象”**，而在乎它是否把握住了**依存關系的“真性”**，這“真性”就是“真理”，而那被誤以爲是“真象”的東西就是哲學上所謂的“假象”。【相對于原始階段的感應、感性和知性而言，這“假象”直接就是“真性”,故此尚可叫作“真象”,雖然它因帶入（或“耦合”）了主體自身的屬性而仍不免失却了對象的“真象”也罷，這是由于處在“點狀反應式表象”關系中的感應者，在其獲得該表象的同時就已經直接把握住了自身與對象之間的依存關系。可見,所謂“假象”其實原本并沒有“真”與“假”之别，衹是因爲後來的衍存者已不能直接從“對象”的“象”中把握諸對象與自身的關系，那“象”才顯得“假”了起來。也可見，所謂“性”（對象屬性以及主觀屬性）或“理”（屬性感應以及邏輯系統）其實原本并不與“假象”相衝突，而是對“假象”的繼承和梳理。質言之，“理”與“象”都不過是對**依存關系**的感應産物，所不同的，僅在于感應者所處的存在位格或代償位相的差异而已。】

由于越原始的感應越接近于“在”的本原，越少一些間接層次或主觀程序的處理，因而具有越大的抽象普遍性，同時具有越小的感知鮮明性（參閱第八十六章），這就爲理性邏輯造成了兩種結果：一方面，它使“理”常常處于混亂之中；另一方面，它又爲“理”提供了加以梳理的根據或手段；説它是“根據”，乃基于“存在效價規定并支配着代償效價”這一衍存律令（參閱卷一第十九章），這“根據”就是追溯（“追本溯源律”的那種“追溯”）到從幽在中剛剛演化或分化出來的**廣延屬性**和**復**

多屬性上去——前者（指廣延屬性）就成爲幾何學的來源；後者（指復多屬性）就成爲數學的來源。説它是“手段”，乃基于“前體屬性規定并支配着後衍屬性”這一自然法則（參閲卷一第四十一章），這“手段”就是稟賦（“先天稟賦”的“先驗邏輯”）在理想邏輯中的**圖式思維和數理思維**的能力——前者（對應于邏輯廣延性的擴展）就成爲幾何演繹的思想源泉；後者（對應于邏輯數理性的發展）就成爲數學演繹的思想源泉。**愈原始的屬性，愈具有普遍性和統領性的優勢，由以成爲對後衍屬性的梳理工具，這就是幾何學與數學的學術本質，也就是幾何學與數學在人類思想史上越來越顯示出深刻性和有效性的終極原因。**【所以，歐幾裏得雖然不被一般哲學史家認定爲哲學家，却遠比一般的哲學家對後世的影響爲大；也所以，畢達哥拉斯的哲學雖然在當時顯得神秘而怪誕，却實在不愧是唯理論思想的先聲。】

于是，就像物理學上的數學定量研究同時即表達着某種定性結論一樣，**理想邏輯的函量發展本身就是精神存在的定性指標。**【順便談一下，所謂從“量變”到“質變”的説法實在是一個很膚淺但很實用、即帶有極重的人爲武斷色彩（或“定點感應”需要）的辯證觀點，因爲，説到底，一切“質”的存在都是存在度和代償度的“量”的體現，或者反過來説也一樣，一切“量”的存在都是表達在某一存在效價和相應代償效價上的特定的“質”，所謂“飛躍”其實不過是對這種更深在的質量同一性的無知和誤解罷了。】

第一百零三章

理想邏輯之歸宿——從定型載體中“脱殼”而出的可塑態理想邏輯是整個自然感應邏輯序列的最高代償形態，出于自身存在形勢的需要，這個代償形態不得不把極端龐雜的依存關系建立在“理”的脉絡上，亦即不得不將logos的本性日益全面地展開在logic的觀念模式上，是謂“真理”。換言之，如果感應載體的存在度偏高，則它衹需采取相當簡單的感應依存方式就照例可以達成“真在”，可見**顯現在高位邏輯序列上的“真理”其實與體現在低位邏輯序列上的“真在”無异，這就是“真理”的本質——即顯現在“理”上的“真”原本不過是爲了代償失之于“在”上的“真”，如此而已。**【被國人譯爲“真理”的，是西哲中的“truth”一詞，這“truth”究竟是指“真”還是指“真理”，其實西人自己也從來未能説清過。因爲如果這“truth”是指“非理的真”，則你似乎没有多少“非理”的根據，如果這“truth”是指“理上的真”，則你又全然没有了“真”或“不真”的憑據，可見將“真”與“真理”不加區分，乃是由于它們原本就無從區分的緣故。變換一個更明了的説法：“真”者，“客體本真”之謂；“理”者，“邏輯條理”之謂；兩者之間原本不能通過感應屬性的單刀直入而融爲一體，因此一般符合論意義上的“真理”或“客觀真理”在概念上不成立，衹能將此種説法的歧義還原爲“客體本真”的非邏輯空洞。反之,凡爲“真理”者必指“主觀真理”，即是指主體的感應屬性與客體的可感屬性之變態耦合，之所以還將它稱作“真理”，乃是由于它正好以那飄飄忽忽的虚“理”達成了踏踏實實的“真”在，是爲“真理”之精髓。也就是説，我們必須分清“客體本在”與“主觀真理”的區别，從而避免跌入那個窒息了無數哲人的自相矛盾的概念泥沼中。實際上，任何一種“理”都曾經“真”過或正在“真”着,而且任何“理性載體”都會把它的某條“理”堅持一段時期，直到這“理”逐漸變得不成爲“理”方肯罷休。顯然，問題不在于“真”何以成“真”，而在于“理”何以成“理”。】

這就决定了**“理”的真度**或**“真理”的準則**，即，**“理”是否爲“真”，取决于它是否完成了“在”的代償量度，或者説，是否達到了存在閾的代償基準——至此，“真理”有了永恒的標準，這“標準”就是那條被存在閾所限定且必須及格的代償等位綫，而達到這條等位綫的量度規定無非是爲了實現存在或**

繼續實現存在。【這就是“真理”在“精神坐標”上的尷尬位置。（參閱本卷第七十章的坐標示意圖）】

由此提示，邏輯（logic）上的“真”不外乎是邏各斯（logos）上的“在”的代償轉化形態。即是說，雖然呈現于感應性和感知性上的“真”自始至終均因受到主體自身屬性的幹擾而從來未能獲得“對象之真象”，却由于感應屬性的代償序列本身正是依循着自然天演系統的“物性”（即“客觀性”）預定和諧地塑造了“自性”（即“主觀性”），由以達成邏輯上的“理性”與邏各斯上的“物性”的重合與統一。【亦即祇有返回到不可直面的“真在”（指從“存在性原理”中推導出來的“無屬性幽在”和“非邏輯元在”之總稱）上去，方能覺悟所謂“truth”原是這樣一種東西：它抽象于“性”（即落實在“物質屬性”上）→承載于“理”（即運行在“邏輯序列”上）→了然于“心”（即澄明在“精神虛存”中）——儼然是中國思想史上“性（學）→理（學）→心（學）”之思路的自然背景。僅在這一點上或這一系上着眼，“真”與“理”才有了可以相提并論的基礎，但它却既不是“唯物”的“反映之真”，也不是“唯心”的“反思之理”，而是“從物到心縱向演化”的“在之代償”。因爲，同樣是出于這一點或這一系的規定，“在的程度”（即存在度）愈高的感應者，由于其“客觀真在性”所失愈少（亦即“主體自身屬性”或“主觀性”愈少），故而“感應之真”必因“幹擾”愈少而愈“真”；反之，“代償程度”（即代償度）愈高的感知者，由于其“主觀邏輯性”所得愈多（亦即“主體自身屬性”或“主觀性”愈多），故而“感知之真”必因“幹擾”愈多而愈“失真”（即便由屬性耦合所致的對象扭曲度或感知擾動量之相對比值可能守恒，但其絶對值也注定是一路走高的）。結果，把“真”（客體本真）與“理”（高度代償的主體邏輯産物）同日而語未免又顯得有些滑稽。（除非我們把這“幹擾”本身及其發生過程亦視爲一種不可逾越的“真”，可這“真”已不是“對象之真”，而是“主觀之真”或“衍存之真”了。）】

可見，**所謂“主觀性”與“客觀性”原是一系或一種東**

西，正如“主體”與“客體”原是一系或一種東西一樣（參閱第八十七章）；**也可見，“真理”之“真”歷來不以“對象之真”爲指歸，而以“衍存之真”爲體現——衍存之真”就是“在”的總和或“存在”的總體延伸**（“存”這個漢文單字本來就蘊含着“保存”和“延續”之意味）。于是，相對于“在”而言無所謂“真”與“不真”，相對于“理”而言又談不上“真”與“不真”，故“真理”一詞純屬概念上的空洞或無意義的妄語。【從中文辭源上考證，“真理”原是一個佛教用語（“真諦”），爾後沿用于哲學，再用于科學，這倒真正給出了“真理”的真義，即在宗教上“理”有多“真”，在哲學乃至科學上的“理”也就有多“真”，因爲説到底，“真理”不過是一條綿延在邏輯序列上的代償基準綫而已。實際上，宗教之“理”遠比科學之“理”在真性上爲大，因爲它所持續的時間即它的真理穩定性遠比科學爲强，足見這强大的“真理”或“不真之理”正與那不堪回首的穩定的“在”勢相一致，亦足見“理”不過是“在”自行分泌出來的一個“黏液狀”（而非“透明質”的）保護層而已。】

也就是説，**如果“理”的“真度”在理想邏輯的演進中確有不同深厚程度的表達，則這個“度”的移動標定點不在其上限，而在其下限，即在于邏輯載體延續自身之自然存在的那條衍存偏位綫上**（參閱卷一第三十四章和卷二第七十章之示意圖）。**質言之，“真理”的“真度”體現在存在效價與代償效價的互補原理上，即體現在失去多少就追補多少的等價代償關系上，這才是唯一堪稱爲“真理”的真理。**【所以，毋庸否認，認識過程的確是愈來愈深化了，這“深化”既表現爲越來越遠離于“對象的本真”（故此人類總有一種“感覺比思想可靠”的潛意識），又表現爲越來越逼近于“真理的完善”（故此人類更有一種“思考比直觀準確”的顯意識）。】

不過，這樣一來，“真理”就顯得很不美妙了，因爲“真理的完善”正好是人類本身越來越不完善的尺度。聯想到普羅泰戈拉曾經説過的一句名言："人是萬物的尺度"，現在倒應該反過來説才顯得尤爲貼切："觀念中的萬物（分化程度）是人的存在狀態（趨向危亡）的尺度"，或者幹脆更率直地説："真理"正是把人類引向失存的燈塔。【可以肯定，隨着logos和logic之演替態勢的繼續發展，人類勢將日益臨危于自身負載的"理"，而不論這"理"是科學的"理"抑或是後科學的某種"超理"。從歷史的角度看，人類的文明進程正是一個"人禍"逐步取代"天灾"的進程，也就是"真理"逐步湮没"非理"的進程，而且"人禍"必呈愈演愈烈之勢，亦即"真理"必呈愈進愈苛之局。現代人常常發誓要爲"真理"而犧牲，看來"真理"遲早會成全他們的宏願。】

至于此，理想邏輯的**雙重歸宿**已不言而自明：**一方面是始終與前體邏輯序列保持一致的等位代償之歸宿**（它體現着"有效代償"）；**另一方面是以窮盡其知實現窮盡其存的偏位衍存之歸宿**（它體現着"無效代償"）；二者本爲一系，使"精神存在"或"精神虚存"在扇形擴展的自然趨勢上發揚光大，使"終極真理"或"絶對真理"（其實是"臨界失真"）在人類失存的最後一瞬間收獲無餘。【莊子説："吾生也有涯，而知也無涯。以有涯隨無涯，殆已。"（莊子・内篇・養生主）此言似是而非，必須予以澄清。實際上，宇宙物演系統的信息總量是有限的，人文社會系統的知識總量也是有限的，它們都被限定在"有限衍存區間"或"有條件衍存區間"的那個"右端失存臨界綫"之内（回顧第三十四章與第七十章之坐標示意圖）。故而，即使將"吾生"（個體生存）换作"人類總體生存"，其仍屬"以有涯隨有涯"，這才真正是如臨懸崖的"殆"之所在。即是説，當"在"（指"存在效價"或"生存度"）趨近于無窮衰微之際，"理"（指"邏輯代償"或"感應度"）就會相應趨近于無窮豐厚的境界。而這個徹底的"臨界失真"狀態就是存在度趨近于零的依存失協調狀態，也就是物演進程上的"感應效能遞減"狀態和物演終點上的"臨界感應失效"狀態，由此實現自然衍存動勢（即宇宙物演流程）的最後完成。看來，"追求真理"的衝動實在談不上是什麽"人性中最高尚的美德”（弗蘭西斯·培根語），而純粹是“物性中最自然的規定”，其情形與悠游于水中的魚兒終有一族不得不蠕上枯岸變成爬蟲是出于同樣的緣故。】

第一百零四章

上述之所談，其實尚没有能够爲“精神存在”畫出一幅形貌完整的肖像，因爲對認識論和邏輯學的探討嚴格説來僅僅管窺了“感”的一面，却未蠡測到“應”的深處。【衹不過是“感”的一面之詞，居然説了那麽許多佶屈聱牙的話，應該承認不是由于“感”比“應”重要，而是由于在既往的哲學中“感”比“應”引起了更多的混亂，故此需要更費氣力地加以澄清罷了。不過，這并不表明有關“應”方面的問題業已得到解决，恰恰相反，它幾呈空白，以至于不能作爲一個有明確針對性的問題被提出，因此，以下的討論迹近“拓荒”，于是亦不免顯得迹近“荒謬”，特此提請讀者做好概念重建的思想準備。】

其實，如前所述（參閲第七十三章、第八十九章等），“感”與“應”在最原始的衍存階段原本是一個共通的“點”，而不是某種可能予以分割的“面”或“體”。**就是從這一個共通的“點”上出發，“感”與“應”既相互提携地膨脹起來，又各具特色地分化開來，**以至于你如果要攏住它就必須用兩衹手分别從兩方面加以把握才行。【“感”、“知”、“應”的自然分化，既使我們不知“‘知’何以成爲‘知’”，也使我們不知“‘應’何以成爲‘應’”。】

換言之，在原始狀態的“一觸式感應”中，“應”與“感”一并不過是針對着依存物的一個簡捷的物理動勢，爾後，隨着“感”在主體邏輯中發生“從感到理”的内擴，“應”亦相應地在主體精神中發生“從應到志”的内展，也就是説，在**從客體投射而來的“感”和從主體反彈而還的“應”**之間——亦即在“精神擴容”或“擴容而成的精神”中——**感應過程在進行實際物態反應之前，先有一個對“感”與“應”均給以某種主觀預處理的“精神化”過程。**【“應”的最終落實是體質性的“行動”或“實踐”，但那時的“應”已經僅僅是一個“復雜化了的理化反應”而已。就精神組分而言，“應”與“感”一樣，各占有其間的半壁江山，衹不過這片新大陸很少被哲學納入自己的視野罷了。】

這個與“感”同生同長的“應”的主觀預處理程序就是所謂的“意志”或“意志”的定性。【在整個哲學史上，可以説有多少個哲學家就有多少種“意志論”，但幾乎没有一個人把意志視爲宇宙物演的附庸，因而也就没有一個人能够説清意志的本性。雖然叔本華在某種程度上最早覺悟到意志與理性的等位關系——有他的兩句名言爲證：“世界是我的意志”，“世界是我的表象”——却終究由于未能探明二者之間的同源出處和二者之間的同構關系，而令意志本身成爲表象和意識的懸浮式載體。其失誤在于，“意志”并不能等同于康德的“物自體”或我文中所謂的“元在”、“自在”以及“物之本性”，而仍是物演衰變派生的“自爲屬性”或“代償屬性”，衹不過，它是所有屬性中最接近于達成依存效果或落實自在本性的那樣一種屬性。結果，他所犯下的錯誤相當于説了這樣一句荒唐話：“應”是“感”的本原。這種情形恰好是黑格爾哲學潛在錯誤的反動：“感”是“應”的本原。這樣看來，1820年3月23日發生在柏林大學的那場黑格爾與叔本華之間面對面的著名争論，實在像是“感”與“應”這兩種自然物質屬性正告分裂的一次人格化衝突。】

一旦有了這樣的“定性”，問題就變得很簡單了：**既然感應屬性是物質存在效價（或“自在效價”）逐漸趨于喪失的代償方式，則“意志”自然就要表達爲“竭力保持存在”或“竭力追求存在”的自爲内能。**

而且，一旦有了這樣的“定性”，關于“意志定量”的問題也就相應得到了解決：**即存在度愈爲低下的存在者，其意志力**

一定顯得愈爲强烈。也就是説,**出于“感應同源”的規定,“理智”與“意志”的量效發展過程必然呈現爲同步增益的狀態,宛如對身外事物的“知識”(“感”的形態或“理智”形態)是由于身内存在度的流失那樣,對身外事物的“執着”(“應”的形態或“意志”形態)是由于身内存在度的傾空使然。**【所以,世間萬物按其自然生發序列依次表現出愈來愈强化的“求存意志”或“意志客體化的級别”(叔本華語),即(叔本華用石頭、植物和動物的比喻不够恰當,故改爲)潛伏在分子裏的意志高于原子,而顯示在生物身上的意志又高于分子,最後,體現在晚級社會中的意志必將高于任何生物個體,以至于號稱是“自然意志之體現者”的人類,其“身心存在”終于完全被“社會意志”所吞没。對于這個演化進程或“顯化進程”的形容,没有比下面的妙語更優雅、更準確的了:“意志已出現于可見性,它的客體化是有無限等級的,有如最微弱的晨曦或薄暮和最强烈的日光之間的無限級别一樣,有如最高聲音和最微弱的尾聲之間的無限級别一樣。”(引自《作爲意志和表象的世界》叔本華著)應該説,這既是對意志級别的寫照,也是對感知級别乃至精神全體的寫照。】

第一百零五章

實際上,“感”與“應”不僅是**同源**的,而且是**同構**的。

從理化階段的“感應一體”出發,假如到生物階段的起始位點上,我們可以把“感”的自然分化人爲地界定成感性、知性和理性的層次結構,那麽,同樣地,我們也就可以把“應”的自然分化人爲地界定成應向、意向和志向的層次結構。【注意:(應向、意向和志向的)“向”字與(感性、知性和理性的)“性”字在這裏是等位同義的,即從宏觀角度着眼,二者均含有“屬性代償向量”的綜合意蘊;但若從微觀的、具體的感應運動上看,則“向”字較偏重于“動向”的規定,而“性”字較偏重于“動量”的規定。這就是我們在“意志”(亦即“感應”的“應”)項下選用“向”字的主要原因,其次也是爲了照顧中文語言固有的習慣。】

所謂“應向”,可以直接參照當代生物學上從趨性到反射的總體概念,它呈現爲自原始生物的無器官感應(或非神經感應)到高等生物的感受器-效應器感應(或神經質感應)的瞬即定向動作(對此有興趣的讀者,請另閱有關的生物學專業論著)。從構成關系上講,**“應向”與“感性”處在同一感應代償層級。**

所謂“意向”,約略類似于一般書面用語中的“情欲”或“情緒傾向”的概念,它呈現爲脊椎動物前後之物種的“躁動意境”或“欲望”,即呈現爲從事某種活動時的神經張力狀態和心理運動指向。從構成關系上講,**“意向”與“知性”處在同一感應代償層級。**

所謂“志向”,就是既往認爲衹有人類才具有的“狹義意志”的概念,它呈現爲高等動物强烈的“意識傾向”及“行爲傾向”的總和,且與作爲物種或個體定向反應行爲方式之基礎的“氣質”或“性格”等心理背景有關。從構成關系上講,**“志向”與“理性”處在同一感應代償層級。**

與“感知序列”的演進過程相類似,這個“意志序列”的演進過程同樣表達着——

(*a*)**進行性擴張**的(所以生物的感情發展會越來越充沛,以至于從主宰情愫發生的丘腦投射系統到實現情愫表達的面部表情肌都要數人類最復雜)、

(*b*)**下位層次決定上位層次**的(所以潛意識的或情緒性的心理層面常在某種程度上左右着甚至主宰着人的理性思維)、

(*c*)**上位層次抑制下位層次**的(所以清明的理性會輕蔑情

緒的顛簸，而理智地克服感情用事正是人類行爲的一大特色）、

（*d*）**從無結構態向結構態演化**的（所以無論從情、理、志等任何一個角度來看，各個物種的精神發育明顯呈現出越來越系統化和結構化的傾向）、

——等等**代償性運動的基本特徵**。

第一百零六章

這種既同源又同構的天然感應關系就是胡塞爾所謂的“意識的意向性”或“意向意識”，即“意識”（或“感”）必然被導向或“朝向”某物的那種“權能性”（或“應”），這個暗含着某種“意圖追求”的“主觀－相對”格局就是“感－應同脉”格局的自然規定和精神勢態。【胡塞爾的“現象學”研究，仔細玩味之餘，才能朦朧體會到他實際上無非是要探討“應”對“感”的制約關系。説起來，這是繼叔本華之後又一個對“應”的問題有所關注的罕例，可惜他照例未能深入到感應屬性的生發淵源及其基本規定上來，致使他的哲學論述總給人一種“下筆千言，離題萬裏”的不着邊際之感。不過，公允地説，“應”的潛在性質的確被“感”的花哨和人性中的其他名堂掩埋得太深，能有如此嗅覺也着實已經够難爲他了。】

也就是説，主體之所以會**有所“感知”和有所“無知”**，或者，客體之所以會**有所“現象”和有所“藏匿”**，蓋出于主、客體之間的演化依存進程所自發造就的**預定性感應匹配關系**（此乃前述“預定和諧關系”的另一視角）——這個“預定性感應匹配關系”**在主體身上就顯現爲“意志”，在客體身上就顯現爲“現象的可給予性”**。

進一步講，如果不對胡塞爾所謂的“關注的目光向先前未

被關注之物的朝向”作出如下注解，則他實際上等于什麽也沒有説：**原始感應的“應”隨着感應載體的弱化和感知邏輯的擴展而同步擴展，才是“現象學還原”的唯一“本質”。**【胡塞爾對心理主義的批判，既表明他已覺察到邏輯思維的“感應分離”之背景，也表明他依然無知于精神全體的“感應同脉”之本原。】

這裏提示，“應向”其實可以一直回溯到**最原始的物理感應**上去，即是説，**生物層級的“應向”（以及擴展開來的“意向”和“志向”）與理化層級的“應”原本就是同一種東西**。

基于此，有關“應向”的狀態已無須多談，它像作爲**理智之胚芽**的“感性”一樣，是一個尚未從“非精神”或“亞精神”的原始物性中脱胎而出的**意志之胚芽**。

而“意向”就頗有一些枝繁葉茂的景象了，它是知性在辨析“多點式表象”的過程中突破“應”前障礙的精神氛圍、精神動力和精神向導的復雜組合。有障礙就會生出鬱悶之感，有衝動就會生出焦躁之情，有導向就會生出奮勇氣概……總之，處在中級發育階段的“意志”不免由于自身載體已進入“存在失位”和“邏輯迷失”的境地而分化出種種“情緒”。换句話説，**知性是“本能式的感知”，于是，在知性層次上的“應”也就是“本能式的反應”，這個“本能的應”一旦鋪張開來就是“情欲”乃至“情緒”**。仔細考察的話，你可以很清楚地看到，所謂“情欲”和“情緒”無非是主體對其依存物的反應傾向和反應狀態的低智表達，質言之，它就是發生在精神基層上的智力活動，或者説，它就是發生在智質基層上的精神活動。【漢文中一般把各種情緒通稱爲“感情”實在是很精確的，它直接提示用詞者，“情”是“感知化的情”，“感”是“情化的感知”。】

于是，在這個中段的代償層位上，我們似乎仍舊不能把“意志的一脉”與“理智的一脉”區分開來，但却可以趁機將“意志”的本性或本態給以如下還原：

***A*. 它是物演運動向度在精神存在中的泛化表達；**

***B*. 它是邏輯運動量度在精神存在中的集約表達；**

也就是説，它更像是一種“精神中的精神”，使精神的膨化不至于失去方向，使膨化的精神足以將自身之全體隨時聚焦在某一個反“應”的點上。

作爲*A*項，它是情緒化的意向，或“知性的導向”，由以達成“本能”對邏輯的指引；【在這個水平上，心理活動直接就是感知狀態的體現。】

作爲*B*項，它是理想化的志向，或“理性的導向”，由以達成“意識”對本能的約束；【在這個水平上，心理狀態間接成爲感知活動的基層。】

就這樣，它從“意向”走入“志向”，從“情態”走入“智態”，從而完成了它與“感知邏輯”相伴同行的全程。但它并未能因此就與邏輯序列分道揚鑣，反而進一步證明了**“感”與“應”原本就是須臾不可分離的孿生兄弟**。【“志向”因此表現爲“無情的、冷静的追求”，即表現爲對“情欲”的“壓抑性繼承”，它實際上是更强烈的“情緒”，或是“被理智沸騰化了的熱情”，衹不過它以更有力的“理想”（邏輯）方式使之得以貫徹罷了。】

第一百零七章

基于上述，**可見“邏輯”本身就貫穿着“意志”，或者，“意志”本身無非是“邏輯向量”的落實。**【“感性邏輯”落實爲“應向”；“知性邏輯”落實爲“意向”；“理性邏輯”落實爲“志向”（也就是人們通常所説的“理想”，這“理想”既是“理想邏輯”的那種“理想”，亦是“意志向往”的那種“理想”）。】

因爲，**如果把物的感應屬性拆開來看，“感”衹是求存的手段，“應”才是依存的實現，也就是説，“感”必須以“應”的**

元在規定性（即“非邏輯規定性”）作爲其邏輯演運的宗旨，“應”由以成爲物演向度（包括“邏輯演動向度”在内）的具體指南和體現方式——這就是“應”之所以顯現爲“感的向導”或“精神的精神”之原因。【所以，人的意志或意願（指“理想化的志向”或“願望式的邏輯”）常常可能得到實現，因爲它正是**經過了邏輯整頓的自然向往**，换句話説，“意志”不過是**精神化或人格化的自然演運向度**而已。也所以，從歷史上看，壓抑人的總體意志終究是不能長久的，因爲“人心所向”在某種意義上就是“天意所向”，或曰“自然演運向度的精神化或人格化表達”。】

更準確地説，**所謂“精神”就是“以邏輯方式加以貫徹的自然意志”的代名詞**——這個“自然意志”即是“存在必須讓自己存在下去”的“在”勢或“存在性”；這個“以邏輯方式加以貫徹”的“在”態或“衍存質態”即是“自爲的精神”。

從這個角度審視，“自爲的精神”完全是“自在的非精神”的代償延伸或换位實現。

同樣是從這個角度審視，**代表着“應”的“意志序列”使代表着“感”的“邏輯序列”得以完整地實現爲“自爲的精神”，從而令“精神演運”得以完整地實現在存在閾所規定的代償等位綫上。**

説到這裏，有一個問題需要特别加以强調：就目前而言，人類的精神發育尚處在從“知性－意向層級”到“理性－志向層級”的過渡階段，這種情形與精神的載體發育尚處在從“生物體質”到“超生物類體質”的過渡階段相吻合（參閲第一百零一章）。正是由于這個原因，才導致人類的精神格局久久呈現爲錯綜紛亂、理不出頭緒的朦朧狀態。

于是，“情”與“智”、“志”與“理”完全攪和在一起，它們之間要麽**層次相續**，要麽**等位相依**，令精神存在成爲一個錯落有致的巨大結構和高深莫測的幽暗迷宫。【弗洛伊德的精神分析學之所以能够由一項臨床研究出發而近乎登上了哲學殿堂，并對整個人文學術領域産生重大影響，就在于他第一次縱向剖析了精神結構的層間聯系。再者，關于“情”與“智”、“志”與“理”之間所可能發生的種種影響，弗洛伊德早有了相當系統的描述，盡管未必十分精確，却不失爲是格外有益而又有趣的參考讀物。】

由此不難看出，如果把“意志”統統劃歸到倫理學範疇中去研究，或者將其視爲與邏輯系統無關的孤立科目對待，都不免會給**精神的總體構成**造成**半壁缺損**（即衹有“感”方面的正本，却没有“應”方面的清源）。爲此，我在後文中專門要討論如下一些似乎是屬于精神哲學外圍的問題，一般看來，它們或者是背景性的——如心理學問題；或者是邊流性的——如美學問題；或者甚至是目的性的——如意志自由問題等等。

然而,它們實在是極重要的精神課題。【不是因爲其“實用性”才顯得重要,而恰恰是因爲其“不實用性”才顯得重要（**因爲“不實用性”正表明人已是這等不能用的東西的“用物”**）——這個“不實用的基底層”就是哲學應該予以掃描的部位。】

第一百零八章

由于**作爲原始生物意志的“應向”僅僅是非生命的“自然意志”的直通式銜接**，故而“應向”的表現形態既是微弱的，又是平穩的。它微弱到令你不能視其爲“意志”的程度，它平穩到令你不能信其爲“穩重”的狀態，而“物性穩重”正是一切高存在度的無機物和有機物的共通特點。【這與原始單細胞生物的繁衍生存形態完全吻合，它們的裂殖方式呈現爲幾乎是無生無死的“穩”態，它們的自養或簡單异養方式呈現爲幾乎是分子（或離子）置换的“死”態，因此它們無需悲喜交加以至一驚一乍，更無需意志堅毅以至奮不顧身。】

反過來看，作爲“意向”和“志向”之載體的後衍性物種，其存在效價已一衰再衰，其存在本身就是“物性發揚”的代償產物，也就是説，它們不由自主地把“物性”（物之屬性）發展成了“性情”，**把“物性穩重”發展成了“性情浮蕩”**，而“性浮情蕩”正是一切低存在度的高等物種的共通禀賦。【這與後生動物的生存繁衍形態完全吻合，它們必須沿着食物鏈的層級覓得自身特定的果腹之物，必須在身外另找衍續後代的母體或父本，并且還必須忍受“生死輪替”的苦難方可保持族類的永存，在這種情況下，它們怎能不志堅意昂，怎能不激情燒身，又怎能不哀樂無涯呢？】

如前所述，一切“物之屬性”都是使存在效價得以補足在代償等位綫上的某種“閾存在”，表達爲“精神存在”的“意志”（含“性情”或“情緒”等）作爲“物性之一種”當然也不例外，它實際上同樣是“平行”的，但却無論如何不能“穩定”。**這個同樣平行在那條“代償等位綫”上的“精神平行綫”就是“心理基綫”的自然定位**。

而任何形式的“心理波動”或“情緒跌宕”，**就以這條基綫作爲其抑揚起伏的落實回歸綫**，或者更確切地説，**所謂“波動”就是這條基綫本身以震蕩方式將存在維持在“閾水平”或“閾效價”）上的後衍代償質態或具體實現方式**。【注意，此處是要强調，“上下波動”（這是一個極粗淺的表象）并不表明可以有任何“閾上”或“閾下”的存在餘地，而僅僅表明此刻的“閾存在”是一種失穩的、艱難的閾存在。（參閲第三十八章）】

進一步看，日益壯大的精神代償或“意志序列”，**其增益幅度就是其波動幅度的臨界規定，亦即，其代償增勢的擴張幅度就變成心理波動幅度的半徑空間**。换句話説，**導致代償效價（或曰“心理空間”）得以反比例擴張的那條衍存偏位綫就構成了心理波動的限定邊緣**。（參閲下列示意圖）

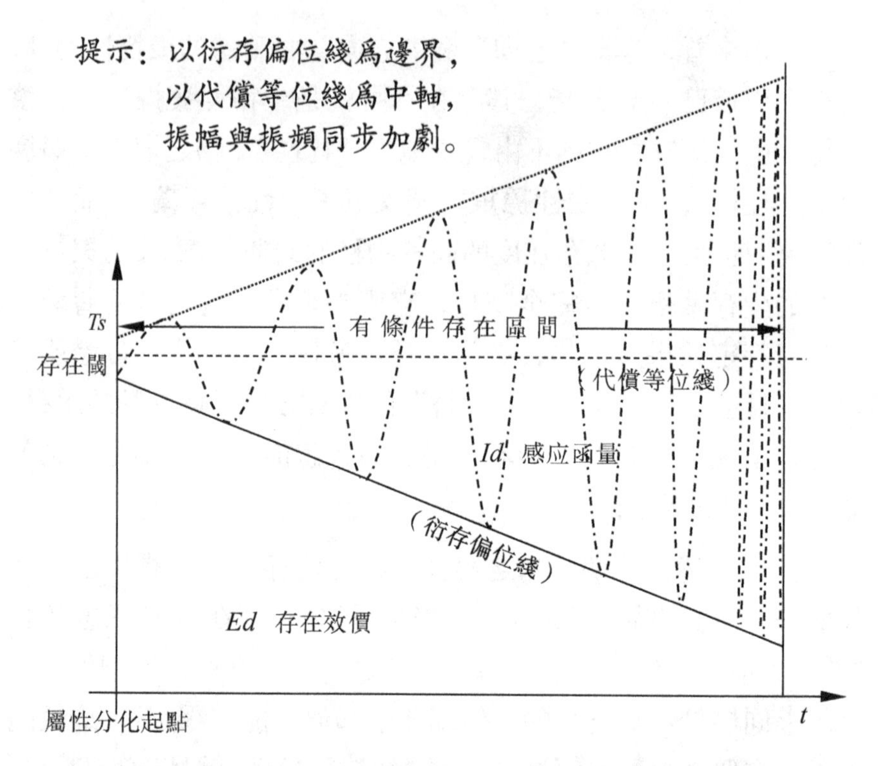

顯而易見，**所謂"心理波動"無非是"應式意志"在其日益擴張的代償性精神空間中尋求感應依存的運動方式而已**。

因此，**相應地，代償幅度愈大的依存者其心理波動幅度愈大，正如存在效價愈低的存在者其意志級別愈高一樣**。

于是，**心理動量就是意志級別的直接尺度**。

第一百零九章

强化的意志代償是爲了驅動弱化的衍存者在依存條件遞繁的自然境遇中保持得以存續的存在力度。結果形成如下局面：

***a*. 存在度愈弱，存在欲則愈强；**【籠統地看，這"存欲就是"意志"。】

***b.* 然存在欲愈强，實現存在的難度反而愈大。**【具體地看，這“意志”已超出于載體自身，而必須實現爲對“身外之物”的“應”。】

一方面是具備了强烈的内在衝動，另一方面是陷入了繁紛的依存羅網，兩相交迫，内外夾攻，由以釀成本能知性層級的意向性的“焦躁”和自主理性層級的志向性的“焦慮”，**而且勢必越來越“焦灼化”**。【這表明，心理波動是在一個不足以依靠但又不能不依靠的衍存空間内尋求存在的狀態，它是失位性精神存在的深刻體現，反映在“感”上就凸顯爲“多點之知”的茫然，反映在“應”上就凸顯爲“多向之行”的迷失，所以它的素性規定就是“苦弱”的——**苦弱在不穩當的存在者偏偏要追求穩當或不得不追求穩當**（可見佛學所説的“諸漏皆苦”，其實不外就是本書所論的“諸在趨弱”之結果罷了,是謂“苦弱”）。换言之，投射在精神上的遞增型代償效價就是神經張力或心理張力的相應遞增，是謂“焦灼化”。】

正是這種進行性的“焦灼”狀態，構成了無邊無際且不可根除的“生存痛苦”，也正是這種無邊無際且不可根除的“生存痛苦”一旦稍有波動，就又構成了“痛苦的緩解”，亦即“幻影般的歡樂或幸福”。【所以，叔本華認定，生命意志衹能像鐘擺一樣在“痛苦”和“無聊”（“厭倦”）之間來回晃蕩。不過，僅僅囿于這種説法既不符合“苦樂相間”的心理實況，也無助于澄清“痛苦”和“無聊”的自然質素。試問，何以會有“痛苦”與“快樂”的發生？何以一切苦樂終于都要還原爲統一的“無聊”？】

這就必須回溯到精神存在的“形而上學之禁閉”質態上去，即必須回溯到後衍性依存者不得不借助于自性封閉的感應中介（也就是“精神代償”）才能實現依存的客觀規定上去。如前所述，“形而中學的知”歷來不可能是“對象的真知”，“處于盲存規定中的知者”（尤其是本能階段的知性載體）更不可能通過“知”

本身來達成“知”和“應”的多向度選擇,即“感知所得”對于“應式依存”的客觀有效性,既得依靠某種“知”以外的主觀意欲來引導,亦得依靠某種“知”以外的主觀指標來檢驗,而且該項引導和檢驗必須是簡捷明快的,**這種既與“知”緊密鈎聯又與“知”有所分別的精神要素就是意向性的“情欲”和“情緒”**——即它雖然復雜多樣(多樣化到古人所謂的“六欲七情”遠不能囊括的程度)、但却可以**當即通約爲“苦樂”體驗的心理指標**。

“意志”就這樣使自己變成了“苦樂挑擔”的掮客。

由此可見,**心理波動及其苦樂體驗無非是弱化而失穩的存在者在多向依存的境遇中用以維持自穩的一種精神性超敏調節裝置**。【它的存在本身及其不可消解性,進一步揭示和證明了“知”或“感應代償”的盲存本性。也就是説,“意志”同樣衹爲求存而發生,無論其後來進展到何等猖獗的程度,皆不可能達成任何高于或多于實際求存的目標——求奢者,必自毁!求强者,必速亡!即,勇于代償者當屬不自覺的勇于失存者是也!】

而任何一種調節作用,都必定暗含着某個“調節的基準”。

第一百一十章

“存在”——包括精神化了的“盲存”——是一個由存在閾所確定的自然常數(這就是既往無論從唯物觀抑或從唯心觀出發的幾乎所有哲學都把“存在”視爲“絶對”的緣由);而“存在閾”是由趨于遞減的存在效價和反比遞補的等效代償共和而成的(這就是一切現實存在物都衹能將自身實現爲相對的、有限的“位相性存在”的緣由);這個“存在閾”的閾值最初完全由無以復加的存在效價所給定,爾後才由相繼發生的屬性增益來追償(由以形成“存在的閾基綫”或“代償等位綫”)。那個最初的“無屬性存在”無疑是最無聊也是最無謂的存在，它的存在猶如不存在，因爲它近乎無“生”無“死”，或者説近乎“生死同一”，于是它成爲“永存”并成就了後來的“求存”。【這種“存在”或“永存狀態”就構成**“無意義”的基底**或**“意義”的基礎**，因此才説“存在本身是没有任何意義的”（見本書第一版序言），一切“意義”均導源于不能保持這種“永恒狀態的存在”而又不得不勉爲其難地追求“代償勢態的存在”，由此引出了一系列“求存”的内在要求和外在意義，所以説“反倒是由于難以存在才生出了種種求存的意義”（仍見本書第一版序言），此乃“意義”得以發生的終極原因。】

這個無聊到“無謂”（即“無以指謂”）程度的始基存在就此决定了一切存在的無聊本性。**所謂“無聊”，是指存在的無意義，即“存在就是存在着”的那種無意義；由此引申，則所謂“意義”蓋源于“不存在”或“失存在”，即“本來不存在或將會失存在而居然存在”的那種意義。**可見，“無聊”是穩定存在之本，“有聊”是失穩乃至失存之標，因爲“有聊”無非是由于難以存續才不得不“撩亂”（并撩亂出種種“意義”）的一種無奈。【既往的許多思想家衹在邏輯學或語義學裏尋求“意義”的根源，却忽視了**非邏輯的衍存態勢對邏輯和語義的深刻規定**，結果不免造成其“意義理論”的膚淺和凌亂。】

是故，**一切存在質態都必須建立在某種求穩的、無聊的基準上，或必須化解在某種平衡的、麻木的基態上，這個“基準”就表達爲存在閾的那條平行等位綫，這個“基態”就體現爲精神運動的那種心理基態，或曰“心理活動的無聊回歸態”。**（參閲本卷第一百零八章所列的示意圖）【往遠裏説，這個“基態化的規定”（使一切失穩存在態還原爲平穩存在態的統一“閾”規定）其實并不僅僅限于精神運動，也并不僅僅限于情緒波動，而是繼“原子的電荷中性態”、“化學的酸碱中和態”之後，它還體現爲“生死的無樂無苦態”、“情愛的落實淡化態”、“行爲的中庸規範態”、“邏輯的純思乏味態”……乃至“人生體驗的幸福

均衡態”和（下卷將會談到的）“社會發展的禍福抵消態”等等。】

如果僅僅單純地審視心理基綫，則其前端和尾端就分别是任何心理載體（即“意向性生物”）的非邏輯、無意志、從而表現爲既没有感知又没有苦樂的生存起點（“誕生端”）和生存終點（“死亡端”），是爲“生存的非預期狀態”（與“自然物質存在的非預期狀態”一致，故被加繆感嘆爲“無可奈何的生存”或“荒誕的生存”）。卡在這兩端之間的“精神活動”因而注定要隨時皈依于這個“生存”或“存在”的基本位置上。【誠如前述，心理活動遠比將其劃分爲“痛苦”與“快樂”這樣的簡單類别要復雜得多。然而，如果把“痛苦”界定爲“意志力求避免的心理狀態”，把“快樂”界定爲“意志力求實現的心理狀態”，則它們得以成立的準則恰恰是它們不能成立的同一準則，這個“準則”就是那條代償等位綫或曰“無聊回歸綫”。説它們得以成立，乃由于心理意境終究不能穩定在“無聊的基態”上，總不免處于無休無止的上下波動之中；説它們不能成立，乃由于這種上下波動的幅度或量度必呈等比分布，以至于終究又得抵消在“無聊的基態”上。進一步講，人的心性（即表現爲“樂觀”或“悲觀”的“性格傾向”）其實并不與後天遭遇相幹，而是早在先天遺傳上就已注定，即縱如此，你也很難説那些表面上似乎總是“坦蕩蕩”的“君子”就一定比那些“長戚戚”的“小人”真地得到了更多的快樂。再進一步講，就連“死”也不是“苦海無邊的解脱”，因爲“死”亦不過是“死在”了那條“與生等位”的“無聊平行綫”上而已——是謂“**生死等位律**”。可見“死的解脱”與“生的無聊”其實完全是同一回事，“同”就同在它們都是“同質的在”，故而賦有“同質的無聊”。叔本華和加繆企圖把自殺當作一個嚴肅的哲學問題來對待，實在不是由于“生存的荒誕”，而是由于“哲學的荒誕”。】

如果不單純地審視心理基綫，即把心理基綫與整個自然演化代償等位綫貫通起來看，則心理基綫無非是上述自然存在閾基綫的後延部分，也就是説，它没有自己獨立的前端和後端，因爲它的前端會一直延伸到“非心理”的前體物性中去，而它

的後端又必將終止于整個自然演化區間的失存極限上，因爲精神存在或意志存在本身就是物演失存過程的產物。【不待説，所謂“幸福”或“苦樂”本來就不是一個可以測度的客觀指標，而是一種純粹的主觀體驗。然而，如果深究到“主觀性”得以衍生的根基上的話，則這類“主觀體驗”其實正是生物的“失位存在性”的“客觀規定”，或者説正是一切物質存在必須守恒在存在閾等位綫上的自然規定。因此，現實的生存態必令一切作爲客體而存在的生命物質等量地得到心理感受上的“快樂”與“痛苦”，亦即必令一切作爲主體而存在的生命物質等量地得到主觀意義上的“幸福”與“不幸”，是謂“**苦樂均衡律**”—— 一個借由精神代償和意志序列加以表達的自然固有均衡律的繼續。順便説一句，這才是處在不同社會階級中的人可以相安地整合成具有高度結構性差别的社會組織的心理基礎或物質基礎——即在自然建構的社會客體中，生命物質就像無心無肺的磚瓦木石一樣，盡可以被某種不以自身之意志爲轉移的力量安置在任何結構序位上存在，而且是“主觀生活質量”完全相等的存在——此乃典型的“以生物或人本身爲基質”的唯物社會觀。（詳見卷三）】

不過，這種平行形態的制衡所顯示的，却是另外一種“向上配位”的非平行性傾向，即無論在載體發展上抑或在意志狀態上，**自然演動似乎總是傾向于朝着高層的、向上的位格攀登**，此一情形正是造成“苦樂不匀之誤解”和“奮爭不息之驅力”的根源。

這裏涉及如何設定位相參考系的問題。

第一百一十一章

姑且不論存在度的衰微趨勢一般不能爲“感知”所知（故

此才導致“遞弱代償”概念的費解和“進化自强”理論的張揚)，即便理性終于覺悟過來，也絲毫無助于改變意志的固有傾向。問題的實質不在于我們怎樣看待、衡量和評價意志以及意志化行爲的表觀形態，而在于**存在的弱化向度**必使一切自在或自爲存在者的存在方式終究被規範在等價代償的自然軌道上。換言之，**一切自發的或被迫的思路調整**（感）**和行爲轉向**（應）**其實正是宇宙存在趨勢的自然延續或定向代償**——即它最終所達成的必定依然是**意志的强化向度**。

也就是説，**意志的“向上配位”傾向僅僅是達成存在閾平行態勢的一種必須，因爲，説到底，不是意志要向上掙扎，而是意志必須將遞減的存在效價維持在（或代償在）恒定的存在基準上。**【所以，應該諒解我們這類雖然不停地反省和自責着自己，却不但不能有所克制、反而越來越貪得無厭的物種，因爲人的無饜足表現正是自然界追求存續的無饜足本性的意志化表達，即人的意志不過是自然“前意志”（或自然“存在性”）的不自覺的傀儡而已，從這一點上看，人類的貪婪劣性實在是病入膏肓的自然痼疾，因而一定是無望根治的。須知“人”及其“由人的意志所主導的一切園藝化産物”——所謂“園藝化産物”是借用赫胥黎的一個反自然概念，并將其廣義化爲“一切人造的東西或一切人爲的事實”——正是蒼茫宇宙擴延自身衍存區間的最後、也是最艱難的自然努力，在這種情況下，他怎麼能够“知足常樂”，又怎麼能够“超脱苦海”，以至于由此危及整個宇宙衍存程序的貫徹完成呢?】

可見，所謂“向上”——無論是指“意志傾向性”還是指“演化方位感”——完全是出于**人類自身之狹隘性和局限性（與人類處在宇宙分化進程的臨末位相有關）**所不得不采取的辯證觀照立場的誤導。【有關的概念必須這樣建立：**處于前分化態和初分化態的存在者，其局限性最小，因爲它們就是或近乎就是“整個存在”；反之，處于晚近分化態的存在者，其局限性最大，因爲高度分化就是高度殘化或高度局限化。所謂“局限性”歸根結底就是以整**

個宇宙存在爲參考系的"存在質態的相對有限性"。（參閱卷一第四十一章與本卷第八十六章）】

進一步講，一切實質問題的討論必須建立在**以整個宇宙存在的存在性作爲參考系**的理想邏輯模式上，依據這個看不見的理想參考系，"意志"以及"意志的落實"（"應"的落實就是"存在"的實現）祇不過是一個遞弱流程的等價代償產物，因此根本沒有"向上"或"向下"的方位性，而祇有"向前"（嚴格地説是"所向"）這一個向度。【這個向度就是本原性始基存在的"一維性"所在，即是説，舉凡"多維化"的存在都是代償性存在，祇有處于"多維時空"中的存在者才會生出"失位性的定位舉措"（包括諸如"上、下、高、低"之類的辯證定位點），顯而易見，這樣的定位終究不能成爲**衍存的基本位點**。】

一言以蔽之，作爲代償性存在的意志載體及其意志本身的"向上配位"傾向，其實不過是力争達到"衍存的基本位點"這個最低限度的自然規定而已——這就是"意志序列"或"意志代償"的全部意義。

于是，從"無謂的無聊"到"波動的無聊"，就呈現出這樣一種可以還原爲"一維質態"的精神代償：**心理波動的軌迹類似于一條其振幅和振頻均傾向于增大的正弦曲綫**（參閱本卷第一百零八章所列的示意圖）。**振幅的增大與代償量度的增大同步；振頻的增大與演運速率的增大同步；由此導致生存的緊張度**（亦即精神緊張度或曰"心理張力"）**相應遞增**。所謂"緊張"，歸根到底是指那條"閾等位綫"的緊張，即**倘若把上述振蕩曲綫視爲"閾等位綫"本身的延長和折叠，則衍存時相的遞短可能恰好被閾綫張力及其曲折長度的遞增所彌補，其情形就像衍存質量的遞減可能恰好被精神空間的相應擴容所彌補一樣，如果我們能够找到它們之間的定量换算方法的話**。至此，在精神領域中的自然代償的等價性終于得到了最充分的表達。【這大概就是人類傾向于追逐刺激而逃避無聊的緣由，因爲"刺激狀態"

相當于把生存放任到那條被拉長的曲綫上，從而相當于延展了生存的時度或相當于加大了“生存的濃度”。由此可以對老子的出世態度給以如下扼要評價：固然他將孔子式的（或常人式的）入世行爲視爲無聊或無意義着實堪稱是最深刻的洞見，然而他却不明白，“以有聊或有意義的顛簸方式生存”正是人性中的自然性的體現，或者説正是“無意義的自然之道”的後衍性弱態實現方式。】

第一百一十二章

這樣一來，一切後衍性存在物——即一切“意志載體”或“意志化了的客體”——的存在狀態（或“生存狀態”）就顯得很荒誕了：一方面，它們耐不得無休無止的緊張和震蕩；另一方面，它們也耐不得稍安不躁的静謐和無聊；前者形成了“生命中不能承受之重”；後者形成了“生命中不能承受之輕”（借用米蘭·昆德拉的書名語）；也就是説，**感知、意志、或精神全體必須把自己一并放逐到某個早已被限定了的代償區間或自爲區間内衍存和活動**。

這個被限定了的衍存和活動區間在心理結構上的締造和投射，就構成了心理反應的等張力狀態。

所謂“等張力心理狀態”，是指生物的神經精神系統必須維持在與自身之自然衍存位格相吻合的某一大致恒定的緊張度上，低于或高于這一水準，都會造成主體應變能力及其依存格局的紊亂。【這裏的“心理等張”概念絲毫不與前述的“心理張力遞增”概念相矛盾：一乃以任一存在者自身的心理瞬時波動爲參照；一乃以整個衍存系列的精神代償動量爲參照。】

然而，意志載體所處的自爲區間恰恰是一個失位性的衍存區間，也就是説，在具體的“應”——即具體的“施行意志”——的過程中，它并不總是遭遇等量的或等强度的環境刺激，也并不總是能够達成某種劃一的“應”之效果，這既是造成心理波動的客觀原因，也是造成心理張力必須借助于“非應性刺激”加以調節的原因。

這個“非應性刺激”就構成了精神虚存中更形虚化的“審美”的源泉。

换句話説，“苦樂交替”是意志的“落實狀况”的精神指標，而“美醜交感”是意志的“落虚狀况”的精神指標，二者共同構成心理波動之全體。

不過，這樣説實在過于籠統，而且特别容易造成如下誤解：仿佛“美”僅僅是精神代償高度發展階段的産物，而不是從**前精神的自然感應屬性中逐漸演化出來的東西**。再者，它尚嫌不足以揭示“美”與“應”以及“審美”與“感應”的關系，而撇開這種内在聯系正是美學歷來找不見自身根蒂的原因。

第一百一十三章

感應序列的發展使“應”（依存）的過程愈來愈復雜化、凌亂化和緊迫化（這個總體狀態即表現爲意向性心理振幅遞增的所謂“焦灼化”進程），這就要求在“應”前加强或調動**應的内驅力**，而在“應”後又相應節制或調適**應的内張力**，由此**演成了“美”或“審美”**。【對“美的本質”的探討，最早可以追溯到柏拉圖的一系列含混不清的論述中，在《大希庇阿斯篇》結尾，他曾借用這樣一句古諺“美是難的”，來形容“美”的不可捉摸性。此後，有關“美是什麽”的問題果然陷入衆説紛紜、莫衷一是的境地，成了哲學中最神秘的論題之一。然而，關鍵是必須有這樣一問：**“美”的自然源頭何在？它對于“存在者借以達成其**

存在”的意義是什麼?】

所謂“應的內驅力”，是指**感應主體對依存對象所產生的依賴性**以及**依存對象對感應主體所產生的吸引性**的復合。在這個復合關系中，**依存對象的高度分化或復多化**勢必導致感應主體發生**“應”的離散和迷失**，反過來，**感應主體的高度分化或殘弱化**勢必導致他對依存對象發生**“感”的紛繁和迷亂**，前者造成**感應主體的依存要求愈發迫切**，亦即造成“依賴性”的暴漲，後者造成**依存對象的可感屬性愈發誘人**，亦即造成“吸引性”的勃發。依賴性決定着吸引性，吸引性加强着依賴性，并成爲依賴性得以實現爲“應”的指南和誘惑。**這個放散出“誘惑的魅力”并借以加强了應的驅動力的東西就是“應前的美”**。

基于此，可見“美”既不是純客觀的東西，也不是純主觀的東西，而是發生于**客觀的感應屬性耦合之間**的一種**定向性主觀體驗**，如果將其進一步局限于“主觀體驗”之內來分析，則可以說，**“美”是使趨于分裂的“感”與“應”之間達成配合的特定心理作用**。于是，它雖然孕育在原始“感應觸機”啓動的一瞬間(譬如說孕育在質子的正電荷對電子的負電荷的“吸引魅力”之中)，却衹能分娩于“主觀性”本身業已充分壯大，即“感”與“應”業已出現距離的意向性階段(這裏暗示,處于本能感應階段的動物也有“美”感，這原是不言而喻的事情，譬如，毫無疑問，在人類看來顯得極醜陋的蟲鰐蛇鼠反過來一定視人類爲極可憎的怪物，而以它們的同類，尤其是同類中的异性爲“美”)。衹有到了這個階段，依賴性的强化程度才能膨脹到足以造就出“美的魅惑”那樣的吸引力;主觀性的擴張程度也才能敏銳到足以體會出“美的魅力”那樣的欣賞力;即是說,衹有到了這個階段,客觀的“美”與主觀的“審美”才能達成某種默契,**是爲“現實美”(或“自然美”)**。由此亦可推知,“美”及“審美”不是一個現成的擺設，而是一個在自然感應屬性的演化中發育起來的虛存代償系列。

所謂“應的內張力”，是指**主體內在的感應屬性日趨深厚**和

客體分化的可感應要素日趨龐雜所造成的必要的“應的緊張狀態”，以及**緊張起來亦未必能够“完全適應”**所産生的**失落性緊張加劇**。“應”由此轉化爲“適應”——即常常造成“不適性”後果的那種“應”的稱謂——而“適應”正是導致**客觀生存波動**（如物種或個體在自然或社會選擇中忽遭淘汰、忽逢晋賞的那種波動）和**主觀心理波動**（如前述苦樂震蕩形態的“適應指示器”或“適應調節器”式的那種波動）得以形成的淵源，也是導致“應者”的神經精神張力愈益升高或愈益焦灼化的原因——這個愈益升高且必須使之保持在某一應激水平上的神經精神張力就是“應的内張力”。**對于“適應”（其中包含着“不適應”）的反省和回顧，即對于“應後的非應性感知”就構成了“應後的美”。**

基于此，可見“美”還是一種**調節緊張**或**撫慰焦灼**的東西，即在“應”以前它必須將**應的緊張**轉化爲**應的誘惑**，而在“應”以後它又必須將**應的焦灼**過濾爲**應的觀審**——這裏借用了叔本華的一個自擬專義詞，他曾經很準確地將“觀審”一詞解釋爲“自失”，可惜没有講明所“失”者何，其實這“自失”并非直接**失去了自己**，而是指**失之于應**的那樣一種自爲狀態，或是指**使自身從“無以爲應”的緊張中脱失**——祇有這樣，與“應”相伴而行的“感”才會呈現爲“美感”。即是説，日益焦灼化的“應”與日益擴容化的“感”一旦**超然于應**而又**反觀于應**，則必然産生出某種遠較“應前的現實美”更豐滿的“美”，**是爲“藝術美”**。换言之，藝術美必須具備兩項前提：即**焦灼化的應之超脱**和**超脱化的感應觀審**，前者使“不美”的東西呈現爲“美”；後者使“不在”的東西呈現爲“在”。于是，它一方面完成了心理存態的臨時調適作用（無聊者使之波蕩，緊張者使之舒緩，并以此構成苦樂曲綫中的“樂之頂點”），另一方面實現了與感應擴展和心理緊張同步進化的“藝術的升華”。由此亦可推知，“美”與“藝術”不是一個僵滯的擺設，而是在自然感應屬性趨于焦灼化的精神煉獄中鍛造得越來越“美”的一衹火鳳凰。

不過，至于此，“美”已被還原爲**不美好或不善的在**，即美

的享用者一定是**殘缺不全的存在者**，因爲，如果存在者自身是充實而完善的，則斷不會有美的派生。換句話説，**"美"**（beauty）**與"真"**（truth）**一樣，它的華麗程度直接就標示着其派生主體的失存程度—— 這就是"美"的形銷骨立的本質。**【回過頭來看，柏拉圖首開"美"的哲思固然功不可没，但他的美學理論幾乎是一錯到底的：他説"美"源于"美的理念"或"美本身"，然而"美"恰恰没有它的"純理念"或没有它的"本身"，而衹不過是潛含着**應的衝動**或**應的雜念**的某種**虚幻的顯身**；他説"美"源于"善"，然而"美"恰恰**與完美或完善無緣**，反倒是**"善"本身還得在殘損和缺失中爲自己尋根**（詳見卷三第一百七十四章）。】

第一百一十四章

根據上述，似乎可以説我們已經找到了美的淵源，并初步窺見了美的質素，**那就是與感應屬性同在且與意志的源流并駕齊驅的"未應的感"或"虚擬的應"**。换言之，**如果説"意志"是"應"的精神化變種，則"審美"就是意志的"非應式"變種。**【具體地説，"應"是依存的實現，是有所依賴和有所進取的"意志"的操作，由此形成**意志的中軸**；反之，"非應"是未實現或不現實的依存，它處于有待依賴和有待進取（是乃"應前的魅惑美"）、以及無所依賴和無所進取（是乃"應後的觀審美"）的**意志的周邊**；故可以將"美"形象地視爲**應的精神光環**或**意志的虚幻光暈**。】

顯然，**"美"的前提是感應分離**，因爲"感"與"應"的一觸式兑現必令"美"根本没有發生的餘地，而且，正是由于感應分裂才造成了**難以兑現的應之焦灼**。换言之，**美的餘地在于"失位"**——即在于**感不能當即達于應**以及**應不能當即終結感**的那個**感應失離的空隙之間**，或者説，在于**感之不真**以及**應之不切**的那個**感應裂變的錯位之間**。【所謂"感應分離"，就是對未

"應"之"感"的牽挂或向往，因而"未應"所表達的就是"與關注對象的依存失離"，無論這"失離"是"暫無利害牽挂的應前觀照"抑或是"無從利害牽挂的應後觀審"。康德在《判斷力批判》中提出審美是無關利害的、不帶任何意圖的或無欲望的鑒賞判斷之愉悦，就是對此種情形的表觀描述。康德還把審美詮釋成以感知和想象爲方法來審視或審判萬物的人本認知過程，借以排除神本宗教系統的無謂幹擾，但他却没能將一般感知與特定審美的内在關系和根本區别澄清開來。】

不過，如果進一步追查，我們會發現這一切其實正源于"感"的本性，即**源于作爲"應"的前提的"感"一開始就是屬性耦合的那種感的失真性**：基于此，才會發生感性階段的"有聲有色"的變態模擬；才會發生知性階段的"聲色迷離"的辨析表象；也才會發生理性階段的"濾清現象"的有序反思；從而完成了自"水彩着色"到"結構布局"再到"回眸觀審"的美化全序列。也就是説，**"感"的失真以及在精神代償的進程中之愈來愈失真，才是造成感應分離的更深在的原因**——正是由于"感"的失真及其愈來愈失真，方才造成隨後的那種**感應裂隙**，以及爲彌合這裂隙所代償派生的**應前魅惑**和**應後觀審**。可見，所謂"失位"，失就失在**感的愈來愈失真**以及**應的愈來愈茫然**。【在此有必要重申，"失真"并不是"失實"，反而恰恰是"求實"的唯一途徑，因爲對任何感應物或感應者來説，非此則無從求實。（參閲本卷第六十五章、第八十二章以及第一百零三章等）但，如此看來，**"真"與"美"的關系全然不是可以并列共進的關系，反倒是一種反比背離的關系**——反比在**愈失真者愈有了創生"美"的餘地**。當然，我不避累贅地强調，這"失真"絶非"失實"，衹是使"實"發生了隔閡，使"應"發生了動蕩而已。】

因此，可以説，**失位爲"美"——失而有位，感而無應，美也。**

于是，"美"就呈現爲這樣的狀態：

凡是切實的都是不美的；【因爲“應”使“感”落實爲無趣的“在”。】

凡是不實的亦是不美的；【因爲“應”畢竟是“感”的最終標的。】

也許下面的話有些多餘，不過還是澄清一下爲好：上述所謂的“不美”絶非“醜”的概念，而是“無美無醜”的意謂，因爲“醜”不外乎是“美”的組成部分，亦即是“美”的抑揚頓挫的旋律罷了。【“審美”就是在這個感應屬性或精神内核的深隱質地上生發的淺層直觀以及顯性觀審，就此而言，可以説**“審美現象”**衹是**“美的本質”**之汪洋表面的浪花或漣漪罷了。一般學者的審美之論就漂浮在如是層面上，不過，即便這般浮浪蕩漾，愜意之餘，也還不免缺失了淺層意義上“美”與“醜”的另一種分别，那就是**感應依存或代償效用的指標性亦即指示性分别**。便是要問，審美活動中何以會有“美”與“醜”的觀感？答曰：美醜之間暗藏着依存激勵的向度指示差别，就像感覺上的甜、香、臭、苦其實導引着能量多寡和毒害程度之間的代謝取捨一樣。譬如，細腰肥臀的女性優柔之美其實來自于骨盆大小是否有利孕育胎兒的恰當尺寸；虎背熊腰的男性陽剛之美實際淵源于筋骨健碩必然有助種間種内的生存競争；鮮花綻放流露的是植物正當繁殖旺盛狀態的生機盎然之美；殘荷敗柳顯示的是生命趨向凋零收斂階段的萎謝頽然之醜；春夏之明媚在于萬物復蘇；秋冬之蕭瑟在于寒霜肅殺；……如此而已。可見，一切美學問題不外乎生滅之間，不外乎損益鑒别，不外乎存續照應。】

所謂“切實”就是“應”的實現，漢文中的“切”字有“游刃深于骨”的意味，**即是説，“應”比“感”要實在得多、深入得多，它足以抵達元存，從而成就了元存，因此才説“應”的落實就是“在”的達成。相形之下，“感”的浮淺是一望而知的，它原本不過是“應”的一貼誘導劑，“應”一旦落實，“感”隨**

即變得乏味可弃，唯有當“應”之無着，“感”才需深化，“美”才會煥發。

顯然，説到底，**美的實質全在于維系依存**。或者説得更形象一些，“美”無非是“感”與“應”之間失位性聯系的一種黏合劑。

所以，凡是未及于“應”的“感”都可能呈現爲“美感”，而且，**感應分裂愈劇者，其感中之美愈豐。**

于是，衹有處在切實與不實之間者爲“美”，或者説，衹有處在失真而不失實之間者爲“美”——這種情形儼如生命的存在處境：它雖然失離于元存之“真”，却不失于代償之“實”，從而既體驗了美（主觀派生之“自然美”），也造化了美（客觀實創之“藝術美”）。【浪漫主義以脱離現實的方式回歸現實；現實主義以回歸現實的方式脱離現實；故而二者皆有同質的美感。這就好像美女做了妻子，她的美貌必須内秀化爲某種渺遠的精神，其美才得以永駐；而做情人者，她的貌美即使并不卓著，僅因距之邈遠而蕩人心魄。這緣故無非是因了生存的微妙，微妙在“失之嫌輕，執之嫌重”的代償素質上。即由于生命存在的失位摇擺，感而應之，非生命也；感而不應，無生命也；唯有在感應離异間蕩而晃之，生命的危存方能達成。故，藝術之美的確是生存形勢的反映，宛如隨風放起的風筝，沉重的一端執在自然元存手中，輕颺的一端撒出感應代償之外，執而悠遠，颺而無失，是乃“生存”與“審美”的一綫之牽。】

第一百一十五章

既然“美”是介于感應分離之間的一種精神代償方式，則在“美”裏面必定暗含着某種服務于遠隔的“應”的基本要素，自然美是如此，藝術美亦不例外。否則，純粹漂浮在“感”（未必僅指“感官之感”，而是擴展爲感性、知性、理性之總和或其中任一部分的那個“感”）上的“美”非但不免流落爲無所謂“美”的無聊，而且連“感”也將還原爲無所謂“感”的麻木。

也就是説，**“美”必須有“應”的遥相返照，才能在“感”的底版上曝光顯影。**

于是，隨着“感”越來越漂離于**本真**或**元在**，“應”及其“意志序列”也就越來越顯得**無以爲應**或**應于縹緲**，以至于發展到這樣的地步：“人需要一個目標。人寧可追求虛無，也不能無所追求。”（尼采語）——所謂“追求”就是“應”或“意志的奔突”，所謂“追求虛無”就是“應的無着”或“應的渺茫”，此乃從自然美之中逐步衍生出藝術美的天演源脉。【黑格爾的美學衹承認藝術美，亦即衹承認理性層面的美（用他的話説叫作“理念的感性顯現”），足見他的美學觀并不比柏拉圖進步多少，盡管他就美學問題發表的議論特别冗繁也無濟于事。】

換言之，藝術美不是簡單的“非應”或“無應”，而恰恰是一種鋪天蓋地的、更廣大更深刻的“應”的代償，即隨着“感”擴容爲面向無垠存在的無涯理性，“應”一方面在理想層面（即理性層面）上聚焦爲執着的“志向”，另一方面在心理層面（即知性層面）上沉澱爲强烈的“美感”，由以暗導和輔助漫化開來的“應”。可見，藝術美仍然是一種**躍躍欲試的衝動**，或者説，仍然是一種**應的蓄勢待發狀態**。從這一點上看，藝術美與自然美同質。【所以，不同的人自有不同的藝術欣賞傾向，這是由于不同的人自有不同的意志傾向或“應的向往”使然。雖然如此，自亞裏士多德以來，悲劇藝術歷來被視爲藝術的最高境界，因爲它最深刻最普遍地反映出（并關懷着）“藝術美的載體”（即“藝術受用者”）的“應”之最終也是最無奈的結局和宿命。】

因此，“美”像其他精神現象一樣，必有一個先于“人”的存在而存在的漫長的演化過程。而且**愈原始的“美”一定愈深沉而常存（如千姿百態的自然美），愈後衍的“美”一定愈濃烈**

而短壽（如各種形式的藝術美）。【誠然，“美”的產物總比“理”的產物要耐久得多，那是因爲“美”畢竟是回落到意向性心理（或知性）層面上的東西；它之所以更震撼人心，乃是因爲人類目前尚處于以知性爲其精神主體的階段，理性還祇是一個小小的冰山之尖而已。故，“美”與“理”呈現出這樣的表面矛盾態勢：從前體代償的深度來講，“美”强于“理”；從後衍代償的烈度來講，“理”强于“美”；因此倘若驟然讓你比較“美”與“理”何者更雄奇偉岸，你不免啞然。】

關于“美”的問題，我衹能如此簡而言之，因爲“美的本質”或“美的哲學”就是如此之簡，多言也無益。【至于有關“美”的“外在形式”及其“實現形態”的學問，自應留待各個分科之學（如美學、心理學或神經生理學等）去分進合圍，才有望周全。哲學最好不要以爲自己無所不能，才不至于令自身變得空洞無物，大而無當。】

第一百一十六章

以下我們着重討論有關“志向”的基本問題。

相對于“應向”和“意向”而言，“志向”的最大特色有二：

其一、**志向具有最大程度的自由度**。【即志向具有最多的可選擇性、可調整性以及最大範圍的運動量度和落實效果。】

其二、**志向具有最大程度的虛妄度**。【即志向具有最多的失誤概率、調整頻率以及最大範圍的盲目動勢和落虛後果。】

上述二者表裏呼應，由以構成志向的大體。亦曰“意志自由”或“自由意志”。

志向的自由度導源于精神存在的代償度。即導源于由物質分化程度所決定的物質感應屬性的代償性發展，這個“代償拓展的精神空間”或曰“精神擴張的代償區間”就是志向之自由度的自然界定（回顧卷一第三十七章和第五十二章）。換言之，**意志的自由度與其載體的存在度成反比，與其載體的代償度成正比。**可見，令我們沾沾自喜的“自由意志”之“自由度”無非是我們自身之“失位程度”或“失存度”的一項直接指標。【也就是說，“意志自由”是從“非自由的理化定向反應”中增長出來的東西；它隨後經歷了“感性刺激的延時動作反應”；再就是“知性表象的情緒游移反應”；最後才達成“理性聯想的泛化自由反應”。這是一個愈來愈呈現出失位質態的“應”的進化過程，其“自由”的程度與其“自爲”的程度相吻合，或者説，其“自由”的程度正是其遠離于“自在”本原的裹程碑。中國人常用“自由自在”一詞來形容“自由”的樣態，换成哲學的視角，這實際上是用“自我的自由”去看待“非我的自在”罷了，須知“自由者”不得“自在”，“自在者”不得“自由”，而“自由者”（或曰“緊張的自爲者”）居然會用羡慕的眼光看待“自在者”（或曰“悠閑的不爲者”），足見“自由”的代價之重。】

志向的虛妄度正是其自由度得以施展的伴隨效應，它與感知發展或邏輯序列的可塑性同構。即隨着邏輯演運逐步浮升到**理想化的層級**之上，意志演運也相應地逐步趨向于**虛妄化的境界**之中，因爲**意志的虛妄**無非是**邏輯的虛演**之等位衍存質態，或者説，是**虛化的“感”**所引動的**迷惘的“應”**。可見，使我們愈來愈好大喜功的“意志膨脹”不過是我們自身失位性危存的一種存在方式而已。【也就是説，“意志虛妄”是從“格外實在的觸點式理化感應”中增長出來的東西；它隨後經歷了“感性聲色的變態誘導”；再就是“知性辨析的本能隔膜”；最後才達成“理性邏輯的推理遠涉”。這是一個愈來愈背離于客體之“實存”或對象之“元在”的感應虛化進程，**它與“感”的觀照距離和觀照面日益增大有關，由此要求“應”的回溯距離和覆蓋面必須相應擴展。**志向的“虛妄”，“虛”就虛在這**延伸日遠的距離之間**，“妄”就妄在這**延展日闊的方面之上**。中國人常用“志大才疏”一詞來形容虛妄的樣態，換成哲學的視角，則“志大”可用以比喻**物性中的“應”的代償動量之大**，“才疏”可用以比喻**物性中的“在”的基礎效價之小**，而且“志大者”必然“才疏”，“才大者”必然“志淺”，足見“虛妄”的本質所在。】

由此顯露，“意志自由”的底色是由**最充分的宇宙物演之必然勢態**所鋪陳，而它的亮色是由**最開展的相應代償之偶然質態**所點染。（參閱本卷第九十一章）【形象地講，恰恰是因爲在高度分化和高度繁化的諸多依存條件中尋覓定向依存和循序依存的必然而不可得，故此才必須代償出某種游移彷徨、四顧無定的能動性以迎合偶然的機遇，是乃“自由”之淵源。】

而且，**這自由化了的意志不免將自身的貫徹效應導入雙重意義的虛妄境界：**首先，“自由意志”因其彷徨無着的天賦性態而難以落實，或者更準確地說，它的落實概率必定隨自由化的進展而下降，**此“虛妄”一也**；再者，即縱是那“自由意志”所抱定的企圖竟然實現了，它的落實依然無補于意志載體之存在度的繼續折損，甚至恰恰是這種折損借以達成的唯一步驟，**此“虛妄”二也**。總而言之，自由意志的活動效果無論如何都跳不出“落于無聊”的心理框範和“落于無效”的代償終局。

這就是諧響在“自由意志”爲自己譜寫的一系列贊歌中的天籟潛臺詞。

第一百一十七章

所謂“意志”，其基本概念系指“物的定向依存性”或“限定性依存屬性”。這個定義應當也是物理學上有關“感應”一詞的定義，尤其是該詞中的“應”字的定義。【“應”字的定義之所以與原始“感應”一詞的定義完全相同，乃是由于原始階段的感應一體質態使“感”和“應”無論在實體上還是在概念中都無法區分的緣故。隨着感應屬性本身的分化，“感”逐漸呈現爲“應”的觀照性前提，即“感”使“應”得以在**多因素的澄明**中成爲具有**選擇針對性的應**；“應”則逐漸呈現爲“感”的規定性主導和繼發性步驟，即“應”既規定着“感”的觀照方位或澄明狀態，也受制于“感”的觀照廣度和澄明深度。于是，“感”的定義由此轉化爲“物的定向觀照性”或“限定性澄明屬性”，而“應”亦由此獨占了本應由“感應”共享的上述定義。】

可見，代償性的**感應函量**（參閱第七十章之坐標圖示）既是“感”從“感應邏輯”歷經“感性邏輯”、“知性邏輯”直至“理性邏輯”的邏輯序列寫照，也是“應”從“感應意志”歷經“應向意志”、“意向意志”乃至“志向意志”的意志序列規定。

基于此，意志序列——它的前身是“自然意志”、它的成果是“自由意志”——的自由化進程及其自由度量效，必與遞弱代償的自然衍存原理以及感知代償的自發實現序列相吻合（參閱卷一第四十一章與卷二第九十八章），即：

***a*. 意志量度的遞增——即意志强化程度的發展——必與意志載體的存在效價成反比，亦即必與意志載體在各個方面的總體代償效價成正比**；【因而意志的增進斷不是孤立獨行的，僅此就清楚地表明，意志的“自由”實在是某種“非自由的必然貫徹”或“非自主的自在方式”而已。】

***b*. 意志量度的遞增——即意志强化程度的發展——必與宇宙物演的分化程度成正比，亦即必與意志載體之依存條件的繁化程度成正比**；【因而意志的增進必然呈現爲“在散漫化的趨勢中尋求聚焦點”的形態，由此導致意志載體和精神構型不得不借助于生物的社會分化及其社會整合來實現的結局（詳見卷三）。】

***c*. 意志的自由度，必與意志量度成正比，亦即必與邏輯量度或整個精神量度成正比**；【因而意志的增進與邏輯的增進必定

是同步發展的，由此體現從“感應同源的精神啓動”到“感應同構的精神成長”之精神全體的自然發育歷程。】

d. **意志的實現確定度，必與意志的自由度成反比，亦即意志的多向分化度必與意志的自由度成正比；**【這正是造成邏輯形態趨于可塑化的原因之一】

e. **意志的貫徹力度，即意志落實在宇宙分化體或邏輯觀照面上的覆蓋率及其滲透能度，必與意志量度成反比，亦即必與意志的自由度以及意志載體的能動度成反比；**【這正是造成心理振頻趨于增快的原因之一】

f. **意志的貫徹效應，即意志達成自身預期結果的可能性，必與意志量度成反比，亦即必與意志的自由度以及意志載體的能動度成反比。**【這正是造成心理振幅趨于增高的原因之一】

然而，自由意志的自然使命絶不會改變，那就是，自由意志必須勉爲其難地支撑非此代償則無可存續的弱存者之存在，盡管如此以來，它恰恰扮演着將自身載體帶向失存的先鋒角色也衹好在所不顧了。

至此，“精神全體”或“精神全貌”終于可以在“感”（即“邏輯序列”）與“應”（即“意志序列”）的同源同構之演化流程中**豁然顯露自身的完整豐采**，并將整體精神存在**全然實現爲自然存在。**

第一百一十八章

綜上所述，可見精神全體必將從**原始渾沌態**逐步進入**分化結構態**，這個結構態**特别突出地體現在“志向”與“理性”的等位關系中**。即，分化進程固然造成了“感”（如“理性”）與“應”（如“志向”）的分離，但這分離恰恰是達成更高量級（或更高代償效價）的整合步驟之必須，而且衹有通過這種**進行性分化**和**對應性構合**的方式，代償進程才能實現。（請參閱卷一第十七章）

很明顯，在前體精神存在形態的"意向"中表達爲"七情六欲"的東西，在後衍精神存在形態的"志向"中則表達爲"思維邏輯"的標的。世人（無論是國人還是西人）將這個標的稱爲"理想"（ideal）——即"理想邏輯"（logic of ideal）的那個"理想"——是十分恰切的，也是十分自然的，**它表明"邏輯序列"（即"感"的序列）上的"理想"與"意志序列"（即"應"的序列）上的"理想"原本就是同一個東西的兩個方面，亦表明"感"與"應"自始至終都是不可分割和并行不悖的。**

不過，這個"標的"會變得愈來愈遠，也就是説，從"邏輯思維"到"志向落實"之間的"射程"會變得愈來愈大。【例如，古希臘人早先在幾何學領域發現了作爲圓錐曲綫之一種的橢圓，阿波羅尼甚至已將橢圓的幾何性質琢磨得一清二楚；可在當時，誰也不知道這種"邏輯產物"的意義何在，直至十七世紀的開普勒將它恰如其分地運用于火星運動的研究之時，它才得以在一個整體邏輯結構中鑲嵌到位；再到二十世紀的宇航探測器被阿波羅尼和開普勒的後人們發射升空之時，前述一系列"感"的成果才在"應"的結構中鑲嵌到位。由此可見邏輯結構可以復雜到何等程度、志向結構可以伸張得何其長遠、以及邏輯與意志之間逐漸擴展的裂隙可以跨越怎樣廣闊的歷史空間。】

于是，在"理性化的意志"階段，"邏輯"（感）與"志向"（應）就會相約爲如下的構合關系：

***a*. 凡是邏輯上成立的東西，必成意志上向往之所在，且終將于實踐上達成某種程度的落實；**

***b*. 該精神產物在邏輯上發展的程度，必與其在志向上遠大的程度相吻合，且由此決定着它在實踐上的較高落虛幾率；**

***c*. 看起來一時無用的理想邏輯成果，衹要它在邏輯上成**

立且繼續發展，則其間必含蓄着更深沉的意志和更動蕩的效應，因爲它必是某種更宏偉的精神代償結構的先導；

——這就是**感應等位律**在理性與志向之高點上的**繼續實現方式**，也是**廣義邏輯自洽**或**廣義邏輯失洽**在感應并行進程上的**繼續貫徹方式**。

需要重申和强調的是，此刻的“感”是否能够達成“在邏輯上成立”已大成問題，相應地，此刻的“應”是否能够達成“與元在相匹配”亦已大有出入，**由此形成復雜化了的世態和復雜化了的精神之間的緊張關系**。【這裏涉及“**廣義邏輯失洽**”的概念問題。可以説，本卷全文在討論“廣義邏輯自洽”的同時也一直在討論“廣義邏輯失洽”的傾向，甚至應該説，**廣義邏輯傾向于失洽的危機才是我更爲關注的重點**（此乃邏輯序列得以增益擴展的表觀動源），儼如相對于“**意志落實**”問題，**我更關注“意志落虚”或“意志虚妄化”之危險傾向一樣**（此乃意志序列得以增益擴展的表觀動源）。】

所謂“復雜化了的世態”是指精神以外的元在分化狀况；所謂“復雜化了的精神”是指精神自身的内在分化狀况；二者統一于**預定和諧的自然代償演化進程**之中，并借重于該自然進程所賦予的“先驗的理想邏輯之可塑性”和“預成的志向意志之自由性”，由以達成二元扣合的後衍動蕩依存結構，或者説，由以達成宇宙存在的晚級縝密分化系統。

【最後，順便補充一下：純粹的哲學或真正的哲學之所以從根本上有别于其他一切學問，就在于它作爲一種“感”并不與任何具體的“應”相等位，它是面向整個存在的“感”，或者説是發自存在性深處的“感”，故而它的“應”必是朝向整個存在的“應”，或者説是交由存在性本身去加以貫徹的“應”。從這個立場出發，它如果要對“思”本身（也就是含有“應之動機”的“感”）予以“反思”，已不是爲了尋繹黑格爾式的“思的源頭”，

而是爲了尋繹“導致‘思’得以成其爲‘思’的存在之源頭”，是乃本項精神哲學或“精神元哲學”之要義。】

第一百一十九章

有關“精神哲學”的探討至此似乎可以宣告完成了，因爲精神無非是**“感”與“應”之物性的張揚**，亦即無非是**“邏輯序列”與“意志序列”之代償的總和**。

然而，這衹是就“純粹精神”的範疇而言。**問題在于，精神存在原本不過是其載體衍存的代償質態或屬性虛存，也就是説，它不可能以“純粹精神”的樣態存在。**

再者，精神的分化和結構化過程説到底是物質的分化和結構化過程的繼續，正是由于非精神或前精神的物質分化，才形成了令精神現象得以發揚光大的精神載體。反過來看，則精神演化不外是物質演化或載體演化的代償屬性之一，精神感應之于人，一如電磁感應之于亞原子粒子，**它們的虛存質態終究不過是實現宇宙實存演歷的自然遞弱代償方式或自然遞殘依存手段而已。**

因此，可以斷言，倘若物質的分化構合并不造成分化物自身存在效價之遞减，或者，倘若存在效價之遞减并不造成弱化物的殘化依存，則“精神實體”（即笛卡爾的“心靈實體”）將永無生發之源和高昂之姿。

一言以蔽之，“感應物性的張揚”或“邏輯與意志的總和”尚不是真正完整的“精神全體”，因爲“精神實體”或“精神本體”實在衹能算是一個派生體或寄生體。换言之，**“精神全體”必須把精神載體也加入其中，才真正成全了“精神存在之全體”。**【基于此，則笛卡爾的“我思故我在”之命題中的“在”，當然衹能

是“精神存在之全體”的“在”，而不能是“精神實體”或“精神本體”的“在”。】

這就決定了精神代償的前提和後果，即精神存在以載體衍存爲前提；繼而精神分化又以載體分化爲後果。【嚴格説來，這種“前提”與“後果”的表述方式僅屬于邏輯演繹的因果排序，它其實不足以道出精神與載體的自然元一質地，就“一元存在”而言，很難説何者爲“因”，何者爲“果”。我之所以仍然沿用這種説法，乃是爲了便于讀者建立起研讀後文所必不可少的介導性概念。】

也就是説，精神代償的極端擴容和內在分化，必須或者必然要配署以精神載體的相應分化及其結構整合。（參閱卷一第二十章）

第一百二十章

這個載體的分化及整合過程就是“生物社會”的演化過程。

實際上，生物的社會化過程不過是無機物質的結構化過程的繼續，正如生物的精神演進過程不過是原始物質的理化感應過程的繼續一樣。

玄難之處在于，物質的精神嬗變過程與物質的結構嬗變過程究竟是怎樣疊合交錯以達成自然後衍階段之代償演歷的?

諸如此類的問題顯然已經超出了一般意義上的精神哲學的討論範圍。然而，至少應該承認，精神哲學到此尚不宜算作有了一個徹底的了結，因爲“精神存在”終于不能以生物個體作爲承載單元，而是越來越傾向于以生物群體結構形式來實現“精神的結構化存在”。即是説，**精神的分化代償本身還需要全方位的自然實存結構造型予以代償**。

唯因如此，精神的成長過程不得不經歷社會爐火的鍛鑄。

這是地獄之火，熊熊燃燒之下，簡直要把晶瑩靈秀的精魂化作焦黑扭曲的灰燼。【通常，哲人們總是傾向于將倫理學（含各種有關社會構造及社會道義的學説）視爲精神哲學的最高也是最神聖的理念，殊不知它其實不過是自然結構化熔爐中不斷冒出的烟塵而已。】

這也是天堂之火，烈焰升騰之間，終于要將熱望飛揚的精神連同僵冷沉滯的物質一起熔煉成宇宙結構的最後一塊晶體。【通常，哲人們總是傾向于把社會結構（或曰“社會關系”）與物質結構視爲截然分別的兩個系統，殊不知它其實是同一自然演化進程的階段性産物罷了。】

精神存在衹有沿着這條滚燙的路徑，才能走完自身衍運亦即自然衍運的全部歷程。

卷三

社會哲學論

——社會哲學的生存性狀耦合原理

第一百二十一章

哲學必須落實到**人的存在**上來才成其爲哲學。

【一般認爲，人的存在是一切人文社會學課題得以討論的起始點，這實在是大錯特錯了。因爲“人的存在”本身還牽涉到保羅・高更在他的一幅名作畫題裏所發出的如下疑問：“我們從哪裏來？我們是誰？我們到哪裏去？”也就是說，如果**人的存在本身**還是一個疑問，那麽，**人的存在狀態**就更是一個基于疑惑之上的疑問。所以，舉凡在人或人的行爲基礎上建立起來的社會學，無疑都是空中樓閣。須知人是**自然分化流程的派生產物**（卷一所論），人的行爲能力是**物演屬性代償的豐化形態**（卷二所論），于是，社會就是**自然結構進化的後衍載體**和**物演屬性耦合的集成實現**（卷三所論），也就是説，**人**、**人性**及其**人類社會**都是**宇宙衍存流脉的逐步承傳和客觀表達**，由此構築起整個生物社會大厦的上升階梯和樓臺層級。而在此前的社會學説裏，人總是不言自明的**主體**，人的能動性亦是超然物外的**天賦**，于是人當然就成爲社會組織獨一無二的**締造者**，結果導致有關主體自身及其社會處境的淵源、趨向和本質均不免陷入上述所謂的“高更疑義”之中。】

而人又必須落實到**社會存在**之中才成其爲人。即是説，**社會存在是人的物質存在方式，或者更確切地説，是生命這種自然存在物的自然存在質態。**所以,“人”一開始就不可能以單純“自然人”的身份存在,而是非得以“社會絡合物”或“社會構造體”來成就世界和自身不可。

換言之，**人的社會態**就是**人的自然本態**，亦即**自然人的自然質態**就在于其**社會存態**。可見，如果**自然人**——“人是一種自然産物”之謂——這一概念成立，則它就成立在**自然社會**這個概念基礎上。

上述論斷乃是基于這樣一個普遍的事實：**一切生物均以某種群化狀態實現其衍存，而且這種群化狀態本身一直經歷着某種近似直綫上升的結構化演動傾向。**問題是，我們如何才能在這個“群的序列”中找到主宰它們的統一法則或曰“社會規定”?【早在十九世紀甚至十九世紀以前，生物學家們就已經發現了低等生物的社會組合現象，衹是到了二十世紀六十年代之後，個别專業人士才敢于將廣泛存在的動物群化狀態與人類社會結構貫通起來研究——“社會生物學”就是在這種情况下于七十年代中期誕生的。不過，鑒于社會達爾文主義曾經過于莽撞地涉入“人類社會”這一學術險境的覆轍，社會生物學家目前還衹是站在邊緣地帶縮頭縮腦地進行着某種極謹慎極局限的試探和影射。即縱如此，如果以它現時的理論基調爲憑，似乎仍然無望成就“自然社會通論”的偉業。(具體評述請閲本卷第一百四十三章)】

然而，無論如何，有一點是可以肯定的，那就是，**人類社會**不可能是一種**超自然的存在**。既然人類的**體質存在**無可置疑地起源于生物進化的自然進程，那麽，人類的**社會存在**又有什麽理由能够游離于自然規範之外呢?須知所謂“社會”就是以生物爲其基質的一種自然衍生實體，正如所謂“生物”就是以理化物料爲其基質的一種自然衍生實體一樣。

顯然，**問題不在于人的行爲怎樣鑄成了社會，而在于自然的規定怎樣鑄成了人的社會行爲。**

故，社會哲學的**第一質疑**或**社會學前的潛在疑問**應該是：**作爲自然産物的自然人爲何必須以社會人的質態存在？**

第一百二十二章

上述問題在未答之前業已提示：

A. 社會系統在人類尚未問世以前就已經**客觀地存在着**，且必以某種**演化發展的方式**存在着；

B. 非但**不是人類締造了社會存在**，反倒是人類以先的生物社會或社會生物**締造了人類及其社會基礎**；

總之，既往那些以**人的行爲**——無論是**文化行爲**抑或是**經濟行爲**——爲前提的社會哲理其實都不過是某種人類中心主義的、短視而封閉的孤芳自賞罷了。【湯因比曾經敏鋭地意識到關于社會先于人類而存在的必然性，故有斯言："人類如果不生活在社會環境裏就没有可能變成人。從半人變成人，這個變化是在原始社會的環境裏進行的，關于這個情况，我們并無記録可查。但是我們可以説這個變化是比在文明社會的環境裏所發生的任何一次變化都更爲深刻的一次變化，是一次更大的增長。"（引自《歷史研究》）不過，限于他的人文學視野，他到底無法跨越"人類活動"的域界。實際上，這個進程斷不是人類史前的"一次變化"使然，而是自然史上的"一系列變化"使然；當然也不是"無記録可查"，而是"有記録未查"；問題在于，對"半人社會"或"非人社會"，你應該以什麽東西作爲"可查的記録"。倘若我們仍以"人類"或／和"人類的行爲背景"爲基本素材來看待那個遠遠超出人類範疇的"社會"，那麽，不待説，我們的社會學眼光自與一個部落人詳知其村野的溝溝坎坎，就以爲大地是托在龜背上的情形没有多少區别了。這大抵就是整個人文社會學至今尚處在類似于哥白尼以前的自然博物學水平的原因，難怪羅歇·卡伊亙不太客氣地挖苦道："人文科學"毫無科學的内容可言，衹有那種想使其成爲科學的意圖例外。】

第一百二十三章

十九世紀中葉，"**社會學**"（sociology）一詞被孔德第一次作爲一個可與天文學、物理學、化學、生物學相提并論的學科概念提出。僅從這個排列順序上，我們就可以明白孔德的開創性初衷：**即在他看來，社會存在同樣是一種自然實存和實證對象；而且，在這個與人類的認識進程相一致的順序中，可能存在着某種由簡單到復雜的發生學聯系。**

即縱是對于這樣一個淺顯的看法，當初亦不能爲學界所接受，故而争議鵲起，多虧斯賓塞堅守不退，并在sociology的名下大做文章，才使這一"客體性稱謂"得以沿用下來。【然而，無論是孔德抑或斯賓塞，他們實際上仍然被阻擋在"**人類－社會**"這條陳舊的觀念防綫面前，其艱難的努力至多不過是企圖借助于人的生物性來詮釋"人性"，而後再用某種人性化了的獸性來詮釋"社會"，社會達爾文主義就是此種努力的産物。到頭來，我們所看到的依然是那個以人爲介質的**"人類－社會"的古老模式**，而爲孔德所首倡的**"物理存在－化學存在－生物存在－社會存在"的社會學架構**終于照例被人的自大和自蔽浪潮淹没得無影無踪。】

可見，在此之前，甚至直至今天，**社會存在**其實歷來未被當作一種**自然存在**加以對待，盡管早在文明化以前，人類就始終關注着這個以自身爲載體却又反過來桎梏着自身的自存境遇——**但是無一例外地都把社會當作“人的產物”加以對待**（此處的“產物”一詞通常衹具有“產影”或“伴影”的含義，即僅限于指謂“人的關系之總和”而已，所以人們迄今仍未覺悟**“社會”也是一種“物”**，而且是指**與“花崗岩”或“美洲豹”等實體物態没有本質區别的那種“物”**）。【首先，這裏存在着一個可以諒解的自然障眼法：**人的社會存在**的確是**人的行爲產物**（或**人的行爲關系**），因爲**人的存在**早在人的前體物種之中就已轉化爲**自爲的存在**——即“**通過某種作爲或行爲達成對自身存在的自我負責**”之謂。顯然，問題不在于**人的行爲**產生了什麽，而在于**自然的自爲屬性**怎樣規定了**人的存在**和**人的行爲**，以及，**由于此種規定必然使處于不同自爲階段的自爲者升華到何種代償境界之中**。其次，這裏還存在着一個亦可諒解的人爲障眼法：在一般語義上，“**物**”被泛指爲**存在于人的精神範疇以外的東西**，而“**社會**”實在像是**人的意識主導的交往關系**，怎樣看它也不似一個**自然實物**，殊不知意識或精神本身就是一種**物的屬性**，而任何後衍物其實都是某種**前體存在物的屬性集合**或**前體存在物的屬性代償，且借此羅織前體存在物于自身之中。】**

結果造成人類思想史上一系列無休無止的困惑和煩惱。【孔子最早呼號“大道之行也，天下爲公”，可是在這條“社會公道”上奔走的“活物”們却恰恰是一群十分缺乏公心的宵小之徒，况且孔子本人所謂的“公”絶不是“公平的公”，而是由君臣等級和禮義倫序所建構的“不平的公”；柏拉圖以遠比後來的烏托邦主義者誠實的方式表達出“社會理想”的心理暗流：每一個社會成員其實都首先關注着如何使自身獲得更優越的社會定位和社會承認，烏托邦之所以注定會流于空想，乃是由于它的反結構意念一開始就不符合人與物共通的自然本性，不過，柏拉圖的“理想國”實在衹能算是一個出自于貴族立場且充斥着個性偏見的純粹的杜撰，他那“哲學王”的美夢非但未能自我實現，還最終在身爲羅馬皇帝的斯多葛主義哲學家馬爾庫斯·奥勒留那裏，以内憂外患、國無寧日的悲凉結局而宣告徹底破滅；于是，盧梭不能不發出如此慨嘆："人是生而自由的，但却無往不在枷鎖之中。自以爲是其他一切的主人的人，反而比其他一切更是奴隸。"由此出發，盧梭引出了"天賦人權"和"社會契約"的闊論，然而，即使我們不必過于看重羅素那句苛刻的評語："希特勒是盧梭的一個結果"（見其《西方哲學史》卷三第十九章），至少可以認定，盧梭的社會學説實在既没有解決上述嘉言警句所提出的哲學問題，也未能爲處于如此生存困境中的人類指出真正管用的實踐方略；實際上，這種**對自己之所談從根本上毫無所知**的**社會盲目**狀況可以囊括此前的所有思想家，無論是康德的"實踐理性"、黑格爾的"法哲學"、孔德的"實證社會學"、抑或是馬克思的"歷史唯物主義"概莫能外，即便是當今的專業社會學者，如果他着實想要究詰社會的本原，仍然不免立刻生出這樣的疑問："社會怎麽可能呢？"（格奥爾格·齊美爾語）——换一個問法：**一個個活生生的萬物之靈，何以竟會在不知不覺之間就將自身完全置于無影無形的社會刀俎之下呢？**】

第一百二十四章

很明顯，**上述問題的根源性解答不可能含藴于人的後向衍存機制之中，而是必定潛藏在人之所以成爲人，甚至生物之所以成爲生物的自然物演機制之中。**這就好比你要弄清分子化合的道理，你總不能沉溺于分子自身或分子後衍的物質形態裏面，而是必須着力研究分子的前向物態譬如原子的構成原理，才是唯一可行的出路。

换言之，**以生物爲其基本構成要素的社會實體，必是一種對生物存在予以代償的上位遞演産物。**衹要我們首先澄清了生命物質的存在性質，社會之本質自會水落石出。【而要澄清生命物質的存在性質，你又必須首先探詢整個存在的衍存原理，因此，讀者萬不可越過卷一，急切地直登本卷所開啓的社會殿堂，須知任何學問均有一個明示的或默認的哲學理念在先，一切學術成敗及其思想價值其實正取决于這個哲學理念的定位與標高——此所以可將卷一視爲全書的“總論”，而將卷二有關精神存在的討論和卷三有關社會存在的討論統統視爲卷一義旨的展開。】

反過來看，衹有通過對任一物相（處于特定衍存位相上的物）之代償層次予以回溯性透視，你才能明鑒該下位物類的存在狀態或存在質態。也就是說，**代償層次所表達的正是被代償層次的存在性的全面焕發。**【具體到社會存在上來，即是說，社會現象正是包括人類在内的一切生物的自然衍存質態本身，亦即社會性正是生物性的組成部分，就像分子存態的達成正是基于原子本身的固有物性或固有屬性一樣。而且，衹有通過社會這面透鏡，你才能更清晰地窺見生物性以及人性的全貌，一如通過研究分子化合關系，你才能更深刻地獲悉有關原子的物理性質一樣。】

説到底，所謂**物演層位的代償躍遷**及其**逐級派生的上位層次**，其實就是任一實體存在因其存在本身所引發的、且因其存在效價之衰變所不得不直面的日益麻煩的**出世自況**或**出世境況**，簡稱“**存境**”。换言之，任何一種存在實體，對于它的後衍性存在者來説都衹是一個**隔膜的存在物**，而對于它的前位性存在者來説却像是一個**純屬自身作爲（即“自爲”）的主觀氛圍或自身活動的時空環境**，是謂“存境”。【譬如，原子處于分子“存境”中、或人處于社會“存境”中皆然——即在分子“看”來，原子實實在在是一種存在物，可在原子“看”來，分子衹不過是它表現自身固有屬性的自建舞臺和運動場所而已——人類就是抱着這樣一種褊狹的眼光看待自己的社會存在的。】

可見，**存境**就是**存在物**本身，或者説就是**新一層存在實體代償性衍生和結構化凝聚的温床**。它之呈現爲以“境”代“物”的前瞻性樣態，一方面是出于**由存在性所導演的萬物一系的自**

然規定，另一方面是由于**代償衍存的進程總得借助于各層存在變體的自發屬性方能實現**。因此，所謂“存境”其實就是**任一物相之自身屬性的前瞻性集合與盲存式編織**，亦即是**任一物類之自身屬性的外延性表達與元在式兑現**,故亦可稱作“**屬境**”。【或可再作簡明定義:所謂“屬境”即“屬性耦合依存境遇”,亦即“屬性耦合結構的内部觀照”或“屬性載體盲存的自爲場境”，它包括前卷所述的“感應屬性耦合”以及本卷後述的“生存性狀耦合”；所謂“存境”，則略微偏向于强調“屬性耦合結構的外部觀照”以及“屬境結構實體的位相差别”。這裏需要注意：“屬境”或“存境”與“環境”又是視角不同的概念，前者是指**由本物自有屬性所開創的主觀派生境遇**（如人類面臨的“社會存在”），後者是指**由他物原有屬性所形成的客觀派生境遇**（如人類面臨的“自然存在”），盡管它們仍然祇具有同一演化系統的不同位階之差异。（我在後面的文字中有時也將“物體”稱作“主體”，同樣是基于它們都有**自爲屬性**這一事實，其實任何**屬性**都是出于**自爲**的需要，或者説都是出于**以自爲方式進行自然代償**的規定，故**任何作爲屬性載體的存在物都是潛在的（或不自覺的）主體**，更詳細的義理請參閲卷二第八十七章。）】

于是，可以這樣説：所謂“屬境”或“存境”，系指一切集**自爲主觀性**和**盲存客觀性**于一體的前位主體之“（自爲性）**屬性境況**”（指“自性狀態”或“屬性實現”）及其由此開創的“（自在性）**存在境界**”（指“衍存層次”或“結構實現”）。**也就是説，任何既成的自然實體或自然結構，原本一概需要經歷一個既是主觀的、又是客觀的演化形成過程，即它必須通過前位物相的主觀性——或曰“物性”亦即“物之屬性”，來達成後續存在的客觀性——或曰“物態”亦即“物之結構”**。進一步講，任何**主觀性**（即“自爲性”、“主動性”或“機能”、“屬性”）其實都不過是**自然客觀性的階段性代償形態及其階段性現象形態**，而任何**客觀性**（即“自在性”、“盲存性”或“實體”、“結構”）都必須**借助各級存在物的主觀屬性或自身物性來實現**。因此，即使存在着某種**自在性趨于遞減而自爲性代償遞增**的**主觀化傾向**或**主觀能動性的擴張動勢**，這個動勢本身也仍然是一個自然的、自在的、或曰"本質上屬于盲存的"進程，亦即恰恰是一個依據**自在物的自爲意志爲轉移**或**自爲物的自在本性爲指歸**的**客觀進程**。一切生物乃至人類的社會存在就是這一自然機制的繼續貫徹。【我在卷二中對精神現象的論述即可視爲對上述"物性"之一種——指"物的感應屬性"——的具體剖析。或者可以這樣看待：在本書第二卷中，我曾以**感應屬性**爲範例闡釋了**自然屬性代償序列的主觀内涵態**；而在此第三卷中，我將以**社會實存**爲範例來闡釋**自然結構代償序列的客觀外延態**（請參閱卷一第二十章的文字和圖示）。在此處之表述中，"主觀"與"客觀"二詞盡可任意置换，其語義仍將自洽，道理如上。】

由此不難看出，社會存在的根據一定潛藏在它的前體物相——即生物存在——的物性（或屬性）之中，因爲，所謂"社會"無非是對生物（包括人類）自身之"存境"或"屬境"的籠統表述。【于此有必要補充一句，我在前後文或其他地方一旦提到**"生存結構"**、**"生存形勢"**（即**"存在形勢"**）等詞組，其語義内涵均囊括前述之**"存境、屬境及環境的總和"**，而絶非一般社會學意義上流于表觀現象描述的"人際關系的總和"（含"生産關系的總和"）或"當前際遇的研判"，這一點務請讀者深切領悟。】

而且，在生物乃至人類的"存境"之中，一定有一個可從其**前人類**以至**前生物**之物相——亦即**前體物演之層層存境**——中繼承而來的**代償素質**或**代償慣力**可循或可查。

第一百二十五章

對于"社會"這個概念，如果剥去它的"質料"内涵，則它無非是指**某一物類或物相的"堆"或"群"**。

如卷一所述,物的“質料”差异——亦即一般認爲是造成“物類”差异或“物相”區分的内在質地——**其實僅僅是物的存在性差异的表觀形態**,或者説,**是同一本原物質在其存在度遞減的趨勢下達成繼續衍存的代償方式**。既然如此,含有任一物演“質料”的衍存“形式”自然同時就是該物之所以能够存在的本質狀態,是謂“質態”。

也就是説,存在的“形式”或“形態”與存在的“内質”一樣,完全是同一自然存在本原或同一自然存在質素的變態演化産物。

我們假設,宇宙爆發前的“奇點”存在——即物的可感屬性尚未發生以前的那種不可言傳的存在——是自然界幾近無所分化的原始渾沌態。無分化則無個别,無個别則無形式,此“刻”(其實連“刻”也談不上,因爲“時間”亦未發生)的“在”囫圇而一“體”(其實連“體”也談不上,因爲“空間”亦未發生),故,“世間”(此詞已含有“時空”意味,雖不妥,姑妄借用之)**實在連一個最簡單的“堆”也無以爲聚**。

我們再假設,宇宙爆發後的“多態”存在——即物的可感屬性相繼發生從而形成令感應者可以有所感應或有所依存的那種存在——是自然界趨于分化加速的代償衍存態。分化了,則“一”成爲“多”,“囫圇體”成爲“殘缺體”,**于是,“多”則成“堆”,“殘”則結“群”,由以興起了這樣一系列“群化結構單元”或“群化結構形態”**:殘化了的“基本粒子堆”謂之“原子”;殘化了的“原子堆”謂之“分子”;殘化了的“分子堆”進而結成“生物大分子”乃至“原始單細胞”;殘化了的“細胞群”再結合成“多細胞生物”乃至“後生動物”;殘化了的“動物”聚集成爲“社會”乃至“國家”實體;最後,殘化了的“國家”勢必消亡于結構致密的“統一社會”;如此等等。(參閲卷一第十七章和第二十章)

顯而易見,這是一個演運有序的自然進化流程,或曰“殘弱化衍存流程”。沿着這個流程探查,你會發現各“堆”或各“群”的存在度亦即穩定度愈來愈低下,各“堆内”或“群内”組分

的殘化度亦即依賴度愈來愈升高。而且，每一個**上位結構**或**上位存在形式**都是建立在對**下位結構**或**下位存在形式**的收攬、蓄納以及再結構的基礎上，亦即使之實現爲**對結構本身再加以結構化**的自然代償躍遷序列。

結果，結構化的過程勢必呈現爲"結構度"日趨增高的過程，具體到社會構成或社會形態上，即呈現爲"社會度"日趨增高的過程。爲了便于理解後文，我們照例可以把這個過程表達在讀者業已十分熟悉的如下坐標圖式之中（亦可稱其爲"社會坐標"或"人格坐標"）：（參閱卷一第三十四章和卷二第七十章）

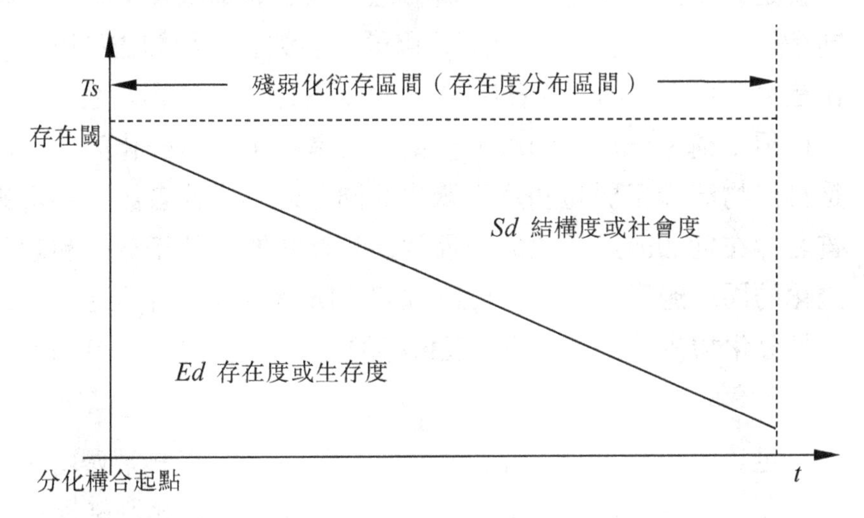

即：$Sd = F(Ed)$

$$Ed + Sd = Ts$$

這裏提示，所謂"**社會**"，無非是**自然分化構合的晚近存在質態**，或者說，是自然結構化進程發展到**生物體外存境階段**或**生物體外結構化階段**的**別稱**而已。

第一百二十六章

于是，正"社會"之本，就必須從清"生命"之源入手——即必須從探討生命存在究竟是怎樣一種物相（或處于怎樣一種存在位相）入手。

依據遞弱代償衍存之法則，生命物質不外乎是業已處在自然分化中途——亦即是業已處在自然殘化中途或自然弱化中途——的分子物質進一步分化構合或曰演運編碼的產物。分子是原子的結構化代償存態，生物大分子和原始單細胞生物是分子的結構化代償存態，而多細胞生物又是單細胞的結構化代償存態，如果不去考究修辭學上的表淺异義的話，也可以說，分子就是原子的"社會化"代償形態，原始亞細胞及單細胞生物則是分子的"上層社會建構"，爾後的多細胞生物體盡可以被看作是生活單細胞的"社會組織"。總而言之，自然存在之所以需要這種結構整合形式的層層代償，乃是由于自然分化的過程就是自然物演趨于弱化和趨于殘化的同一過程，或者說，**宇宙物質之存在度傾向遞弱化的過程就是其存在質態趨于分化和趨于殘化的同一過程**，故此，可以確認，所謂**結構化自然進程**不外乎是**分化物或殘化物之間相互依存的基本時空樣態**。（參閱卷一第十七章與第十八章）

足見生命存在一開始就是一種（或"一系"）極端殘弱化了的存在。換言之，如果不是由于自然殘弱化及其相應結構化的演變發展，生物構造原本就沒有發生和存在的前提。

盡管如此，**生命物質的進化序列照例是一個從圓滿到殘缺、從强存到弱在的相對嬗變過程**。因爲，生物大分子的有機構合是對分子殘弱化的無效代償，亦即**原始生物的臨場無非是下一輪殘弱化流程得以啓動的契機**。

而對更趨殘弱化的生物存在所能給予的下一輪層次性自然實體代償就是"社會存在"。

這就表明，社會結構的形成基礎同樣源自某種**類似于實體物態殘缺補綴的簡單嵌合機制**，也就是説，社會的結構化過程一定發軔于**生物體質的殘化依存機制**之中，猶如分子的結構化過程一定發軔于**原子形質的殘化依存機制**一樣。（參閱卷一第四十三章至第四十七章）而且，依據自然物演必然傾向于日益殘弱化的規律，我們可以預設，**生物的體質存在亦必呈現日趨殘弱化的傾向**，直至自然分化進程發展到實體殘化無以爲繼的地步而不止，由此導致**從體質剛性存態到智質可塑存態**的精神化代償，亦由此導致社會演運**從亞結構態向低結構態乃至高結構態**的自然進化。

實際上，正是這種逐層躍遷的結構組合狀態造成了宇宙物類從微觀到宏觀的級别分布，也正是這種由簡到繁的結構化代償進程造成了人類對至爲復雜的社會變構體缺乏統一性的認同。也許，及至"**生物 — 社會**"發展到"**人類 — 社會**"階段之際，由于人類的智質虛存業已導致社會的結構化動因和結構化組態均告虛演化，結果竟使身陷其中的天之驕子無論如何也無法將**自身的社會存境**與**前社會的物質構造**以及**前人類的社會構造**視同一脉。看來，社會認識的斷裂帶大抵發生在智質虛存與體質實存的代償過渡之間，儼如自然認識的斷裂帶恰好發生在精神虛存與物質實存的代償過渡之間一樣。此乃後話，姑且不提，眼下讀者衹需記住，**任何事物發展壯大到足以顯形之前，一般都有一個處于潛隱狀態的增長過程，猶如生命産生以先必有一個看不見的分子進化過程一樣。**無視這個進程，生命就屬于神明所有，同樣，對于社會來説，找不到這個進程，社會學就屬于蒙昧所有。

第一百二十七章

生命的高層位性殘弱質態，使其存在本身成爲問題。因此，它剛一誕生，死亡的結局就接踵而至。無論如何，它衹能以短暫的生存來解決問題，或者説，使生存的問題不成其爲問題，然則它必須借助于某種類似接力傳遞那樣的方式，使得短暫也能够永恒。這就是生物遺傳增殖機能的初始意義。

顯然，遺傳和增殖是生物對其殘弱本性的一種代償，它使得生命的殘弱不至于從根本上取消了生命的存在，由以達成自然存在流程的接續。

鑒于自身與生俱來的柔弱性質，它的增殖能力（或曰“遺傳屬性”）必須相應補償到這樣一個保持存續的“閾值”上（或曰“代償到這樣一個存在閾的基準綫上”）：其增殖效能（表現爲繁殖數量）一定得大于或等于自身弱質變數與環境壓力變數之和，即它的自我拷貝機能必須爲維持其相對穩定的存在制備出一個基本群體存量——**這就是“社會”得以降臨于世的起點**。

很明顯，這是一個有賴于攝取身外异己物質以求復制自身的特殊耗能過程，盡管被我們人類美其名曰“新陳代謝”，却無疑讓生物**一開始就走上了一條“物欲熏心”的求生之途**。【由此播下了後來分化爲晚級人類社會系統中“**經濟子系統**”的種子。】

很明顯，這也是一個有賴于對諸多身外异己物質細加甄別的識辨選擇過程，盡管此刻的物種尚没有感官的分化和智能的發育，却無疑讓生物**一開始就走上了一條“追逐真理”的認知之途**。【由此播下了後來分化爲晚級人類社會系統中“**文化子系統**”的種子。】

很明顯，這還是一個有賴于在同類或同胞之間順序依存的初級體外組織過程，盡管此刻的社群秩序幾乎單純地呈現爲性增殖的階層狀態，却無疑讓生物**一開始就走上了一條“階級統治”的宗法之途**。【由此播下了後來分化爲晚級人類社會系統中“**政治子系統**”的種子。】

誠然，乍一看來，初誕的生命簡直無异于一族擴大了的分子（RNA以及DNA大分子），或者是一堆像沙礫一樣面目渾沌的原核細胞（尚未分化出細胞核和細胞器的原生質團構體），然而，**由它們所開創的這個“群量存在”或“自然群體”却實在**

是不容輕覷的“社會之胚”。

而表現爲性增殖的**遺傳代償屬性**，就此成爲**生命存在和社會存在的第一拓荒者**。【二十世紀初葉，弗洛伊德通過精神分析的臨床方法發現，無論人類的社會精神現象何其奪目，決定着人的智性行爲的基本原因却是最爲人類不堪啓齒的“性”的潜流,或者還有一點兒對“偉大”的趨求。弗氏的學説很有些幽默，他實際上從一個側面指明了繁華人性的歸宿，使人類回落到原始生物**唯求生存**的基點上，這個生存的基點恰恰對生命提出了兩項要求,即借助“遺傳”以對抗殘弱——“性”的渴望（“本我”之要素）；和借助“變异”以超越殘弱——“偉大”的渴望（“超我”之體現）。而這一切均導源于被他稱之爲libido的神秘的“原欲”——其實就是驅策着整個宇宙進程的“存在性”而已。】

第一百二十八章

在此，我們不妨順便給“**代償的雙重效價**”（參閱卷一第十八章、第十九章和第三十三章）做一番直觀的實證。

爲了審慎起見，有必要追溯到生命發生的某一原始階段，譬如説，從單細胞生物初始發生的起點着眼，因爲衹有在這個階段，生物的增殖行爲才表現得比較單純。在這裏，既没有兩性生殖及其基因重組對繁殖後果産生的“偏差”，也没有來自其他物種的共生相濟或异養相食的“幹擾”，此時的單細胞生物作爲孤獨的生命始祖，直接面對着自然界原始條件的生存檢驗，其情形就像在一座偌大的天然實驗室中進行增殖效應觀察，整個實驗設計及其實驗過程仿佛嚴格依循排除無關因素的單項分析規則那樣予以展開。

【單細胞生物以出芽或分裂的方式進行繁殖，它能够在很短的時間內一分爲二，按照幾何遞增方式極快地擴張自身的存在——毫無疑問，這使瀕臨于自然失存邊緣的弱態生物獲得了有效的延續，亦即“有效的代償”。從表面上看，這種追加速度足以補償初衍生物的弱質而有餘，以至于像藍藻之類最早具有熒光作用的厭氧型單細胞生物，後來遍布于原始海洋之中，居然將地球大氣中通過水的光解作用所可能獲得的不足0.1%的氧含量提升到1%以上，爲大氣從還原型向氧化型的過渡以及臭氧層的形成做出了巨大貢獻。

那麽，依靠單純數量上的增加是不是就可以改變或消除生命的殘弱本性呢？讓我們仍以藍藻細胞爲觀察對象，來分析它憑借自身的量化優勢所可能産生的種種結果。

首先，數量的增減并不能改變藍藻細胞的內在結構和生物性能，也就是説，生命的弱點隨着數量的上升衹能相應的膨脹，即使它秉性中的優點也增加了，二者的比例却不會發生絲毫的變易。假如它的這種努力不是徒勞的，而竟然使它原有的性狀發生了任何變化，那麽，并不是藍藻這種生物的弱點被克服了，而是藍藻本身被消滅了，因爲被賦予新性狀的細胞必定已成爲一種新的生命。迄今地球上仍然存在着遠較古生代以前少得可憐的藍藻，它們作爲一種化石生物與其古老的祖宗别無二致。往最好的方面説，它們在通過數量的增加所擴展的生存平面上，衹不過同時增加了自然界無情施予的更大壓迫罷了，其效果比起後來的人類夜行怕鬼就多找幾個同伴壯壯膽子都不如。

其次，同類的增加必然加劇達爾文所説的那種給生物造成最大威脅的“種內競爭”。我們假設太古時代的自然界提供給藍藻細胞的生活物質有一個既定的數量，在它們尚未鼓足自己的繁殖能力以發揮其集團優勢以前，它們的物質生活是豐裕富足的，它們的精神生活也可以使每一位公民都表現出温良恭讓的美德來，但前輩的消耗和萬代子孫的興旺終于不免使原始海洋顯得相對貧乏起來。不用我們多加描繪，此後的藍藻伙伴們將會怎樣的反目爲仇和爾虞我詐是可想而知的。于是，這類生命原有的潛在缺點非但没有被糾正，反而還要再加上一些霍布斯稱爲禽獸和人類才有的史前罪惡，以及由于諸如此類的罪惡所加于藍藻孱弱一面的新的打擊。

尤爲可悲的是，藍藻細胞焕發出來的那種“改造自然”的偉力，實際上衹是它們厭氧代謝形式的無可奈何的副産物，不管它對後世的生物建立了怎樣卓著的功勛，對于藍藻細胞説來，它們污染了自己的呼吸環境。氧化型大氣層的出現毁壞和抑制了厭氧生物的機體和前程，使它們從此衹好寄身于遠比“暗無天日”更爲窘迫的無氧角落中苟存。

此外，增殖所致的群量擴大還使生物細胞内基因突變的可能性上升，也就是説使藍藻變爲不是藍藻的機會增大。根據朱克斯(Jukes)和金(king) 的研究計算，給氨基酸編碼的密碼子的置换速率爲（3 ~ 50）$\times 10^{-10}$置换/密碼子/年，亦即每個由核苷酸鹼基組成的遺傳基因每年發生突變的概率爲（3 ~ 50）$\times 10^{-10}$。假定在幾乎覆蓋了整個地球的原始海洋中，藍藻有效增殖的活體量使其密碼子總數維持在（3 ~ 50）$\times 10^{10}$以上（顯然達到這個數量級是不難做到的），則每年至少都會有一個基因編碼發生突變。藍藻裂殖的群量愈大，突變發生的次數相應也就愈多，這些突變積累到一定程度，就有可能造成新的物種。卡瓦利－史密斯（Cavalier － Smith）提出，原核細胞的吞噬和胞飲作用在真核細胞的進化中是關鍵環節，認爲所有真核細胞的祖先可能是一種能够進行光合作用的單細胞藍藻，這種藍藻丢失了細胞壁，它的質膜就可以施行吞噬和胞飲機能。而真核細胞是後來所有動植物的始祖細胞和組成細胞。在生物發展史上，變异和進化的後果常常是創造出變异者自身的有形生物天敵或無形環境天敵。因此，誰也不敢擔保這些突變就一定不會産生出恰恰要以藍藻爲食的惡物來，如果生物界的運作竟是如此之乖戾，那麽衹有上蒼才知道我們的藍藻細胞對于這場適得其反的奮鬥犧牲何其寒心。這個故事曾經真實地發生在距今大約十億年左右的晚元古代地質時期："最早的真核生物毫無疑問是單細胞的浮游生物種類。其中某些是光合自養生物，其他是异養生物——以原核生物爲食物的草食動物。當藍緑藻被草食動物收割後，它們密集的纖絲狀集叢變稀了，這就爲其他物種提供了繁殖的（水域）空間。"（引自《動物學大全》,老克利夫蘭P·希克曼等著，林秀英等譯。）】

這個以億萬年爲計時單位的自然操作實驗至此可以給出如下結論：**遺傳屬性是生命物質得以存續的基本代償方式，就其維系着存在之脉而言，不能説代償是不具功效的。然而，正是遺傳增殖本身導致被遺傳者的存在態勢趨于没落。**實際上，"代償的無效性"（當然不限于遺傳代償）遠比以上的叙述更爲嚴重，因爲如果站在生物史的晚近一端回顧，你會發現，以藍緑藻爲代表的原核單細胞生物是唯一穩定地獨霸地球達15億年至20億年以上的物種，此後的生物雖然越來越呈現出張牙舞爪的架勢，却實在是外强中幹,其"生存效價"或"生存度"（與"存在效價"或"存在度"同義）從此江河日下,終至于衰落到不可收拾的地步。

第一百二十九章

生物原始發生及其社會代償的過程宛若宇宙演運過程的變態重演——當然更是宇宙演運過程的直接繼續。

先看宇宙演歷：從物理存在（自亞原子粒子到原子質態），弱演至化學存在（自無機化合物到有機大分子質態），再演至生物存在（自生物大分子到人類質態），其間環環相扣，層層代償，且表達着一脉相承的衍存動因和衰變動勢。【不僅在實體交接形式上是如此，在能量傳遞形式上亦復如此，譬如，以整個生物界獲能基礎（即作爲生物食物鏈之第一環）的光合作用爲例：

光能（物理現象）$\xrightarrow{\text{轉化（同時能量有所損失）}}$化學能（化學現象）$\xrightarrow{\text{貯存在生物體内（動輒能量繼續遞失）}}$生物能（生物現象）。】

再看原始生物演歷：

——最先“活化”的原始生物，是一族由多種有機大分子組成的生物大分子，它們的存態頗像是由基本粒子構合成亞原子核子那一幕的再現。【二十世紀七十年代，在美國工作的瑞士學者迪納（Diener）首次發現了第一種類病毒——馬鈴薯紡錘體結節病原體，此後，更多的類病毒相繼被發現。類病毒是純粹的核酸生物，没有蛋白質外殼，分子量很小，衹有 $1.1 \sim 1.3 \times 10^5$ 道爾頓，以共價閉合成環狀或綫狀的單鏈RNA分子的形式存在，而且，它和病毒一樣，一旦脱離宿主細胞，即不再進行代謝活動，它們仿佛非生命物質一樣静止地存在着，但它們是“活”的生命，衹要侵入宿主細胞就可以借其代謝程序進行活躍的自我復制。這些類病毒的存在方式横跨在生物界與非生物界之間，把分子物質與生命物質的人爲分割一筆勾銷了。】

——不過，這些依賴于借體復制的大分子生物就像亞原子核子一樣尚不是一個自成一系的獨立存在者，它們必須通過某種方式制備或聯絡各種蛋白質、多肽及脂類、糖類等物質，由以形成相對圓滿的自爲型生存者，即原核單細胞生物。此刻的生命樣態簡直就是氫原子的改頭换面，由它們起始，後來演化出種類繁多的真核細胞，就像由氫原子起始逐步演化出名目各异的後續元素一樣。不同點在于，它們業已弱化到必須憑借不停頓地復制自身方能存在的地步，由此開辟出名曰“社會代償”的又一層世態炎涼之天地。【原核細胞的形成是在核酸分子與其他有機原生物質外面包裹了一層磷脂雙分子流體鑲嵌膜，這種生物膜的特點之一就在于它可以根據離子以及分子結構的差异來識别和交流膜外的物質與信息，原始細胞與人體細胞在質膜上的同構狀態現已成爲人類起源于低等生物的證據之一。從此生命有了自己的“面目”——一個用以“面對”外在對象的特定感應介質。】

——真核細胞的問世，同時就是生物越發不能自穩的新的開端，所以，僅僅經過了數億年的時間，即距今八億年的震旦紀前後，細胞集聚現象或細胞集聚生物（如團藻）即開始出現，起初，這種聚散自如的細胞運動令你不能區分它到底是“多細胞的社會組合”還是“多細胞的生物體質”，然而它無疑是單細胞内部分化導致以細胞爲存在單元的存在者趨于殘弱化，并迫切要求新的代償格局的明證，儼如元素遞衍所造成的殘弱化形勢迫切要求以分子化合態來實現其代償一樣。【一般認爲真核細胞的生存力度較原核細胞爲高，其實不然，因爲真核細胞正是原核細胞不可遏止地趨向分化遞弱的産物，事實上，它的主流很快就消失在多細胞、高分化的後生物種之中，即消失在自身的上位代償存態之中，并經由此種體質分化，爲最原始的無分化社會步入結構化社會奠定了基礎。】

此後的生物進化就像分子物質一樣鮮明凸出，千姿百態，致令新一層自然代償序列——即“社會存在”躍然于宏觀。

可見，**社會濫觴于原始的微觀生物之中，一如萬物濫觴于原始的微觀粒子之中一樣。**

爲了便于闡釋，我們把上述**以原始單細胞生物爲主體**——即包括亞細胞生物、原核細胞生物以及真核單細胞生物在内——的**無結構或亞結構群化存態**稱爲“**初級社會**”或“**初級隱性社會**”。【此刻的社會聚合樣態，略如形質基本劃一、數量極爲龐大、即表達爲同質非整合形式的基本粒子群態。再者，同樣地，其存在時效亦顯得格外之高：從三十五億年前生命初誕的太古宙地質時期計起——→至五億七千萬年前多細胞高分化後生動物成爲生物界主流的寒武紀顯生時代。歷時約三十億年以上。】

相應地，我們把由**真核細胞進一步分化衍運而成的前智人多細胞動物爲主體**——即由體内多細胞分化構造而致其體外生存性狀趨于殘化的所有動物、包括舊石器階段以前的類人猿和直立人在内—— 的**低度結構化群體存態**稱爲“**中級社會**”或“**中**

級潛在社會”。【此刻的社會聚合樣態，略如形質業已分化、内組單元稀疏、即呈現爲异質整合形式的原子内構狀態。然其存在時效已呈遞减之勢：從寒武紀地質時期計起——→至數十萬年前的新生代第四紀晚近時代。歷時約五億年以上。】

最後，我們把**以智人爲主體**——即在多細胞動物繼續弱化演進、以至不得不借助于智質分化代償來接續體質分化代償的晚近生存形式——的**高度結構化群體存態**稱爲“**晚級社會**”或“**晚級顯性社會**”。【此刻的社會聚合樣態，略如形質急劇殘化、内組單元繁雜、即顯現爲構型特别致密的分子叠構狀態。其存在時效更是一衰三竭：從數十萬或數萬年前計起——→至今——→乃至不遠的未來。預計歷時大約不超過幾百萬年甚或幾十萬年。】

【有必要予以聲明：上述有關“變態重演”的種種類比，衹是爲了讓讀者能够形象地理解生物衍運及其社會存在的“自然代償躍遷進程”，此外别無意義。不要忘記，簡單的類比常常是無解或誤解的表徵，孔德的社會學（sociology）研究就曾比照生物學家畢夏（Bichat）于十八世紀末對人體組織的粗淺描繪而發，結果他貿然提出社會是高于人體的另一級有機體之説，却終究未能給出社會何以會存在的基礎論證。】

第一百三十章

如果説**社會存在層次的代償性發生**是由于**生物存在層次的遞弱化態勢**使然，那麽，**相對于更趨弱化的高等生物而言，由于原始低等生物的存在度或生存度偏高，故其“社會層面”不免顯得分外菲薄。**

再者，如果説**自然結構層次的代償性致密**是由于**自然底物層次的遞殘化態勢**使然，那麽，**依據“弱化→分化→殘化”或“弱**

化＝分化＝殘化”的宇宙律令，由于原始低等生物的分化度或殘化度偏低，故其“社會結構”不免顯得分外荒疏。

總之，**初級社會**的失構無形必定與**初級生物**的對應素質有關。

問題在于，我們首先得能够證明**原始生物的相對高生存度**。

問題還在于，我們同時得能够證明**原始生物的相對低殘化度**。

【最早把“殘化”基態與“社會構成”聯系起來加以考量的當數斯賓塞，他没有用“殘化”一詞，而是用“异質”之説作爲社會結構化的基礎，他不無見地地指出，人類的社會發展是一個從無凝聚力的同質形態轉化爲异質整合形態的動進過程。然而，“**异質**”與“**殘化**”在概念上有很大的不同，因爲“异質”僅僅表示**异質者之間有所差异**，却并不能表達出**异質者自身殘缺不全故無可獨立或自立**的意蘊；而且，异質化的過程也實在不能衹從人類算起，**須知人類的异質狀態不過是前人類的一切存在者的异質化進程的結果罷了**；更重要的是，在斯賓塞的异質概念中，**絲毫看不出异質化進程與存在態勢的内在關系，即看不出异質存在者處于亟待尋求某種代償的危在位相上，從而令社會發展成爲多餘的舉措和非必要的累贅。**

换言之，所謂“异質”應該是“弱質”的同義詞。即存在度的弱化動勢一定是自然物演的本質，而相應的分化或殘化動勢純屬宇宙遞弱衍存進程的現象形態。或者，如果把**分化和殘化**一并歸在**异質化**的詞項之下，則**异質化**與**弱質化**之間無非是互爲表裏的自然質態而已。

不過，這樣講仍有問題，因爲任何直觀上的同質狀態照例是自然弱化和分化進程的産物，而且可能是某種階段性殘化的極致。譬如，同類碳原子之間無疑可被視爲是一種同質的狀態，然而它們作爲化學元素的殘化程度却是無以復加的了，因此，一旦它們自相聯絡，反而會建立起最爲致密的鑽石結晶體或布基球結構體。**也就是説，所謂“异質”與“同質”的區别到底**

還是一種淺層表象上的辯證陳述，它并不能真正深刻地反映出自然殘弱動勢的核心規定和總體質態。

雖然如此，我們不妨借機**給結構演化運動劃出一個局限的區域**：假設在其左端是集聚成員的相對圓滿態，如惰性氣原子之間的互斥型非化合存態或球體的集合，此乃極度分散的無構態基礎；假設在其右端是集聚成員的相對殘缺態，如純粹四價碳元素的鑽石結晶體或方磚的砌合，此乃極度密切的構態基礎；這兩個極端之間的過渡區段即爲一般意義上的异質整合態。**從左到右，其結構度呈現爲由極小值至極大值的分布趨勢**。即是説，**結構度與構合成員的總體殘缺度成正比，與構合成員的總體圓滿度成反比**。據此可以這樣表述社會存在的基礎和社會演進的形勢：**個體殘化度偏低的物種，其社會構態傾向左移；個體殘化度偏高的物種，其社會構態傾向右移**；反過來講也一樣，即**社會構態左傾的物種，其總體自然生存度偏高；社會構態右傾的物種，其總體自然生存度偏低**；而且，**倘若社會構態由左向右發生位移，提示生物種系演化亦即“生物進化”本質上存在着生物個體生存性狀趨于殘化和生物總體生存力度趨于弱化的傾向。**

當然，我這樣講，乃是爲了給結構關系以一個最簡明的抽象，任何自然結構的實際情形都要比上述圖解復雜得多，但從這種抽象演繹中可以看出，**一切聚合體的結構疏密狀態均與其構合組分的性狀分化程度有關**；再者，如果把這個自發的連貫過程人爲地裁減出某一片斷（或孤立地聚焦于某一層級），則會發生由于視野限制所導致的如下變形：結構化運動的同質整合效應似乎可以在兩個極端上表達，而結構化運動的异質整合效應衹能在程度不等的中間殘化區段上表達。**這進一步表明，處于左右兩個端點上的同質聚合物態均有可能是不同層級的异質分化效應之極致，亦即同質聚合形態一般恰恰是前期殘化進程的嚴峻後果。**

鑒于既往的社會理論常常局限在某個極其狹窄的片斷區域内討論問題，領會此處之所談對于理解後文將是有益的。】

第一百三十一章

單細胞生物的原始**高生存度**僅僅相對于其他後衍物種而言才是有效的。因爲，從非生命物質的“存在”到生命物質的“生存”，這一概念内涵的轉化所能引出的唯一區別，就在于**由“存在效價”到“生存效價”之間的“度”的跌落**。【以及，由此引發的代償效價的相應上揚，或代償招數的花樣翻新。通常人們衹被這代償的花樣所迷惑，殊不知一切代償既是存在度下傾的函項，又是存在度下傾的載體。（參閱第三十四章和第四十章）】

即是説，**生存度**是**存在度**的繼續下滑，所謂“高生存度”不過是**重新界定一個下滑的起點**而已。

【以這個“起點”作爲着眼點，則原始單細胞生物**不同凡響的生存力度**，早已成爲大、中學生自然教程裏的基本常識了：

——三十多億年前太古時代的地球，是一個既没有氧氣、也没有遮擋太陽紫外光的臭氧層、更没有一星半點緑色的生機爲原始生存者提供庇護的地地道道的地獄，除了赤地千裏的荒漠和漫無涯際的死海而外，就衹剩下岩漿横流的煎熬、冰封雪覆的冷酷和飛沙走石的暴虐了。爲這個星球造化着生存條件的那些原核單細胞生物，當時衹能潛隱于海平面十米以下的高壓暗區生活，以免遭到宇宙輻射、强紫外光或其他自然險象的斫殺，它們像沙礫一樣“同質化”或“缺乏個性分化”地存在着，豈不是恰恰證明了它們格外强韌的生存力度。

——考古生物學證明，自大量物種暴發性顯生的寒武紀時代以降，不知有多少高度發展了的生物種群已遭滅絶。據辛普森（Simpson）估計，曾在地球上發生過的物種數量約有五千萬種到四十億種，而格蘭特（Grant）則估計有十六億到一百六十億種，現存的物種數目，一般估計爲一百五十萬種到四百萬種之間。趙壽元先生在普通生物學教科書中據此做過如下計算："倘若我們假定曾經出現過的物種數目是二十億種，現有物種的數目是二百萬種，那就是說，原有物種中99.9%都已滅絕了，保留到今天的衹不過1%（不足）。"而且，從整體上看，愈晚近的生物門類，趨于滅絕的速率愈高。這裏顯然發生了一個人們長期視而不見的問題，即**自然選擇進程**究竟是在選拔**具有適應性的强存者**還是在濾留**具有弱質性的適應者**?（回顧卷一第二十二章）

——以下，我將繼續援引普通生物學教科書中關于微生物一章的論述，因爲凡能進入教科書中的內容通常已是争議不多的學科定論。周德慶先生在該章節中對于微生物五大特徵的扼要概括完全適用于"初級社會"中原始單細胞成員的生存情狀，因此，恕我直接引用他的部分原文并同時表示我的敬謝之意：

"**1. 體積小，面積大**

任何物體，若把它分割得愈細，則其單位體積所占有的表面積值就愈大，如果以人體的'面積／體積'值爲一，則大腸杆菌就達三十萬左右。這樣一個小體積、大面積系統必然特别有利于與外界進行物質和能量交换。這就是微生物區别于一切其他生物的最本質的屬性，也是引起以下四個其他共性的原因。"

"**2. 吸收多，轉化强**

據報導，一個積極活動着的大腸杆菌細胞，每小時可消耗其自重兩千倍的乳糖。吸收多的結果，就爲物質轉化快、菌體合成多提供了可靠的物質基礎。"

"**3. 生長旺，繁殖快**

微生物有着極高的繁殖速度。如果以二等分裂方式繁殖的細菌爲例，它們每分裂一次，快的衹要二十分鐘，因此每小時就可分裂三次。這樣，衹要處于合適的條件下，它們在短時間內就會得到大量繁殖。”有人曾經作過計算，一個大腸杆菌重約2×10^{-12}克，如果每半小時分裂一次而且全都存活，那麽71小時後大腸杆菌的總重量就會等于地球的重量。幸好，自然界不可能提供這樣的生存條件。

“4. 適應廣，易變异

由于微生物具有個體小、繁殖快、數量多和接觸外界環境的直接性等原因，使其發生變异、淘汰或適應的頻率特别高。因此，它們在抗熱、抗寒、抗幹旱、抗酸鹼、抗缺氧、抗輻射和抗毒物等一系列抵抗惡劣環境的能力方面，都登上了生物界的‘冠軍’寶座。”

“5. 分布廣，種類多

微生物在自然界的分布真可謂無微不至、無孔不入、無遠不届了。人迹所到之處肯定會有大量的微生物，人迹無法到達之處也會有大量的微生物生存着。在地球上除了活火山區以外，從生物圈、土壤圈、水圈直到大氣圈和岩石圈，到處都有微生物家族的踪迹。例如，在89℃—90℃的温泉中，在含鹽量高達23—25%的‘死海’裏，在難以測出水分的撒哈拉沙漠中，在酸度極高的礦水中，在兩千米深的地層下……到處都可以找到一定類型的微生物。”“在微生物中可找到比高等動、植物的代謝特徵更爲豐富的獨特代謝類型，例如細菌光合作用，化能合成作用，生物固氮作用，厭氣性生物氧化，烴代謝，合成多種次生代謝産物，能分解復雜化合物（纖維素、木質素、角蛋白、塑料等）和極毒物質（酚、氰、甲醛、多氯聯苯等），各種抗逆性，以及奇特的‘生命的第三形態’（甲烷菌）、‘第四形態’（病毒）和‘第五形態’（類病毒）等。”

至此，關于原始單細胞生物的高生存度問題姑告證明完畢。盡管這種證明方式着實缺乏哲學韵味，然而，對于討論直觀的

社會基礎或生物屬境而言，這却無疑是最簡捷有效的方法之一。】

第一百三十二章

單細胞生物的**高生存度與其低殘化度（即低分化度）原屬同一回事**。

【從生物發生史上看，分化程度最低的物種無疑是藍綠藻之類的原核單細胞生物。所謂“原核細胞”，是指在細胞形態上尚未發生細胞核及細胞器等結構分化的原始細胞，胞内渾然一體，各類活性物質以“原生質”的泛化方式進行增殖和代謝活動。這類生命頗似莊子在其《内篇·應帝王》一節中所説的中央之帝“渾沌”，雖無五官七竅，却是生物史上最堅强耐久的活物，後世那些“鑿開了渾沌”的真核細胞——所謂“真核細胞”，是指胞内遺傳物質聚爲核體，且于胞漿即“原生質”中分化出與代謝和繁衍有關的一系列專能細胞器——以及由真核細胞“復鑿”而成的億萬種多細胞、高分化生物，雖俱分器之官能，却失渾沌之厚重，從此來去匆匆，“倏忽”而逝，由以應驗了“日鑿一竅，七日而亡”的道家寓言。

原核細胞的體積衹有1～10微米，大致相當于真核細胞平均體積（10～100微米）的十分之一。它們没有復雜的細胞核和細胞器體系，乃是爲了用最簡單的生存方式及最輕便的體質負荷以策應原始地球上最苛酷的生存條件；它們没有雌雄异化的性系統，無須配子結合及有絲分裂的麻煩程序而以直接出芽和裂殖的簡約方式實現復制，盡管這簡直無异于讓自己及其後代赤身裸體、一無披挂地踏上了最凶險的戰場；它們采取低效的無氧代謝；自主運動功能幾近付諸闕如；甚至它們體内决定着遺傳再生的DNA亦不能與執行編碼過程必需的蛋白質直接結合，從而有可能因爲遺傳信息傳遞障礙或失準而造成某些子嗣的滅頂之災……所有這些“缺陷”——其實正是相對“圓滿”或“低殘化度”的表徵——既是它們暫且得以保持“高生存度”的前提，也是它們終于不得保持“低殘化度”的原因。

真核單細胞生物雖較原核單細胞生物的生存力度爲弱——其證據之一是，它們的主流大約衹經歷了十億年左右的時間就將自身消融于多細胞的新生物種之中——然而，如果向後比較的話，它們仍然屬于特別穩定的原始生命。須知它們畢竟是一切多細胞動植物的原發始祖和組成單位，試想一下，倘若真核細胞比它們的“上層建築”（即多細胞有機體）更形虛弱，有機體如何成立？（類推下去，倘若分子的存在度不及生物、原子的存在度不及分子、基本粒子的存在度又不及原子，如此以至無窮，那麼，整個物質世界又如何成立？）】

事實上，**真核細胞的胞内形態分化正是隨後發生的胞外結構分化的基礎，即正是細胞内部結構的分化導致單細胞生存度的傾跌，從而促使多胞體式的細胞聚合和聚後再分化的代償成爲必須，且進而導致機體分化即個體殘化，由以造成體外依存性整合——即社會結構化代償的相應發生和發展。**盡管如此，較之多細胞有機體，真核單細胞生物仍不失爲**亞結構初級社會的堅定屬員**，因爲它畢竟還可以依靠自身的先天圓滿性而相對自足地生存，也就是説，**它的圓融自滿存態尚令體外社會的結構發育成爲多餘，或者説成爲無本之木。**

從單純生物學的角度看，眼下的細胞分化以及後來的機體分化自有其更繁復和更切近的“多因素”在發揮作用，然而，這繁復而切近的“因果序列”所表達的正是那簡一而深遠的“**存在性**”之規定。實際上，這個看似荒誕的“鑿竅”過程早在宇宙勃發之初就已開始，從基本粒子→亞原子核子→原子→分子→單細胞→多細胞機體→乃至社會結構，無不如此，衹不過“鑿竅的進程”越來越加快，“鑿竅的工程”越來越龐雜罷了。很明顯，

生物的"鑿竅"過程無非就是前生物之"分化構合"過程的自然延續，也就是宇宙物演的實體單元從微觀到宏觀進行結構化建設的自然步驟。【因此，當我不得不沿着生物進化史的演動軌迹展開論述時，請讀者務必注意不要被生物學的符號表象所迷惑；而在我，亦應盡量避免或減少使用生物學（或其他科學學科）的專業術語，盡管這樣一來，無論是哲學家抑或科學家反而可能都會感到有些别扭，也衹好在所不顧了。】

簡而言之，**任一衍存者的分化程度與其存在效價呈反比**。

于是，還是還原爲這樣一條相關律：**低殘化度正是高生存度的自然質態，亦即高生存度正是低殘化度的同一質素。**【至此，關于原始單細胞生物的低殘化度問題亦告證明完畢。實際上，這類證明早在卷一中就已完成，這裏衹不過是將它處理成生物階段的直觀表象或社會層級的具體序列而已。】

第一百三十三章

值生物尚且"自强"暨"自圓"之際，以生物爲其基質或基礎的社會代償——即社會存在——自然無可顯形。**這個將自身潛隱在原始生物之原始屬性中的社會就是初級社會**。

換言之，**初級社會的隱性質態反映并體現着原始生物相對偏高的存在效價及其相應偏低的代償要求**。

原始單細胞生物的"自存强勢"，突出地表現在生物學所謂的"原初代謝"上。對于自養型細胞來説，它可以直接利用太陽提供的能源和大氣提供的碳氫源合成自身所需的有機質補充；即便是那些不完全具有生物合成能力的异養型細胞，它以自身廣大的體表面積及其細胞膜上的幾乎每一個分子位點作爲采食的"嘴"，去吸納由大自然廣泛提供的簡單有機分子和無機分子來營養自體，如此存境，何需編織一張社會魔網爲之庇護？【以後，多細胞後生動物完全喪失了自養能力，而且也無能利用諸多簡單分子來合成自身所需的有機大分子，于是，它們不得不代償以“生物能動性”或“生物運動性體能的全面分化”，以便能够“自由”地尋覓物質支持和“自由”地享受相應創生的社會壓迫。唯有植物扎根于地，像惰性元素固守着自身的電子自滿態那樣，僵冷而孤寂地固守着古老的自養機能，結果，它們無需“能動性”或“自由”的代償，從而也使它們的群化組態得以長久地保持在近似于初級社會的原始水準上。】

原始單細胞生物的“自性圓融”，突出地表現在生物學所謂的“孤雌繁殖”上。對于裂殖型單細胞而言，它們各自都是一位像聖母那樣高潔而孤傲的親本；而且，在通常難得突變的情況下，其子代細胞與親代細胞如出一模，基因編碼100%的一致，以至于某些生物學家對于它們作爲獨立生存的單元是否因此就可以被視爲“個體”都表示存疑，如此同質化的性狀所能給出的群聚屬境，從某種程度上說着實衹具有外在“成堆”的意味，與“聚合”二字含蓄的伸縮互補之意相去甚遠，有如面對一盤散沙很難將其稱爲“群聚”一樣。【以後，多細胞生物逐步喪失了孤雌繁衍的能力，其體質分化的殘忍無過于性裂變，自此往後，生命不僅演出了一曲曲唱不完的愛情悲歌，而且開創了一系列説不盡的社會勾結。雖然如是，你却不能否認，生命就從那“堆”無聲無臭的“散沙”中起步，社會也同時從那種“散沙”的“堆”内開始增長，待到山花爛漫、物種駁雜之時，人們其實已經無法找到社會的根系了。】

此刻的社會渾沌無構，一如此刻的生命渾沌未鑿，是謂“原始同質社會”。【人們常常提及并爲之而神往的“原始大同社會”，其實與人類全然無關，它的種種“風情”——如果不充分發揮人性中的詩情畫意去着力渲染它，大抵會毫無風情可言——盡在那呆若塵沙的單細胞菌株上，或盡在那索然無味的同質化社

會中。實際上，迨至猿人問鼎中級社會末端的靈長目社會之時，他們早已陷身于相當發達的社會結構化自然羅網之中而不能自拔了。】

然而，**正是這種蒼白空虛的同質化社會建構，與其沙礫般的同質成員相匹配。**【它仿佛不存在一樣地存在着，或者説，以虛無統治着實在，從而充分放任自己麾下的渺小鬥士們各自使出渾身解數，去應付那無遮無攔的原始地球所賜予它們的像宇宙一樣無邊無際的巨大挑戰。衹有這樣的社會才具有如此寬廣的胸懷和如此深沉的道法，使之足以掌握并徹底實踐“無爲而治”的黄老之術；也衹有這樣的社會才敢于以弱勢出手，在充分蓄足了氣運之餘,最終果然以道家主張的“後發制人”之氣概，不慌不忙地將自以爲是天之驕子的人類駕馭得服服帖帖。】

第一百三十四章

本章擬就**原始生物與初級社會之間的自然關系**予以概略的總結——

I. 原始生物的生存效價與初級社會的衍存效價之對位律：作爲原始生物的代償性上位存在，初級社會自與原始生物之間存在着某種密不可分的對應關系。然而，這種關系是對位而不等位的。所謂“對位”，是指**二者如影隨形般的單向派生關系**，猶如社會等級之座號必被置于生物等級之相應座位上一樣；所謂“不等位”，是指**作爲下位存在者的生物之存在效價一定大于爲之代償而衍存的社會之存在效價**。【以存在時效性爲例，從生物大分子到亞細胞生物（類病毒、病毒等）、直至具備獨立增殖能力的單細胞生物發生以前，不能説生物不存在，但那時的生物物相與一般分子化合物幾無二致，由于遺傳屬性尚未形成或無法實現，故在此前相當漫長的生物發展階段，社會確實無由發生；再如，具有三百萬年以上生物繁衍史的人類，其絶大部分時間都處在動物中級社會存境之中，直到智質發育足以成爲人類這種生物的主導屬性，晚級社會屬境或晚級社會實體才姍姍來遲。至于以存在穩定性爲例，則社會形態的動蕩更不能與生物形態的相對穩定同日而語，這一點，在社會進化愈趨成熟的時候愈爲明顯，人類對此當有切膚之痛感。】

不過，**對位律提示，原始生物與初級社會二者雖然處于不同的衍存層位，相互之間却貫通着某種相對高存在度的共有特徵，即二者的存在效價分别均處于各自所在自然層級的左端。**

II. 原始生物的分化程度與初級社會的結構程度之相關律：單細胞生物的任一胞體都是一個完整的生命存在，它無須借助同類的提携就可以獲得各項欲求的自我滿足，也就是説，相對于後世的高分化態生物而言，它們尚可被視爲自性圓滿的活體物質，盡管相對于無機物界而言，它們早已殘弱到幾難自持的程度了。**由于這種低分化狀態，生命暫時還用不着尋求某種體外結構化的代償系統來維護自存，盡管代償性的增殖行爲本身已經營造了社會體系的胚胎也罷。**因此，由它們構成的初級社會呈現出對應的同質化特點，即它們的社會形態以無組織、無結構的簡單平面鋪展而成，比起金字塔式的後衍社會來，它們每一個成員的社會定位都是天然平等的，所謂“社會平等”，衹有在這個時候才真正具有十足的修辭學含義。**一言以蔽之，它們體質性狀的非組織狀態決定了它們社會構成的無組織狀態。**【順便一提：生命在其問世之初，從“骨子”裏就帶有一種深刻的反社會傾向，這一傾向先是通過同質化的生物性狀構成來消解生物社會構成的結構内涵，從而使巨大的社會實存在其最初誕生的時候幾乎找不到自身的踪影。而後，隨着生命的性狀分化將其潛在的殘弱素性展現開來，反映出代償功能的社會結構才逐漸顯形，雖然如此，那種生命中深在的反社會傾向仍然被遺傳下來，轉換了各種方式繼續頑强地表達着自己——實際上，所謂“反社會傾向”所表達的，乃是自然物演進程爲了阻滯自身存在度的流失所采取的種種保守措施之一。對于原始單細胞生物來說，它們的反社會傾向衹要以自身圓融的體質構態爲武器就可以不戰而勝，因此，就像當時的初級社會在結構上相應的自我冰釋一樣，它們的反社會傾向反而可以無須表達，倒是那些被緊緊鎖定在社會紐結上的高分化生物——最典型的莫過于我們人類——不得不用盡體質和智質上的一切潛能，爲掙脱恰恰是由自身體質和智質性狀所織造的社會束縛，而發出聲嘶力竭的呼號，最終還常常不免遭到粉身碎骨的慘烈下場。】

上述**相關律提示，初級社會的亞結構狀態與原始生物的亞分化生存性狀完全吻合，在未來，二者之間將會顯示出某種正相關的動勢，即隨着生物性狀分化程度的演進，社會代償必然相應趨向于自身結構化區段的右端。**

III. 原始生物的屬性狀態與初級社會的屬境建構之統一律：誠然，原始生物的“生存效力”格外厚重，但這絶不表示它們的“生存能力”格外高强，倒是相反，它們的高生存度既不仰賴巧妙的“技能”，也不依靠强大的“力量”，那些復雜的生物屬性都有待于它們遥遠的後裔通過細胞分化和機體組織系統的進化才能够獲得,不幸的是,**所謂“生存能力”——即“生物屬性”或“生物機能的總稱”——恰好與“生存效力”成反比**。是故，原始生物無需運動的自由,無需本能的導向,更無需智能的創新,它們以自身的“無能”换來了自然界對其生存的最大限度的認可,**相應地,也换來了初級社會屬境的“内構空洞”和“統治乏力”**。【不過，由于原始生物的大質量、前導性存在，它們的“創造性”實在不遜于任何後生物種，實際上，就連“地球生物圈的自然形成”也不能没有它們的勞作和參與。這表明,所謂“自然選擇”,包藏着生命自己的梯度型鋪墊因素在内，而且，這個鋪墊過程本身就直接形成了某種導向和指引，仿佛今天的生命在選擇明天的自己那樣，使生物物種系統及其生物社會結構均沿着同一條不間斷的自然軌道貫通下來。回過頭看，後來的生命類型以這些原始活物漸次造化的生態環境作爲與之取得“適應”的參照系，可見其生存基礎之薄弱，亦可見，所謂“適者生存”，在很大程度上就是後衍生物之屬性與前體生物之屬境（這種“屬境”對于後衍生物來説即是“環境”的一部分）取得契合。】

既然生物社會的原始起因淵源于生命的遺傳屬性，則在初級社會的同質形態中也就不可避免地要打上增殖的烙印。在膠體營養物表面，單細胞微生物會結成以母細胞爲中心且具有一定形態構造的子細胞集團即“菌落”，不同種類的微生物，其菌落的形態亦各有差异。**這一特徵，在以後所有的生物種群中都有不同程度的表達，植物如此，動物如此，就連人類初期相對均質化的母系氏族社會中也再現出這種源頭的規定。**

IV. 原始生物的生存壓力與初級社會的内構張力之互换律：由于初級社會同質而散漫的亞結構形態，該社會實體的内構張力極其低下，致使原始生物的生存壓力幾乎完全來自于自然環境方面。很明顯，舉凡某種社會復合體的**集聚聯構力度越小**，導致其發生變形的外部因素就會越多，一點輕微的環境波動即足以造成這類鬆散社會群體出現潰亂，**相應地，這一解構過程對該社會成員的損害也就越小**；反之，舉凡某種社會復合體的**集聚聯構力度越大**，導致其發生動摇的内部因素就會越多，一點局部的屬境波動即足以造成這類密構社會群體出現震蕩，而外部因素的作用力相應削弱，**同時，結構破壞對該社會成員的損害程度隨之上升**。這再度表明，社會結構化進程完全是一個對其生物成員的弱化代償機制。**假如把上述内外兩種破壞力分别規定爲可以計量的兩組參數，那麽，造成構合成員同等傷害程度的内外兩種力量之間一定存在着大致相等的可换算當量。**换言之，對于處在任何一種社會形態中的生物群體而言，它們（或他們）所承受的生存壓力總是大致相等的。差别僅僅在于，

社會結構鬆散則其所屬成員易于遭受自然環境外力的摧殘，而社會結構致密則其所屬成員不免遭遇社會存境内力的壓迫。【社會結構實體的這一特質，勢將造成社會學上的如下動態效應：即任何種系的生物群體，姑且除去其特定的“承受力因素”不計，它們所面臨的自然或社會壓力之和大體相等，在初級社會的内構張力及其代償功能尚散弱無效之時，這種壓力主要來自于自然環境；將來，健全高效的晚級社會屏蔽掉多少自然壓力，社會内部的聯構壓力又會等量地增補上來。**這是“自然存在閾”作用于社會系統的具體體現，也是“等價代償原理”賦予社會哲學的一個轉型規定。**順便引申一步：展望人類社會原始文明類型的分歧（比如各種族、各民族或東西方傳統文化在思維方式、行爲傾向乃至社會構態上的種種區別），如果忽略掉人種基因型上的細微差异不計，則湯因比的“環境挑戰應戰學説”（參閲其《歷史研究》）和費正清的“地緣文化構成學説”（參閲其《美國與中國》）就在這個基礎上成立，即表現爲社會外部的自然作用力構成原始文明形態差异的主要影響因素；反之，隨着人類社會的結構化發展，這種“環境”或“地理”性的外部影響逐漸減弱，社會内部的凝聚性影響逐漸凸顯，比如近代以來人類總體文明的衝突與融合主要在國際社會的政治、經濟和文化舞臺上進行；這一切都是上述原理長遠而統一的貫徹。】

既然**初級社會的内構張力偏于低下**，處于波濤摇曳的原始海洋中的原始單細胞生物，其群聚形態就會像處于液態介質中的微生物那樣比較均勻的分散開來，通常没有形成上述菌落的現實可能性，**這并不表明它們完全缺乏一般生物的社群聚合性**。

V. 原始生物的衍存態勢與初級社會的代償效價之無功律：單細胞生物的高生存度、個體生態完整性和種群均質無結構的特點，决定了初級社會原始發生的無功效性。這裏所謂的“無功效”具有兩重涵義，其一是指**原始生物的强存態勢無需社會代償，此中暗示社會代償仍有其功效，衹是起初尚未予以代償**

而已；其二是指**原始生物即縱需要某種代償，代償的結果最終照例流于無效，而不與在何種程度上加以代償有關。**這兩重涵義顯然不能同時見于初級社會。【初級社會以如下方式顯示前一涵義：即對于任何一個單細胞生物來說，除了垂直性單綫增殖的遺傳延續性關系而外，它的橫向社會性同胞的存在與否幾乎跟它自身的生存没有任何直接的影響，同類的存在猶如海水和岩沙的存在一樣，任一個體擁擠在其中與之共生完全無异于將其放逐到群體之外的“荒島”上，而且絶不會産生魯濱孫的寂寞、恐懼以及切身的生存危機，更不會産生俘獲星期五的驚喜和奴役星期五的必要，它無須依賴群體而生存，也没有超越基本生理需求的野心，個體圓滿導致個體封閉，個體封閉導致社會均質，而社會同質化又導致社會存在的無形化和無效化，表現爲個體身外的异己群量，其存在與不存在似乎都毫無差别。于是，聯體多細胞生物的出現，也就由于這種無害的漠然態度，而成爲初級社會獲得躍遷的歷史的必然。不過，不可忘記，原始單細胞生物倘若不是遭遇到極大的麻煩，何需整日價忙于遺傳？又何需由遺傳而締造社群？足見它的“自圓”衹是相對的，而它的“缺陷”却是深在的。】

正是由于前一代償涵義的現實，才使第二代償涵義根本無從表達。這“無從表達的涵義”提示，**所謂“社會代償”，無非是生物自身缺陷的展開。**缺陷未展之際，尚可抱殘守缺（如初級社會），一旦“缺陷”暴露，自須加以“彌補”（如中級社會，尤其是晚級社會），而届時所能提供的彌補又衹有這缺陷本身。**于是，殘者聯構，聊成一體，這“以殘補殘”的生動局面就是“社會代償”的具體實現，它所要達成的不外是復原既往之未殘而不可得。**所以，一切社會代償終于無效，却又不得不予以代償，故此才説：**代償的無效性必須建立在代償有效性的基礎之上**；而且還應該進一步説：**社會代償進程是生物殘弱進程的直接尺度。**

上述各項定律雖然説的是“原始生物”與“初級社會”的

自然關系，但如果將“原始”和“初級”這樣一些定語删除，**則諸此定律其實適用于闡釋一切生物及其生物社會**。這倒不由得令人想起黑格爾的一句話，大意是説，任何事物的發展，儼如一株漸漸綻放的艷麗花朵，它的全部形質早在其種子之中就已經被規定下來了。

第一百三十五章

如第一百二十八章之所示，原始單細胞生物的遺傳屬性是一條守不住的代償防綫。

守不住則須另謀出路，因爲事關生存，義無返顧。

這出路就是生命的第二大屬性範疇——**變异**。不過，“變异”實在算不得什麽新鮮東西，須知宇宙物質一直在“變异”着，若非如此，何來生物？【自達爾文以降，“變异”一詞歷來被視爲生物學科的專業術語，我仍可在此意義上使用該詞，但讀者必須能够聯想到它的“前生物學規定”，因爲有一個問題斷不是生物學或者物理學可予解答的，那就是：任何嬗變或變异何以會發生？而這正是一切存在得以實現爲存在的前提。】

從這個角度來看，初級社會中的細胞演化既是生物變异的開端，也是自然故伎的重演。【斯賓格勒曾説：一個動物就是一個“小宇宙”。其實一個細胞早就已經是一個“小宇宙”了，而且它與“大宇宙”的關聯頗具承前啓後、繼往開來的意味，承前者，它仿佛再現了宇宙星雲清升濁降、虚實漸分的凝造歷程，真核細胞由此而燦若朗朗乾坤；啓後者，它將爲稀散朦朧的生命之沙分化出一個上覆下載的社會寰宇，生物世界自此而構態嶙峋、别有洞天。】

于是，**由于細胞層次上的變异演化，初級社會逐步走到了**

它的盡頭。中級社會**自初級社會的母體裏**相繼嶄露頭角，它應變异之運而生，沿分化之途續行，其過程平滑而舒緩，全然不爲上蒼所覺察，也幾乎不爲理性所解悟，因爲，這新一層社會存在的温床正是那發生在胞體上的致弱變异和致殘分化之本身。換言之，**所謂“中級社會”，無非是基于生物體質殘弱化的體外代償性重構過程或建構産物而已。**

從此，一切後生生物不僅依賴**自身**和**自然**而衍存，而且必須寄生在同類群體所建構的**生物聚體**或**社會實體**上，盡管這社會實體既看不見，也摸不着，因爲**社會實體**正是**生物之自身存在**及其**自身之自然素性**的凝煉與升華。

第一百三十六章

然而，爲社會實體或社會存在解疑，不在于説明**社會實體**即是**生物聚體**，而在于説明**生物存在何以必須聚化爲社會存在**以及**生物聚合如何得以分化爲社會結構**。

我們已知，原核單細胞生物的遺傳屬性代償衹是開創了一個無結構的生物群量或曰“亞結構的初級社會”，而遺傳屬性本身又不能保持生物原始性狀或曰“生物原初質態”守恒不變，這表明，原核單細胞生物的生存效價一如前生命物質的存在效價一樣照例不免趨于流失。于是，細胞原生質内部的結構分化隨之發生，**是乃生物變异屬性對生物遺傳屬性的接續代償**。

真核細胞由以問世，它原先那些散在于胞漿中的遺傳物質現在凝聚成了細胞核，各種細胞器（如綫粒體、内質網、溶酶體、高爾基復合體等）也逐漸全備，不過，相應地，隨着細胞功能的上升、細胞體積的增大，以及細胞對物質能量需求的擴張，細胞代謝程序也愈益復雜化，單個細胞日漸顯出獨力難支、要求配伍的合作態勢，細胞集聚勢在必行。而多個細胞一旦聚合，又不免造成各細胞表面營養膜的相互遮蔽，聚合細胞的總體生存力度反而大幅下挫，這就要求更進一步的組織與機能分化來予以代償，**由此演成一發不可收的生物結構化發展態勢**。

這個愈演愈烈的**生物生存力度下挫**和**生物結構分化上進**的自發態勢，就是**生物機體化代償**和**生物社會化代償**的內在動因。【于此，我們不妨采用比較直觀的方式，提前把“細胞分化”與“組織結構”的關系約略演示一下：發生在細胞水平上的變异和分化，使生命表現得更爲精巧、更爲有力，功能似乎也更爲復雜和多樣化。但實際上，每一個細胞因此而無可逆轉地退化到單細胞生物分子結構水平的功能位點上，即分化細胞在後生生物機體中所執行的使命與對應有機分子在單細胞胞體内的作用無异。隨着細胞變异進程的發展，多細胞分化爲不同的細胞群，稱爲“組織”，每一種組織主要由許多形態構造和機能都相似的細胞組合而成。根據構成組織的細胞在形態上、性質上和機能上的不同，以及非細胞形態的生化物質——通稱“細胞間質”——在分布上和構造上的差异，一般將三胚層的動物組織分爲四大類，即上皮組織、結締組織、肌肉組織和神經組織。不過，這時的細胞已經面目全非了，假如再請單細胞生物來瞻仰它們的風采，一定會令其駭然不敢相認，有如荒僻山林裹的村野匹夫後來發迹當了顯官，以前的同鄉故舊若不細加識辨，斷不會想到他就是當年的那個“小癟三”一樣：肌細胞纖若游絲；血細胞燦若星火；卵細胞肥碩失形；神經細胞更是古怪得離譜，活像一尊枝椏亂伸的老樹根；它們是進化了還是畸化了呢？這肯定是一個費解的疑問。不管怎樣，有一點是可以斷定的，那就是，這些高分化的細胞已經完全喪失了原始狀態下的獨立生存能力，就像適才那位達官萬一宦海沉浮，裁回老家，恐怕也很難憑着自耕自種來混飽肚皮了。

麻煩的事態還不止如此，由這些分化細胞構成的組織仍然不具備生活的機能，不同的組織還必須聯手合成一個個不同的器官，以胃爲例，胃内有黏膜和腺體，外有腹膜臟層被覆其上，屬不同形態類别的上皮組織；内外上皮之間夾着厚厚的平滑肌組織和結締組織，憑借中間的這些組織細胞，胃才具有了蠕動的潛能；但若没有神經纖維貫穿其内，它要麼癱瘓，要麼痙攣，依然完全是一副運動失能的呆相。可見，四大組織一樣不少，才不過構成了一個器官，這個器官還必須固定在它所屬的那個系統如消化系統中，再與其他各系統——如循環系統、呼吸系統、泌尿系統、神經系統、運動系統等等——緊密配合，一絲不苟地運作起來，才能確保機體内的任何一個細胞不至于陷入饑寒交迫之困境。我們由此不難看出，隨着生物有機體的組織結構序列愈益嚴密，導致由無數細胞組成的各個器官和系統又進一步退化到多細胞低等生物體内低分化細胞的功能位點上，它至多不過相當于真核單細胞生物之細胞器的功能替代。如此進化下去，各細胞功能的高度專一和細胞原有多功能的相應退失緊密扣合，不僅造成原始單細胞那種獨立生存的能力終于喪失盡净，而且限定了體内的任一細胞與整個有機體及其所有細胞强制性保持須臾不可分離的依賴性關系。换言之，細胞的分化以細胞的殘化爲代價，它使原始生命抽象的殘缺本性由此開始具體化。當細胞的分化程度攀升至靈長類動物神經元的高度上時，它已經脆弱到這般田地，機體循環系統輸送的氧氣衹要中斷六分鐘稍多一些，神經細胞就會發生不可逆性死亡，而且周邊未遭此劫的其他神經細胞，由于在殘化歷程中早已喪失了生活細胞最起碼的增殖能力，衹好任由纖維組織長入，用瘢痕硬結來取代死亡神經元極其重要的功能位置，甚至由此導致整個機體及其全部細胞的總滅亡。

换一種眼光來看，則多細胞生物的細胞分化和組織系統，頗有些像是未來理性文明社會的體内演習，它使原先簡單的生命形態，獲得了一系列精致協調的新格局。在這裏，它還衹是局限于“機體沙盤”上的戰前對壘，自然缺乏體外戰場上那般轟轟烈烈的氛圍，但將來，它也要讓“社會”這個轉化形態的放大有機體顯示出一番龍騰虎躍的大氣象。祇怕到那時，像細胞一樣渺小的人類，身臨如此宏闊而奢侈的“自然社會組織系統”之中，却已無力也無趣欣賞這幕由自身搭建起來的格外壯觀的“天然景致”了。】

第一百三十七章

上述情形表明，生物的變异演化進程就是自然的弱化衍存進程之落實。

實際上，生物的**社會化過程**起初與生物的**機體化過程**没有多少分别，因爲，説到底，它們都不過是在變態地——或者説是在不同位相上“變位地”——執行着**自然結構代償機制**的**同一規定**罷了。

説得更具體一些，即在發生多細胞融合的生命有機體之前，先曾有過一場單細胞個員外聚成“社會團體”的彩排表演。【由真核細胞變异而來的某些原生單細胞動物，“若其子體保持結合而不分開獨立生活，就形成了原生動物群體。原生動物群體因種類而不同，有些群體的個體一起埋在膠樣物質裏，有些群體的個體之間有原生質聯系。個體的排列形産生一定的群體形，如綫狀的（子細胞兩端相接）、球形的（集合成球狀）、圓盤狀的（盤狀排列）以及樹枝狀的（樹分枝狀）。簡單的群體可能祇有幾個個體，如實球蟲屬（Pandorina），它們也可能有成千上萬的個體，如團藻屬（Volvox）。雖然群體的個體可能有生殖個體和營養個體的分工，但一般説來，它們在構造上和生理上是相同的。**分工達到了難以分辨原生動物群體和後生動物個體的程度**”（引自《動物學大全》，老克利夫蘭 等著，林秀瑛 等譯，重點爲本書作者所加)。粗加淺釋的話，所謂“原生動物”系指真核單細胞動物；所謂“後生動物”系指多細胞分化型動物；多細胞集聚成單個生命是機體細胞進行組織分化乃至器官分化的前提。上述情形表明，在分化型多細胞生物出現以前，曾經有過單細胞生物的聚合性過渡和群體性分化，而且，**這種發生在細胞水平上的生物性分化，大抵就是後來發生在機體水平上的社會性分化之先聲。】**

這是一個重要的契機，值得我們予以特別的關注。【以團藻爲例，作爲單細胞的團藻個體，它們分則各自爲生，并且照樣可以獨立地繁衍後代；聚則形成關系密切的社團，其中一部分成員主負營養之責，另一部分成員主負增殖之責。從單細胞的個體立場出發，則它們聚集成團的生活形態衹是一個社會組合；反之，從團藻的整體立場出發，則其中的任一細胞單元又仿佛是團藻這個生命有機體的“血肉”組分。在這裏，細胞的聚化反應使透視“生命機體”和“社會實體”的角度也隨之聚化爲同一焦點：**從生物學的角度看，它是體内細胞進行機體組織分化的起點；從社會學的角度看，它又是體外個員進行社會組織分化的起點。**換句話説，在細胞分化與細胞構合剛一展現之時，**體内機體化**和**體外社會化**這兩個似乎截然不同的過程，立刻顯得同時發生并融爲一局了。因此，倘若你不在乎修辭學上的人爲分野，則你盡可以將生物多細胞有機體的發生過程視之爲“**體内社會化**”過程，而將生物社會的建構序列視之爲“**體外機體化**”過程。當然，此處的意思并非全然否認二者之間的差异(其差异將在社會結構顯化後表達)，衹不過是要證明和重申這樣一條基本原理：**世間一切事物的外在形態上的分别，均源于各自代償衍存位相的不同，除此無他。】**

此時此刻，**生物有機體**與**社會結構體**屬于同一回事，就像在本卷首章中論及**生命的客觀存在**與**社會的主觀存在**屬于同一回事一樣。這種令人眩惑的混淆現象以十分隱蔽的方式**貫徹着**

自然、生命與社會三大領域的統一聯系，并將繼續花樣翻新地把這種聯系一直保持下去。【其實，這種統一聯系在任何一個生物性存在的質點上都從來没有中斷過，它衹在我們人類的邏輯範疇裏才變得支離破碎、域界判然，而這正是我們人類業已處于高度分化階段的自然質態之一。（有關邏輯分化與邏輯結構化的論述請復閱卷二）】

第一百三十八章

起初，單細胞的時聚時散仿佛衹是一種試探，不聚不足以維持存續，聚之又令其大不舒暢，因爲組織化的格局畢竟會帶來某種束縛，甚至會由于勢不可免的“分工”而帶來某種“不公”，于是，在單細胞尚未完全喪失獨立生存的潛能之前，它們盡可以作鳥獸散，爾後重新組合，以求改良。不過，如此反復“革命”，雖歷久不懈却無以彌新，而其生存度的自然衰變照例一往無前，斷不會停下來等候它們去慢慢地協商出一個合乎公道的“社會契約”，**須知組合的形態早已被它們的衍存位相所規定**。所以，此後的多細胞聯構體再也不肯繼續進行這種徒勞無功的折騰，它們索性密切結合，甘願忍受由此帶來的種種委曲，衹要能獲得一時的安穩則別無他求。**從此，生物存在朝着機體化的方向邁出了踏踏實實的前進步伐。**【實際上，這個自然演化的進程仍是一個漸變的序列，在較原始的刺胞動物階段，水螅的細胞結構還可以解聚和再聚，生物實驗發現，將水螅的柄部切成許多分段，各段均可再生成一個完整的水螅，這表明，早期的機體組織尚没有達到定型化的階段或位格，隨着組織細胞的進一步分化和弱化，它才有望令“單細胞的社群關系”完全物化——即締造出新一層不可逆轉的生命物態。】

而這個新的生命物態正是中級社會的“物質基礎”。

換言之，細胞的組織化和機體化過程乃是初級亞結構社會的必然歸宿，一如後來生物機體的社會結構化凝聚過程乃是中、晚級社會發展的必然歸宿一樣。

基于前述，我們可以對**初級社會向中級社會的過渡機制**予以如下小結：**真核細胞的變异進程導致真核細胞越來越難以獨存，而真核細胞的分化聚合反應所體現的無非是自然弱化衍存的代償要求**。僅從代償的自然意義上看，**機體化過程**自與**社會化過程**之使命同一，故此，機體化過程才會與社會化過程發生**進化演歷上的重叠**。

自此以降，這種**重叠并進**的局面再也没有被打破。所謂“重叠并進”，系指生物的機體化過程無非就是自然界厲行的結構化或組織化進程，而細胞組織或機體結構的每一步發展又導致機體本身進一步殘弱化，這就要求必須在**機體之外**或**機體之上**同時施加另一層**超機體**的代償，是謂“**社會代償**”，亦即“**社會結構**”。也就是説，細胞分化導致組織分化，組織分化導致器官分化，如果由組織與器官所建構的生物機體亦不免發生**體質性的個體分化**，那麼，某種**針對生物個體的“形而上”的組織整合或結構整合**就成爲生物衍存之必須。【因此，我以爲唯有社會哲學才堪稱是地地道道的“形而上學”，“形”之所指在于生物存在以及人類存在的“自然形質”,“上”之所指在于社會存在的“上位虛懸”。誠然，這“形而上”的結構衍存其實歷來就是“物形存在”之本身，亦即人類之存在其實業已照例被物化在“社會物形”之中，然相對于“學問之主體”的人類而言，社會存在總不免高懸于人類自身形質之上，故，“形而上學”作爲此種特定情境之稱謂永遠恰當。】

這種生物個體的分化狀態就構成生物群體的异質化狀態。

而异質生物群體的組織整合狀態就是社會存在的結構化狀態。

社會的异質整合階段大約起始于寒武紀地質時代。

【細胞分化及其多細胞有機體的連續變异，導演出一幕幕波瀾壯闊的生命之舞，生物世界變得千姿百態，地球生物圈逐漸形成，細胞分化之于生命領域的推動，猶如社會分工之于商品經濟的繁榮，使整個地球的面貌都爲之一變。從五億七千萬年前進入古生代地質史上的寒武紀開始，生命驟然間活躍起來，生物史上的顯生時代來臨了。奥陶紀是多細胞低等生物的全盛時期，三葉蟲、筆石、頭足類、腕足類的出現，改變了單細胞生物死氣沉沉的局面。志留紀末期，地球上發生强烈的造山運動，海面縮小，陸地浮現，氧化型大氣逐漸形成，最原始的脊椎動物甲胄魚類出現，裸蕨類植物開始登陸。泥盆紀後期，最早的陸生脊椎動物兩栖堅頭類生物上岸，海洋中肺魚類和總鰭魚類增多，珊瑚類大量發展，而遠較珊瑚類進化程度爲高的頭甲魚却很快消亡了。就這樣，“亂哄哄你方唱罷我登場”，中生代中期侏羅紀時代還在海陸空全方位稱霸地球的恐龍家族，及至中生代末期竟然一下子就銷聲匿迹，爲新生代上新世遍體披毛的南方古猿騰清了舞臺。短短幾億年時間，數以十億計的生物種類一閃而過，衹有守拙求穩的單細胞生物，静悄悄地目睹了這一鬧劇的全過程。待到孤陋寡聞的人類鼓噪上陣時，留下來充當配角的生物品種已是屈指可數，但人類仍然禁不住要爲眼前繁花似錦的生態世界擊節贊嘆。

然而，人們似乎没有悟出，這個物種繁榮的進程正是生命弱化和殘化的同一進程，恰恰是基于此一結果，社會系統也才得以隨之繁榮起來。即是説，變异屬性不僅擴展了整個生物存在，而且也相應擴展了整個社會系統，社會的分化以生物體質分化的現實爲根據，生物的分化以社會結構分化的功能爲依托，二者相輔相成，密切配合，從此一改單細胞生物初級社會的消極落寞之風氣，翩翩然跳起了一臺生命與社會之間有聲有色的聯袂雙人舞。】

第一百三十九章

繼生物組織分化之後所發生的體質分化或體質性狀分化，是中級社會結構得以確立的基礎。【此處所說的“體質”與上文所說的“機體”同義，即均指由細胞、組織和器官系統構成的、高于單細胞生物衍存層位的生命質態。】

這就有必要首先說明造成體質性狀分化的原因和特點。所謂“體質性狀分化”，蓋源于細胞組織化必然造成的三重生存障礙：

***a*. 物能代謝障礙**——細胞集聚導致細胞體表營養面積的大幅減縮甚至完全遮蔽，其遮蔽程度直接規定着細胞之間物能供給的組織化程度，即組織化程度越高的生物，代謝程序越曲折復雜，而代謝程序的復雜化又要求機體衹能選擇生化能量較高的食物，結果造成組織器官系統的愈益褊狹和物能代謝的日趨危機。【所以，最初的細胞集合方式必定采取膜遮蔽最小的簡單組織形態，如綫狀、枝狀、微桑葚狀或中空球狀（如團藻），而最初的多細胞中、後生動物則是盡量減少膜遮蔽的多孔動物門（如海綿）和兩胚層細胞均呈外向的腔腸動物門；至三胚層的扁形動物階段，多數細胞悉遭遮蔽，于是，其體質結構隨之開始了器官和系統的分化（有消化、排泄、神經等系統以及感受器官和生殖器官等）；此後的動物機體結構及其群體營養配置有可能朝個體體質分化的方向演變——**此乃結構化生物社會相應產生物質交換（或“經濟秩序”）制約的自然前因。**】

***b*. 遺傳增殖障礙**——將細胞嵌入機體結構之中的組織化存態非但使簡單的細胞裂殖成爲不可能，而且機體必須采取强有力的措施以抑制所有體細胞的增殖潛能，否則即形成癌性損害。于是，各個細胞不得不把它們的遺傳屬性轉交給機體的某一代理器官來實現，就像晚級社會的每位個人不得不把他們的政治公意托付給某一代理機構來實現一樣。不待說，體質分化越復雜，

孕育難度就越大，相應地，繁殖系數愈益減小，後裔撫養日趨艱辛。【所以，最初的多細胞低等動物多爲雌雄同體，且主要采用游離配子體外受精的簡單方式來增殖，爾後進化爲雌雄异體的卵生繁育，再後才變爲需要極其復雜的生殖器官和生殖系統來支持的胎生哺乳的孕育過程。這裏明顯表現出同類生物之間的體質依賴性趨于上升的傾向，即异性之間的同代依賴性增加，以及親代與子代之間的世系依賴性增加——**此乃結構化生物社會相應産生社群體制（或"政治制度"）制約的自然前因。**】

c. **信息媒介障礙**——細胞融合不僅遮蔽了細胞自身的體表營養膜，而且遮蔽了它們各自的信息感應膜，與此同時，整個機體所面臨的生存條件却越來越繁雜。結果，一方面是感應受體的縮減，另一方面是感應需求的遞增，相逼之下，高能度的感覺器官和感知系統不得不代償于"感"，高動量的運動系統和能動體質亦不得不備以爲"應"。爲此，機體組織更須精密化和靈巧化，反過來又加重了物能代謝的苛選度和遺傳增殖的工塑度；而且神經精神功能亦須進一步强化，亦即邏輯化，是爲"感性"、"知性"乃至"理性"等一切"主觀（屬）性"得以發展之淵源。【所以，最初的多細胞低等動物至多衹在某些體表部位生出個別特化的感受細胞，自扁形動物尤其是脊索動物以降，隨着機體組織結構的復雜化，物種的"感知邏輯度"和"能動自由度"相應進化，甚至于不得不在同類個體的體質和智質之間分化發展——**此乃結構化生物社會相應産生信息交流（或"文化體系"）制約的自然前因。**】

也就是説，**"體質分化"或"體質性狀分化"是這樣一種自然結局**：當細胞分化發展到一定程度或一定限度上時，生物的組織建構和組織分化必然相繼予以代償；當組織分化發展到一定程度或一定限度上時，生物的機體建構和體質分化必然相繼予以代償。這是因爲任何一步自然分化都會造成分化物的存在效價有所流失，或者説，任何一層分化進程都是自然總體遞弱流程的體現方式，這就要求建立某種相對應的"殘弱依存補助體系”或曰“組織結構代償體系”，由以滿足“閾存在”或“存在閾”的自然規定。**于是，分化是結構化的根據，結構實體又是進一步分化的新的起點，如此層層演變，直至在體質性狀分化的基礎上逐步建立起體外生機組織——亦即“生物社會結構”——的自然巨厦（或宇宙遞弱代償衍存的全序列）爲止。**

第一百四十章

體質分化的標志性步驟發端于性分裂，一如生命存在的標志性步驟發端于性增殖一樣。【异性分化反過來又成爲體質性狀進一步分化的促進機制：“基因突變”（包括“對突變後果的自然選擇”以及“中性選擇”），是宇宙物演進程發展到生物階段之後，仍然一脉沿襲前生物的即分子形態的固有運動慣勢，以繼續貫徹遞弱代償法則的特定方式。在單細胞的孤雌繁殖狀態下，突變的概率極低（參閱第一百二十八章），故原始生物之存態相對穩定。然而，一旦性別出現，則情况大爲不同，因爲异性繁殖（即父本和母本各爲合子細胞貢獻雙螺旋DNA的一條單鏈）相當于在一代期間發生了50%基因組的突變，而且這些突變基因早已通過了自然選擇的認可，亦即呈現爲大規模的“中性選擇式突變”，從而導致生物變异和變種的實現速率陡然加快（此乃造成寒武紀前後物種紛呈之“顯生現象”的原因之一），也有力地促進了生物之體質性狀分化得以多向度的展開。】

于是，**體質分化推動着社會整合，沿如下路徑逐步前衍：**

——首先，性的分裂使同類物種在性別之間自然産生**异性親和**，由此**邁出建立中級社會結構的第一步**。【“性分裂”亦即“性殘化”的格局馬上令生物衍存最基本的遺傳屬性面臨崩解，這就要求生物個員必須在异己性别的體質層面上達成某種結構性配合，生物學上謂之“媾合”，而在社會學上實屬體外“整合”之開端。**換言之，一切分化者（即殘化者）均有某種發自內質的企求補缺的衝動，這種衝動就是構合物各組分之間的“親和性”或“親和力”的淵源。**粒子之間、原子之間乃至分子之間的分化與親和曾經造成理化存在的種種變數，**如今，由于同類物種個體之間的體質分化所引發的生物親和，亦將造成社會存在的種種變數。**】

讀者千萬不可小看了這個“异性親和”的**社會構造力**。起初，它可能僅僅表現爲**低等异性生物的一觸式聯媒**；而後，隨着種系發育和體質分化的演進，它會漸漸壯大成**血緣親和的密切群體**——即“**親緣社會**”；而**親緣社會正是動物中級社會的基本特徵**。實際上，**人類文明化以前長達數百萬年的原始氏族社會就是此種親緣社會的直接承傳，進一步講，智質分化的“非親緣社會”——即人類晚級社會——亦衹能從這個親緣社會中生長出來，并在晚級社會的早期進程中久久地保留着親緣社會造型的遺迹。**【L·H·摩爾根在仔細考察了人類原始社會之後曾説：親緣關系構成“社會”，財産關系構成“國家”。此言雖鑿鑿有據，然前一句之定點過于偏後，因爲親緣社會早在人類問世以先就已存在了數億年的時間；而後一句之定點又過于偏前，因爲財産關系早在膜翅目蜂蟻社會中業已形成，若將其也命名爲“國家”似顯太急。至于周公和孔子所倡導的“孝悌合親”或“以孝治天下”等倫理規則，其實不過是在不自覺地復述前人類的所有動物們不言自明的親緣社會法則罷了。】

——其次，如果體質分化進而導致**同類物種個體之間的求生行爲性狀**亦趨向于**异質化**發展，則生物社會的結構造型會立刻呈現出**相應的復雜致密形態**，甚至會出現足以與某種半文明的人類社會相媲美的生動格局。【也就是説，在**性别分化**的帶動下，同類動物的**物能代謝程序或經濟行爲性狀**亦有可能隨之分化，以至于該群體中的任一成員**幾乎或完全不具備獨立生存的**

自身條件，這就要求它們**必須緊密地組織起來**，共同建立某種**體外整合的生機系統，由以創造出遠較單純的异性親和關系復雜致密得多的社會結構**，盡管這種社會狀態仍然超不出“親緣社會”的總體框範也罷。（詳見後文對膜翅目社會構成的剖析）】

上述情形在中級社會中也許不占主流，却無疑是自然界爲人類提供的最典型的社會學教具。【概括言之，**初級社會**以生物之遺傳增殖性狀和物能代謝性狀的**相對自滿爲基礎；中級社會**以生物之遺傳增殖性狀和物能代謝性狀的**自發分化爲基礎**；它再次提示，**生物的生存性狀之分化——即自然物的衍存質態之殘弱化——是宇宙存在從生物層次演進至社會層次的天定前提。**】

——最後，當**體質性狀分化**發展到業已造就出相當成熟的**智質性狀**（即充分代償的生物感應屬性以及借此開創的類體質性狀），且必須**借助于智質性狀分化**以便推動其**體質性狀分化的自然進程得以繼續**之時，**高度結構化的晚級社會勢將應運而生**。

而那已經是中級社會以後的話題了。

至此，我們可以隱約看出，**由原始單細胞生物啓動的生物社會系統是一個一脉相承的自然序列；演至中級階段時，整個社會架構完全建立在高于細胞分化層面的體質分化之基礎上；當體質性狀分化走到盡頭時，智質性狀分化會接續運行，從而完成晚級社會的終極代償。**

第一百四十一章

根據上述，我們可以將動物中級社會形態人爲地劃分爲兩大類型：

其一是主要由性别分化所造成的親緣性構合，它最初僅僅表現爲比較單純的异性親和（如大多數原始後生無脊椎動物以及某些低等卵生脊索動物，其子代的體質發育相當簡單，出生後即可獨立生存而無須仰賴親代之照拂）；隨着生物系統進化的變异代償，體質分化漸趨復雜，以至于子代的出生祇不過是胎外體質發育過程的開始（最典型的莫過于哺乳動物），于是，子代對親代的生存依賴性或幼稚依附期傾向延長，血緣家族性群體由以形成（可見，任何“情愫”，無論是兩性之間的愛情抑或是兩代之間的親情，歸根結底都是物演分化或殘化的派生性特定依存屬性）；但同類個體之間的求生行爲性狀無大分别。**這一類型構成整個中級社會的主體**，幾乎囊括了原始人類在内的全部真獸綱物種。

中級動物社會從總體上看之所以顯得聚散無定，且各物種之間的群化形態差异頗大，其原因就在于親緣性體質分化的多樣性規定。不過，**它的自然發展趨勢顯然呈現出從離散態向聚合態演進的基本特徵**。【以性活動的周期性限制爲例，性周期的波動有礙于社群結構的穩定和種群繁衍的進行，隨着動物活動半徑的逐步增大，它們所面臨的外界環境變化越來越復雜，也許在它們的發情期和生育期季節（亦即它們的社群聚會高潮），恰恰會遭到不期而遇的氣候劇變、食物匱乏或天敵騷擾等等，如果種群内部的某些成員漸漸發生了性周期模糊化的突變積累，使其繁殖可以避開這些困擾，則勢必造成賦有這種新性狀的成員其後代的數量相對增加的結果。如此進化下去，後衍物種的性周期現象就會慢慢消失，既往那種依靠周期性的體内性激素波動所激發的性活動方式，將被隨時保持群内异性接觸的性活動方式所取代。這種變化使動物個體的群化聚合程度大大提高，使它們的群聚行爲從若即若離的間斷狀態上升到强迫性的持續狀態，再加上由于體質分化所造成的機體構成狀態過于龐雜，遂致子代發育和哺育的難度亦趨增大，從此令它們的社會集聚無論多麽難受也分離不得了。】

其二是在性别分化的基礎上同時分化出求生行爲性狀的個

體差异，這種情形立刻導致任何個員一旦脱離自己所屬的親緣種群即無力衍存，結果，其體外代償的社會結構形態一開始就分外致密，以至于它們的社會組織關系儼然就是以體質分化爲模版的另一層有機體，甚至頗像是人類晚級社會的預演。【此一社群類型較多見于體格小巧、器官組織系統的分化程度相對偏低、生物進化序位尚處于節肢動物門的昆蟲綱物種，最典型的莫過于膜翅目昆蟲。譬如螞蟻社會一般由體型壯碩的衆生之母即雌性蟻王統帥，輔以專事配種別無所能的雄蟻、雌性器官發育不全但采食築巢却另具天賦的工蟻，以及生理性武器裝備齊全且秉性就顯得驍勇暴躁的兵蟻共同構成，它們格外默契的社會協作本能令人嘆爲觀止，有華章爲證：“螞蟻的確太像人了，這真够讓人爲難。它們培植真菌，喂養蚜蟲作家畜，把軍隊投入戰争，動用化學噴劑來驚擾和迷惑敵人，捕捉奴隸。織巢蟻屬使用童工，抱着幼體像梭子一樣往返竄動，紡出綫來把樹葉縫合在一起，供它們的真菌園使用。它們不停地交换信息。它們什麽都幹，就差看電視了。”（引自《細胞生命的禮贊》，劉易斯·托馬斯著，李紹明譯。）】

然而，由于中級社會的這一類型相當冒險——因爲不同個體之間的性狀分化稍有差池，則不免造成整個種群的滅頂之灾（須知體質性狀一旦形成即難以變塑，而這正是晚級社會衹能通過具有可塑質態的智質性狀分化方能達成高密度社會結構的原因之所在），也就是説，這裏存在着一個所有社群成員的變异配合度問題，它要求硬態體質性狀的分化變异必須在整個群體中共時進行、一變俱變，而且各自變异的方向必須一絲不差地統合在你消我長、環環相扣的格局内，否則，任何規模化的種系變异反而可能導致該類物種陷于滅絶——所以，它很難再有新的變通和發展，亦即它的社會構型過于完善，幾成定局，就像惰性元素的原子構型過于完善，因而失去了分子進位的前途一樣。這也是此一社會形態雖然看似相近于晚級社會，却**終于不**

能成爲晚級社會增長的接點，且亦不能成爲中級社會之主體構型的緣由。

第一百四十二章

雖然如此，膜翅目社會仍不失爲**是有關“社會存在”的最明晰的自然標本和簡縮模型**，或者説，**是“社會關系”亦即“社會結構”的裸裎**。它特別有利于爲讀者建立起一個直觀表象，就像透明的瞳孔成了醫生窺見病人活體血管的唯一窗口那樣，故而很值得我們聚焦光點，借以探查社會整合的内在性質。

【以蜜蜂社會爲例：一個蜜蜂群體通常由解剖形態和社會職能迥然有别的母蜂、工蜂及雄蜂三者組成。母蜂是蜂群中唯一生殖器官發育完全的雌性蜂，它的身體質量一般要比工蜂大一倍左右或更多，生殖器官特别發達，由以替補其他成千上萬衹雌性器官發育不全的工蜂們所失去的性能力，它以此爲“權柄”，以産卵爲職能，確立了自己獨一無二的蜂王地位。在産卵盛期，它一天能産出一千五百到兩千粒卵，這些卵的總重量往往超過母蜂本身的體重，它負有如此重大的傳宗接代之責任，致使生存所需的其他機能不免喪失殆盡。工蜂們因此肩負起相應的補缺使命，以其適于勞務的特殊性狀心悦誠服地挑起蜜蜂社會的全部經濟重擔，它們除了要精心地侍奉蜂王之外，亦須稍差一等地照顧好巢内的數百衹身强體壯、精力充沛的雄蜂，這些雄蜂的生理構造簡直就是一具能飛善舞的雄性生殖器，由于它們在繁殖期内將以視死如歸的結局完成爲母蜂授精的專有職責，所以平時的養尊處優也就不算是過分的剥削了。

蜜蜂在生物分類學上屬于節肢動物門，昆蟲綱，膜翅目。其軀體、足和觸角都有分節現象。身體分頭、胸、腹三個部分。

體表被以幾丁質的外殼，把内臟器官包在裹面，外面密生着絨毛，起保温作用，有些空心毛與神經相連，是觸覺感受器。蜜蜂的眼分復眼和單眼兩種，母蜂的每祇復眼有三千至四千個小眼，工蜂與母蜂相差無多，雄蜂的復眼則由八千個左右的小眼組成，以利于它在飛舞之間準確地接通母蜂細小的生殖腔道進行交配。工蜂的口器特别適于吸取花蜜，其咽腺尤爲發達，用以分泌營養豐富的蜂乳供奉蜂王。但工蜂和雄蜂的上顎腺都没有母蜂發達，因爲母蜂要借此腺體分泌一種外激素，亦稱“母蜂物質”；而在工蜂腹部第六環節的背板内，也有一個能分泌揮發性外激素的臭腺，用來發出聯絡信號。另外，工蜂腹部最後四節的腹板上有四對蠟腺，其蠟腺細胞分泌的蠟質是蜂巢的建築材料，母蜂和雄蜂無此蠟腺，將來坐享豪華的蜂王臺和寬敞的雄蜂房，也就成了天經地義的事情。就連螫針和毒腺，亦唯有工蜂披挂齊整，雄蜂索性全無佩劍，一旦戰事爆發，無須將令和軍法的督導，工蜂們奮然衝鋒陷陣自屬責無旁貸。（其實，在人類社會的低級階段，也曾不同程度地表現出動物社會异質整合的個别“返祖現象”，即借助于某種加諸身體表面的外在標志甚至人爲殘疾來顯示或者固化社會組合的内在要求。譬如，在帝制時代的中國，宅第的高度、衣着的顔色、帽上的贅物乃至言行的格式等等均依各人社會地位的不同而嚴加規定，稍有不慎即獲“僭越”、“犯上”之罪愆；宋、元、明、清各朝代盛行不衰的婦女纏足習俗，致使幼女足部骨骼折損畸形，終身殘廢，看似“求美”之舉，實則借以貫徹“恪守婦道”的社會家政分化之要求，祇是所用手段之拙劣，着實不堪與蜜蜂社會的天然分工相比擬。仍以“脚”爲例，試看蜂足當之無愧的社會性貢獻：“工蜂的前足短而靈活，第一跗節擴大，外側生着一列剛毛，用來清掃頭部的花粉；内側形成半圓形的觸角清掃器，内有小梳狀短毛；脛節端部有一活瓣，能將觸角扣在清掃器内，以便清掃。脛節外側的剛毛長而分支，用以收集全身的花粉和清潔口器。”“工蜂後足較長，脛節端部寬扁，外側表面略凹陷，邊緣有長毛，形成一個可以携帶花粉的特殊裝置，叫花粉籃，蜜蜂采集到的花粉，就集中在這裏形成團。在花粉藍的周圍叢生着細長的剛毛，使花粉團不會脱落。後足脛節的末端與跗節的上部共同組成一個夾鉗，是幫助把收集來的花粉構成團粒的裝置，以便把花粉團很好地裝入花粉籃内。”（引自《養蜂手册》，江西省養蜂研究所主編。）工蜂足部的特化構造，有力地强化了它們的社會經濟職責，再加上其他器官的相應退化，如“工蜂的生殖器官發育受到抑制，直到羽化爲成蜂，其卵巢内僅有數條卵巢管，失去了正常的生殖機能”（引文出處同上），使太監一樣“守雌”而勤勉的工具型工蜂既成爲自身社會的中流砥柱，又成爲安居樂業的本分良民。）

蜜蜂的中樞神經系統包括位于頭部的腦和縱貫全身的腹神經索兩部分，是支配各部感覺器官和運動機能的中樞。腦部有視神經、觸覺神經和圍咽神經，分别與復眼和單眼、觸角的嗅覺和觸覺、口器的味覺和唾液腺等發生聯系，引起頭部復雜的反射動作。腦的下部通過咽下神經節和腹神經索相連，兩條腹神經索呈節索狀，沿胸腹部的腹面延伸，胸部有兩對神經節，支配胸部肌肉、翅和足的運動，腹部的神經索有五對神經節，支配腹肌收縮，協調呼吸、排糞、交配、産卵等動作。蜜蜂亦有交感神經，又稱内臟神經，位于前腸背面和側面，由許多小型的神經節結合而成，與腦後相連，并有神經分布到前腸、中腸、氣管、背血管和腺體等。交感神經是支配内臟正常新陳代謝的反射中心，與人類植物神經系統的作用類同。蜜蜂的感覺器官即視、觸、嗅、味、聽様様俱全，而且妙用驚人，以嗅覺和味覺爲例，低于5%的糖液，蜜蜂置之不理；超過8%，蜜蜂初有興趣；在外界蜜源豐富的時候，蜜蜂往往要等到花蜜濃度達到15 ~ 20%以上，才大批飛去采集；而且，蜜蜂對含有千分之幾的鹽分亦能加以識别。

蜜蜂社會的信息系統相當復雜，目前人類之所知實在有限。例如母蜂上顎腺分泌的母蜂物質，從中已分離出三十多種成分，能够提純和人工合成的主要有兩種：順式9—氧代—葵2烯酸和順式9—羥基—葵2烯酸。當工蜂飼喂母蜂時，借口器接觸傳遞給工蜂，再通過工蜂相互傳遞，從而影響整群工蜂的活動和某些生理過程。前者具有抑制工蜂的卵巢發育和控制工蜂建造母蜂臺的作用；作爲性引誘劑，在交配飛行時引誘雄蜂，并能刺激雄蜂發情；蜂群分蜂時，有母蜂的分蜂群能够借以吸引飛散了的蜜蜂。後者具有使蜂群安静結團的作用。此外，母蜂螫針腔的分泌物對工蜂也有吸引作用。工蜂腹部臭腺分泌的嗅味外激素，起到飼料信號、定向信號和結團信號的復雜作用，工蜂還通過飛行舞蹈向同伴傳遞有關蜜源、距離、方位等信息，如“圓形舞”示50米以内發現蜜源，“8字形舞”示蜜源較遠，且其飛舞軸綫的各種夾角提示着蜜源、太陽和巢位之間的精確關系。

工蜂的辛勞一言難盡，它們不僅要采食汲水、釀蜜貯糧、清理衛生、抵御外敵、侍奉君臣、哺育幼蜂，還要隨着外界温度和濕度的變化，通過鼓翅（扇風降低巢温）、聚散（根據寒暑情況利用體温維持巢温）、注水（平衡巢内濕度）等辦法調節巢内小環境，使之保持在某種特定的嚴格狀態下，這種情形儼如多細胞有機體必須通過一系列生理過程以保持機體内環境的相對穩定一樣。（動物機體亦有一套嚴格保持其“内環境”處于穩定狀態的生理反饋調節機制，如保持體温、酸碱度以及水、電解質平衡等等）。難怪劉易斯·托馬斯不無風趣地説：“螞蟻、還有蜜蜂、白蟻和群居性黄蜂，它們似乎都過着兩種生活。它們既是一些個體，做着今天的事而看不出是不是還想着明天，同時又是蟻冢、蟻穴、蜂窠這些扭動着、思考着的龐大動物體中細胞樣的成分。”（引文出處同前）由此可見，低等膜翅目動物的體外社會結構及其功能雛形，在很大程度上尚未完全擺脱“體内社會化過程”（即“機體化過程”）的直接制約。

不過，僅對工蜂的不平境遇抱以同情是毫無意義的，因爲如果深究下去的話，你會發現蜂群中的每一個成員其實都無可逃避地共同分擔着社會實體的重負：雄蜂要爲“國”殉情，交配之後即壯烈犧牲；蜂王更需兢兢業業，恪盡職守，縱使年邁體衰，仍不敢稍有懈怠，甚至自己的任何一個女兒，倘若尊容如母，亦必忍痛除之，否則，一種動蕩的“分蜂熱”就會像革命的激情那樣蔓延開來，諸如宮帷政變、亂民暴動、朝綱崩潰、江山破碎的種種歷史悲劇立刻會熱熱鬧鬧地上演起來。實際上，氣候、雨量、蜜源不足或過剩、群體數量波動以及母蜂産卵力衰減或母蜂物質分泌量下降等等因素，均可能導致部分工蜂嘩變，擁立新主，鼓噪而去，原先的社會結構就此解體，舊群和新群都得重新按固有的模式再造社團。這種超穩定、超震蕩的社會循環運動，後來在晚級社會的某些階段故態重萌（如中國帝制時代），令文明人類懊惱了數千年，殊不知其間的道理早在不起眼的昆蟲社會裏就已充分地展示出來了。】

很明顯，對于中級社會生物而言，體質性狀的分化與整合是體外社會結構得以形成的基礎。由于體質性狀的硬態非可塑性，它們的體外社會整合結構必然呈現爲相對固定的模式，即使某些内外因素造成其性狀配合度暫時發生了一定範圍的波動，從而導致社會震蕩，然一旦這些因素被消除，社會結構的重建終究祇能在未變性狀的規定下恢復原狀。這一點正是中級社會運動形態與晚級社會運動形態的本質區别之一。

第一百四十三章

在此，有必要先行澄清某些精巧而荒謬的“科學社會學”理論。

【從“勞動創造了人”，到“剩餘勞動”造成整個人類社會的异化結構，這個不真實的故事居然構成馬克思主義社會學宏偉無比的基礎框架。所謂“手不僅是勞動的器官，而且是勞動的產物”（引自《勞動在從猿到人轉變過程中的作用》恩格斯著），不過是在重復拉馬克的“獲得性遺傳學説”的錯誤，其區别僅僅在于用“人類的手”置换了“長頸鹿的脖子”而已。實際的情形是：

a. 任何後天獲得的性狀均不能通過生物遺傳予以表達。也就是説，勞動——或曰“生物以其自體性狀達成自存的行爲之總和”——不創造任何生物遺傳素質，反倒是生物遺傳（以及在分子水平上所發生的生物變异）的自然素質决定着“生物勞動”的具體方式，就像鞭毛蟲的辛勞并不是鞭毛蟲得以產生和進化的動因一樣。

b. 任何生物均具有“剩餘勞動”的潛能，可謂之“生物功能儲備”。而且，愈原始的物種，其“剩餘量”反而愈大，因此，原核單細胞絶不會發生體表營養膜上的緊張，反倒是真核單細胞越來越顯得難以獨存；不知螞蟻能有多少可資榨取的“剩餘勞動”，但它們却早已跨入了血腥、不義而分工有序的“奴隸社會”（可參閲達爾文在《物種起源》一書的〈特種本能〉章節中對“螞蟻蓄奴”現象的生動描述）；獅子每天盡可以懶睡二十個小時，但它們却不是以此爲基礎才建立起獅子社會的“等級壓迫關系”的；回首今天的人類，實在忙之不迭，幾至廢寢忘食，且呈現緊張加劇的趨勢，然而他們之間的相互“剥削”同樣刻不容緩，絶不會因爲“剩餘勞動遞减”而宣告大家散伙。

總之，這個理論體系中經不起推敲的東西太多，令人難以一一匡正。鑒于它是一個世紀以前的無知，故不復評述。】

用“親緣選擇理論”來解釋動物群體的利他性社會組合，是社會生物學建立其生物社會理論的核心。概括言之，即：自然選擇的基本單位是基因；“自私的基因”（道金斯命題）傾向于在基因庫中通過增殖復制以擴展自身的存在，由此造成同種DNA片段可以同時分布于許多不同的個體之内；如果某型基因既能够自私地搶占遺傳上的優勢，又賦有某種維護同型基因的利他品格,則它大抵會處于更有利的擴張地位("利他"是"自私"的更高表現形式);從遺傳學上講,近親之間具有較多的共同基因,親緣個體之間的利他主義關系,就是基因的這種共同利益之體現。

爲此,人們經常借用漢密爾頓模式(亦稱"基因親緣關系的利他行爲損益模式"或"基因利他主義模式")來表述生物種群的社會關系:

$$\frac{B}{C}=\frac{1}{r}$$

C表示"基因支出或折損",B表示"基因補償或收益",r表示生物個體之間的"親緣關系系數"。從這個公式的推導中可以看出,當個體的直接增殖效果降低一個C量級時,如果它同時能够從旁系親屬中使其基因遺傳增加一個相等的$r \cdot B$量級,即

$$C = r \cdot B$$

則要麼r值必須很大,要麼B值就得遠遠超過C值,否則利他性行爲勢必呈現出一個虧損結果,自然選擇就有可能淘汰這些優雅高尚的利他主義基因。然而十分不幸的是,除了同卵雙胞胎或無性繁殖之外,r值總是< 1,因爲在二倍體生物——絶大多數動物和植物包括人類在内都屬此型——的繁殖系列上,父本和母本各以减數分裂的形式在其精卵生殖細胞中貢獻出恰好半數的單倍體組基因,子代必須以基因重組的方式重新形成一個二倍體基因組個體。因此,子代與親代共有1/2的同型基因,且按倍數關系隔代遞減,即直系祖孫之間共有1/4的相同基因,直系曾祖孫之間共有 1/8的相同基因,依此類推。旁系親屬之間的横向隔層關系亦然。難怪群體遺傳學家J·B·S霍爾丹曾開玩笑説,他會甘願冒險跳進水裏去救三個溺水的同胞兄弟或九個溺水的堂表兄弟。因爲出于對自然選擇的尊重,他必須事先盤算停當,他與親兄弟共有1/2的基因數,而與堂表兄弟共有

1/8 的基因數，祇有超過這個分母量級以上時，他才不至于讓自身可貴的基因虧本。倘若溺水的親兄弟祇有一個，或溺水的堂表兄弟祇有七個，再或者，縱然遇險的非親非故者以數十人衆計，他也應該祇好作壁上觀了。

不過，從表面上看，恰恰是這個理論最圓滿地闡明了生物親緣之間的利他行爲關系。仍以蜜蜂社會爲例：蜂群基本上是一個雌體社會，如果單從基因組型的角度考察，它們之間的互助程度與其基因同型率存在着某種相關關系。跟其他物種不同，雄蜂没有父親，它們是由未受精卵發育而成的單倍體基因載體。在母蜂生殖系統的解剖結構上，中輸卵管的上方有一個直徑約 1.5 毫米的貯精球，貯精球内貯藏交配所得的雄蜂精液，供母蜂一生使用，貯精球管口由肌肉收縮來控制精液的排放，使卵子受精或不受精。受精卵發育成同爲雌體的二倍體工蜂或母蜂（蜂王）。母蜂與工蜂的表型差别由後天發育條件的相异所致，與基因組型無關。因此，蜂群的基因譜系别具一格：作爲子女的雄蜂和雌蜂與其母本仍然保持 1/2 的共同基因，但一個雌體與其姐妹所共有的基因呈現 3/4 的高比率，即來自父親的全部單倍體基因以及來自母親二倍體基因中的 1/2；而與其兄弟所共有的基因呈現 1/4 的低比率，因爲她和他們祇有共同的母親，所以結果與同母异父的子女之間的情形相似；反過來看，雌性子代之間的共同基因高于與其親代的親緣關系系數；或者，蜂王登基伊始，同代的作爲子民的工蜂們在基因上與她一律處在平等的關系中；而雄性子代與其勢力强大的姐妹們之間的共同基因却跌落到與其母親的關系之下了。果然，實際的社群共處關系也相應分化開來：工蜂們爲了以雌性爲主的群體利益不惜欣然赴死，因爲它們做出的犧牲可以憑借高比值 r 獲得較高的 B 值補報，與其把它們的獻身精神看作是對蜂王的效忠，可能不如視爲是對姐妹們的維護更確靠；而雄蜂受到的待遇就大爲不同了，一旦過了交配繁殖的季節，尤其當外界蜜源稀少的時候，工蜂們就把既不會采食也無能自衛的雄蜂兄弟趕出巢門，聽任其自生自滅而絶不以惻隱之心爲懷。社會生物學家特裏弗斯和黑爾的研究還發現，在同屬此類基因譜系的某種膜翅目黄蟻社群中，“雌性的生物量（按重量估計）比雄性的生物量高3倍,因此（可以認爲），工蟻喂養前者要比喂養後者多付出3倍的精力。”（《科學》雜志，1976年第191期第249頁，轉引自《社會生物學》，米歇爾・弗伊 著，殷世才 孫兆通 譯。）這個倍數關系與它們之間的基因同型比率恰好吻合。【而且，要探討生物親緣之間的天然親情傾向及其淵源，也没有比這個理論更好的解釋了。有興趣的讀者可參閱E・O・威爾遜的著作《社會生物學——新的綜合》以及其他學者的有關專著。】

然而，如果再從體質性狀分化整合的批判角度予以考察，則會發現用基因親緣損益模式來界定膜翅目族類的社會關系實在是破綻百出：工蜂們生就一副從事經濟和御敵的職業性軀體和器官，爲了自存，也爲了自存必需的社會繁榮，她們反而更殷勤地侍奉基因同型率（即親緣關系系數）明顯低于工蜂姐妹的上輩蜂王（蜂王的存活期通常是工蜂壽限的數倍以上）；而且，萬一蜂王缺失，舉“國”不寧，你于此時可做一個實驗，從另外的蜂群中誘入一祇母蜂，雖説血緣迥异，工蜂們的殷勤之狀不改，照例尊以王禮，且即刻可以恢復蜂王國的舊有秩序；再者，由此外來蜂王産卵羽化的工蜂可能與本群中原來的工蜂們全無姐妹之間的基因關系，但它們之間的親密互助情誼一如同母所出，斷不會發生種群社會内的基因宗派勾鬥；在社會形勢穩定的“分蜂間期”，體質未衰的母蜂會斷然咬殺發育成王儲的骨血千金，却同時可能恬不知耻地去與毫無親緣關系可言的外族雄蜂調情戲淫；工蜂們歷來嚴守巢門，不許任何外群的成員隨便竄入，即便乞食的來客恰恰是從本群中分蜂而别的血親姐妹也翻臉不予相認，但對可能成爲“繼父”（或“續弦姐夫”）的浪蕩雄蜂却一反常態地開放門禁，恭迎入室，且給其把盞敬飯，一點也不因他食相凶狠而顯出一絲一毫的嫌厭情緒；母蜂不免有衰老停育的一天，一般還等不到這一刻的來臨，爲了防止社會内亂,或者爲了同一目的而需要促成分蜂（自然分群）的實現，工蜂們竟會毫不憐念老母的基因半值之生恩，硬是全然停盡贍養之孝道，逼得老母衹好自去巢房取食，不止如此，原先的侍衛蜂此時還爬到女王身上抖動騷擾，迫使母蜂在蜂王臺内産卵，然後精心護育幼主成長,羽化登基的新女王倘若不止一衹,則“天無二日”的政治法則將驅使身爲姐妹的年輕母蜂發生一場王位之争，且必欲置對方于死地而後快，其血腥之狀儼如唐王朝開國初期的“玄武門之變”，此時顫巍巍的老母衹好知趣地率其部分舊臣弃“國”亡命了。上述所有這些背離親緣利他原則的“缺德”行徑，有效地維護了异質整合社會的生機和秩序。在基因利他主義與社會組織分化之間發生矛盾之際，正是這些最能證明親緣關系學説及其换算公式的同一物種，毅然拋弃了它們的天倫之情，反而采用最能證僞親緣選擇理論的行爲方式，在“社會”的祭壇上，不惜决然供奉出血肉相連的基因犧牲品。而且，漢密爾頓模式“解釋不了所有膜翅目社會，因爲另一些社會昆蟲群體——白蟻——具有嚴格的二倍體遺傳”（引文出處同下），就是説，它們的親緣關系系數r不可能形成3/4的高值；“此外還有一個問題，即膜翅目群有許多能生育的雌性（稱爲‘多雌群體’），或衹有一衹雌性，但接受多衹雄性授精，這種例子很多。在這兩種情况下，同一群裏兩衹工蟻的平均親屬關系系數就會降到1/2以下。”（引自《社會生物學》，〔法〕米歇爾·弗伊著，殷世才 孫兆通 譯。）【變换一個視角來看，社會生物學所主張的基因同型率與利他性組合之間的相關關系，似乎衹能用來闡釋機體細胞的“體内社會化”現象：同一生物有機體的所有細胞確系同一基因組型，相應地，其結構性蛋白質的組成序列也完全一致，各細胞之間不僅利他互助，相依爲命，而且抗原性無异（亦即完美無誤地具有威爾遜所謂的識别性“緑須效應”），在生理情况下絶不會發生上述見于蜜蜂社會中的那些“失常性自殘”之舉。如果我們做一個組織相容性實驗，即對任一多細胞高分化型的動物進行選定器官或組織細胞的移植手術，則受體動物的排异反應烈度，將嚴格依據它與供體動物之間的基因同型系數而呈現出從零排斥到完全排斥的直綫相關關系，换一個淺顯的説法，就是自體移植則相安無事，异體移植則親緣關係愈遠者可能表現出愈嚴重的排异反應後果。故對需要接受器官移植的實驗動物或患者事先進行供體篩選，一般總要從直系親屬中就近考慮。很明顯，從生物機體内的“社會關系”上看，漢密爾頓模式顯得分外貼切，在這裏，r系數獲得了滿足值的正整數1，任一C細胞的犧牲奉獻必然等量換來另一B細胞的受益所得，而且隨着r系數的任意變化，等號兩邊的損益增減始終保持相等。**然而，這樣一組規定畢竟僅僅表達了純粹生物學上的某種生理機制，如前所述，它與體外真正的社會存在系統并不符合，社會生物學顯然將這一公式用錯了地方。】**

我無意借此批駁或否認基因利他現象的客觀存在，但我實在看不出基因的“自私”或者“利他”與社會構成有什麼直接的、要緊的基礎性關系。須知以“自私”或“利他”作爲社會構成的“道德前提”早已是老生常談了，但它什麼也未能説明，因爲“自私”和“利他”本身尚有待説明。實際上，所謂“自私”乃是任何存在物的原始“自在性”的變態表達；所謂“利他”乃是任何分化物的後衍“自爲性”的具體貫徹；它衹能用來顯示物質屬性演化或依存屬性特化的一般軌迹，却不能視其爲生物社會構成的特殊要素和基本動因。【如果基因分子的求存本性可謂之爲“自私”，則任何物質的存在都是“自私”的，因爲任何作爲“在者”的物體都有一個不可讓渡的自在前提，有如同一軌道上遭遇了兩個以上運動狀態各异的天體，它們要麼撞合爲一，要麼擊碎相逢者使之瓦解或逸出該軌道，其中任一天體都不會爲了給其他天體讓路而“利他”式地自我消滅。不過，天文學家絶不會用這種方式來圖解天體運行，就像物理學家絶不會用電子與質子之間的“利他”關系來詮釋原子構成一樣。】

實際的情形是，在膜翅目社會中，基因的親緣關系系數與异質整合的結構化社會形態之間存在着某種交叉發展的偶合關系或一過性的重叠關系。也就是説，在泥盆紀以後的生物進化途中，造成社會性生物性狀分化的代償條件和機制尚處在可能借助于染色體倍數异化的階段。這種説法可以得到如下事實的充分支持：即單倍體或奇數多倍體生物，既不見于原始單細胞生物，也不見于高度進化的正常脊椎動物或人類，它衹出現于某些低等植物的配子體和個別昆蟲的雄體中（單倍體組），以及某些無性繁殖的植物種類裏（三倍體組）。然而，**生物系統的社會演化，却以一種與基因拷貝的同型率全然無關的形式展開：**起初，在原始單細胞生物階段，由于增殖形態屬于無性繁殖的簡單分裂或出芽生殖，因而在其任一親緣群體之中，所有個員的共同基因比率均爲100%，即r系數爲1，但在它們的初級社會裏，你無論如何也找不到利他主義的行爲迹象或性狀配合，換言之，生命與社會初誕之際，所謂生物利他性社會關系的决定因素——基因親緣系數或基因同型率，就與社會組合張力之間表現爲根本脱節的失構狀態；繼之，在親緣r系數明顯下浮的二倍體兩性繁殖的廣大中級社會動物種群之間，其各自表徵的社會整合度懸殊，即在基因親緣系數大致相當的動物社會坐標系内，其利他性依存關系呈現出完全離散的無相關性分布狀態，盡管如此，中級動物的利他性社會性狀分化反倒在總體上顯示出大幅攀升之動勢却是不容置疑的事實；最後，再看整合度更高的人類晚級社會，其非親緣化的歷史發展趨勢必然使群體成員之間的平均同型基因比率逐漸降至極度稀釋的境地，然而恰恰是在這種情況下，生物社會的利他性行爲和利他性結構正在闊步走向至高無上的境界。【從人類原始親緣社會的“氏族”，到親緣系數擴散性降低的“胞族”，再到多個胞族聯合而成的“部落”乃至“部落聯盟”，爾後進至中古代“民族”，再進至“多民族國家”以及當今已具雛形的“多國聯盟”，這個社會結構擴大化和密合化的進程反而恰恰與“大家族”乃至“小家庭”的解體進程相伴而行，亦即恰恰與社群平均基因親緣系數趨于下降的進程相互吻合。】

至此，除了膜翅目昆蟲社會這個交叉點例外，基因親緣系數與利他性社會組合之間基本上呈現爲一目了然的偏離態勢。

其反向演運過程可用如下模式化的坐標圖示之：

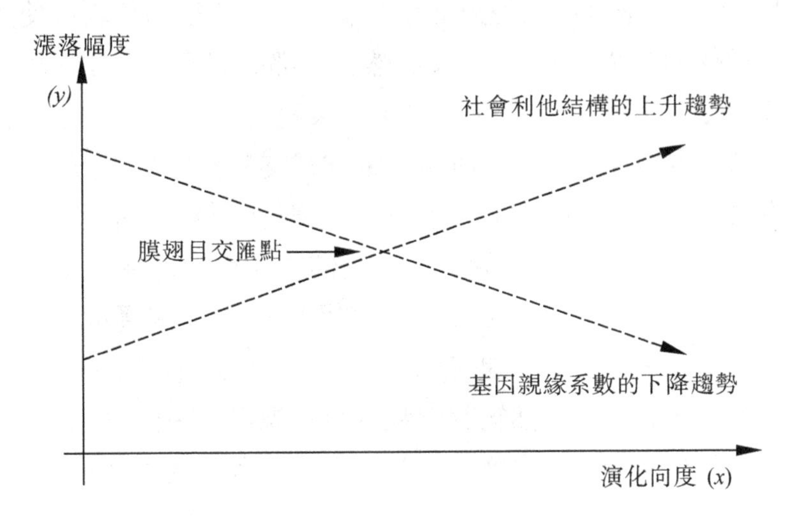

【注解：親緣關系自將在一切生物社會乃至人類社會中永遠存在下去，但它并不是生物利他性社會構成的基本動因。自初級社會到中級社會的某一位點——如膜翅目昆蟲社會，基因*r*系數趨降，社會利他結構趨升，二者的逆向演動恰好交匯在膜翅目社會的分化形態上，使之表現出一定程度的粗略相關；過後，這兩條運動軌迹繼續沿着各自的原定方向在生物社會衍存系統中運行，結果却造成利他性社會分化日益背離基因親緣系數的局面。】

綜上所述，我們可以對本章之討論給以這樣一個扼要的總結："基因决定論"乃是威爾遜（E·O·Wilson）創立社會生物學的基本命題和出發點，他那句振聾發聵的著名論斷："有機體衹是DNA制造更多DNA的工具"，着實一舉將生物存在以及社會存在全然放置在與分子存在同一的自然脉絡上了。不過，這裏遇到一些邏輯上的麻煩：如果DNA是生物層位的基底規定者（這一點已爲現代分子生物學所證實），則它就不可能同時又是社會層位的直接規定要素，否則，生物與社會自屬同一代償衍存位格上的同一物類，亦即二者處于無可區分的邏輯同格上，這不啻從根本上否定了社會存在。再者，如果繼續往前追溯的話，可以説“DNA無非又是有機小分子、原子乃至基本粒子的衍存工具”，然則是否可以得出如此結論：一切後衍物相均可使用原子物理學的方法來研究呢？【顯然，全部的問題發生在這樣一個關節上：當分子存在（如DNA）以某種特定方式支配着生物存在之時，生物存在又將以何種特定方式支配社會存在？所謂“特定方式”，其實就是“自然衍存位相各運動質點上的特定代償屬性”之別稱。即是説，針對任一具體物相而言，你必須找到切近于它的具體決定因素或曰“直接代償規定”（因爲世上萬物之間的“間接依存關系”是無窮無盡的）；而要做到這一點，你又必須首先找到整個自然衍存流程的統一規定；一望而知，用“基因觀點”來討論“社會物相”是對上述二者一概失察的表現。】

第一百四十四章

于是，我們還得回到遞弱代償的自然分化演歷上來。【這個自然演歷并不排斥基因對社會存在的間接作用，正如生物存在雖然受到DNA分子的直接支配，却不能説它完全不受原子物理的間接規定一樣。實際上，正是這種層層遞進的具體制約體現着自然弱化衍存的統一原理。**問題在于，我們怎樣才能找到社會存在的直接規定要素，并借此理順整個生物社會的銜接關系和演運機理？**】

依據我在前面各章中所闡發的論點，我們可以把生命視爲整個宇宙存在系列的一個殘端，這個殘端如此微弱，摇摇欲墜，以至于它的“臨場”（轉義借用海德格爾對“Anwesen”或“Anwesenheit ”的詞解）狀態必須借助于無休無止的增殖拷貝方得維持，即縱這般無奈，它仍然不免于下一次“傾跌”（轉義借用海德格爾對希臘語詞“Ptosis”和“enklisis ”的詮注），即多細胞分化致殘的變异演進。這個歷程造就了系統存在的過熟和脱落，其脱落的臨界面就在原始單細胞的自養型分子集團或植物細胞器的葉緑體上。生命從此通過動物的"能動性"代償獲得"自由"，然而這"自由"的誕生堪稱是宇宙存在的一着墮落，因爲此後的生命立刻淪陷于海德格爾專爲蒙蔽讀者所生造的一個硬化詞"嵌入無"的境況。用我們的話來説，即指**一種殘端脱落了的存在必須去與固有存在系統在斷位上尋求組接的情狀**，亦即動物的問世注定會帶來一個在自然界中追覓以及確定自身**多向度依存位置**的嚴峻問題，我們可以把這種現象稱爲"**生存失定位**"或簡稱"**失位**"狀態。自此以後，生命就在無數個花招迭出的變异中擺蕩着自身飄忽無定的存在，并以忙亂的自由方式將短暫的生活埋葬于海氏所謂的"煩"與"畏"之下。**凡此種種，都要求生命本身不得不首先具備與自然進行廣泛對接的嵌合面，這就是生物學上謂之爲"性狀"的那樣一類反映着生命質態的東西的淵源。**【海德格爾把"此在"的"在世"狀態歸結爲"煩"與"畏"，應該説是對人類生存方式極具慧眼的詩化概括，可是他雖然就此進行了特别繁瑣的討論，却到底未能説明造成這種不可克服的情狀之根源。實際上，讀者盡可以將本書所揭示的自然衍存原理完全看作是對總體人生困境的根本詮釋,如果把它縮略在"煩"與"畏"這兩個大綱之下來總結，則可如此簡而言之："煩"導源于**身陷高度分化格局的失位性代償自爲空間**（參閲卷一第三十七章）；"畏"導源于**瀕臨深度失存危局的失穩性遞弱自在態勢**（參閲卷一第二十一章）。其他一切有關人生境况的話題，説到底都不過是對上述本原性規定的表觀陳述，而且，話説的越繁瑣，表明距離這個本原越遥遠。】

然而，動物的日益復雜化的性狀已不可能再現單細胞生物那種簡捷渾圓的自滿質態了，因爲它在變异失穩的演歷中所形成的後衍性狀其實衹是一個個制衡性代償的權宜追加物（亦即"代償追加屬性"），這些追加物衹要能够取得臨時平衡的生存效果（亦即"閾上衍存效果"）就已算是隨機碰上了天賜的好運，何敢再有要求圓滿的妄想。話雖如此，不圓滿的性狀畢竟留下了有待補缺的現實問題，而且這些問題的解决已經來不及指望再生出新的性狀予以修琢，誰知道新的性狀會不會又要求新一輪的補缺才能自穩呢？這是一個越弄越麻煩的問題。**倘若能在本種群内各以自身的缺陷作爲内向嵌合面進行相互補充，則其代償的效果一定要比生出新的性狀更快捷簡便且更無累贅之嫌。社會結構化的前提就這樣應運而生了。**

這個群内結構化的社會組合有一項基本要求，那就是此一方的短處恰恰可以被彼一方的長處給以調整，假如大家都衹張開自身同質態的缺口期待填補，則衆弟兄們衹有一起等死的唯一結局了。**這就提示，在某個殘化發展階段，同一種群内的生物個體，其异質化程度愈高，發生結構化整合的概率也就愈大。**【由此可見，所謂“利他性”其實并不與基因的同型系數相幹，你的殘化使你無由自私或自在；你要是圓滿，你想利他還利他不成。自私是自斥于群化結構之外的一種完善；利他是自私不得的一腔無奈。你殘化了，你以利他换取自私的前提，你的利他主義其實完全是自私的變種。從常識的角度來看，利他主義行爲不過是客觀上更爲狡猾的自私的同一；從哲學的角度來看，利他主義行爲無疑是自然存在物從“低依存度的自在”流向“高依存度的自爲”之必然。换言之，自私意味着自私者（或“自在者”）融不進社會的結構，應該説，這不是由于它的自私，而是它根本就不需要這種結構。如果你需要這種結構以爲補缺，你還硬以自私與之相抗，處處顯得格格不入，那你真是自取滅亡。總之，無論是情態上或意態上的自私和利他，都不能成爲社會整合結構的基礎和原因，反過來説倒不會出什麽大錯：恰恰是社會成員與社會構態的演化進程，規定着“自私”或“利他”的生物行爲方式。】

下一個問題是，怎樣才算獲得了整體有效的社會結構性互補整合呢？從表面上看，這個問題衹需回顧一下構合的前提就可以作答了，即結構性組合的整體效應衹要能够滿足异質分化前的圓融態勢就行。這個答案當然十分完美，但更帶有根本性的哲學律令却冒了出來，那就是，社會整合作爲生命層次异質分化的上位代償形態，它已經不可能捧着足值的等位代償效價來原樣恢復高分化生物的圓融故態了。因此，上述問題必須帶入這樣一個概念才能成立，即社會結構對生物异質分化的代償衹能采取特定的形式進行，這個特定的形式既取决于生物性狀的异質狀態,又取决于社會代償作業層面的特殊情境。**換句話説，社會結構衹能在生物體外依據生物殘化性狀的潛在耦聯關系予以整合，這就是社會代償獨具的自性規定。**

這樣一來，**社會結構的演變最終不可能不是宇宙結構體系中最復雜、最失穩的結構形態，因爲它既是生物體内復雜結構的自然延續，又不得不回旋于表達在生物體外的“自由能動性勾聯”的動蕩變局之中。**而且，由此往後，**你再也不能僅僅滯留于生命的本體之内來觀照生命了，而是必須同時躍上社會的高臺形而上地俯瞰生命，生物存在的本性才能够獲得較爲完整的考量；**反過來也一樣，**衹有當你深入到生物生存性狀异質耦聯的内在規定中加以探查之後，你才可能在反觀中真正看清社會整合的代償機制**——亦即“自然生物”或“自然人”必然展現爲“社會生物”或“社會人”的真諦。

第一百四十五章

動物有機體的内外性狀分化無論何其復雜，都必然要以種種“欲求”或“意志”的方式表達爲相應的外向行爲或行爲導向(亦即卷二中所謂的“感應屬性”或“應式意志”)。因爲一切生物性狀之所以發生的唯一自然目的就在于取得保障自身存在的自然對接，也就是説，將自身生存的失位狀態還原爲在自然統一存在上的定位狀態。故此動物的欲求意志應該越簡單越好,否則，復雜化的欲求意志勢必帶來多向配位的内在要求，從而不免導致後衍高分化生物可能陷于無所適從的失定位摇擺困境。這種面向自然存在的配位原則同樣適用于面向社會結構的配位過程，甚至可以説，面向群内結構的社會整合代償就是爲了適應整個種群面向自然的定位需要。因此，生物性狀外化爲欲求意志或行爲方式的過程最好同時也是一個趨于簡化的過程，這就是動物體質性狀异質分化的演進雖然在生理狀態上不免日益復雜，但在外部求存行爲性狀的异質化歷程上却要繞開膜翅目分枝，而重新回歸于此前那種相對同質化或相對簡約化的主流進化方向之原因。（關于“簡約原理”，可回顧卷二第八十一章。）

我們可以把這種力求簡約化的**行爲性求存之集合性狀稱爲“生存性狀”**，以與極其復雜的“生物性狀”（或“生理性狀”）在概念上加以區别。再予嚴格定義：**所謂“生存性狀”就是“生物性狀”或“生理性狀”的外顯體質殘化表達，而且它囊括從“體質性狀”到“智質性狀”的繼承性分化之總體概念。**

不同動物的**生存性狀**雖然千差萬别，**按其基本特徵不外屬于兩個大類**：一爲“**體質性狀**”，即以體能行爲的總和表達其求存要求的那樣一類生存性狀；一爲“**智質性狀**”，即以智能行爲的總和表達其求存要求的那樣一類生存性狀。**前者是中級社會的動物用以建構其社會組織的主要自體嵌合面；後者是晚級社會的人類用以建構其社會組織的主要自體嵌合面；而在初級社會的單細胞身上，生物性狀與生存性狀幾乎尚處于潜合爲一的未分化狀態中，相應地，其社會形態也就現象爲無結構的渾沌同質態。**值得特别一提的是，**人類的智質性狀是在生物體質性狀充分分化和發育的基礎上形成的，或者説是體質性狀演至極限的代償産物，因此，智質性狀總要通過體質性狀或體質性狀的物態模擬才能獲得表達。**出于同一緣故，人類作爲動物的延續亦照例保持着自身體質性狀的簡化狀態，因而才有可能**在人類社會的原始發生期**顯現出**相對同質化的社會結構形態**。【前文説過，生物現象無非是分子進化的産物，生物有機體無非是失穩大分子（即DNA螺旋鏈）的編碼衍存形態，基因通過自身編碼的自發突變，引導着生物系統的物種變异和自然選擇的定向實施。任何基因突變都必然表達爲生物體質性狀的變异，任何自然選擇又總是認可着性狀機能的不斷提高，由此導致生物物種向越來越高級的方位挺進。但任何事物的發展都有一個瀕于衰竭的臨界點，也都有一個變態延續的交接點。正如從氫原子開始的原子進化的臨界點，就是元素周期表上的第92位鈾元素，而它們變態前衍的交接點，就是某些元素所具備的分子化合潛能；或如從簡單小分子開始的分子進化的臨界點，就是生物大分子的脱氧核糖核酸（DNA）或蛋白質肽鏈，而它們繼續前衍的交接點，就是同樣具有編碼潛能的核糖核酸分子（RNA）或介乎于分子物質與生命物質之間的類病毒實體。生物進化在體質性狀上的發展也有它的臨界點和交接點：這個臨界點就是從單細胞生物開始，直到類人猿或直立人爲止；它的交接點就是其他動物造用工具的潛能，以及人類大規模使用工具的舊石器時代。**于是，我們可以把工具叫作"智質性狀"，以便與它的前身"體質性狀"相區别。所謂"智質性狀"，就是指動物或者人類借助于自己的智能屬性所造就的工具式體能延伸**。也就是説，**智質性狀一定是體質性狀的直接繼續或機能發展**，就像智能本身是一種在生物進化的過程中漸次發展出來的機能代償一樣。而所謂的"工具"，無一不是動物體質性狀的延長和補充，譬如望遠鏡和顯微鏡是眼睛的延長，刨床和龍門吊是手臂的延長，汽車和輪船是足力的延長，電子計算機和人工智能是腦力的延長等等。**總之，我們盡可以把一切工具統統稱爲"類體質性狀"**（參閱卷二第一百零一章），**進而，我們也可以把體質性狀和智質性狀統統稱爲生物系列一脉進化的"生存性狀"**。換言之，**這個看似人爲的發展過程，其實完全是自然進程在同一方向上的繼續**。而且，需要特别引起注意的是，**自然物質的"虚體屬性"演化，最終總會造成某種"實體結構"的相應變動**。譬如，物理性質的强、弱作用力是粒子結構得以形成的基礎；電磁感應屬性是原子結構和分子結構得以形成的基礎；隨後，代償遞增的生物感知屬性又是生物社群結構得以形成的基礎；臨末，作爲生物感知屬性延伸産物的人類理智屬性，也必然造成人類自身生理結構的體外重塑，以及人類社群繼動物社群之後的生物社會結構變動。**也就是説，人類的理性（智質屬性）及其作爲理性産物的工具（智質性狀），并不是一種超自然的東西，而恰恰是自然物質演化運動一脉相承的具體體現。**（關于"屬性"與"結構"并行代償的自然照應關系，請參閱卷一第二十章。）】

從絶對意義上講，作爲社會結構基礎的體質性狀分化要比純粹生物學上的生理性狀分化簡單得多，盡管生理性狀分化正是體質性狀分化的基礎。這一體質性狀的簡約原則并不僅僅是爲了有利于建構社會代償，而是任何生物的自然生存均不可違逆的基本生理機制，人類亦無例外。【對于不懂生物學和生理學的讀者來説，上述兩種性狀的差别可以借用這樣一個并不十分確切的例子來加以注解：動物的體質運動如奔跑，在行爲效果上似乎僅僅表現爲機械位移，在廣義的體質性狀上表徵爲體能、本能及智能等行爲能力和行爲意圖的總和；而其生理基礎之復雜，僅以一個骨骼肌細胞的性狀論之，即需涉及肌凝蛋白與肌纖蛋白的微觀結構、膜電位的興奮原理、鈣離子的抑制作用、能量代謝的生化程序等等；此外，神經體液系統的應激調節、呼吸循環系統的反饋配合、體温恒穩機制的全面調動、臨時無氧酵解的pH緩衝等等全身性整體反應更是一言難盡。這種外化爲求存行爲特徵的體質性狀與内化爲機體細胞組織的生理性狀之差异，在生物學上可以一語表述爲：生命的復雜構成以生存適應爲唯一原則；在哲學上則可以僅僅表達爲一個詞組：代償級别的續貫性。】

從相對意義上講，這種體質性狀的簡化原則局限于生物演進位相的某一社會史範疇之内，當以智質性狀主宰自身生存的晚級社會動物借助于非本體的"工具"分化來延展體質性狀异質化的後天獲得性進程時，這種在本質上仍然屬于生物體質性狀异質分化的演變態勢會呈現出趨近于無限復雜化的傾向，從而使絶對意義上的簡約原則在社會進化層面上陡然淪喪。【實際上，這種外顯的簡約失效現象可能衹是一個假相，因爲那個支配着一切現象變幻的代償轉層法則將把體質性狀的簡約原理轉交給智質性狀，這就是爲奥卡姆的威廉所發現，爲馬赫、愛因斯坦等自然學者所深表贊賞的“思維經濟原則”的本質所在。再者，人類智質性狀的思維機能和异質分化進程必須依賴于外在符號和物態工具作爲載體的現象，其實也同樣是上述轉層交替簡化運作的規律所致，即是説，“思維經濟原則”不僅落實爲邏輯程序的相對簡約（相對于神經生理程序而言），而且落實爲物化智質性狀的相對簡約（相對于生理體質性狀而言）。這再度表明，後來發生于人類種系的智質性狀本質上直接就是動物體質性狀的轉化代償形態。】

于是，貫穿于動物中級社會的下述“生存性狀殘化耦合原理”，就成爲一切生物社會結構得以形成和發展的基本法則。

第一百四十六章

I. 我們可以對無效于詮釋社會整合的基因利他主義公式——即前述的漢密爾頓模式——予以内容上的抽换和形式上的保留，因爲該公式中所含蓄的系數變格和對應替補關係恰恰與社會代償演化律相吻合（請讀者對照參閲第一百二十五章的坐標示意圖）。其改動後的函數關系式如下：

$$\frac{E}{S} = \frac{1}{R}$$

在這裏，***S*代表社會整合度**，簡稱“社會度”（與“代償度”同格）；***E*代表種系生存度或種群内生物個員自然生存度的總和**，簡稱“生存度”（與“存在度”同格）；***R*代表種群内總體生存性**

狀的异質分化程度或殘化程度，簡稱“分化系數”（相當于給出了一個遞弱動勢的參數或曰“道的演動系數”）。設定這個R系數是大于零的正數（$R>0$），且傾向于漸次增大，亦即**R的倒數呈現出趨近于最小值的演變態勢**；再者，還需設定E與S之和是一個不變的常數（$E+S=Ts$），即**S的增量永遠恰好等于E的减量**（與“存在閾”等位）。

上述各變量未必不能找到適當的定量方式（我輩無能，以待來者），眼下我們姑且衹關心它們之間的定性關係。

第一百四十七章

II. 關系式顯示，**社會度S與R系數呈正相關**，提示**隨着種群内生存性狀分化程度的提高，社會結構的整合力度趨于加强，而群内個員的自然生存度之和E相對下降**；反過來説也一樣，**即R系數上升使E值成比例下降，導致S值相應趨升。**實際的情形是，R系數的上升必然導致E值的下降，因爲**生物性狀及其生存性狀的自然分化正是造成生物種系殘弱化的根本動因，即R亦可被視爲宇宙物演分化動量的流變系數及其投射在生物衍運進程上的具體指標。**

但是，在某種情況下，R系數的上揚未必直接造成社會整合力度加强，S值是否升高尚與生存性狀殘化的成員之間配合度的大小有關，即是説，假若群内殘化成員之間并無配合關系可言，比方工蜂僅僅具備御外攻擊之力，却不具備與采蜜築窠等經濟職能有關的性狀的話，則無論該種群的R系數何其之高，其社會整合度S仍將幾近于零。無疑，這種情形必然導致整個種群被自然選擇淘汰。可見，隨着R系數趨向于增大（例如生物基因自發突變的動勢或人類智識自發擴充的累進），E和S的相對關系勢必有所變化，然而**E值的下降却可以産生兩種結果：S值相**

應上升，種群得以存續（亦即前列公式成立，社會結構達成）；抑或S值的升幅偏低甚至不升，種群隨之衰微或滅亡（亦即前列公式不成立，社會動蕩或解體）。因此上述變更模式中還應增加一個規定殘質配合度的邊緣值，盡管在現實中這個邊緣值一般似乎并不存在（殘化而又失配合的種系或種群消滅）或作用甚微，但在理論上却是一個重要的問題，我們留待後文**X**項下討論。

第一百四十八章

III. 上述情形表明，**S值趨升是E值下降的有條件代償物，也就是説，S值是E損失量的追補性附加值。**一般認爲，這個S追加量有可能大于E損失量，亦即系統論中所謂的系統總能大于内構成分的個能之和，但在社會學上，我以爲這種説法不能成立，因爲就静態分析的系統論而言，其組分個能未必要在形成系統之前或同時發生減損，或者其組分個能的潛失量通常不被事先計入，而社會的構成却必須以成員生存力度的部分丢失爲前提，亦即有功代償的效價衹會等于存在效價的失量，這就好像蜂群中若無職蜂之殘化，蜜蜂社會就斷然不會組建成現實中那種結構形態是一樣的。

因此，假如將代償效價中的那個無功或無效幻量忽略過去，或者説假定社會代償近似等位效價，S值與E值之和也至多衹能是一個近似的常量，由以引發二者之間的互動呈現你增我減的反向變化關系，亦即社會度S增加多少，生存度E就近似等量地減去多少，反之亦然。**這就提示，當R系數增大時，社會度的升高必然表徵着成員生存度的絶對下降。綜合II、III兩項的分析可以看出，隨着生物异質（或殘質）分化程度的上升和社會整合程度的加强，社會成員的自然生存度不僅會相對下降，而且不免呈現絶對減弱的傾向。**

第一百四十九章

Ⅳ．社會度S的變化必須與ER關系對應，亦即：

$$S = ER$$

這是一個很有意義的“**社會方程**”，它不僅表達爲這樣一個數理概念，即**社會度S作爲一個代償增量必與分化度R和生存度E的乘積相等**，而且，這一命題顯示，**社會整合結構之所以能够確立，乃是由于它以生物個體趨殘及其生存效力趨低的生存代償要求爲其堅實的存在基礎，而不能是一個無緣無故的組合操作**。換言之，在現實中，對這個基礎的絲毫游離都必然導致社會結構的動摇，并且終于注定仍被其ER基礎拉回到等價的位點上，否則社會結構即告解體。下列三種S值可能偏離的情形必遭排除，就是明證：

***a*．R系數與S之間由于前述的殘質配合度缺失而脱節**。這種情形如果得不到某種改善，如自然突變的積累逐步造就配合態勢或削減殘質分化度R，則該生物遲早歸于消亡。故而此項情形不能成立；

***b*．在非*a*條件下，S值小于ER對應值**。這種情形必以某種方式被糾正，如蜂王衰老導致其“政治統馭”或社會調控力度下滑，則蜂群必將借由“换王政變”或“自然分蜂”等方式來調整S值的偏失即是例證；

***c*．S值大于ER對應值**。這種情形同樣將以某種方式被糾正，如蜜源不足造成E值下降，S值相對偏高，此時蜂王自會主動縮減排卵量，或蜂群照例會借助“自然分蜂”以減少群内蜂員數量來恢復E值，否則即由餓斃减員來執行此項使命，從而達成S值重新等于ER對應值。

可見，這是一條鐵的規律，任何生物存在和社會存在——包括後述的人類及其社會——都不能違背它的規定。

第一百五十章

V. 以上各項所述容易造成一種印象，仿佛异質分化*R*系數總是傾向于增大，這個看法既有道理，亦非完善。**參照整個生物社會史來看，*R*系數在總體上趨于升高是無可置疑的事實，這表明生物的演進是一個不斷傾向于分化加劇的自然歷程，同時提示社會結構是一個伴隨着生物殘弱化進程相應增長的代償系統。**然而，如果局限于中級社會動物予以考察，我們會發現這一進程似乎在膜翅目社會之後反而呈現回落態勢，實際上，膜翅目昆蟲衹是生物進化的一個側枝，後衍物種并不能在此側枝上接續發展，即便忽略這一進化路徑上的分歧不計，它也同樣**從另一個側面暗示着自然遞弱代償進程的剛性質素**：

***a*.** 中級社會的*R*系數較初級社會明顯爲高，其社會整合結構亦相應成型，雖于膜翅目階段之後略有回落，但此後的晚級人類社會，其*R*系數與*S*值均呈更趨攀升之勢，表明**分化代償的層次性自然進程不可遏止，社會整合結構的趨强態勢已成定局。**

***b*.** 膜翅目社會之後，*R*系數回落，*S*值暫跌，提示**社會代償終歸無效，生物分化若能在某種程度上還原體質性狀的自足圓融狀態，則不惜盡其所能地拋弃部分社會代償。**然而這絶不等于説體質性狀相對自圓的膜翅目後動物，其借助體質性狀從緩分化所達成的總體閾效價就會出現超額充實的例外，須知它們的*E*值固然較大，但*S*值的相對降幅如果大于*E*值的相對升幅，則其綜合衍存力度仍將小于先存的膜翅目昆蟲，後繼的許多物種照樣瞬息滅絶，個中原委恐怕不能斷定没有這方面的因素存在。

***c*.** 正是由于上述緣故，繼承了中級社會後期動物的體質性狀相對自圓之禀賦的人類，衹好依然在自身前體物種的進化途中尋求新的變异代償，智質性狀由以産生，而智質性狀必然造成轉化形態的*R*系數暴漲，**從而使人類墮入生物源性體質性狀**

相對自圓與社會整合結構日益緊密的矛盾羅網之中。

本章之所議，暫且衹涉及與社會結構基本原理有關的邏輯概念聯系，其他題旨如智質性狀發生或人類晚級社會等，容後專章另論。

第一百五十一章

VI. *R*系數趨近于最小值的情形即爲原始單細胞生物的初級社會形態，此時代表生物自然生存度的*E*呈現最大值，而社會整合度則幾近于零；*R*系數趨近于最大值的情形將會出現在人類晚級社會的終末階段，到那時，社會整合度*S*將呈現最大值，而E值所示的生物自然生存度則趨近衰竭，人類及其社會的暮年景象將展現爲極度殘化與極度整合的四價碳樣均聯耦合態勢，從而達成對原始初級社會渾然無差别形態的轉化回歸。不過，那時的社會結構已瀕臨于失存的邊緣，它的極端弱化存態亦不免使其處于極端緊張構態的自然境遇之中，即社會系統内外的任何震蕩都有可能隨時導致該生物種系及其社會結構轟然崩潰，其臨界衍存情狀恐怕遠不像烏托邦主義者所夢想的“大同世界”那樣悠然自怡。換言之，*R*系數最小時的社會初衍效價，由于幾無代償回饋之餘地而爲生物的自然生存效價所取代；反之，*R*系數最大時的生物自然生存力度，由于幾乎全被社會代償效價所剥奪，故而致使生命實體的生機終于被社會實體置換；**也就是説，最原始社會與最發達社會之間在外貌上的虛假相似，其實與二者分處在迥然有别的“同質殘化”極端層位上有關。**（可參閲第一百三十章）

由此導出一種深藏于生命與社會之間極爲有趣的機能轉換現象：**即在同質化社會所處的結構區間兩端，要麽生命的機能取代了社會的機能，要麽社會的機能置換了生命的機能，這種現象最充分地表達出社會存在對生物存在的聯屬代償本質。**

第一百五十二章

VII. 由于上述緣故，在初級社會中由原始生物通過自身之遺傳屬性所建立的生存延伸綫，于中級社會發生結構化整合之後，其接續這條生存綫的努力即由生命與社會聯手進行了，而且隨着這條生存綫的伸展，其後續之重負越來越多地爲社會所承擔。**具體地説，社會成員的生存壓力呈現出從自然壓力向社會壓力過渡和轉移的趨勢。**這種生存壓力的轉化關系，仍然可用社會結構原理模式加以換算，即**隨着*R*系數的增大，S值的相應上升與社會壓力的轉化量一致，而*E*值的相應下降與自然壓力的消解量一致。**這個推論提示：

a. 不同生物遭受到的生存壓力在性質上雖有不同，但其本源均發之于自然，因此，任何生物物種的生存壓力均相等。如果生物的演進有趨弱傾向，則即令自然壓力恒定不變，生命的生存壓力亦呈揚升之勢，這就是在生物進化的階梯上越晚近的物種，其生存穩定性越差，生存期限越短的原因；（即客觀外壓不變，主觀内壓遞升。）

b. 基于上述，如果生物所承受的自然壓力有被社會代償置換的傾向，則生物所承受的社會壓力必隨社會結構的演化發展而遞增，亦即社會進步對生物的生存效價毫無補益，其情形與代償之無效相同，是謂“社會發展的禍福衝銷律”。換言之，無論社會如何改進，生命本身都不得輕鬆，甚至大有載荷日重之感，故此，古往今來的思想家們幾乎從來無法爲現實社會唱出由衷的贊歌，反而寧可在想象中爲可能更糟糕的未來社會塗抹虛妄的美麗色彩；（即總體壓力不變，社會分壓遞升。）

c. 基于***a***、***b***兩項之推導，任一生命在任何生存狀態下的生存壓力均恒定不變，因此，生命在任何生存條件下的生存感

受均無本質上的差异。也就是說，無論生存境遇如何不同，生命本身都不能獲得持久的鬆弛或抑制，也不能保持長遠的緊張或興奮，是故，不管生命處于怎樣的自然環境中或社會等級上，其内在的悲苦均無從改觀，幸福儼如愈追愈遠的海市蜃樓，一切生命所收獲的苦樂必呈兩相抵消的均衡態，這是舉凡具備了神經分化的動物所必然保持的一條與生存等位綫對接起來的心理張力等位綫。（可參閱卷二第一百一十章。）

這些推論乍一看似乎頗有些虚無主義的意味，其實它恰恰是在述説爲什麽你想虚無也虚無不成的原因。

第一百五十三章

VIII. *R*系數的動進，體現在由體質性狀所規範的機體機能及其求生行爲的相應特化上，是爲“體能”，例如運動系統的形成造就了奔跑跳躍的體能，尖牙利爪的特化造就了捕獵肉食的體能等等；同樣，*R*系數的繼續演升終將造成智質性狀的“智能”特化。以體智求生性狀殘化爲其結構基礎的社會組合，主要是由不同個體成員的行爲機能屬性爲契機建立其聯構整合關系的，這是生命的體外社會分化整合與體内細胞分化整合的顯著區别之一，盡管機體層面上的行爲機能分化正是生物性狀分化或生理組織分化的結果。既然以機體行爲機能分化作爲社會構合的主要基礎，既然社會構合的目標是要代償生物有機體殘化所失的生存機能，則社會整合系統的組建就必須具備如下三大功能分屬結構或曰“子系統”方可實現：

a. 滋養子系統：該系統的作用在于建立生物與自然的物質能量交换及其有關的硬件條件，或者説，它是生命依存于异己物界的剛性媒介，要求具備**近捷地或直接地切入自然**的特點，

因此，它仿佛處于社會系統結構的底層，并表現爲平面横向鋪展的運動形態。在膜翅目社會中，它以工蜂或工蟻的采食築巢行爲機能爲其體現，是爲未來晚級社會中經濟子系統的前身；

b. 調控子系統：該系統的作用在于建立社會結構整體上的運轉協調和平衡控制，或者説，它是异質整合有序化的調理樞紐，要求具備**上下貫通**和**提携統帶**的功能，**因此，它仿佛處于社會系統結構的高層，并表現爲垂直縱向聯系的運動形態。**在膜翅目社會中，它以蜂王或蟻王用來建立親緣群體的性機能爲其體現，是爲未來晚級社會中政治子系統的前身；

c. 信息子系統：該系統的作用在于建立社會成員之間和社會各構成部分之間的軟件聯系，或者説，它是生命與生命之間相互聯系的"精神"媒介，要求具備**泛化滲透性地深入生命體内調節其行爲導向**的質素，**因此，它必然以不同的形式交流于社會系統的每一個成員或各層結構之中，即表現爲全方位彌漫化的運動形態。**在膜翅目社會中，它以上至雌王下至職體的所有成員各自分泌的外激素和姿勢信號等爲其體現，是爲未來晚級社會中文化子系統的前身。

站在人類社會的高位上看，上述分法多少有些超前抽象之嫌，然而，對任何事體的認識其實都得立于高遠之處才能窺其全貌，而且，時距愈大，舒展愈開，識之亦愈透。

第一百五十四章

IX. 上述三個子系統之間必須建立有效的配合聯系，社會度*S*才會隨着*R*系數的變動表現出對异質殘化生命的代償整合效應。所謂"有效配合"，不是指一個子系統對另一個子系統的單向規定，而是指一個子系統的功能輸出恰好構成其他子系統的條件輸入，也就是說，任一子系統的存在條件都能够得到其他某些或某一子系統的功能配給或支持，同時任一子系統的功能釋放又能被其他某些或某一子系統作爲自身的存在條件予以吸收，從而**建立起系統論原理所要求的雙向耦合、互爲因果的循環反饋調節系統**（讀者可以參閱金觀濤先生的有關著作，他用系統論方法相當精彩地演示了人類社會的歷史動態）。實際上，**生物有機體就是這樣一個最典型的結構系統，它把整個宇宙的殘態弱化衍存機制凝縮在自己體内，然後再把這種機制投射給社會，以便爲自己建構起一個内外呼應的代償轉化保障體系。**

再以蜜蜂社會爲例，我們可以將其社會耦合結構模式化爲如下**開放型反饋系統**：

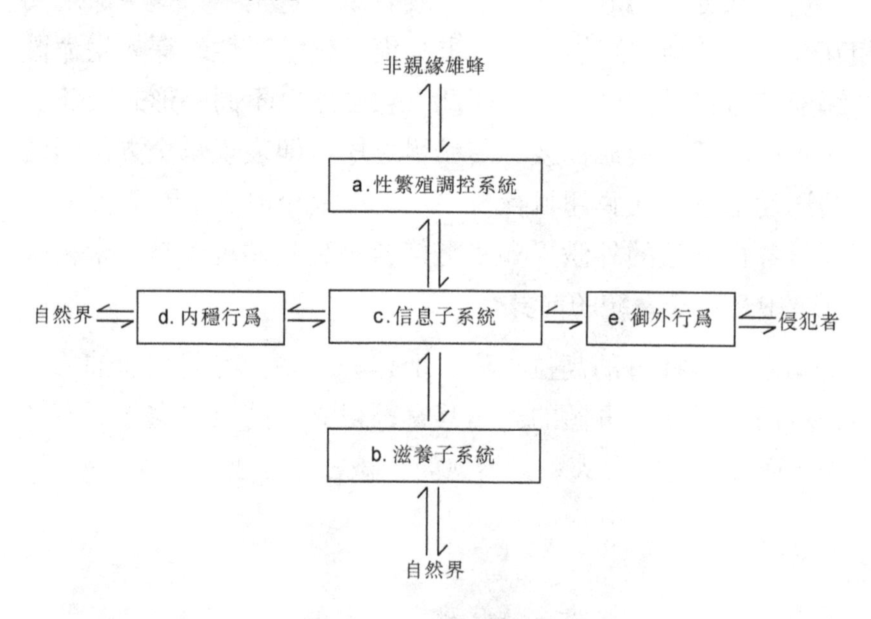

a. 在初級社會的起點上，社會由原始生物的增殖屬性而派生；至中級社會，繁殖行爲或親緣關系在相當程度上仍然構成社會調控子系統的主要支架，實在是一個十分自然的循序漸進過程；實際上，直到晚級人類社會的政治結構中依舊保留着某些親緣關系的遺迹是一個顯而易見的事實。蜂王除了通過産卵量和産卵性别選擇來調控蜂群組織外，尚以自身分泌的獨特外

激素對整個蜂群進行整體性反饋調節；當然，蜂王享用的蜂乳幾乎是全部工蜂産泌能力的總和（另有少許用以階段性地飼喂幼蜂），這種王漿物質若有積餘反而不妙，因爲它是造成蜂群騷動分蜂的内部因素之一。

b. 此處主要指工蜂采食和蜜粉貯備的結構子系統，它自是整個蜂群社會的支持基礎，它首先受到工蜂體質生存性狀的規定，同時還受到系統内外諸多因素的影響，其不足或過剩都可能造成蜜蜂社會的結構震蕩。

c. 嚴格説來，中級社會的信息結構未必可以當作一個相對獨立的子系統看待，但其作用之顯要一望而知，且發展"前途"頗爲驚人，故姑妄放大之。這個子系統的存在和發生照例導源于以蜜蜂神經體液組織爲基礎的體智性狀，其在蜂群社會中的彌散響應流程倘有片刻阻斷，後果不言而自明。

d. 該行爲結構（指築巢及温控、濕控等内穩行爲）應歸于滋養子系統，之所以將它提出來專述，乃由于它同樣形成了一個細微的反饋亞系統——築巢的規模和類别設計受到群量現狀、繁殖預期、蜜粉儲量、外力損毁等因素的制約。其實在任一社會位相上，這種反饋機制都在運轉，它表明人們選用三個功能子系統來描述社會結構帶有多麽大的抽象概括性和邏輯隨意性。

e. 生物御敵行爲與生物侵犯行爲屬于同類，在中級社會，它似乎較爲偏向于滋養子系統；在晚級社會，它又更像是政治子系統的一個分支。其實，在膜翅目社會中，它要麽衹是一個潛在的反饋亞系統（如在蜜蜂群體中，該系統受敵情激發而顯，至敵情消退復隱）；要麽就是一個獨立的反饋子系統（如在某些蟻類群體中，該系統直接以一個常備的兵蟻階層爲載體）；總之，無論你把它放在固有三系統中的哪一個裏面都顯得不妥，故予分列。

在蜜蜂社會中，我們亦可將其耦合系統簡化爲滋養和調控兩個子系統看待，在這種情況下，社會的反饋配署關系更是一目了然：

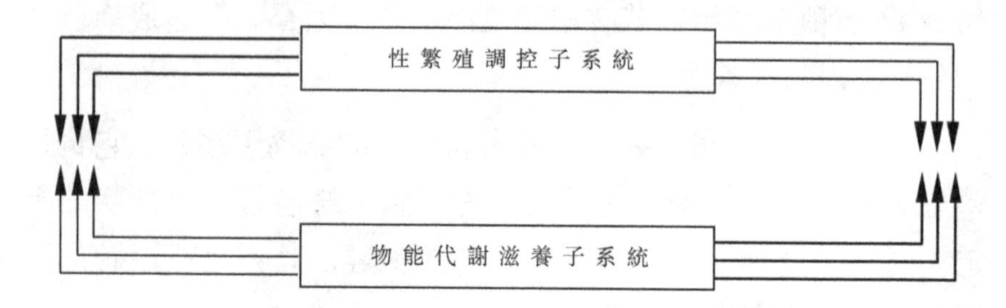

總之，無論人們劃分出怎樣不同的理解模式，其建立社會系統結構的配合關系不外如此。**值得留意的是，在膜翅目社會的典型構態上，我們可以清楚地看到，所謂“社會結構”，其實無非是食與性等生理性狀在體質生存層面上的殘化整合，也就是説，作爲自然衍存流程的繼續，社會結構本質上乃是生物結構趨于殘弱化的代償性生機重建而已。**

第一百五十五章

X. 各個子系統之間如此滿打滿算的關聯機巧何以能够準確無誤地建立起來呢？這就必須理解信息反饋的原理（順便補充一句，所謂“信息”，乃是“分化物的可感屬性”之别稱〈詳義請參閱卷二〉）。簡單地講，在所有的自然依存結構系統内，任一子系統或分屬結構都既是一個控制部分又是一個受控部分，作爲控制部分，它以某種信息或指令送達其他受控結構使之發生有關反應；作爲受控部分，它對其他結構的調控結果又變成某種回送的信息反過來節制它的調控作用；這種由受控部分送回到控制部分的信息稱爲反饋（feedback）信息，這種閉合環路式的聯系方式稱爲反饋聯系。按其回饋效果，可將反饋聯系分爲兩類：若反饋信息的效果是抑制控制部分的活動，則稱爲負反饋（negative feedback）；若反饋信息的效果是加强控制部分的活動，則稱爲正反饋（positive feedback）。**在一個保持相對恒定的自穩系統内，一般認爲負反饋是最主要的基本自控方式**，實際上，穩態持恒的控制過程還需要一個“調定點”或“限定閾”發出某種參考信息或令其動勢自行衰竭才能實現，有如心臟和血管的互動狀態要維持血壓恒定就必須“參考”中樞神經系統的血壓調定信息一樣；在同一系統内，明顯的正反饋過程似乎多見于需要迅速達到某種狀態的急發過程，如有機體發生血管損傷時十餘種凝血因子層層激活的凝血過程就是一例，但這一過程必須隨即啓動某種反向動作同時運轉，一如凝血過程同時以不同速率激活抗凝機制那樣，或達到某一閾點後立即自行中止，否則，任何系統結構及其穩定態勢都將頃刻陷于毁滅。

然而，整個自然存在——包括生物存在和社會存在在内——正是這樣一個由無效代償層層激發的正反饋失衡系統，它的唯一“調定點”就是那個不可逾越的“存在閾”——而它的唯一“激發源”無疑衹能是那個無從遏制的“存在效價遞失本性”——故此，生生滅滅的連續進化成爲萬物衍存的常規現象。也就是説，正反饋其實才是宇宙結構代償演化的基本方式，而且還是一個最具有徐緩耐性的漸動過程。于是，任何結構系統的衍生均有賴于這個天演機制，正如任何結構系統慢態潛行的失耦合過程亦是此種正反饋的必然崩潰過程一樣。這個過程表現爲各個子系統内的非耦合因素不斷增長，最終導致整個耦合系統的解構，并在下一個代償系統内繼續激動其正反饋的暗流，使新建立的負反饋表層平衡系統重蹈潰滅的覆轍。負反饋平衡系統似乎僅僅處于殘化構合演歷的中間階段，本質上衹是負值無效代償的一種現象形態，反倒是正反饋機制一肩挑起了整個世界存在的建設性責任和負反饋平衡系統的破壞性使命，仿佛一個僞裝起來的“卧底者”，他之所以表現出忠誠可靠的樣子乃是爲了顛覆他的“效忠”對象一樣。由此可見，所謂系統反饋原理本不過是遞弱代償原理爲邏輯觀照虚擬出來的一種泡沫式的表面張力而已。【我們現在可以就“系統控制論”給出哲學上的評價了：所謂“系統論”，是對殘質整合結構的一種形式上的“取像”，它既不能開掘自然結構發生的本質成因，也不能指明自然結構運動的向度規定，它更多地具備科學上的實用性指導價值，而較少具備哲學上的探源性認知價值。從根本上講，科學與宗教一樣是人類在“失位”狀態下尋覓自身定位的生物求存性努力，其差异僅在于代償位相的不同，當哲學要關心整個“存在”的本原問題時，它所看到的“努力行爲”本身皆成了“存在”自身運動的某種規定形態。雖然任何尋覓定位的淺層認識都表現出獲知了真理的興奮，而這正是智質生命求存所必需的生物生存態或生物感應態。所以，海德格爾感嘆“三論”似將取哲學而代之的口吻不無怨憂，既顯示了他哲學天性的敏感，又暗示了他哲學悟性的蒼白。】

臨末，給本章之所談以一句總結：**即社會結構像任何其他自然結構一樣都是殘化失衡的代償產物，也就是説，社會度*S*中永遠暗藏着“配合度”不足的所謂邊緣值問題，這個導致一切結構趨于崩潰的力量其實正是一切結構得以發生的同一個動因，故而可以認爲，在業已形成的自然結構中大抵不存在配合度偏低的問題，衹存在該結構本身的代償度或存在性問題。**【于是，我們可以再引申出一個**“代償匹配”**的淺層應用概念，此處的“匹配”二字不涉及代償量與存在閾的理論關系，却關乎**“結構代償的内部失耦聯”**問題。其意涵指向各子系統抑或子子系統之間能否真正相互吻合，亦即代償結構各組分之間是否能够有效匹配。從趨勢上看，代償度越高、越復雜的結構體系，越難以建立起環環相扣的致密耦合聯動關系；即便勉强建立起來，它也一定越容易滑向内在匹配不佳或系統配合失效的窘境；也就是，越容易流于無功代償或曰“失代償”的崩潰之局。它實質上表達着存在度的極端弱化效應，却現象爲感應屬性耦合關系的失洽（卷二所論），以及感應結構耦聯系統的失散（卷三所論），此即代償功效傾向遞減的狀態。（可回顧本書卷一第

四十一章）——這種令人左右爲難、前後失據的凌亂情形，極有可能發生在生物晚級社會即人類文明社會的終末階段。】

第一百五十六章

XI. 固然各種社會結構終于都不免趨向崩潰，但不同結構的穩定程度畢竟迥然有异。從大處着眼可以發現，隨着*R*系數的上升，代表生存度的*E*值雖然越來越小，然而社會度*S*值的相應上揚僅僅表示其殘質構合的細密程度越來越高，整合傾向越來越强，却絶不表示其結構穩定性也越來越牢靠。**恰恰相反，隨着社會系統結構中連貫環節和反饋觸點的增加，發生誤差的可能性和非耦合因素增長的位點都會相應增多，從而造成如下社會發展形勢：**

a. 單細胞生物的初級社會，由于生命成員的同質自足狀態而致社會以無結構爲其衍存形態，即是説其社會*S*值極低，然而正是這種散漫社會組型反倒没有維持系統平衡的必要和問題。所以，該社會成員的*E*值很高，暗藏在低*S*值中的社會穩定度也很高，從而處于這樣一種有利形勢：**社會成員的高生存度與社會構成的高穩定度的合一；**

b. 體質性狀异質分化的動物中級社會，其*E*值因*R*系數升高所表達的殘化程度增高而下降，但其*S*值的相應上升却是以物性體質爲基礎的，很明顯，體質性狀的變化絶非易事，它有一個相對穩定的素質存在，而且，體質性狀的可分化度亦即其*R*系數的游移度實際上很低，**因而，中級社會結構系統的穩定度雖不敢與初級社會較量，却遠比以智質性狀爲基礎的晚級社會爲高；**

c. 晚級智質社會的麻煩一望而知，它既有*R*系數的高度游

移的特質，亦即智質性狀的活躍分化幾無涯際；又有由智質性狀的可塑質態所提供的易于變構的方便；此外，它還存在一個問題：作爲智質載體的**體質性狀相對同質化**與**智質性狀高度异質化**之間的**矛盾**；它的難以穩定性質由此可見一斑。此時的社會形勢可以概括爲這樣一種不利狀態：**社會成員的低生存度與社會結構的低穩定度的合一。**

除非智質性狀向着异質化的極端迅跑，使之通過極端分化達成變態的高殘度同質聯構體。屆時，生命存在雖然借助于社會密構而進入了新一層次的相對圓融境界，然生命有機體已隨*E*值趨近無窮小而自失于社會“晶體”之中，一如處于另一極端的單細胞生物由于*S*值趨近無窮小而致其社會消解于個體“散沙”之中那樣。何況，按照無效代償理論,高層圓融不過是一個存在效價更低的失穩層面罷了；再何況，迄未發現社會存在之上還有另一代償階層，然則表明社會結構之極致可能就是自然遞弱演歷之極致，亦即“宇宙代償衍存區間的右端失存臨界點”。

第一百五十七章

XII. 基于上述，我們知道***R*****系數的演升所代表的是不可遏止的自然存在性遞變進程**，因此，任何結構系統内非耦合因素的增長也就是一個絶對的動勢，固有的結構基礎削弱了，新的結構在前者弱化的過程中代償發育成熟，社會系統結構就這樣層層演替下去，使生命與社會的一切潛在本性漸次展開，由以規定社會形態必須與生命質素相適應的决定性關系。换言之，任何社會結構的形成和發展都必然遵循我們在前述各章中所給出的社會運動基本法則，第**I**項下的生物社會關聯模式是一切社會形態無可超脱的套定框架，即：**社會存在受到生物遞弱演化的自然進程的規定，這個規定的具體表現，乃是由*R*系數移變**

所示的生物性狀异質分化，導致生物生存效價（*E*值所示）下挫，從而要求相應的社會整合（*S*值所示）予以代償，這就是一切社會存在、社會結構和社會運動的本質，并由此注定了人類的行爲效果及其社會的自然歸宿。

應予補充説明的是，第**I**項下的社會方程其實乃是本書各卷中關于遞弱代償衍存模式（參閱第三十四章、第七十章和第一百二十五章）的具體演示。**如果將其中的*R*理解爲廣義的物演分化系數，將*E*和*S*分别理解爲存在效價和代償效價的總體對應指標，則上列所謂的“社會演動公式”立刻變成了“自然演動公式”或曰“道法方程式”。**至此已可明鑒，在本卷設題之初，我們即開宗明義地將“社會存在”直指爲“自然社會”實在是言之有據的。

第一百五十八章

討論到這一步，我們的社會哲學體系大約衹剩下與晚級社會有關的三類問題尚未解決了，這三類問題是：

一、作爲智質代償之載體的物種——人類，它的生存度遞弱進程是怎樣表達的？

二、智質發生與體質變异的代償性存續關系是如何建立的，以及智質代償如何繼續表達着生存性狀殘化耦合的自然社會結構化規定？

三、對生物晚級社會——通稱“人類社會”——的構成要素、結構形態及其演化前景作何評析？

以下依次闡發之。【這闡發亦可説是借用我們自身來爲自然作證。通常，人們總是習慣于信手拈來任何身外之物以爲自己的某種意圖或某種理念提供證明，人文社會學尤其如此，殊不知既往之所證本身尚是一個有待證明的懸疑，亦即你的出發點

本身尚有一個不明的來路需要訪查。陷此悖謬之境，何不反其道而行之，反見得爲證者的豁達與開朗?】

如前所述，從細胞器的分化到細胞膜的遮蔽，從組織器官的分化到機體系統的構成，生物的進化過程實際上是一個徹頭徹尾的代償衍存過程。這個過程恰好與從自養到异養、從非特异性的低效异養（如無選擇性的草食乃至肉食）到特异性的高效异養（如有選擇的多糖類果實乃至籽實）之生物代謝演歷相吻合，亦即表現出對物能支持條件越來越苛求的傾向。【反映到生物社會的維系條件上，你會發現社會的進步歷來伴隨着能耗的遞增，以至于有人提出能量消耗水平直接就是社會發展水平的天然尺度，不過，能耗暴揚所表達的實在不是一個可以引爲自豪的良性指標，毋寧説它直接就是任一宇宙結構之艱危狀況的天然尺度。】

隨着機體解剖結構和生理功能的日趨復雜，神經組織從非器官型的聯絡態網狀分布逐步發展爲器官型的統籌態腦脊中樞，而有機體以及腦細胞的過度機能負荷相應要求一套既簡約又高能的物能代謝機制予以配合（譬如，腦細胞衹能直接利用葡萄糖的三羧酸循環爲之供能），這就要求整個機體的體質結構及其代謝程序都必須給以相應的調整（譬如，用以分解草食纖維素的盲腸退化，代之以衹能直接利用碳水化合物、脂肪和蛋白質的消化系統），亦即要求該物種不得不將自身的生存基礎建立在更脆弱的依存條件上。倘若這種過苛的條件要求業已超出了自然衍生的範疇，則該物種要麼滅亡，要麼在自然條件的基礎上自創出愈益脆弱的非天然條件以圖苟存（譬如，富含碳水化合物的天然植物籽實稀缺，于是人類衹好培育谷物作爲食源，農業社會由此誕生），**這一切不外表明，生物改善自身生存條件的任何努力——尤其是“創造性的努力”——其實都是生物生存效價趨于下降的具體指標。**【這僅僅是萬千例證中的一個例證，實際上你可以從任何一個生理的或非生理的角度——譬如從“自由能動性”的生物進化角度、甚或從“物理感應性”的邏輯進化角度——出發，而得出與上述論證全無二致的結論。從這個意義上説，基督教教義中所影射的“因智獲罪”（即“原罪”論），以及“知耻蒙逐”（即爲人者被上帝驅趕出可以坐享天然現成的“伊甸園”）的教理，倒多少講出了一些今人反而全然忘却了的自然故事（衹是那引誘夏娃的蛇魔着實就是那欲捉無形、欲驅不散的自然存在性罷了）。】

由此推導，可見一切生物源性的造物——包括人類借用自然條件所造就的所有物品——説到底仍然屬于自然之造物，因爲就連體智形態的生物存在本身也不過是自然存在性的延伸産物而已。打一個比方，猶如面對珊瑚蟲歷經億萬年骨質鈣化所積造的喀斯特地貌，或如氫氧原子化合而成的液態水，你不能説它不是自然産物一樣。【在這裏，“人造物”儼如“原子氧”，“人體”宛若“先于氧而存在的前體自然——氫”，人對人造物的創生一如氫核對氧原子的造化，而人造物與人體的結合一如氧與氫的化合，非此不足以造成“文明人”與“真獸綱人”的區别，恰似若無氫氧之間的造化與化合就不足以成就水的特質一樣。】

再由此推導，可知由人造物或智質性狀所裝備起來的人一定是一種更其弱化的存在者，就像由氫氧化合而成的水注定是一種遠較氫氧原子更不穩定的物存質態一樣。再打一個比方，猶如業已電氣化的現代都市人一旦斷電即惶惶然難以爲生，或如會用火的智人反而逐漸喪失了茹毛飲血的天然口味和不潔飲食的機體免疫力一樣。【自幾十萬年前人類學會用火烤熟食物以來，建立在動物消化道上的機體免疫屏障毫無疑問受到了極大的削弱，所以，當人類目睹其他動物盡可以隨便就地取食而無恙無灾之時，他大抵應該明白人對火的依賴已是性命攸關的既成現實了。難怪在古希臘的神話中，普羅米修斯會因給人盗取天火而遭到被釘于高加索的懸崖上任由鷹隼啄食其肝之懲罰。】

總之，就人類自身的演歷而言，無論它處于初步智化的靈長目古猿階段，抑或是處于高度智化的後現代文明階段，都照

例不能超脱遞弱代償衍存法則的制約，恰恰相反，正是由于該法則在人類及其社會存在中繼續貫徹，人類的智性或智性的人類才得以脱穎而出，人類社會的進步或進步的人類社會才得以一往無前。【故此，人類扛着偌大的腦容量所炫耀的，衹是自身作爲至弱存在的一個危險的象徵物，如果説意識化大腦及其智質性狀的强勢是人類生存的守護神的話，那麽，這個守護神可能恰恰就是爲浮士德尋求滿足的那位可愛的魔鬼糜菲斯特。説到這裏，我們也可以順便回應本書卷一第十五章裏關于老子學説的一個重大失誤，即老子雖然也看到了人類智化的危險傾向，但他却將“人文現象”或“人類文明化進程”統統排除于他的自然之“道”或“天道”以外，表明他對“自然道法”的理解是不徹底的。這是過去所有東西方哲學家最容易墮入的一個陷阱，那就是，他們不知道人的一切屬性、能耐及其所作所爲都是自然之道的延展産物，結果最終自覺或不自覺地都把人與自然對立起來。】

第一百五十九章

早在本書卷二的基本題旨中，我已明示：宇宙衍存物的感應度與其存在度成反比，與其代償度成正比。及至發展到生命物質的演運構成階段，這一自然律令近乎顯象爲伸手可及的直觀實物——這“實物”就是專司信息感應的生物神經組織及其生物智化機能。

感應是分化依存的屬性代償産物。當單細胞生物（可以把它視爲分子結構單元的極致）進而弱化到難以獨存的地步時，它的感應屬性——及其他所面臨的可感屬性之增量——業已膨脹到何等程度是不言而喻的，因此，一旦發生多細胞聚合，其細胞膜作爲“信息感應膜”所遭受的遮蔽性損失可能絲毫不亞于它作爲“營養滲透膜”所遭受的損失爲輕，甚至可以説，細胞膜的信息感應性能正是其營養滲透性能的先導。倘若不能爲之建立某種相應的補償，落實在生物系統上的自然分化和結構化進程勢將難以爲繼。于是，在多細胞剛剛融聚起來之際，亦即在最原始的多細胞生物體内，某種神經元的前體特化細胞就同時出現了。【在隨時可以發生細胞解聚的海綿組織的變形細胞中，有一些被稱爲芒狀細胞或脊細胞（lophocytes）的星狀細胞可能具備某種程度的神經機能，它們的分化是初步的、試探性的，特化機能是微弱的、甚至是可逆的；演至水螅的异質聚合狀態時，感覺細胞和神經細胞都已成爲機體生存之必需："感覺細胞（sensory cell）分散在表皮細胞中，特别是在口與觸手的周圍和基盤上。每個感覺細胞的游離端有一條鞭毛，它是化學和觸覺刺激的感受器，另一端分枝爲細小的突起，那一些神經突觸與神經細胞聯系。""表皮的神經細胞（nerve cell）通常是多極的（有許多突起），雖然在較高級結構的刺胞動物細胞可能是兩極的（具兩個突起），但它們的突起（軸突）形成與感覺細胞和其他神經細胞連接的突觸，形成與皮肌細胞和刺細胞的連接點。與其他神經細胞聯系的突觸既有單向的，又有雙向的。"此時的神經系統衹是一個簡單的網狀分布，至三胚層的扁形動物門，神經系統已呈現出匯總式的神經節和縱貫式的神經索狀聯系，即局部的亞中樞功能傾向于在整體上建立起某種整合機制；再至吻腔動物門（Rhynchocoela）即鈕形動物門，"神經系統通常是一個四葉的腦，連到成對的神經幹，有時是背中幹和腹中幹。"腦中樞的雛形由以初現。而此時，作爲陸生具顎類的昆蟲綱生物，包括高度結構化了的膜翅目社會昆蟲還根本没有産生出來呢。（内中引文出自《動物學大全》，〔美〕老克利夫蘭 P·希克曼等著，林秀瑛等譯。）】

隨着神經系統的逐步發育，動物行爲中的智性含量相應增多。所謂的"智性"，乃是指生物的感應代償度發展到如此内外交困的程度：對内它必須能够輸入各細胞、各組織、各器官乃至各系統由于細胞融合所丢失的信息量之和，而且還要加上機體結構化所新生的反饋信息增量；對外它必須能够輸出自身生理需求的全部反應，而且還要反應得恰到好處；這種内外交感的總體信息處理過程就構成後衍動物的“心理”過程，亦即構成了“生物本能”和“知性邏輯”的生理基礎。所謂“恰到好處”，不是説本能反應的精度與智能無异，而是説以本能處世的動物必有一個相對較寬的反應針對幅面，或曰“依存條件相對簡明和可靠”；“生物智能”和“理性邏輯”是由于上述内外交困之局進一步加劇，外向依存條件更趨苛刻，亦即生物生存度愈益下跌的産物。總之，一切神經精神運動的動機無非是要達成與原始單細胞及其前體生物的“無能”被動狀態同一的生存目的，可見“無能”比“本能”穩妥，“本能”比“智能”牢靠，但生物的系統演化却不能不朝着智質發育的方向邁進。【“趨性”尚不能算是最簡單的動物信息處理行爲，盡管它是神經質反應的最原始形態，因爲早在單細胞原生動物階段，一種叫作“動趨行爲”（Kinesis）的定向運動方式即已先行存在，“例如，（放置）一個二氧化碳的氣泡在水中，水中的草履蟲在碰到它或游近它時便躲開，這些草履蟲隨機地游來游去，游近時就走開，最後都在遠離氣泡的周圍。”這生動地表明，單細胞生物的細胞膜本身就在分子或亞分子水平上具備某種感性效應，此乃後來的神經細胞能够從一般細胞特化而成的基礎。隨後，在神經系統初期發育的低等後生動物中，趨性成爲這些多細胞融合體的主要感應方式，蛾子趨光飛行；蜚蠊出明入暗；螞蟻返巢行爲的趨光性以與陽光形成一個角度進行，用鏡子反光擾亂光源位置，它就會迷路而回不到巢裏；在高等動物中，趨性仍然有所保留，如嬰幼兒總是傾向于注視燈光等等。但較高等動物已産生了背離趨性的内能，即是説，原始生物的天賦趨性隨着生命弱化程度的加深已不能滿足匡扶生存的指導效用，“初生的小鼠，在眼睛還没有睁開以前，把它放在一塊傾斜的板上，它就會成一個角度向上爬，這是對地心引力的負趨性。而傾斜角度的大小還决定了它爬上去的路綫離開垂直綫的角度。但是當小鼠睁開眼睛能看見外界的東西時，這一簡單的趨性行爲就改變了，它可能不往上爬，反而往下爬到地面上。”反射和本能等屬于較爲復雜的生物感應禀賦，然而，有關的研究提示，“有許多所謂本能其中已經有一定的學習成分。有些本能是純粹的本能，例如把磧鵬的小鳥放在大山雀的巢裹飼育，磧鵬的小鳥的某些本能完全不改，如大山雀能用足握食物，而磧鵬不會這個行動，在大山雀巢裹撫育長大的磧鵬還是不會用足握食物。但是，另一些行爲可以因環境改變而改變，磧鵬的唱歌就是一個例子，小磧鵬在母鳥哺育下能唱復雜的曲調，假如隔離飼養，它衹能唱簡單的曲調，説明唱簡單的曲調是本能，而唱復雜的曲調是已經經過了學習。”在較高等的動物行爲中，經驗性的學習作用越來越突出，這完全是一個漸進的自然過程，而絶不是人類獨有的潛能，“在軟體動物中，蝸牛曾被證明也有走迷宫的能力，但是最顯著的學習能力是在章魚及烏賊中，這當然是與這類動物的腦與感覺器官特别發達有關。例如，章魚能够很容易學會認識一個白色卡片的存在。讓章魚去捉一衹螃蟹，每次放螃蟹時，假如同時放一張白色卡片，那就在章魚出來捕食時，給一次電擊。假如單放螃蟹，不放白色卡片，就不予電擊。這樣經過12次訓練之後，章魚就抑制了對白色卡片的接近，到了24次之後，衹要有白色卡片放下，章魚就躲在石縫裹不出來，而不放白色卡片時，它就出來取食。更困難的問題，如辨别兩張不同顔色、不同大小、不同形狀的卡片，一個與電擊聯系在一起，另一個在放下時不給予電擊，章魚也能很快地學會。但是……它對于繞道測驗，却總是失敗。它衹會對着玻璃板亂碰亂撞，去捉那玻璃板後它能看見的螃蟹，而不會繞過玻璃板去取食。”這個測驗已經涉及推理行爲，某些魚和鳥類必須經過“嘗試與錯誤”的反復學習後才能成功；鼠、狗和浣熊可以經歷較少的失敗而學會，唯有猴子和黑猩猩第一次就會繞過玻璃，取得食物。（引文出自《普通生物學》第八講，張宗炳撰述。）】

如此大段落地援引生物神經組織及其智能進化的實例，乃是爲了便于讀者建立如下概念：**生物智質的系統發育過程自始至終都伴隨着生物體質結構及其生存素質的弱化過程。也就是說，體質結構的分化程度越高，生物的求存和育後難度則越大，復雜的體質結構相應要求復雜的内向整合協調系統予以代償，苛刻的生存境遇相應要求苛細的外向邏輯認知系統予以代償，由此演成生物神經精神系統的雙刃功效——是謂"智質代償"。**【可見，智質屬性本身直接就是一把可以對生物生存性進行雙向檢測的天然尺度，一般人衹看到它那向上飛升的一面，殊不知高懸于該尺度最頂端的物種一定也是委身于該尺度最下端的衍存者。不過，宇宙物演至此達到了這樣一個嶄新的境界：仿佛某種"精神虚存"要一反常態地宰制一切"物質實存"了。】

在既往的邏輯演繹中，智質屬性的浮現總不免使物性的統一驟然折斷。【這種情形不僅在哲學史上比比皆是（本書卷二中略有評點），它更是此前的一切社會學説無法逾越的鴻溝，所以，人文學者歷來不假思索地認定，所謂"社會"無非是"人類社會"的簡稱；即便是自然學者，也由于對智質屬性的發生原理茫然不解而終究無法在"動物種群"與"人類社會"之間撥雲見日；誠然，公允地講，社會生物學已經意識到二者之間可能具有某種聯系，因而才以"生存機器"之比喻來統攝一切生物存在，所謂"生存機器"，是威爾遜等人賜予體質存在和體質性狀的一個綽號，他們認爲，無論多麼復雜的肉體組織或生命形式都不過是DNA實現自身存在和繁衍的運載體而已，此一視角不落俗套，堪可玩味，因爲它幾乎道破天機：生物存在無非是分子存在的代償質態。但何以必須有此代償？以及如何進行具體的體質代償和智質代償？却是秉承達爾文"進化論"理念的社會生物學所無法克服的障礙。】

解决這一問題的關鍵在于揭示智質代償與體質存在的内在續貫結構。如前所述，智質性狀的發生乃是由于單憑體質性狀的器質性進化業已無力維系日益孱弱的失位性生命存在之産物，换言之，智質屬性完全是處在代償演運進程中的生物體質屬性的自然延伸，因此，從一開始，智質代償就必須緊緊圍繞着體質載體的求存性規定來設立自身發展的質態架構，由此出發，我們不難推斷，人類的智質屬性及其性狀表達一定蘊含着如下三項基本規定：

***A.* 它逐步置換DNA 對本能行爲的支配，必是由于它能够近似地發揮DNA維護和調動本體“生存機器”的編程規定；**

***B.* 它逐步超越體質性狀的自身局限，必是由于它能够沿着自然結構的一貫演化方向進而突破體質性狀的生理制約；**

***C.* 它逐步揚弃宇宙實存的硬化形態，必是由于它能够借助自然邏輯的代償成果重塑自身生存或自然衍存的依存格局；**

一言以蔽之，智質屬性無論何等的虛渺浮華，它**必以某種根本性的自然衍存規定作爲自身發生和發展的前提**，而且**必爲那個本原性的存在前提施以相關的代償效應**，否則它就斷然不會有**自在的根據**和**自爲的依托**。【當然，在生物系統中，智化生命已是新一層位的衍存形態，它所反映的前體規定，衹能以某種特定的方式轉化表達或變態重演。也正是由于這個緣故，從億萬年前的神經感應發生，到數千年來的智性文明升華，以“知而識之”爲其標榜的智質存在迄今依然不知自身爲何物，這種情形在哲學上就是絮叨不休但永遠混沌的“自我意識”，到頭來衹不過“達到了‘理念是唯一全體’的認識”之恍惚意境（引自《小邏輯》〔德〕黑格爾著 賀麟譯）；落實在日常狀態中，還是中國魏晋時代的郭林宗評説黄憲邃遠的心性時所用的一段妙語最富韵味：“汪汪如萬頃之陂，澄之不清，擾之不濁，其器深廣，難測量也。”（引自《世説新語》〔南朝宋〕劉義慶著）】

以下，就讓我們來逐一考察或“澄清”有關智質代償在上述三層規定中的各種表達範式。

第一百六十章

A. 智質屬性的DNA餘緒——

A - I. 操縱性：人類的一切復雜行爲均受智質要素——即邏輯思維和推理判斷——的指導和操縱（脊椎動物和哺乳動物在某種程度上亦然），一如低等動物的本能行爲均受DNA基因的指導和操縱一樣，此乃人類之“主觀性”或“人性”的位相性根源。即是説，這種“主觀性”（或曰“自主特性”、“自爲特性”均可）原是一切生物得以生存的自性根據，其區别僅僅在于衍存位相或代償位相的不同。**因此，所謂“生存行爲”就是生命的自爲操作，這種主觀性越來越强的操作由智質以“自我意識”或“靈魂牽動”的方式從DNA的編程性操縱中承接和放大，就造成了自然演化形態上的“生物過程”向“文化過程”的過渡和躍遷。**【正是由于對這種代償進位關系缺乏理解，才使得發掘人性的“表型”——即人的社會性或反社會性的所有行爲之總和——的本質内涵亦即文化内涵的一切企圖，或者不得不從無根的智性與理性入手；或者反其道而行之，幾乎否定了智質主觀性的支配作用；從而形成既往哲學和社會學在兩個極端上發生淺層迷失的淵藪。】

基于此，智質對載體行爲的操縱範式絶不能違背DNA“不朽”的求存原則，捨此無他。【社會生物學認爲，“不朽的基因”之所以“不朽”，就在于它們是“衹爲求得自身存在”的“自私的基因”，其實，人類的活動方式無論何等復雜紛亂，總不會超越“趨利避害”這種低下動機的支配。這使我們每一個人常常不免要對自己同胞的智慧和情操感到氣餒，你會驚訝，原本那樣通達儒雅的伙伴，何以一旦陷入利害之争就無可理喻？反過來，你的朋友一定會有同樣的感覺，認定你的“説理”怎樣看去都像是攫取利益的尖牙利爪。故此，“要想説服人家，應曉之以利，而非以理”（本杰明·富蘭克林語），就成爲一切高明的政治家、外交家和富有社會經驗的人所尊奉的“至理”名言——是爲“理性”存在的“無理”法則。如果有一天,你突然發現人類一個個都“厚道”起來,居然一反DNA的“自私”本性,使“他人便是地獄”(讓－保爾·薩特語)的社會情景消失在無私無我的利他結構之中,則屆時你倒很難覺悟,那是由于我們每一個人都已殘化到無可自存的程度,因而不得不以他人的生存作爲自身生存的前提和條件的緣故——是爲“虛體智質”分化的“實體構合”傾向。】

A－II. 遺傳性:智質秉承DNA的遺傳宿性,不僅表達在腦脊組織的先天性體質生理上,而且表達在觀念結構的後天性意識形態上,這種以後天傳續的附加過程彌補和擴大先天體能之不足的現象,正是智質屬性用以代償體質衍存趨于弱化的基本方式。**因此,智質承傳與體質遺傳之間具有頗爲相似的一貫性特徵。**【意識形態的定格或僵化是人類生存和社會穩定的必要基礎,因此,即使智性的認知成果逐代積累,在相當一個演進階段,一般也不突破社會既成意識形態的基本格局。從古代希臘－羅馬文明延續至今的西方文明之所以被幾乎所有史學家視爲社會文明體制的一個系譜,乃是由于它着實是一脉精神結構和社會結構迄未遭到徹底傾覆的一體框架;再看東亞社會,即便其超穩定的傳統社會結構和意識結構在近代以來已被西方文明衝擊得落花流水,但它所接受的西方社會理念和社會制度——無論是自由主義的抑或是社會主義的——總不免發生變質變味,反倒是東方固有的“老底子”時常顯露峥嶸。此外,湯因比所謂的“退隱者變容”和“復出者革新”的歷史現象(參見《歷史研究》上册第274—303頁 曹未風等譯),仍是從另一個側面表達着智質遺傳的自然桎梏,即衹有通過某種形式的“出離”才能在一定程度上擺脱現存社會意識形態的制約,從而達成對智性定格的一次微弱蜕變或“破格”。此種穩構化的智質性態就像一部電腦被編定了程序,它雖然可以對不同的輸入給以不同的輸出,但終究是同一套編程的定式反應。不言而喻,智質宿性的承傳穩態正是對智質生命的一種保護機制,盡管當代的人類幾乎不約而同地拼命想要砸碎這個“局限”也罷，此等過激傾向將給人類的長遠生存帶來怎樣的惡果，衹有由後人予以評説了，不過，就是這種强烈的“求變”心態，其實也早已是近代數百年來代代相傳的思維定式了。】

把上述擴展開來的人類行爲還原到最基本的智性活動定律上予以考量，我們會發現所謂“學習”或“經驗”本質上直接就表達着生物本能的原始質素，即是説，“學而習之”不僅是生命體質借助于“遺而傳之”保持其存在態勢的智質轉化形態，而且，後天學習與先天本能之間同樣具有頗爲相似的一貫性特徵。【一切學習過程總是表現爲使智性創造活動遭到屏蔽的效果，即無論學習的内容正確與否，任何人都很難無條件地改變對它的確認和固執，這種情形正是動物從本能過渡到學習的最基本的形式，叫作“印隨”或“仿隨學習”:“剛孵化出來的小鳥，跟着它的母親學習，實際上也可以跟着它所看到的和聽到的第一個行動中的東西學習。例如，假如一衹小鴨在一個緑色的盒子旁邊孵化出來，而緑色盒子走動，小鴨就會跟着它走。假如它在盒子旁邊呆過一個時期，它甚至會永遠跟着盒子，而不跟着它的母親或同伴一同行走。這個行爲對于以後的行爲也有影響，例如它長大了在求偶時會追求像早期引隨時那樣的對象。”（引自《普通生物學》張宗炳撰章）此項智性學習活動幾與本能反射活動無大區别，其原始樣態後來在人類的總體社群生存中被如此頑强地傳留下來，以至于人類的文化演進始終處在個别“英雄”或“高智”人物的衝動性創造與芸芸“平庸”大衆的沉穩性摹仿這一固定模式中運行，致使“精英”和“民衆”究竟何者創造了歷史成爲一個争論不休的永恒話題。另一種原始的生物智性經驗狀態叫作“慣化反應”，亦屬于學習行爲中不可擺脱的基本定式：“這就是在用一個刺激重復處理時，動物的自然反應逐漸減弱，最後可能完全消失。例如，動物對于一個不很强的聲音會轉過頭來對着聲音，但是它在多次聽到這聲音後，它轉向聲音的反應就越來越少，最後就完全不轉向聲音了。蜘蛛對于音叉振動的强聲有逃避行爲，但多次處理後，反應逐漸減弱，最後完全不躲避。……小鴨對于鷹的模型的逃避行爲也是如此，但是對于鷹的侵襲，因爲各次的刺激有所不同，就没有習慣化……。習慣化不是由于疲勞，也不是感覺適應，因爲反應隨着刺激處理的天數增加而減少，并且在刺激停止以後一段時間内，它還保持習慣化。"（引文出處同前）這種學習行爲模式導致學習的"失學"狀態，即我們對司空見慣的事物反而自動處于熟視無睹的"失察"情境之中，一旦有人指出它最表淺的某個屬性，常令衆人訝异其簡明中的深奥。再者，人類群化生存的歷史一直是一部"死者捉住活者"的歷史，即傳統的作用不僅不易改變，尤其不易覺察，這種慣化反應保持了人類總體生存的穩定態勢，盡管它也令本性浮躁的人類偶然感到憋悶得難受。】

總之，智質運動的整個經歷無疑是一個把後天經驗代代傳遞的循序進程，一如生物的生理性狀代代沿襲一樣，一切體質的或智質的"變异"都衹能在這個連環上發生，絶難出現憑空而來的創新。所謂自然存在的統一規定，其"統一性"就體現在這類不同形式的"遺傳"夙性之中。

A - III. 變异性：不過，相對于DNA而言，智質代償畢竟是一個更其失穩的弱化衍存層面，**因此，它的"邏輯變構頻度"自然不免要比DNA的"基因變异頻率"爲高。**【有人曾經借用精神分析的方法做過一項統計，發現自古以來最著名的"歷史創造者"大多都是些精神病患者，且不論這種説法是否成立，有一點却是可以肯定的，即智質的變構過程完全與DNA的變异過程一樣，都不過是"穩定基層"常態生存的偶發現象。從表面上看，智質的創新活動似乎是一組難度較大的行爲，然而深究一步的話，情况可能恰好相反：凡創新行爲斷不是格外勞苦的掙扎，凡勞苦的行爲多不會産出自然而獨到的"新果"。曹雪芹的"辛酸"并不與他創作《紅樓夢》有關，他即使筆墨不染，生存的境况照樣難熬；下層社會的勞苦大衆着實"勞苦"，智性文化的主要成果却大多出自貴族階層的“閑逸”生活之中；其實，這“勞苦”和“閑逸”是同質的“生存煩惱”，一如生物的遺傳和變异是同質的生存體現一樣。人們看到創新者“含辛茹苦”，乃是對他自我放逐的精神境遇缺乏體驗，“放逐者”其實樂不可支也説不定，倘若他大叫其“苦”，真則早已擺脱苦境而無以創新，假則無非是趁機作戲以嘩衆取寵。馬克·吐温曾在某小説中對“玩樂”和“勞作”給以這樣的界定：凡想做就做，不想做即可以率然罷手者，必屬“玩耍”一族；反之，不想幹也得幹下去者，才實屬“勞苦”；依此類推，則創造性活動自應算作“偉大的玩樂”，因爲，舉凡創造性的作業必是一種壓抑不住的自發性衝動，這與生物的變异如出一轍，須知變异的過程同樣完全是一個“自發的過程”。】

生物學之所以將這種“自發的過程”稱爲“突變”，乃由于它是發生在DNA分子水平上的變構，其“突”字所表達的是人類對分子臨變過程的無知。其實這“突變”原本并不突兀，它不過是宇宙過程的故戲重演而已。【演至智質動進階段，少數人“唐突”一“玩”，多數人却隨之“遭殃”，這是因爲任何創新或多或少都是一次對原有生存狀態的“變位”，俗稱“變革”，這變革立刻通過學習或摹仿在人群中擴散開來，凡拒不追隨者即成了淘汰的對象，有如基因分子的某一突變不免通過性增殖的方式在種群内廣播，凡未受此“病變基因”的感染者反倒可能從此淪爲下位族類而落伍。殊不知這一“應變”總使應變者更趨脆弱，若非“極限之變”——即不變不足以續存，則此异變之舉徒令整個族群躍遷到益發失穩的層級。然而變异者定是由于自身不足或“失圓滿”而變，這一變對它來説是一個必然，變化的結局如果不使變者滅亡，則其本身常常就同時創造了一個不變不行的“極限”，因爲變通者必以未變者作爲自身依存的切近條件，未變者的處境隨之危化。“突變者”于是反過來對“應變者”説：非我之變，你等皆亡。應變者四顧茫然，别無選擇，祇好頷首稱是，皆大歡喜，這就是“變异”或“創新”廣受捧場的“功業”所在。如果細加檢討的話，原始突變所面臨的“生存極限”可能根本就不存在，否則單細胞生物何以至今長存不衰？僅在變异者必變這一自然規定的意義上，以及變异者竟被存在認可這一“有功代償”的效益上，變异或創新才屬于“積極的事件”。可見，所謂“不變通則不足以求存”的“極限”其實正是變通的産物而已。放眼寰宇，無機物界相對穩定而長存，其中變得最快的一脉就演成動蕩不寧的生物世界，生物界變之過劇，遂形成種間或種内的“競争”亦即“競存”格局，以及物種或亞種的“生存極限”。在這裏，我們可以再一次窺見“自然選擇”的作用原理，即在宇宙演化的總體衍存區間内，加速度式的内潰性嬗變和繁復性依存是“物競天擇”的基本動因。待到這一進程步入智化生物的臨産和降生階段之際，變异的加速度業已抵達物質實存無可追隨也無可耐受的極致，虚存形態的智質隨之派生，作爲生命系統的代償性産物，智質運動自然繼承了實存領域的遞變法則，且衹能一脉相傳地將這種遞變衍存之物性發揚光大，是爲智質創新活動之淵源。】

智質的創新性變异活動于是成爲自身弱化發展的遠因和社會代償失穩的近由。説它是“遠因”，乃由于每一次成功的創新在當時看來都像是某種自强之舉，或曰“實現在存在閾上的生存達標措施”；説它是“近由”，乃因爲每一次智性的變構于隨後不久都會引發一系列社會動蕩，或曰“體現着上位無效代償的弱化建構趨勢”。【衹看新近幾百年來，無論是不列顛島國的光榮改制抑或是法蘭西帝國的暴烈革命，包括遠東社會的一切苦難、屈辱及應變圖强，都是智質創新運動所造就的生存態勢使然。説起來没有任何一個文明結構可以幸免這種磨礪，非但如此，遞弱演進的自然規定必使變异代償的周期日益縮短，“求變”本身似乎成了不變的通例，社會運動的“浪潮”層層緊逼，令人目眩。你不能説這其中衹有痛苦，因爲激蕩本身就是活力和興奮的體現，站在變异者的立場上，變异者反而會爲未變者嘆惜，并且深深地自覺到變通的榮光，其實這是由于他已脱離了那個曾經使他照常生存的層面的緣故，倘若當年自足如故，求變無由，今天的變通者未必不是扼殺一切變革舉措最積極的一員，因爲追求穩定同樣是他們的需要，而且可能是更與存亡攸關的大事。是故，一切革命者終于都要以同樣激烈的方式保守起來，這真是一件令人汗顔而又無可奈何的事情。】

智質的變構導致智質性狀分化，一如DNA的突變導致體質性狀分化一樣。如前所述，體質性狀的分化態叫作“體能”，然則智質性狀的分化態就是我們通常所謂的“智能”。**智質的變構及其性狀分化由此取代了基因突變和體質分化對生物行爲的主導作用，成爲生物社會繼續演進的現實策動源。**這一進程同時使智質性狀日趨細化和狹隘，作爲智質載體的人類個員相應殘化，獨存能力傾向喪失，社會結構隨之代償性繁華。于是，整個生物晚級社會就以智性行爲的所謂“文明化”形態綻放開來，即是説，社會將逐漸成爲總體智質性狀完整而真實的高位載體，個人却不免相應地蜕變爲嵌入社會整體結構的某一具體部位的附屬配件。

A - IV. 重組性：有人曾經提出，原始生物系統的基因突變過程不能排除病毒DNA侵入宿主細胞的融合及參與，甚至人類機體低分化的癌變細胞可能亦是某些病毒感染的後果；且不管用這個理論部分地解釋變异現象是否真確，至少在古生代之初，异性的分化導致相當于大比例中性突變的基因重組迅猛發展，才造成生物史上規模化物種繁生的“顯生時代”來臨，却是可以確定的因素之一。所謂“基因重組”，淺顯地講，就像雌雄親本各將自身基因的一半貢獻出來，以受精卵的形式使之重新組合那樣，即便在一個較小的種群內，如此代代重組的基因型也可以是一個天文數字的排列組合，這樣就使任何一種生物群體的基因庫均呈現出極爲富厚的多向應變潛力。**人類的智質發育幾乎完全是這一過程的變態重演，即智能的提高必以知識的交流爲促進條件。**【數十萬年前的原始“智人”與現代人在體質性狀和腦容量方面相差無幾，却一直混迹于動物境界之中而毫不見長，這當然不是由于他們的智力潛能本身比現代人低下千萬倍，而實在是由于缺乏類似于基因重組的智能積累和交流的緣故。文明史以來，凡屬封閉形態的人類社群，無一例外地都處于相對滯緩的自我積變型慢節奏歷史動態之中；再看西方文明的長足發展，無論在古希臘開化之前或者直到文藝復興之後，始終得益于地中海近距離航行以及周邊民族易于交往的地理優勢，其文明之不衰早已不是因爲自家的“內秀”，而實在應該歸功于得天獨厚之賜。】

由此可見，歷來爲人稱道的“文化交流”，小至私人的交際和語言的產生，大至民族之間的溝通和文明類型的融合，其源于“交流”的優勢所在實際上類同于“雜交優勢”的生物學現象，也就是說，智質運動體現和繼承着DNA結構重組的自然定律，盡管把智性的呼應貶低到如此斯文掃地的程度的確有些令人不快也罷。

A-V. 適應性：智質活動的適應性，**表現爲它對模擬生存性狀和指導生存行爲的實用效果**，是爲文化的“價值”或“意義”所在；**宛若DNA的基因型必須表達爲適于生存的體質性狀和生理機能一樣**，是爲“適者生存”的“存在閾規定”。**不具有當時適應效果的基因型或遭淘汰，或衹能以隱性形式潛在；不具有當時適應意義的文化成就或被佚失，或勉強以湮没狀態苟存。**【是故，被後人奉爲“大成至聖先師”的孔夫子，在世時儼然是一條喪家之犬；而威風八面的六國宰相蘇秦曾經致學于“懸梁刺股”之艱，其治國理論的真僞標準却首先取决于君王聽了是否不至于瞌睡丟盹。時至今日，三明治的制作研究有博士學位可取，座椅靠背的曲綫設計有注册專利可得，唯獨基礎學科的專家學者照例衹能鑽在象牙塔裏稱孤道寡。這種情形一定深受DNA的賞識，假如智質的勞思都奔向一味求“真”的險途，豈不讓DNA大感時局艱危。爲了生命能够長存，應用性智巧有必要永遠比精深博大的學問廣受青睞，萬一某項堂奥之學竟成時髦，你切不可以爲那是“真理”所向披靡，究察之下，你會發現它之所以突然間變得“放之四海而皆準”，要麼是由于它被降格曲解以適應衆生的臨時憂患，要麼是由于人類的生存方式已經躍上了一個欲求膨脹的新臺階。總而言之，一切“真理”能够被生命予以確認的“真”度，必定等同于智性生物的生存適應度，亦即等同于“生存閾所限定的代償度”，這才是唯一確實而可靠的智質定位和理性效應。】

第一百六十一章

B. 智質性狀的類體質特徵——

B - VI. 工具的位相：智質作爲“精神本體”之存在，衹是一種後衍性自然感應屬性（或曰“自在性生物邏輯潛能”）的超驗觀審或自我體驗；智質作爲“生存性狀”之延伸，才是一種代償性自然衍存質態（或曰“自爲性生物依存機能”）的經驗重塑或自我現身。**也就是説，智質存在從生物自演屬性轉化爲超體質的生物生存性狀，它必須也必然是體質性生存性狀（簡稱“體質性狀”）的變態模擬和代償躍遷，是謂“智質性狀”。**【不言而喻，智質一旦從屬性潛能物化或顯化爲生存性狀，這“性狀存在”就立刻轉化成智質的載體，一如原先的“體質存在”是智質的載體一樣，于是，當我們此後再説“智質載體”時，它必定是指“體質性狀”和“超體質性狀”之總和。在此，有必要重申，所謂生物的“性狀”或“生存性狀”，原本乃是自然物的“質態”或“衍存質態”之同義延伸詞。】

由此方可解決所謂“工具”以及所有“人造物”（統合爲“廣義的工具”）在自然物演序列上的存在位置問題，即**一切生物締造的東西已不是單純理化意義上的物質，而是生物衍存位格上的“類體質代償相”或“類體質附屬物”，换言之，它是在自然演化的動態區間内作爲自然物，而不是在人爲觀照的静態意念**

中作爲自然物。【一切工具都是體質性狀的代償性延展。車馬是足力的補充；刀槍是爪牙的進化；望遠鏡和顯微鏡是目力的擴張；計算機則是腦功能的賡續；如此而已。此言雖屬平常之論，却從中引出了許多謬誤，有人由以認爲人已被自己制造的工具所扭曲——或近代人性已爲資本主義生産體系所异化——殊不知工具正是被人性同化了的物性；有人反過來説，人已不是生物，而是别具一格的肉 - 機聯構體，結果令人與自己的産物都化爲無根的神明或可怖的怪物；更有人借此證明，實踐導出了“真知”，却不見三歲的小兒也能用泥捏娃娃，至于土與水的混合何以就産生了泥的塑性，泥娃娃斷不會訴説于真娃娃，且真娃娃也無須去透徹泥娃娃的“真性”。人利用物的片面的可感知屬性原屬智質的自然規定，其實一切衍存物無不以自身特定的感應形式利用着作爲本體依存條件的他物，即便是先把他物預備爲可進一步套取直接依存物的“工具”，在生物史上也照例經過了一個自然而然的代償演進過程：“某些動物也會使用天然的木棒和石塊。例如猴子有時能用石塊去敲碎食物；海獺會利用石塊去擊破蚌殼或海膽殼；一種雀類鸴能嘴銜仙人掌的刺，從樹皮裂隙中掏出昆蟲來；甚至某些昆蟲，例如蟻獅，能用頭推下沙土來捕捉食物。近年來有人在東非對野生的黑猩猩進行了長期的觀察，看到它們能小心謹慎地選擇樹枝，用來插入白蟻山，獲取白蟻爲食。如果樹枝太長，它們會把它折斷成合適的長度，如果有枝杈妨礙其插入蟻穴，它們就會把枝杈去掉，因而黑猩猩不僅能使用天然工具，而且具有一定的改變工具的能力。”（引自《普通生物學》吴汝康撰章）實際上，人類所誇耀的創造性“工具”不過是自身生存度式微而不得不有所憑借的依賴性支撑，儼如站立不穩的老者不得不削木爲杖。假設人之堅實一若磐岩，何需他物予以扶助？】

除了上述的代償機理之外，廣義的工具與語言一樣，還表達着智質虚存的現象形態。質言之，“虚存”（即不同結構物所必具的不同“依存屬性”）與“實存”（即借助于自身之“屬性”

以實現依存的“結構載體”）共同達成任一“存在者”之存在態勢或存在質態，“虛存”要麼不顯現自身——或恰恰是在自身的可感對象中借以顯現自身的要素、以及使自身的感應對象在自身中得以顯現的要素（參閱卷二）——要麼則以某種依存結構的物化方式（即“實存”方式）實現其衍存。**智質作爲生命的機能性虛存——也是自然屬性系列的最高代償形式——或者以沉思、幻想、夢境和意識流的形式潛在，或者以意志化的言行和物化的工具來表達生物體質的生存規定。**【是故，智質一旦帶動體質活動，必然呈現爲生物的性狀或生物的類性狀延續，而一切生物性狀皆圍繞生存的軸心運轉，正如一切無機物的理化質態皆圍繞求存的軸心運轉一樣，智質的存在根據因此衹能是對體質性狀的拓展，工具的體能延伸性質由此被牢牢地確定下來；而工具之運用一如動物體能之運用，除非是爲了尋求自身的生存條件或曰“達成自然總體存在的失位對接”而外，别無任何其他的解釋可言。】

這樣一來，人類社會存續的根據像退潮的暗礁裸裎而出。我們在前述各章中説過，社會的結構化發展蓋源于生命個員體質性狀的异質殘化對生機整合的自然要求。在膜翅目社會昆蟲之後，生物演進史上似乎呈現出體質性狀相對同質化的回潮，整個動物群態因此展現爲聚散逍遥的鬆弛格局。然而那不過是社會幼蟲的成蛹過渡，蛹裂之時，沉滯的生物社會頃刻間騰空飛揚，簡直讓你不敢相認，但切莫眼花，須知這飛舞的變態之軀正是原先那蠕蠕不得前行的同一條爬蟲，它飛得再高也不能改變自己的本性，衹不過顯露了自身宿命中更爲輕佻和迷離的前程。它原先附在地上，尚無懼狂飆的摧折，而如今輕風的拂煦即足令其難以自持；它雖然舞姿優雅，却仍在爲采食覓偶奔忙；你爲它的賞心悦目而詩性勃發，僅僅表明你全然没有站在它的立場上或暫時忘情于詩外的求生處境，對它而言，固有的素質依舊支配着它，所不同的，大概衹是把爬蟲的苦惱轉換成了更爲不堪的飛蛾的酸楚而已。

智質造化的工具就此大大擴充了人類的體質性狀，這種後天創制的**工具型類體質性狀**自然具有**瞬息發育**和**易于變體**的特質；而且，對于每一位作爲此類**工具性狀之承擔者**的個人來説，他的生物性體智潛力衹允許他有限地運用諸多工具之一種或幾種。**隨着智質運動的繼承發展和工具種類的無限分化，借助工具表達體能和智能的人類分子急遽地趨向于個性殘化**，也就是説，這個**生存性狀**的**變態發育進程**，既把人類**大致均一的智質**展開爲一系列"**分科**"的**异質形態**，又把人類**幾近同質的體質**畸變爲一系列"**分工**"的**殘缺形態**。**相應地，生命個體的自然生存度隨之迅速地趨向于弱化甚至消失，人類社會的整合結構因此得以突飛猛進地發展起來。**

B-VII. 語言的位格：如果没有語言，智質就衹是一個沉悶空洞的潛質，猶如没有四至五種碱基發生具體組合的話，DNA的編碼就衹是一個潛在的可能一樣。**因此，語言和工具頗有類同之處，即一方面，它們都是生物體智屬性的代償延伸，另一方面，它們都體現着智質虚存的實體表達和性狀再造傾向。**其區别僅僅在于，語言衹能限定性地處在**未展開的純智質虚存屬性**和**實現了的類體質物化性狀**之間的**銜接性位置**上。【换言之，語言及其文字符號系統，是不可塑的"感官圖式表象"向可塑的"理性模型表象"漸次過渡的虚擬代償産物，即當動物式的"感官圖式表象"業已固化，而人的生存度仍然不可遏止地繼續衰變之時，感應屬性及其感知邏輯不得不爲自身的分化代償鋪墊出來的前衍路徑或虚載臺階。所以，人類的求知行爲越來越依賴于符號系統是一個無可奈何的自然規定，即便今天的電腦虚擬圖像日益豐富也絲毫無助于打斷這個天演進程。故，所謂"語言的位格"呈雙關涵義：從代償展拓的角度看，它的"位格"表徵着"載體衍存在自然存在流程中的位相規定"；從感應方式的角度看，它的"位格"又表達着"智質本體在語法邏輯結構中的分化組態"；不言而喻，它的"結構分化組態"完全受制于它的"衍存位相規定"，或者説，"語法的邏輯位格化"乃是"生物的智質化位格”的產物。這一點，如果就“人類語言符號系統的演化形態”和“人類在自然社會系統中的進化存狀”予以參照研究，即可一目了然：從古猿及猿人的體姿傳意和單聲（吼聲）語勢；到真人及智人的音節分化和結繩記事；再到原始文明人的占卜巫符和甲骨刻文；乃至信史時代以來用于日常表意的語言符號系統、用于數理探討的公式符號系統、以及今天用于人機對話的電腦編程系統等等；可以預見，人類未來的邏輯結構和語言系統還會隨着人類的社會生存境遇（亦即人類的自然存在性）的變遷而變遷。】

語言作爲思想的要素，起着磚瓦對于樓房的作用，磚瓦與樓房的關系決定着對磚瓦形質的要求。換言之，思想物化爲工具猶如設計外化爲樓宇，語言外化爲音節與符號，全然是思想工程或邏輯系統發生結構分化的産物，那麽，對語言形質的要求又是什麽呢？二十世紀初，天才的索緒爾發現，語言仍是一個空洞，因爲語言無非是一套“符號系統”，其中任一詞語或概念都衹在某種語法邏輯的結構中才有意義，譬如在同一發音之下可能有若幹表意完全不同的語詞，放在語句中所指明確，單獨説出則不知所雲。可見，“語言是由相互依賴的諸要素組成的系統，其中每一要素的價值完全是由于另外要素的同時存在而獲致的。”(《普通語言學教程》,〔瑞士〕費迪南·德·索緒爾著，轉引自《結構主義和符號學》,〔英〕特倫斯·霍克斯著，瞿鐵鵬譯 劉峰校。)符號學和結構主義由此誕生。它提示，語詞的空虛化與語詞的多變格性及其大容量性相關，正如邏輯的虛存態與邏輯的高度變塑性相關一樣。然而，没有實存内涵的結構如何可能成立？【從索緒爾的語言符號學研究到列維－斯特勞斯的結構人類學探討，其實一切“抽象結構”或“結構抽象”都存在這個問題：原子結構中的質子、中子和電子；分子結構中的原子或離子；細胞結構中的分子和高分子集團；生命有機體中的細胞、組織以及器官系統；乃至社會結構中的個體、階級與基層社團；倘若以時空和廣延均告闕如的前宇宙情境作爲所有這些“結構”的參照背景，則世界的存在儼然就是無質量、無維度的結構的存在。不過，這樣的“結構”純屬缺乏淵源縱深感或缺乏動態衍存内涵的“結構平面描摹圖”，是乃“結構主義”的根本弊端。】

在這裏，我無須重復論證世界是不是按照語法邏輯的結構狀態組成的，因爲這個問題在本書卷二的研討中業已闡明。如果僅從結構主義的視角來看，我們借助語言所能表述的世界一定祇是我們自己的“邏輯語言世界”，甚至語言所示的世界本身同樣祇是一個結構系統也未嘗不可，“如果不考慮詞的周圍環境，我們甚至没法確定表示‘太陽’這個詞的價值”，可是，爲什麼講“坐在太陽裏”是不恰當的呢？（引文出處同前）道理祇有一條：我們的邏輯結構和語言結構必須是一個**以自身的衍存位格與結構化自然存在取得銜接**的特定代償感應結構，且僅限于此。外物是擺定了的格局，不容思辨去任意重塑或使之變格，然而在這（相對而言）一成不變的物質世界上，似乎没有給思想者留出固定的存在位置，思想者祇有不停地攪動這個世界，才能爲自己創造出旋動混濁的共存餘地，語言和以語言作爲載體的智化邏輯爲之應運而生。**于是，語法上的位格立刻成了某種衍存位格的“定位指示器”：語句的主格旨在鎖定衍存者的依存條件，并以其繁雜情狀標示着主體依存條件的遞增量度；語句的謂格旨在確定衍存者的當下意向，并以其游移頻率標示着主客依存關系的失穩狀態；語句的賓格旨在給定依存條件的具體内容，并以其感知深度標示着代償依存結構的依賴程度。總之，一切語句、語詞或命題的邏輯變格，歸根結底都是智性生物多向依存的失位性規定和失位性表現。**進一步講，指稱對象的名詞其實是物的可感表象，它使沉重的外物内化爲没有分量的存在；表達意志的動詞其實是主體的響應，它使僵硬的外物爲失位的生命“挪”出位置——或者毫無幽默地講，它使失位的生命在僵硬的外物中自己爲自己“理”出位置。【當思想者説“太陽落到了山的背後”時,太陽的實際位置并不與這句話中的指謂相關,但思想者必在山的前面（或相對于太陽的另外一側）却是一個明確的定位。這個定位實在是性命攸關的要務，譬如，衹有確認“鳥從天上降到了地上”，原始人衆才能投石擊殺而食之，這句話的意義僅在于人們與其食物的相對關系，至于下沉到何處爲“地”，高出地多少算“天”，以及“鳥”或“birds”這個發音和符號何以就不能是另外一種發音或另外一種符號,甚至“鳥”究竟是一種什麽東西，都是毫無意義的追問。你今天要追問它，是因爲你已無鳥可食，你所面臨的處境使你不弄清禽類的生性乃至語言的深意就難以生存；你當時若多事去思索，鳥絶不會等着你而不飛離，“思”若使“思者”失食，“思”還有何“可思”?某一個人尚可爲“思”而殉道,整個人種斷不值得冒此風險。因此，語言符號必然暗含兩項武斷：即語言在表意或概念上的武斷；以及語言被他人或衆人承認和接受上的武斷；然而正是這兩項武斷共同協作，却爲智質生物完成了一項最要緊的使命：求存。】

邏輯和語言的空洞由此都變得充實，就像餓癟的胃囊塞滿了食物。邏輯因語言而得見形質，語言因思者而獲致落實。**思者之所以要創制使思者之間發生交往的語言，乃是由于每一位思者都已殘化，他們必須相互組合或配合，亦即相互交流和學習，甚至相互激勵與促進，并使之聯通成爲一尊社會化精神結構的巨人，或者説，使之聯通成爲一系巨人般實體結構的社會，其中任一個體才感到自身得以完整。語言就在這樣緊迫的焦慮之下問世。**它的運用使殘者互合，然互合之一瞬反見得暌隔的深沉；分化離散既是一種現實，殘弱補合又是一個必然；**殘之愈深，離之愈散；離之愈散，合之愈迫；語言就在如此一種進程的催逼下日益復雜。**

可見，語言的發生是生命弱化和殘化的産物，語言的細化是殘弱者愈益殘弱的代償，亦即語言及其符號是智質屬性分化的顯性支持形態，因此它與廣義工具的本質一樣，衹能作爲生

存性狀的延伸或**生存性狀的預延伸**而存在。【新生引導故舊，工具宰制精靈，從表面上看，异化的變體歷來都在扮演弑父者的角色。當代哲學的“語言論轉向”，與古典哲學的“認識論轉向”頗有异曲同工之妙，對語言的關注正在淹没對邏輯的關注，一如既往對邏輯的關注曾經淹没了對本體的關注那樣。雅克·德裏達（Jacques Derrida）的“語言之外再無其他”與貝克萊的“感知之外别無所存”何其相似乃爾！從“本體論”（追究物質與本原），到“認識論”（追究精神與感知），再到“語言論”（追究言辭與文本），乍一看，哲學研究似乎越來越精致了，然而，作爲哲學載體的人却與締造了人的自然本體漸行漸遠了。這是一個背弃根本的動勢，宛如繁茂的枝葉終于遮蔽了樹木的主幹，或如奔騰的江河無從回望寂寞的源頭，風擺楊柳，水激霧障，無根而至飄蕩，離散以至輕浮，處處都表達着宇宙物演的失存趨勢和人類智化的失位傾向。在這裏，我無意否認起始于弗雷格的“語言論轉向”的學術意義，也許它正好表徵着人工智能以及後科學虛擬時代的即將來臨，就像“認識論轉向”曾經傳達了工業革命以及科學邏輯時代的先聲一樣。但我偏偏像一個落伍的跛脚漢，執意要爲此類活潑的先行者加以灰色的旁注：**語言**引領着**思想**，深入**物質**的墓穴！】

第一百六十二章

C. 智質虛存的超自然質態——

C-VIII. 超廣延性：宇宙之無限與否，思想無從考據，但思想足以追索到有限之外，去問那“限”者何以爲限。不待説，宇宙大爆炸的有限論數學模型無論怎樣玄遠，畢竟同樣是一組姑妄武斷下來的邏輯代償和符號空流，它無非是把抽象宇宙的一部分圈定爲具象宇宙，或者終將另造一組符號去把這一部分之外或之前的宇宙重新命名而已。“思”的神馳竟如此之遥，并不是思所獨具的屬性，思的虛存稟賦來自于自然，一如思者的實體衍生導源于自然一樣，思所具有的一切屬性均是自然存在的前定屬性，智質的虛存形態及其屬性規定正是自然的實存轉化及其本原表達。所以，思衹要證明了自身之所有，亦就同時證明了身外之所存，盡管二者之間的關係是某種特定的感應規定，也無礙于二者各自分執的“真”與“實”的同一。“真”之爲真不在于虛實兩方的任一端點，而在于彼此媒合之一瞬，這一瞬之所失正是這一瞬之所得，得失之間體現着“真實”。就自然實存的一端而言，這觸發之一瞬全然“失真”，就智質虛存的一端而言，這感應之一瞬衹爲“求實”，這一從“真”到“實”的轉化過程本身就是“真實”，于此而外，復有何哉？

智質追求“思的真實”，乃是智質得以發揚之根據。因爲生命如果不與自然對接，生命及其智質則一概無由産生。**這種對接的需要隨着生命漸趨弱化失存的過程而發迹，是爲智質對生物失位的代償，可見智質之傾向于空闊，乃是由于生命傾向于縹緲的緣故。生命在益發摇蕩的運動中尋找自然，智質就在益發擴散的照應中定位自身，智質的無限張揚因此呈現爲體質的相對衰微，亦即智質虛存的發展反比于體質實存的蜕化，二者的互補關係構成了生物衍存的實現，二者的相互關懷構成了自然存續的現實。生命由此達成超自然的對接，自然也由此達成超時空的舒展。**這就是亞裏士多德的自然廣延性與黑格爾的理念廣延性得以統一的根據。【换成本書卷一與卷二的表述方式，則智質的所謂“超廣延性”和下文擬談的“超表觀性”，無非就是“自然弱演的物類分化量”與“智質載體的依存條件量”之間預定和諧的對應性産物。（請讀者回顧卷一第五十章與第五十一章、卷二第八十六章與第一百零二章等有關章節。）】

C-IX. 超表觀性：生物的弱化演進，使得確確實實的感官所及顯得表淺，以至于漸令後衍性生物無法據之做出相宜的行爲反應，亦即所“應”已與所“感”脱失，知性内涵的深化運行方才隨之啓動。然而，人類穿透自身動物性感覺所欲追尋的，不過是智質所及的另一層“感覺”,我們把這一層感性稱爲“知性”乃至“理性”，自以爲達到了存在的内核。可是，第一層直感尚且不足爲憑，何以多了幾層迷障反而抵達“牢靠”？還有一問更讓人茫然：智性所深入的究竟是外物之内層抑或是自身之内層？若是外物之内層，你緣何不相信第一層感覺？若是自身之内層，又爲何非要依據于外感不可？而且“外物的深層”與“智質的深層”斷然不能脱節，否則生命與自然的存續關系豈非化爲烏有。**顯然，唯一的出路衹有一條，那就是從“生物的知性”立場移駐到“知性的生物”立場上來,亦即從“單方主動的感知”立場移駐到“彼此屬性的耦合”立場上來，换句話説，智質深處的“邏輯”與“理念”和自然深處的“動勢”與“本原”，在宇宙衍存和生物進化的過程中早已達成了這樣的規定或“預定”：智質深處的認同與自然深處的本真必以存在與生存相統一的原則構合或“和諧”。**但須留意,切不可將“存在與生存的統一構合”誤解爲“主體與客體的認知同一”，而應理解爲“代償感應的依存銜接”才對。(請回憶卷二的中心思想。)

這種趨求深化的智質運動直接提示，此刻的生命不僅特别容易迷失于自然，而且特别容易迷失于自身。迷失則威脅着生存，愈迷失愈須探詢，探詢則傾向于主動，愈主動愈會迷失；這就好比用一個静點去測量一個動點已屬不易，倘若作爲測量一方的静點也不由得自動起來，或者更確切地説，那個作爲測量方的所謂“静點”本身就是所要測量的諸動點中尤爲活躍的一部分，則如此兩點之間何以爲測?【這種情形與現代物理學對量子運動的測定略爲相似：“指明測量的内容需要具體陳述儀器的類型和定位。這意味着我們大家可以就附屬于諸如‘一個蓋革計數器放置在離源 2 米的地方’之類的短語的意義取得一致的看法。（但）當我們問到量子系統和宏觀儀器之間的分界綫劃在何處時，麻煩就出現了。歸根結底，蓋革計數器本身是由原子構成的，并受量子行爲支配。”（引自《原子中的幽靈》，〔英〕戴維斯 布朗 合編，易心潔 譯，洪定國 校。）即是說，海森伯在量子物理學上提出的所謂“不確定性原理”或曰“測不準原理”——捨去其“確定位置的準確度和確定動量的準確度成反比”中的“位置”與“動量”等物理參數，而改爲“位相演變”、“屬性派生”及其“依存感應耦合關系”的話——在某種程度上就是對智質運動所處境況的寫照。智化的人類于是像一個闖入莽莽林海的孩子，他走得越遠就越發迷惘，可他停步又意味着絶望，如果這森林像宇宙一樣深遠無涯，其中的孩子前途安在？】

第一百六十三章

ABC-X. 智質及其性狀的可塑性：這是上述三章的綜合命題。

因爲，**從DNA的角度來看，它已無法通過分子編碼的定型生化結構來操縱多變失序的生物行爲；從體質的角度來看，它也無法通過簡單的生理性狀和本能行爲來實現頭緒紛紜的生存目標；從自然的角度來看，它同樣無法通過凝結成型的物存樣態來爲生命提供所需日繁的求存條件。**故此，生物必須與它們一起來爲自身設置一種手段，或曰“演化派生出一種全新的代償屬性”，**使操縱行爲的編程得以活化；使性狀單調的體能得以分衍；使物質固化的形態得以變構。**這就要求賦予後衍生物的智質屬性本身**必須是一個既可自塑、亦可塑他的變塑性虛體，**而且，它還得**繼承和發揚**DNA的使命、體質性狀的功能以及自然實存的律令。**如此繁復的重重規定和代償要求集于一身，就形成上述一系列智質本體及其外延性狀的可塑性質態。**

【乍一看來，智質存在的這種全方位可塑性使它顯得强大而有力，但這柔質的形態其實直接表徵着載體生物的虛弱。生命演進到智質階段，它借DNA的編碼指令無以自持，借體質性狀的局促行爲無以生存，它已弱化到這種程度，其行爲操縱必須有一個前瞻性的選擇過程才能確保與成倍遞增的依存條件建立起某種吻合態勢，甚至可以認爲，正是由于連這種最起碼的物物對接性存在根據都已喪失殆盡，才需要借助于自塑和塑他的彈性耦合來予以代償。所以，智質的衍存性態應該像水的液體形質那樣，非但自體無形，還要浸潤或滲透他物，使之同樣形毀質柔，以利擴展本身的存在。它因此輕而蕩漾，浮而無根；也因此順勢而行，隨遇而安；它甘于接受他物的框範，寧可讓出高地，向下流渡，却絶不肯自以爲是，偏要與他物争個高下。它由此蓄成了衝决阻攔的激流，也由此獲得了滴水穿石的勢能；由于輕浮，它反而將一切剛物壓在身下，由于柔弱，它反而瀟灑自如一無障礙。然而，這一切驕傲均來自于任憑擺布而無怨的天性，如果給它一個自己决定自己的情境，則它一定采取守勢，静若平湖。

唯其秉此一“道”，人類才得以生生不息，智質才得以洋洋灑灑，故有老子斯言：“上善若水。”又曰：“人之生也柔弱，其死也堅强。草木之生也柔脆，其死也枯槁。故堅强者死之徒，柔弱者生之徒。是以兵强則滅，木强則折。堅强處下，柔弱處上。”（《道德經》，〔先秦〕老子著，徐澍 劉浩 注譯，安徽人民出版社1990年版；下文之白話譯述以該書之注譯爲張本。）其意乃説：人活着身體柔軟，死了則體硬肢僵；草木生長時枝丫柔脆，死了則變得幹枯；所以堅强的東西屬于死物，柔弱的東西屬于生物；所以用兵逞强就會招致滅亡，樹木茂盛就會遭受摧折；凡强大者必處于下位，凡柔弱者必居于上位。在人類的古代思想史上，如此透徹地闡明自然之强與生命之弱的關系者，老子之道學是絶無僅有的一脉。雖然他尚不能透識自然存續由强至弱的遞演原理，然而，在弱以衍存的開創性破題上，老子的解答足以顯示他對生存的本原所見極深。

東方的黄老之學，一方面盛贊“柔以克剛”的天然之“道”，另一方面箴誡“無爲守静”的安分之“德”，由此確立了中國哲思獨有的地位，并爲遠東社會的穩定型文明奠定了不朽的基石，以至于在千百種文明類型紛紛滅絶的人類史上（據湯因比推測，人類的遠古文明類型約有六百餘種以上），中華文明巍然挺拔且“滯”而不夭，自有借助于快速旋動以維持不墜的西方文明所不能理解的道理在其中。

老子借水的柔弱性和可塑性而名“道”誠屬高遠，然仍失于察之不深，柔之不弱，倘若再向“弱極”推求，則“出世”之行自可休矣。因爲水畢竟是無機物質，它比任何生命都穩定得多，人類作爲生物中至高無上的弱存層次，他已不能不同時秉持極端活躍的自爲屬性而存在。從自性質素上講，他歷來處于惶惶不可終日的躁煩之中；從依存關系上看，他無時無刻不受到身外事件的擾動。他再“守”，也必須“攻”他物以獲取自存的能量；他再“静”，也必須“動”自身以尋求衍存的定位。他有比水還弱的素質，却無與水一般的自足。因此，他應該守静又無可守静，他不宜争强却必須争强。他的天性一反水的静謐，不僅被賦予“能動性”，而且格外“好動”，迹近成“癖”，以至于智質本身簡直没有片刻的安寧，縱然潛入夢中，亦須憑空冶游而不止。道家所謂的“致虚守静”其實是對生命弱以“至虚”却無從“守静”之自然規律的誤解和浩嘆。出于同一緣故，孔子曾經拜謁老子，譽爲蒼龍，返回故裹，却照舊誨人如何做人，斷不敢按龍的行色或水的渺茫來指導人生；反過來看，人之爲人而不知如何做人，居然另需一番後天的教育和塑造方可安身立命，足見爲人之艱窘，亦足見智質可塑性之淵源。再者，儒家理論的核心是“仁”與“禮”，“仁”乃“仁者愛人”，這“愛”正是“愛護”和“愛惜”的意趣，是發自人類弱性深處的自我愛憐的天然傾向;“禮”乃“社稷爲重”，這“社稷”正是“群團”與“社會”的意趣,是發自人類殘體之間的生機構合的天然傾向。可以説,孔子儒學正是老子道學“弱”而不“虛”的行爲化延伸，因此儒道兩家相輔相成，悲天憫人，終于奠定了中國文化“天人合一”的哲學思想系統和社會理論架構。】

至此，我們完成了人類及其社會繼前體生物及其前體社會而增長的接點分析和剖面透視：智質存在從A到C的三項嬗變，可以説是整個宇宙存在序列上的一個并非特异的自然躍遷，也是物質運動遞弱演化歷程上的一個順理成章的代償層次，它勢將造成生物存在的系統性後果：取代了DNA在化學水平上的編碼操作，亦即取代了DNA作爲生物演進的原始動因，致使生物發展的力度超越了分子構型的束縛而得以高速變構；取代了體質性狀在本能水平上的行爲規定，亦即置换了社會構合的物質基礎，使之由生物性實體變態爲超生物性的類體質延伸；取代了自然物演在實存水平上的固有本真，亦即轉化爲精神性虛擬的依存格局，從而憑借對身外物質的變塑擴滲來實現自然結構社會化和生物社會密構化的代償前景。而智質存在從I到X的諸多具體屬性，踏踏實實地注定了人類及其晚級社會的生物源性和自然源性，致使人類的生存形態無論怎樣光怪陸離，終于不能超脱自然存在和生物存在的統一規範，亦即人類的一切生存行爲和社會變構，本質上無疑屬于自然演歷和生物社會發展的繼續。【自此以降，人類的智性生存一如萬物的層次生發一樣再度呈現出自我异化的色彩。由于體質性狀的先天定型與智質性狀的後天變塑之矛盾，人類社會的結構演化逐漸表達爲一系列反生命的特質和劫數，换言之，智質性狀的後天再造和代償發展不免把自然設定的衍存偏位綫進一步引向偏離，亦即傾向于將宇宙存在從生物質態升格爲社會質態，最終使極端復雜的個體生命反而消融在極端均質的自然社會結構之中而不能自拔。人類後來的所有磨難就要從這裏發其端倪了，而人類社會形態

的結構演進或“歷史變遷”，其實早在智質初誕之前就已經注定了它的歸宿。】

第一百六十四章

基于智質代償的上列品格，人類作爲**生物之一種**從此驟然升華爲**生物之一系**。即是説，智質通過對于自身**類體質生存性狀**的**重塑和再造**，其**每一個演動進化步驟**都相當于一次**生物變异**甚或**生物變種**。【從“猿人”→“舊石器人”→“新石器人”→“青銅器人”→“鐵器人”→“機械化人”→“電子化人”→乃至發展到“基因工程人”而不止；或者，换一個表述方式也一樣：即從“猿人”→“原始采獵人”→“游牧人”→“農業人”→“工業化人”→“信息化人”→乃至發展到“後現代化人”而不止。】

相應地，人類晚級社會作爲**生物社會的一個階段**從此驟然升華爲**生物社會的一個階段性序列**。即是説，社會通過對于人類的**智質生存性狀**的**生機性結構重組**，其**每一個具體社會形態**都相當于一次**生物變异所致的種群變構**甚或**生物變種所致的社會躍遷**。【從“猿人”的“動物中級社會”→“舊石器人”的“親緣氏族社會”→“新石器人”的“氏族部落社會”→“青銅器人”的“部落聯盟社會”以及“原始奴隸社會”→“農業人”的“種族、民族國家社會”或曰“封建專制社會”→“工業化人”的“自由資本主義社會”→“信息化人”的“民主主義社會”→乃至發展到“後現代化人”的某種“後現代社會”而不止。】

無論選用什麼特徵或名稱來指謂不同的自然人進化質態及其相對應的生物社會進位形態（對于一個多因素結構系統而言，這種指謂方式通常具有很大的片面性和隨意性，或者至多具有某種標志性和隱喻性的意義），如下所述的自然總體演運趨勢終究是不可逆轉的：

a. **延伸于人類本體的“類體質生存性狀”（即“智質性狀”）之分化愈益細繁或曰愈益殘化，從而導致生命個員的孤立生存度傾向于極端弱化；**

b. **代償于人類上位的“生物晚級社會”之結構愈益致密化或曰愈益實體化，結果導致社會存在傾向于取代或囊括生物存在而成爲一個更高級的自然衍存躍遷層次；**

c. **智質性狀的變構及其由此引發的社會形態的變革呈現出加速度式的運動態勢，亦即任一認知思潮、物化成果以及社會體制的有效衍存時度均不免于漸次縮短；**

d. **與類體質生存性狀聯爲一體的人類生存方式及其上位代償社會系統呈現出遞進失穩的緊張形勢，亦即任何與生物晚級社會有關的結構或結構子系統均不免于動蕩加劇；**

e. **把上述情狀與整個宇宙實存的物演進程結合起來看，可以見得在自然弱化的一脈源流中，存在物的“自在”本性愈顯衰微；**

f. **把上述情狀與整個宇宙虛存的物演進程結合起來看，可以見得在自然代償的一脈源流中，存在物的“自爲”屬性愈顯張揚。**

概括言之，以人類智質性狀作爲建構媒介的**生物晚級社會存在**，既是**自然動勢從“真存”向“僞在”過渡的最高表現形式**，又是**宇宙物演從“穩存”向“危在”過渡的最高表現形式**。【也就是説，作爲生物屬境的社會存在，它居然發展到憑借生物的智化感應屬性以重塑生物的生存性狀及其相應的社會結構，是謂其“僞”；作爲生物存境的社會結構，它居然從層層失穩的亞原子質態歷經原子質態、分子質態、生物體質和智質質態發展到構型龐雜而動蕩的晚級社會質態，是謂其“危”。】

再者，順便一提，既然自然衍存的晚近形式是一個愈來愈傾向于系統控制化的聯動結構質態，則任何一種僅僅停留在社會層面上來演繹社會運動的“單因素決定論”當然都是不能成立的。【也就是説，無論是卡爾・馬克思的“經濟決定論”抑或是馬克斯・韋伯的“文化決定論”，作爲研討社會存在之基本動因的哲學理論都顯得過于直觀即過于膚淺。毋寧説，并行于晚級社會結構中的任何一個子系統，乃至任何一個構成部分，都不過是自然存在性演運派生于同一層次上的産物。亦即衹有遠在“社會存在”發生以先，乃至“宇宙存在”發生以先，就一直支配着一切“具有可感屬性的存在”或“尚不具有可感屬性的存在”的那個“存在性”，才是唯一的“自在單因素”或“預定元因素”。】

第一百六十五章

我無意贅述晚級人類社會各個歷史形態的演化過程和組織細節，有關這方面的論著之多堪稱汗牛充棟，不過多也無益，因爲無論你如何寒窗苦讀，到底依舊不能了然社會的由來和本質，**其所以如此，乃是由于人們對貫徹始終的自然社會動勢缺乏理解，當然也就不可能對各種社會人文現象和社會結構範疇予以深刻洞察**。爲此，有必要站在這個**統一的動勢**上重新審視人類社會的**主要構成要素及其整體衍存境界**。

經濟——此乃**在自然弱化依存梯度上**所派生的**智質代償臨界狀態**，是自然衍存物分化不止，導致依存條件持續遞增，進而要求後衍性存在者**必須借助于層層代償屬性以創造性獲取自身極爲繁復的依存條件的那樣一種晚近依存質態**。【因此，所謂**“經濟人”的經濟學概念，等價于“弱化依存物”的自然學概念。**它的**全部人文學涵義**僅僅在于**智質性狀如何在殘化整合的自然社會結構中展開**。由此看來，説經濟行爲所表達的是“人朝向自然的一面”，以與政治行爲所表達的是“人朝向社會的一面”相區別，是犯了一個表象化的邏輯錯誤，須知人類“面向自然”和“面向社會”本質上完全是**同一個自然過程**，而且，**隨着這個自然過程的進展，爲人者“面對自然的經濟取向”勢將因爲自身不可避免的殘弱化演歷而越來越必須實現爲“面對社會的經濟取向”，亦即“生物社會”將以一個結構化實體的姿態逐步置換“生物個體”面對自然的位置。**】

故，“經濟”行爲總是與**重整自然依存條件**的“生產”行爲不能分開，所謂“生產”，就是指**在不能徑直發生自然依存關系的失位境況下對自然依存關系的定位性重塑**，這個“重塑過程”必然表達爲**對依存條件的重塑**和**對依存者自身的重塑**之雙向效應，從而使生產者在**面對自然的外向生產**的同時必須解決**面對社會的内向自殘**問題。于是，就生產者個人而言，“經濟”行爲中可能暗含着“經而不濟”即“生產”却未必“占有”的危險，而且**隨着生產力的提高亦即生產者自身殘化程度的提高，生產者越來越必須通過在“社會分配”中實現“生產”和“占有”——“生產”與“占有”就這樣逐步分離。**【這種“勞”“獲”分化現象其實早在動物中級社會就已萌芽。顯然，一味地站在個體或階級立場上來看待這個問題是一種反社會或曰“反動于自然結構”的討論方式（至于這種反社會傾向何以會存在以及何以有必要存在，後文另述），因爲“所有制”問題歸根結底是一個**系統結構如何才能建立**的問題，或者説，是一個**自然依存結構單元的涵攝性擴展或代償性晋級**問題。換言之，繼單細胞生物以**個體**爲結構單元實施質膜上的**代謝物占有**、中級社會動物以**臨時單生相和親緣聚生相**爲結構單元對其栖居地加以**領域性占有**之後，晚級高殘物種的人類衹能以其**社會性生機整合的密聚層次**作爲結構單元來**確立自身在自然物質依存關系中的地位**。具體地講，當人類社會尚處于結構化程度較低的階段時，“依存者”體現爲“血緣群體”式經濟單元；隨着社會异質結構化程度的提高，“依存者”進而以“偶婚家庭”爲經濟單元；再發展，則以（譬如説）“股份公司”爲經濟單元；……及至社會結構分化密合到以人類整體爲依存單元之際，其“所有制”未必不會演進爲某種生産和分配方式均與現在迥然不同的“後資本形態”甚或“全社會所有制”。不過,你不能因此説前者是“私”而後者“無私”,**因爲後者無非是前者的分化加深和結構擴大**(可見,所謂“從‘原始共産主義’到‘共産主義’的螺旋式辯證發展”，實在是一個天真的誤解)。蒲魯東曾借法國大革命時期布裏索的一句名言爲“所有權”下了一個定義:“所有權就是盜竊！”**若然,則此“盜”實屬“天盜”也。**(關于其中隱含的“公平”與“正義”等問題，後文另述。)】

這種以體智性狀爲基礎的結構化依存序列，表達着自然物演分化進程的代償性規定,其間的人爲劣迹和階級惡行,不過是宇宙客觀衍存動勢的主觀化表型或人格化現象罷了。至于由此焕發出來的所謂“利他主義”——其實也就是“利己主義”——的載體品質和社會關系，當然也照例不過是任何達到這一分化等級上的殘化物所必須具備的結構化素質或互補型産物罷了。【從“自經自濟”的所謂“自然經濟”到“自經而濟他”的“商品經濟”，你大概不會因爲後者“視客户比爹娘還親”就承認它是利他主義的典範，不過，無論商品生産者的主觀動機如何令人不齒，其所達成的利他主義社會結構却是一個不容否認的客觀事實。顯然，用“利他”或“利己”這樣的“道義性詞匯”多少有些不倫不類，還是“結構化”一詞較爲貼切。】

第一百六十六章

文化——就是**智質**的**性狀化表達**。它有廣義和狹義兩種概念外延：廣義地講，它與“文明”一詞没有分別，即它所涵蓋的是**整個自然衍存區間晚近代償階段的人類實存狀態或“社會結構狀態”**；狹義地講，它僅指**智質感應屬性尚未實現爲物化性**

狀以先的虛存狀態或“精神預應狀態”。【因此，廣義的文化或“文明”即成爲**智質生物展開爲晚級社會存在**的總體代名詞，而狹義的文明或“文化”却成爲**人類社會結構系統中之信息子系統**的具體專用語。】

智質的“性狀化實現”使智質及其載體殘化，從而也使晚級社會的結構演化進程得以展開，這個實現過程既是狹義的文化過程，也是廣義的文化產物。換一個較爲細致的表述方式，即是説，由于智質屬性本身就是物演分化或曰“物存條件化”的感應代償產物——亦即隨着自然依存條件的繁化而不得不繁華起來的信息整合屬性——所以，文化活動不外表現爲面對信息增量的信息處理過程。猶如物質的分化總是在任一分化衍生質點的基礎上繼續分化，故而必然呈現出“依存條件的幾何倍增狀態”一樣，信息量的幾何級數暴漲乃是後衍性智化存在者無可回避的境遇。須知所謂“信息”就是**分化依存物的感應邊緣**或者**分化物的依存邊際效應**，而這個依存邊際效應的**智質態落實**或**性狀化表達**正是它自身演運的必然歸宿。由此不難看出，説“我們現在處于信息化時代”其實是用錯了“現在時態”的病語，因爲**自宇宙爆發以來，一切存在物都無例外地處于“信息化時代”之中，祇不過人類是處在這個“信息繁化流程”的末端罷了。**不幸（或有幸）的是，在這個信息繁化流程的末端，作爲信息依賴主體或信息處理載體的後衍存在者——人類，已經弱化到不能僅僅通過簡單的信息感應來實現自身與信息源的直接依存關系，他必須將原本簡明的感應一體過程，代償性地分化爲“感”的信息變塑處理程序——即“理性化的感知”過程和“應”的實物變塑處理程序——即“工具的制造及其應用”過程，由此方能達成感應依存的自然回歸。這個遞弱代償流程的天演成果之一就是“文化”，它的同步伴隨後果就是文化載體的相應分化或曰性狀殘化，從而讓漸趨致密的生物社會整合結構亦將在它的烘托之下扶搖直上于雲霄。

可見，與其説文化是社會結構的“上層建築”，毋寧説它更像是整個社會系統的“生發基礎”，實際上，這兩種説法都不確切，因爲作爲“生發基礎”的不是**表達爲性狀化的文化成果**，而是**傾向于性狀化的智質屬性**；同樣，作爲“上層建築”的不是**某一現實的社會子系統**，而是**實體化爲整個結構系統的社會存在**。【這種情形，就像對于組成原子結構的質子、中子和電子，你不能説何者是該結構的“基礎部分”，何者是該結構的“上層建築”一樣。各組成部分之間并無高下之分，因爲它們都不過是前核子“基本粒子”的演化產物，而一旦進化爲亞原子物質，它們就必然傾向于達成與其衍存屬性相吻合的特定質態即原子結構。如果一定要追溯“基礎”與“建築”的序列，則大抵衹能這樣演示：作爲上層建築的原子以基本粒子爲基礎；爾後原子本身又成爲分子存在的基礎；分子的分化構合進而造就出它的上層建築即生物；生物分化演進的結果就是它的上位建構——社會存在。**而各個社會子系統不過是從“亞結構社會存在”逐步躍遷爲“結構化社會系統”的同層位分化產物而已。】**

之所以會有“自然或科技文化”以及“社會或價值文化”的區分，**乃是由于人類在“物質分化流”中依存和人類在“自身殘化流”中依存是同一個并行的進程，而且，他們衹有在“自身殘化流”中將自身整合爲一個有序的結構實體，才能實現他們在“物質分化流”中的自然衍存**。因此，一切人文社會文化最終都必然呈現爲自然理科文化的一個側翼分化方面，盡管這個側翼對人類而言似乎顯得越來越重要，亦即人類的最終命運有可能完全系于他們的社會組織是否能够保持安泰。【故，在人類思想史上，“社會”(society)凸顯爲一個“實體性認知對象”——即獨立爲“社會學”(sociology)專業——是十分晚近的事情，盡管切身而又朦朧的“社稷關懷”早已有之(中文的“社稷”二字似較“社會”一詞貼切，“稷”乃百谷之長，古時奉爲谷神，可泛指自然依存物；“社”爲土神和祭土神的活動之總稱，後引申爲社會單元和社會組織，例如“由家而國”。“結社爲稷”暗示着“分化衍存之道”的自然規定)。再者，正如孔德所説，人類既往的文化史不外乎經歷了三個演化階段：即神學階段（嚴格説來應是“宗教階段”）、哲學階段（孔德稱其爲“形而上學階段”可能更合適）和科學階段（孔德亦稱之爲“實證階段”），不過，有必要特别强調的是，神學階段屬于文明的低分化期，政治、經濟、文化幾呈渾然一體狀態；演至哲學階段，面向自然的博物學和面向社會的人文學已判然有别，但政教合一、社稷無分等現象提示文明的分化剛剛開始萌動；近代以降，科學的昌盛導致學科林立，文化裂變儼然就是心智殘化或曰“智質分化”的直接指徵；可以預見，一個更别致也更碎片化的“後科學時代”，必將在不遠的未來重新收攬人心并全面迭代文化。】

第一百六十七章

政治——是**智質載體的殘化整合狀態**之總稱。既然**智質載體**有越來越超出于**生物本體**的一面，則政治也就有越來越**凌駕于物化性狀的傾向**。【所以，説“政治是經濟的集中表現”不無道理；不過，基于此，説“政治是文化（或其他任何社會現象）的集中表現”也同樣不無道理；因爲，説到底，人類社會的一切現象都不外是人類的生物質態的代償性展開而已。然則諸如此類的“政治定義”均不免有以偏概全之嫌，且遠未觸及政治現實的深刻本質。】

也就是説，“政治”作爲自然過程的産物，它必定淵源于前體生物對**生物本體**的保存和控制機制。【即由于生物存在一開始就是自然殘弱演化或分化的後衍性承繼物，因此，即使它最初尚可處于體外亞結構的相對自足狀態，却終于不免要在自身殘演的動勢中尋求某種形式的生機整合。這個過程起源于潛隱無形的原始單細胞無性分裂社群，擴展于中級社會動物的性增殖調控結構（如膜翅目昆蟲社會）或長幼倫序結構（如脊椎動物社會，尤其是哺乳動物社會，即摩爾根所謂的“血緣關系構成社會”），而最終成熟于人類文化或物化性狀的高殘度社會結構之中（即摩爾根所謂的“財産關系構成國家”）。】

上述過程的發展必然導演出一場從**體質依附**（在晚級社會中稱爲“人身依附”）到**超體質依附**（在晚級社會中呈現爲“物主宰人”）的自然結構化社會鬧劇。【試看晚級社會的“政治史”：原始社會的親緣人身依附關系（此乃中級社會的體質性狀構合形態之直接繼續）→奴隸社會的親緣與財産混合型人身依附關系（早期的非戰俘奴隸仍是血緣親族内的分化産物，此乃從體質性狀構合形態向智質性狀構合形態的過渡階段）→封建專制社會的政制型人身依附關系（此刻的智質性狀結構度已遠遠高于體質性狀之固有結構度，政治脉絡由以凸顯，但物化性狀尚未形成嚴密系統，故人身依附關系呈變態保留）→自由資本社會的异化型非人身依附關系（物化性狀發育成有序的結構系統，人身被游離出來，似乎反而變成了物的附屬品，當然，這個物化性狀的結構系統還衹是雛形，盡管在現代人看來它已呈現出可怕的苗頭）→未來社會的體質存在對智質性狀的依附關系（智質性狀漸次分化和繁化，即物化性狀傾向于完全包裹生物體質，以至令體質存在陷入智質性狀極端致密的系統結構之中不能自拔，從而最終演成某種“後國家形態”的社會政治實體高居于宇宙衍存結構之巔的自然奇觀）。】

單從制度化（即結構化）的“政治運作”本身來看，政治操行的殘酷性自將依據其針對性的轉移而變遷，即隨着**人身依附關系**進化爲**超人身依附關系**，政治作用力勢必從**人施加于人的肉體摧殘態**轉化爲**物施加于人的精神摧殘態**，亦即從**直接經由體質性狀組接以達成結構**轉化爲**間接經由類體質性狀組接以達成結構**。其結果是，“人情關系”趨向于淡化，“物網關系”橫隔于人寰，“物”雖可代“人”受過，“人”亦須替“物”冷遇。如此“人倫綱常”，當贊之曰“柔和化”呢？抑或當譏之曰“殘酷化”呢？【深究一步的話，也可以這樣説，**人類社會的政治關**

系傾向于"柔和化",是由于人類自身的生存狀態傾向于"殘弱化"的代償性反彈或代償性維護,然而,這個代償維護過程正是對生命系統的繼續摧殘過程,因而歸根結底它表達着一個更深刻的"殘酷化"動勢——此乃無效代償法則在政治運作上的具體貫徹。】

第一百六十八章

自由——是失位性衍存者的特定依存質態(參閱卷一第五十二章與卷二第一百一十六章等)。所謂"失位性衍存者",系指一切具有自主能動性的生物,它包括從單細胞原生動物如鞭毛蟲直到高等哺乳動物如人類;所謂"特定依存質態",系指在極其繁雜的依存條件中尋覓自身依存位置的動蕩生存方式,它包括從原始單細胞生物的離散型亞結構初級社會存態直到人類的密合型强結構晚級社會存態。由此提示:作爲自然代償屬性之一的"自由",必然從**生物性自由**向**社會性自由**自發過渡。

這個過渡進程使生物的總體自由度變得越來越大,即生物的體質活動半徑以及智質廣延範圍盡皆隨着生物種系的進化而擴展。此乃**單細胞個體嵌入機體結構**和**多細胞個體陷入社會結構**的重大區别。【即是説,盡管"原始細胞機體化"和"後生動物社會化"都是**自然分化構合範式**在生物物相中的**階段性重演**,但機體化過程以細胞在體内組織中的相對固定化爲前提,而社會化過程以動物在體外組織中的相對自由化爲前提。前者表現爲**從原始海洋的大天地中退縮到生物機體的小舞臺上**,後者表現爲**從生物機體的小舞臺出發挺進到廣闊宇宙的大天地中**。不過,讀者千萬不可忘記,雖然原始單細胞之"被動運動"形態(即"不自由"或"前自由")一如分子,但發生在它們身上的"自主代謝"型依存機制,却是後來一切生物的"自主運動"

機能（即“自由”或“能動性”）之先聲。而後，從單細胞原生動物的僞足變形運動或纖毛、鞭毛運動；到較高等後生動物的肌肉骨骼運動；再到文明化人類的類體質機電動力運動；乃至生物神經精神感應變數的無限拓展……總之，追求“自由”的物演代償衝動簡直勢不可擋。】

這表明,“自由化”趨勢是生物衍存及其社會發展的自然規定。

問題在于，**生物自由**何以竟會在**社會結構**的限制中得到發揚？或者反過來問也一樣，**社會結構**何以竟能在**生物自由**的擴張中得到强化？【這個問題的提出導源于近代工業化以來的機械論成見，即在一般的機械系統中，各組成單元的“自由度”似與該系統的總體“結構度”成反比。】

生物社會結構的形成過程所遵循的是這樣一條自然之道：**生物的“自由度”與生物的“自立度”成反比，亦即生物的“自由化”進程與生物的“殘弱化”進程同屬一途，所以，生物個員的“自由度”恰與生物社會的“結構度”大體上呈正比直綫相關關系。**具體的演化形式爲：原始單細胞生物的低度動趨自由與初級社會的低度亞結構態相吻合；後生動物的中度體智自由與中級社會的中度親緣結構相吻合；人類高度代償的精神自由及其類體質動量與晚級社會的高度法制化結構組態相吻合。也可以換一種方式表述：即在代償度較低或曰“上位結構較稀薄”的初、中級社會覆蓋下，自然孕育的物性自由主要體現爲“生物性自由”；隨着代償進程在晚級社會的結構化演歷中極端發展，或曰“上位結構傾向于將下位存在完全吸納囊括在新一層次的本體之中”時，生物性自由相應轉化爲“社會性自由”。**之所以能够保留并發揚生物性自由于高度密合化的晚級社會之中，乃是由于智質性狀的物化結構，既需要充分自由地調動和發揮各種生物機能代償屬性才有望締造出來；也是由于物化性狀的結構發展本身反而消解了人身依附的舊式結構制約，從而使人類的體智潛能可以借助于物化性狀的聯網擴延而得以更加自由的實現。**【所以，就像自然結構越來越**活化**一樣，社會結構也必然循此軌迹而越來越**彈性化**；也所以，從來就没有“絶對自由”可言，因爲**生物體智自由**直接就是**生物社會結構**的同質體現。説到這裏，令人聯想起裴多菲的那段名詩，它簡直就是**生物社會化演歷**或**生物自由化演歷**的生動寫照：

生命誠可貴，（發生于太古宙時期，“貴”就貴在它是從死物中活化的“承前啓後之衍存者”，此刻的生命，其自由能動度極低，社會結構度也極低；）

愛情價更高，（發生于古生代寒武紀前後，“性分裂”是自然分化的繼續和社會結構化的開端，此刻的生物自由度雖然有所擴展，但自由的結果却是必須將自身强迫性地嵌合到性别殘化的生機重組結構中去；）

若爲自由故，（“生物自由”天演而成，“社會自由”是新生代文明化以後才面臨的自爲性代償問題，也就是説，當自然分化進程跨越了體質性别殘化階段而步入更全面的智質性狀殘化階段之時，性愛式的親緣社會組合已退居次要地位，拼着老命去争自由，其實不過是在爲生物社會進入更高層次的自然結構化要求獻身而已；）

二者皆可抛。（之所以會如此奮勇向前以至奮不顧身，乃是由于此刻的“無自由則無以存續”，一如此前的“無性愛則無可繁衍”，即是説，高層位的分化物必須達成相應的高層位結構態，才能够實現自身及其同類全體的繼續衍存。）

可見，上述意氣風發的遞進過程實屬代償價位層層升高的産物，因此才有了“愛情的價位高于生命、自由的價位又高于愛情”的人心所向。】

第一百六十九章

平等——乃“**反社會傾向**”的典型表達，它所顯現的不外是**體質性狀相對同質態**對**智質性狀絶對异質化**的深刻抵制和因勢復蘇。何謂“反社會傾向”呢？讓我們看看“平等”的原質即可了然：在生物社會史上，真正的平等僅見于初級社會的原始單細胞之間，無論從其體質構成（DNA 等分子構成）抑或從其社會關系（無結構均質狀態）着眼，此刻的平等的確無可挑剔——**是謂“生物平等”**。而恰恰是這種體外亞結構群化形態，表現出最高的存在效價。【而後，生物各物種的體內生理結構和體外社群結構同步异質演化，結果導致“天然的平等”又“天然地淪喪”。盡管如此，中級社會動物仍然傾向于盡可能地保持種系體質的同質發育，以便最大限度地消解體外社會的結構化致弱代償，所以，膜翅目社會仿佛衹是中級社會演化進程中的一段小插曲，是爲**中級社會動物的反社會傾向的自然表達**。毫無疑問，正是由于中級社會動物的**生物性或生理性反社會傾向**，才導致**社會存在**得以從**體質分化存境**延續到**智質分化存境**中去，亦即導致**智質分化得以在體質發育的極致上展開。**】

也就是説，一切“反社會傾向”歸根結底都是**自然社會保守于自身存續的自然規定**。從這個意義上講，“追求平等”具有最大的“合理性”或“合自然性”，一如“分化代償”具有最大的“合理性”或“合自然性”一樣，因爲一切代償的自然目的無非是爲了達成代償前的同一衍存態勢而不可得，而且一切代償的自然進程衹有在前體存在奠定了可能代償的深厚基礎之後才能實現。**質言之，“反社會傾向”正是“社會化傾向”的蓄勢反應或變態貫徹。**

關鍵在于，“追求平等”如何在不同的衍存位相或衍存結構中實現。**對于中級社會動物來説，它們的“平等”衹能落實在體質性狀的相對同質態上；而對于晚級社會動物來説，他們的“平等”衹能落實在智質性狀的相對游離態上。**換言之，唯有當智質性狀發展到相當密構化的程度，從而使體質依附關系有可能解構時，人類追求平等的動機和行爲才會産生——**是謂“社會平**

等”。【因此，奴隸社會和封建社會的常態必定是各階層人衆大體上安于現狀，且視其“不平等”爲理所當然。站在這個立場上回顧歷史，可見任何舊時代的“不平等”當時均無例外地體現爲可以接受的“平等”（甚至根本就無從產生“平等”的概念和要求）；同樣地，站在這個立場上展望未來，預期任何新時代的“不平等加劇”屆時一定會被體驗爲“平等有加”的現實感受。是乃“社會禍福抵銷律”和“心理苦樂均衡律”的變態表達（參閱本卷第一百五十二章和卷二第一百一十章）。】

而“社會平等”一旦達成，“社會分化”反見加速，現代高度致密化的資本主義社會結構就是這一自然進程的生動體現。顯然，“無結構”的平等與“結構化”的平等畢竟不是同一回事情，毋寧説，**社會結構下的平等**衹不過是達成“更高級的社會結構”或“更深入的社會分化”的條件和步驟，結果反而造成**結構運轉所需的社會不平等**日益加劇，是謂“有平等而無公平”，或曰“有社會結構下的平等而無社會結構下的均等”。可見，在這裏，“反社會傾向”再次充當了**誘使社會運動朝着更深入的結構化層級邁進**的向導，亦即**“反社會傾向”終究不過是“社會化傾向”的奠基禮和助推器**。【譬如，潛藏在“人都是上帝的子民”這一基督教理念之下的“人的平等觀”，可能正是導致西方人的精神活動得以較爲自由地多向發展的原因之一；而中國古代社會的“人本主義等級觀念”（儒教中的“禮”即是它的理論表達和制度形態）却使較聰敏的人統統擠向了仕途的狹路，結果導致最具社會性的人群其智能分化反而嚴重受阻，并進而導致其社會進化停滯。】

第一百七十章

階級——是**自然社會**的**宏觀分化形式**，或者説，是以生物爲基質的社會結構的**階段性體智分化產物**，因爲，追本溯源的話，它其實早在膜翅目社會中就已具雛形了。將“階級”投射在社會控制系統的結構定位平面上即謂“階層”，至于何者是處在控制地位的上層社會，何者是處在受控地位的下層社會，恐怕在很大程度上是出于對社會系統運動表象的誤讀（可參閱第一百五十五章）。

所有社會問題的疑惑，都是由于爲人者很難將人類自身及其社會存在統統視爲一種自然物或一脉自然代償衍存物所致。譬如“分工”，它其實純屬自然“分化”動勢的位相性現象形態，用“飛矢不動”的静態眼光來看，**社會分工導致社會階級分化**與**宇宙奇點分化導致粒子、原子、分子序列化**、或與**原核細胞分化導致真核功能細胞系統化**是出于完全同質的自然規定。問題僅僅在于**自然何以不得不分化**以及**社會何以不得不分工**，而這正是本書分别在卷一和卷三中所討論的全部内容，于是，對于“分工”，我們衹需再説一句話：**分工乃是生物體智分化的實現方式。**

由此推演，可知“社會分化”或“分工”原是這樣一個自然歷程：在生物分子水平上的分化導致初級社會的“細胞器分工”；在生物體質水平上的分化導致中級社會的“體質性狀分工”；而在生物智質水平上的分化導致晚級社會的“智質性狀分工”。**這種“分化”或“分工”有越來越細化、亦即越來越殘化的天然傾向**：在晚級社會的初始階段，其“分化”尚顯粗獷，故由此“分工”所產生的“階級”（譬如“農民階級”）必然呈現出大體均質的一盤散沙形態；及至升位于新的“分化層級”或“分工形勢”（譬如“工人階級”），其階級内部已然分化，于是相應呈現出某種程度的异質結構形態或曰“有組織有紀律”形態（進而還會分化出“工人貴族”、以及“白領工人”與“藍領工人”之别、……等等）；再往後，則固有的“大階級”概念不免趨于分崩離析，**是謂“階級消亡”。**【注意：“階級消亡”并不與“國家消亡”呈因果關系。如前所述，“國家”作爲一種**位相性結社**

單元必須在**新的擴展性社會結構單元**成熟之後才會消解或變構，盡管“國家社會形態”的確要經過一個“階級構成”的演歷也罷。換言之，“階級鬥争”誠然是**國家結構動蕩**的基本方式之一，却不是**社會結構動進**的基本原因，説“階級鬥争是社會發展的動力”無异于説“分蜂鬧劇是蜜蜂進化的動力”一樣荒唐。須知任何分化結構單元之中都存在着結構摩擦，尤其是在結構演替之際（即結構初成或結構老化之際），但“摩擦”絶不等于“動力”，它倒常常是“動力的耗損”，故，具有高摩擦系數的結構一定是一種低級的結構。在較低級的“階級社會”中，另行設定碩大的“階級結構”自非易事，它的變動因此爆發出天翻地覆的氣勢，由以演成一幕幕壯懷激烈的“社會大革命”之劇，這番“人爲的自然景象”恰恰展現在此前的文明史畫卷中，令人生畏又令人神往。這種烈焰驟燃的周期性奇觀，祇怕後人是難得一遇了。】

于是，從“社會階級的宏觀分化”到“社會分工的微觀深入”，“社會分工”亦即“自然分化”過程勢必逐步落實到每一位晚級社會的生物個員身上，即從集團化的大體分工漸漸演成個體式的細致分化，是爲“個性解放”之淵源，也是“階級消亡”的路徑。換一個不那麽好聽的説法，它其實不過是**异質化個體在社會結構化進程中被越來越細密地加以編織和另行定位**罷了。【可以想象，未來的“社會分工”，傾向于造就這樣一種極端殘化的人格布局和極端分化的社會構成：每一位自然人在某一個特定時段内都承載着某種獨一無二的社會職能或社會角色，亦即每一名社會人在某一個特定空間裏都承載着某種獨具一格的自然分化之結構定位，以至于任何一個人——或曰“任何一個分化載體或結構樞紐”——倘若發生了突然而意外的變故，均可能隨即造成整個社會結構鏈條的脱節。迨至人類晚級社會的文明化發展果真達到這種分化整合之極限高度，則必然導致每一個人在“平等認可”的社會氛圍中，又足以品味到“優越認可”的雙重體驗。也就是説，弗朗西斯·福山所擔心的“最後之人”會因民主社會裏“平等認可”的蒼白和平庸，而復歸于追求非民主社會“優越認可”的“最初之人”的歷史循環中，完全是多餘的杞憂。因爲，一方面，且不説那種“人人平等、個個相同”却“没有理想、没有抱負”的“最後之人”根本就無由出現（即受制于“單向度的分化動勢”，可參閲卷一第十七章及本卷第一百三十章等有關章節）；另一方面，即便跳出來一些個輕狂小子想要重温“最初之人”出類拔萃的英雄夢，衹怕他們也全然没有越軌動彈的絲毫餘地（即受制于“致密化的動蕩結構”，可參閲卷一第五十三章及本卷第一百五十一章等有關章節）；試想就憑將來人類的殘弱之身和脆弱社團，還能攪起什麽像樣的風浪？】

第一百七十一章

革命——自然社會結構的嬗變躍遷或**晚級社會結構的暴烈變革**是也。這裏的關鍵在于是否涉及**分化結構的重組**或**結構演進的分化**，而不以“暴烈形態”爲據，須知悄然漸變盡可以扭轉乾坤，而瞬間暴動亦可能終于不過是舊結構的再造。之所以還要將“暴烈變革”的表觀形式列爲“革命”的要點之一，乃是由于人類社會的結構化進程迄今尚未完全擺脱“階級分化”的粗糙運轉格局之故。【其實，有史以來，不動聲色的深層“改良”歷來是生物社會變構的底氣所在和主流形式，從操縱體質性狀變异的“基因突變”（即“生物分子變構”）導致初、中級社會進位，到撬動智質性狀變异的“邏輯變革”（即“科技知識創新”）導致晚級社會變革，誰能説這些平和而又不起眼的“小動作”不是一系列真正引起滄桑巨變的“大革命”呢？】

即使僅從社會結構表觀運動的層面上看，“革命”的歷史業績也不免呈現出這樣一種走勢：**愈激進的社會革命愈顯其變革**

效果之低下；反之，愈溫和的社會革命愈顯其代償變構之强勁；有史爲證：最早的社會革命運動當數團藻細胞們在聚散兩極上的一次次嘗試，此時的變革題目可謂大矣，因爲它的“政治綱領”簡直是在“要社會”抑或“不要社會”之間進行抉擇，其結果是，“團藻革命者”通過反復“起義”所建立的“新社會”終究不過是“舊社會的原版”；其後，中級社會的動物們隨着生育周期的波動而時聚時散、或分或合，此時的變革題目相對縮小，因爲它的“政治綱領”無非是在“何時參與結社”或者“如何重建社會”之間進行抉擇，其結果是，“蟲獸革命者”祇能通過自身進化的種系變异途徑方可達成“幅度有限的社會組織革新”；待到人類登上晚級社會的文明舞臺之際，他們已經根本無從討論諸如“要不要社會”以及“何時參與社會”之類的大課題了，祇要能够身不由己地融入某一“階級集團”，各人就必須糊裏糊塗地——美其名曰“忘我地”——爲之奮争，以求僅在“社會結構的些微變動”之間確立自身的社會存在位置，此時的“政治綱領”無論怎樣花裏胡哨，其激烈程度着實較前大爲遜色，不過，“革命調門”雖降，“變革成效”卓然，因爲畢竟祇有這種革命真正可能落實爲當下見效的“社會變革”；再往後，“革命”傾向于蜕變爲“改良”，此舉雖令大義凛然的革命者所不屑，但每一點“隱無聲息的改動”都必將隨着自然社會史的演進而愈來愈可能産生出“轟然作響的變局”。【這裏提示，“革命或改良的激烈程度”與“社會存在的動蕩程度”是全然不同的相關概念，**通常，需要越激烈的革命運動方能改造的社會必定是越原始、越穩固的低級結構態社會存在，反之，越不需要激進措施即可使之發生變型的社會必定是越繁化、越失穩的高級結構態社會存在；换言之，“社會革命的暴烈狀態”必與“社會結構的穩定狀態”互爲表裏，亦即“社會結構的失穩程度”必與“社會改良的輕易程度”適成正比；于是，相應地，在生物社會結構嬗變的總體進程中，“社會革命烈度遞减”與“社會變革成效遞增”由以呈現逆向演動之勢——此乃遞弱代償原理在社會革命上的變態表達。**】

由此進而可以推定，**“社會革命”的趨于緩和必以“社會常態”的動蕩加劇爲背景**，即社會動蕩的周期性必將漸次縮短乃至消失，社會結構的失穩態必將愈演愈烈乃至崩潰。也就是說，**“社會變革的頻發程度”與“社會結構的穩定程度”成反比**，“社會結構變動”將以加速度的演運方式完成它的自然實體化進程，且將借助于遠比“階級分化”更細微的分化載體來實現它的“革命宏圖”。【這裏提示，**革命形態雖由“暴烈”而至“温和”，然社會代償的潜隱作用力却由“温和”而至“暴烈”,亦即社會“對生命的代償維系力度”或曰“對生命的生殺予奪權能”傾向强化——此乃等價代償原理在社會革命上的變態表達。**】

第一百七十二章

戰爭——是社會結構未能切合的激化反應，或者説是**社會結構達成切合的方式之一**亦無不可。仿佛某些化合反應必須經由燃燒過程才能實現一樣，在這裏，“人”或“由人組成的集團”一如“分子”或“分子集團”，**説到底，它們都不過是借以貫徹自然殘化構合律令的基本素材而已。**所不同的，僅在于各自身處的代償位相不盡一致，故而才造成此類“同源不同構”的物質運動形態居然不可同日而語了。【無怪乎老子有兹慨嘆：“天地不仁，以萬物爲芻狗；聖人不仁，以百姓爲芻狗。”(《道德經》第五章)意思是説:人如萬物,統統是祭祀天道的犧牲;萬物如人，人道不過是天道的前驅。】

生物種群内外早有“戰爭”，對内要争奪配偶和地位，對外要争奪領地和資源，所用武器雖然僅限于體質性狀的爪牙，但其實與智質性狀的刀槍并無本質上的區别，衹是“戰爭的規模”太小,以至于承載不起“戰爭”這個詞符的千鈞重荷。而“戰爭”

之“重”，無非“重”在物演代償的層層叠加上，**即戰争本身直接顯示着生物晚級社會的遞進構成**：“氏族之戰”預示着氏族邊緣的被抹煞和氏族之間的相融合；“部落之戰”進而促成了部落聯盟的形成；爾後步入“國家存態”，其間的階級分化倘若失于協調，則以“内戰”措施使之重歸切合或使之發生變構，至于“國家之間”的“對外戰争”，本質上與動物種群之争或原始氏族之戰無异，盡管它不免受到國内各種復雜的分化要素的影響。于是，相應地，戰争的級别也就層層上升，從局域性的小集團紛争、演至地域性的國家攻伐、再演至全球性的世界大戰，由此預示着國家邊緣的被抹煞和國家之間的相融合業已迫近眼前，或者説，預示着人類這個生物種系的社會結構化進程行將進入全面切合的一統實體階段。【克勞塞維茨曾説：“戰争無非是政治通過另一種手段（即暴力）的繼續”，此言不謬，但要真正理解這個提法，則“政治”的詞意就必須建立在“智質生物殘化整合”的整體概念上（參閱第一百六十七章），即“政治”是一切人文現象的總和，而不是某一種人文特性的抽象。故此，戰争可能以任何一個具體事由或任何一個社會範疇爲策源點，包括亨廷頓的“文化衝突”視野在内，衹要在這個策源點上所暴露的是“社會結構未能切合而又必須予以彌合”的裂隙就行。】

當然，使社會結構得以切合的方式很多，之所以非得運用戰争的手段不可，乃是由于社會構合組分之間的關系尚缺乏某種漸演而成的可變塑性，這種情形恰與社會進化過程中的戰争幾率遞減現象相一致，即隨着社會分化程度或社會結構彈性的提高，戰争的社會構合效果勢必呈現每況愈下的趨勢。【故，在相對圓滿自足的“氏族或部落之間”盡可以“鷄犬之聲相聞，民至老死，不相往來”（老子語），然一旦往來而生糾紛，戰争大抵是解決問題的最佳方法；延至“國家或階級之間”時，越原始的國體形態和越原始的階級矛盾越有必要刀兵相見；可以預料，“未來的國家或後國家社會”以及“未來的階級或後階級社團”將越來越難以發動戰争，這不僅是因爲戰争的破壞性後

果越來越不好消受，更是因爲戰爭的社會化效益傾向于逐步喪失的緣故。】

由此看來，“和平”的前景是大有希望的。**不過，依據“社會結構度”或曰“社會緊張度”必然升級的規律推測，“戰爭的自然化解進程”大概恰恰被“社會的張力遞增進程”所置換，亦即“前綫無戰事”正好被“後方戰無休”所代替。**

第一百七十三章

民主——此乃**社會分化載體趨于細化**的社會結構質態或社會政體形態。“民主”之“民”（在其名詞意義上）既可能是“正在分化的階級”，也可能是“階級解體後的多元社團”，甚或是“社團解體後的异質殘化個體”；“民主”的“主”（在其動詞意義上）系指“分化載體”的“主動性”或“自爲性”隨分化進程的發展而傾向提高。**于是，“民主”的全體概念就是“社會組成單元在高度分化的水平上發生高度整合的過程和實體”。**【所謂“人權”就是在這個過程中衍生的社會概念，它其實并不是説人有哪些生物性權能，而是説人有哪些社會性權能，**或者不如説，人的社會性權能正是其生物性權能的位相表達方式亦即代償演化形態**。因此它無論如何不可以用“前社會的”——或如盧梭等人虛構的“純粹自然狀態下的”——“天賦人權”來詮釋，**須知一切生物的自然狀態本身就是某種社會狀態**。不過，由此亦可見得，當盧梭高喊出“天賦人權”的口號時，他其實是在不自覺地充當着**自然社會加速分化**的天道喉舌。】

誠然，各個級别上的“民”原本并不能“主”宰社會，反倒是自然社會化進程主宰着民衆的生存形態，但“民”的自爲性恰恰在這社會分化構合的進程中相應增長，亦即社會的結構化恰恰需要借助于“民主的分化態”或“民主的自爲態”才能

實現。換言之，當“民”的分化級别尚處于比較籠統的低級階段時，“主”的整合形式也就處于比較任意、比較沉悶的簡單狀態，**是謂“人治社會”或“君主社會”**；反之，當“民”的分化級别進位于比較細致的高級階段時，“主”的整合形式相應處于比較規範、比較活躍的復雜狀態，**是謂“法治社會”或“民主社會”**。所以，在人類社會史上，“前民主”的專制政體雖然横暴無常，但散在于**低分化社會**或**低度結構化社會**下的庶民尚可以悠然吟唱“天高皇帝遠”的逍遥曲；也所以，“後專制”的民主政體盡管立法有度，但凝聚在**高分化社會**或**高度結構化社會**下的公民却時刻受制于浩如烟海的法律法規之羈勒，耳邊所能聽到的最高音自是“法律面前人人平等”——亦可譯爲“法制所及無遠弗届”——的緊箍咒了。【乍一看來，上述説法似乎打亂了“民主”一詞所固有的政治形態學涵義，實則衹有如此才能理順人類社會政體演變的脉絡。君不見，一方面，早在文明初期的古希臘城邦中，其政體形態即已具有了某種程度的“民主”色彩；另一方面，遲至信息化文明的今天，打着不同“政體”招牌和“主義”旗幟的東方國家仍然殘留着某種程度的“君主”色彩；可見政體形態尚受到某些并非源自社會結構化内質因素的影響（具體因素兹不贅述，有關機制請參閲第一百三十四章Ⅳ節）。不過，有必要提請讀者注意，東方古代諸文明的衰落以及東方社會現代化改造的滯蹇，恐怕正和這種“質”與“態”的不統一有關，或者更準確地説，與其“民主化障礙”有關。又，同爲“民主政體”，其位相形態自將大爲异殊，舊時可以有“貴族公議制”（如古希臘斯巴達城邦的“奴隸主階級議决制”）；現在是“代議制”（或“各階級、各社團代表議决制”）；未來可能演變爲“普議制”（或“後階級、超社團全民議决制”），衹要**民主化過程**所表達的是**社會分化過程**之規定，它就不能不如此發展。】

這個法制化和民主化進程的伴隨物就是全民參與的激蕩運動。參與的人數越多，激蕩的程度就越烈，參與的範圍越廣，激蕩的頻率就越高。**問題的關鍵在于，“民主”并不僅僅是一項**

政治操作或政體形式，它實質上是政治民權、社會人權、乃至經濟人活力與文化人智力的全面調動，也就是讓所有自然人的所有生物潛能，在一個自由競爭或自爲激蕩的壓榨結構中强行獲得更充分的釋放與發揮。一言以蔽之，它是社會總體代償效應的急劇提升。它從一個皇權寡頭或少數王公貴族的宮廷角逐，漸次演化成各個社會階層或多數選民大衆的躁動浮囂，或者説得更普泛一些，它從一撮上層貴胄或少許特權人物的爲非作歹，逐漸蜕化爲整個社會群體或多數黎民百姓的胡作非爲。**"作爲"的拓展**造成**"民主"的擴張；"民主"的擴張**招致**"動蕩"的加劇**，民主主義運動因此直接就是社會動蕩趨勢的同一航程。【辜鴻銘不無道理地把"民主主義"稱作"群氓崇拜"，正是出于這種"群氓"情緒的匯合與導引，才促成了所有被標榜爲"現代化"的大規模自作孽，衹可惜辜氏用錯了一個字，如果將其"氓"字改成盲目的"盲"則更顯恰當，這個"盲"所代表的是"盲存"的涵義（參閲卷二第八十一章與第八十二章），也就是某種"自然意志"的人性化或人格化表達。但，話説回來，人世間的東西實在太容易腐朽或過時，辜鴻銘乞靈于"東方式獨裁"的長治久安因而確屬螳臂擋車，畢竟它早已與人類新近的生存境況不相適應，不得不被人類文明史所拋弃，盡管這個花裏胡哨的"文明史"説到底不過是隱身于幕後的"自然史"所導演的傀儡戲而已。至于弗朗西斯·福山借助于人類在心理上追求社會認可的推論，預言民主政體必將成爲"世界普遍史"的總歸宿，于是在制度演化層面上視其爲"歷史的終結"，恐怕算不得慧眼獨具，因爲任何人僅從直觀的歷史動向出發均可得出同一結論。問題在于，他是否明白"人類心理層面"與"社會制度層面"的深在動勢及其潛在意蘊，尤其是當他和廣大民衆都在忖度或歡度這個美好的"静態歷史臨界點"之際，誰曾料想，那大抵也是人類這個物種的"自然史的終結"，以及整個生物序列的"社會史的終結"，或者充其量不過是它們共同串演的最後一場喧鬧的謝幕戲罷了。】

說到這裏，不妨順便談一下“法律”。作爲民主制度的社會伴生物，“法律”不外乎就是前民主社會下“道德”乃至“禮法”的細化發展和强化變型産物。**“道德”是維系粗疏社會結構的原始紐帶，“法律”是維系細密社會結構的後衍網絡；社會結構越渾沌，維持體系越朦朧，社會結構越分化，維持體系越繁苛；如此而已。**你現在端詳這兩樣東西是全然不同的兩副面孔，猶如你看鰐魚和人類是判然有別的上帝造物一樣，但兩栖爬行動物其實正是人類的先祖。【國人經常談論“道德淪喪”和“道德重建”問題，頗有“現代孔夫子”的“修齊治平”之志，却又苦于找不到可以下手的地方，個中原因蓋出于此。如果説，“道德”之發揚在現時和將來仍有根據，其根據就在于社會民主結構之分化目前尚處于粗細兼備或由簡而繁的過渡進程中。】

第一百七十四章

道德——是生物及其社會分化的社會性組合介質或社會化配合規定。既然生物及其社會的濫觴可以一直追溯到無機物演的宇宙深處，則“道德”的前身自然就與無機結構的物理規定同源（譬如電子的“道德”即在于它必須按照粒子分化的法則或原子結構的規定衍存和運行）。即便不把事情講得如此極端，至少可以説，人類晚級社會中的“道德”或“倫理”與中級社會生物的結社本能同源。【譬如，“近親婚配”爲人類社會倫理所忌——至于在遠古時代的“理”上何以竟能推求出這樣的“倫”來，自須在邏輯之外或思維之前尋找答案——亦爲絶大多數動物種群所忌（詳論請參閲社會生物學的有關專著），不循此規的物種必因有害基因顯性表達爲族群性遺傳病的高發率而滅絶。之所以起初要將這種被動物社會所恪守的兩性規則設定爲“授受不親”的“男女大防”，乃是由于——這“由于”是指“由之于本能規定”而不是“由之于邏輯推理”——在當時極爲局促的宗族社區内較易發生亂倫貽害的緣故（甚至在“父母之命、媒妁之言”的包辦婚姻制度中也暗藏着“衹有父母和媒妁能够分辨兒與媳的血緣關系”的合理性或合道德性）；隨着宗法社團的解體和社會自由度的擴大，近親子女之間原已疏離，一旦成年更不免各奔四方，至此“亂倫”之危險大減，于是乎“男女授受不親”的古老“美德”居然一下子就變成了封建笑柄，反而讓傷風敗俗的“性解放”蔚然成風。】

可見，**“道德”與“倫理”原本并不是同一個概念，而是同一個概念序列或自然序列**：“道德”之解，没有比老子更深刻的了，“道”乃**自然衍存之本**，“德”乃**合于道**或**法自然**；“倫理”者，不過是**道德演化**的**理性邏輯形態**而已（後世的中國人沿用老子的“道德”理念來表達西方“ethics”〈倫理〉一詞的概念，足見國人之慧）。其實,“倫理”之前早有“倫情”（指動物的“親緣天倫社群守則”，亦即**道德演化**的**知性邏輯形態**）；“倫情”之前更有“物序”（指分子、原子乃至粒子的“自然分化結構法則”,亦即**道德演化**的**感應邏輯形態**）**——此乃倫理之由來的“道德代償進位律”。**【所謂“道統觀念”、“政治化的意識形態”以及種種花樣翻新的“價值觀”，歸根結底都是**倫理演化**的現象形態，亦即**社會結構化進程**在人類生物體智存在上的總體表達和具體實現，“價值”的高下衹能以**社會結構的尺度**來衡量，或者説，**衹有在“社會結構”的動態棋局中才談得上殘化拼鑲的“價值定位”。】**

最初的“倫理”可能衹是一些極簡單的約定俗成，如上述的“禁止亂倫”，以及“不可吃人”等等（在絶大多數動物種群和人類氏族中均有某種杜絶“同種相食”的機制，盡管它們或他們經常面臨饑饉的威脅也罷，這與“同種之間的病原體具有最大的傳染易感性”有關，即“同種相食”的物種會因大規模瘟疫在群落内不斷爆發而傾向于被自然選擇所淘汰）。現在看來，這些東西簡直不堪稱其爲“倫理”，可那時它一定是最重要的道德條例與生存規定，**因爲這類成規恰恰與體質性狀的社會結構相吻合。**文明化以後，“倫理”漸漸擺脱了面目猙獰的固有形態，而且變態分化爲日益龐雜的“倫常道統”乃至“法規律條”，以至于全然掩蔽了它那遥遠的源頭，**然正因如此，它才得以與智質性狀的社會結構相吻合。**【另外，由于“道德觀念”大多滯後于“道德現實”，這“吻合”又總是顯得“吻而不合”，結果常常令宋襄公那樣的“道德家”們欲哭無泪，反倒讓馬基雅維利這樣的“無德之輩”青史留名，其實，馬基雅維利的高明之處僅僅在于，他似乎提前弄通了**道德存在無非是使社會結構各組分之間得以吻合的自然屬性或天演工具**，一旦某種道德約束無助于當時社會秩序的整合或有礙于未來社會結構的進化，則毅然抛弃它就是最大的德行。再者，縱然是自明而不朽的“道德公理”，也照例不免終于會變得面目全非，例如，子曰“己所不欲，勿施于人”，此説歷來被奉爲倫理的圭臬，可如今，商品關系所要求的却偏偏是“己所不欲，人自施之”，倘若“你所不欲”，就一定不許“施于他人”，好比你不肯去做的生意，也絶不準他人染指，則不啻是要打翻别人的飯碗。足見此一道德教條現時應改爲“己所不欲，偏施于人”，唯有這樣才可有望達成廣布恩澤的“善”舉。】

于是，争論了數千年的“善的元義”油然而顯：原來它就是“殘化的輝煌”。因爲你若“圓滿自足”，自然無須“善待他人”；一旦相互“殘而依存”，彼此便要“與人爲善”；“殘”之不透，“善”之不極；“殘”之不深，“善”之不廣；“殘”至無以復加，則“善”到無微不至；“殘”到無微不至，則“善”至無以復加；是謂“至善”（亞裏士多德語）。不待説，那“至善”之境界自是指**極端的社會分化**，亦即**社會結構化的極端——此乃倫理之趨勢的“道德代償向善律”。**【需要予以申明的是，這裏所謂的“至善”與亞裏士多德的原意實在大相徑庭，因爲他的 entelecheia 是指“圓滿的趨求”，可惜宇宙之所向偏偏是“殘弱的走勢”，而且殘弱不篤則相依不固，相依不固則摩擦不止，是爲“惡”之淵源。因此，也可以説，從“圓”到“殘”的過程亦是“惡化”的過程，走到“至善”

的盡頭時也就走到了“失存”的臨界和“惡化”的完成,是謂“至惡”(即entelecheia的反動)。當然,“至惡”在社會道德追求上的表現是“惡的式微”,“至善”在社會道德追求上的表現是“善的張揚”,它所表達的正是人類個員繼續分化或加深殘化的整體合力與社會動向,所以才引動了人際微觀組合層面上的“惡善觀”朝着社會宏觀整合層面上的“正義觀”發展。】

第一百七十五章

正義——乃是**社會結構成長**或**社會屬境代償**在**倫理邏輯上的宏大觀念體現和綜合意向表達**。即作爲後衍性生物存在的人類,以自爲而不自覺的智質演動方式,在個性殘化與群體組合之間所形成的集體内向體驗,并借以追求或促進社會結構的滚動擴張和自然發展。由于人類的整體衍存傾向及其總體意識傾向是必然“向善”的,于是“向善的要求”也就傾向于匯集成某種“正義的思潮”向前涌動,“正義”儼然成了一種**社會邏輯**(而非“個人邏輯”)和**社會意志**(而非“個人意志”)的風向標,**而實際上,“義”是否“正”,全然取决于社會演動的方向是否符合自然演運之規定。**【所以,在把社會結構引向急遽分化的工業時代以前,“正義”體現爲“國家形態的正統”;其後,資本主義的全球化發展導致馬克思首次發出了“全世界無産者聯合起來”的反國家宣言,列寧進而在第一次世界大戰時高呼“工人階級没有祖國”,雖然由于階級衹能在國家結構單元上成立而致國運未消,但它的確預示着“國家構型”的摇撼;而今,當羅爾斯還要在國家調控的體制下探討“公平的正義”時,諾齊克却證明衹有“最弱意義的國家”和“社團分化的社會”才能提供“公平”和“正義”的邏輯基礎。】

也就是説,“正義”無非是社會結構以及與其相適應的社會

邏輯的擴張態（即代償增益態）倫理衍生物，盡管用狹義的小家子氣的（即增益前態的）道德準則來衡量的話，它其實從無“正義”可言。當社會結構單元尚處于從中級社會向晚級社會過渡的前文明狀態（如親緣氏族原始群落）時，“正義”——此刻實在談不上“義理之正”——就是潛隱在動物種群結構單元中的野蠻競存和獸性天倫；當社會結構單元進位于“小國寡民”（老子語）的離散狀態（如部落、部落聯盟、封閉型國家）時，“正義”就在社會結構單元內外以絲毫不講公平仁義的形式展開：對內以等級分明的欺壓道統爲社會之“正”，對外以實力較量的掠奪戰爭爲國家之“義”；而當社會結構單元彌漫爲全球一體的致密狀態（如國家消亡之後的社會形態）時，“正義”將繼續在整個人類社會結構中以結構本身不講公平的方式成就自身。【所謂“結構本身不講公平”的“正義”是指這樣一種演運之流：在人身依附的專制時代，“君讓臣死臣不得不死”就是當時社會結構所要求的最大“正義”，即當時要求于爲臣者的“忠義”以及要求于爲君者的“仁義”其實正是當時社會衍存位相的結構性派生物；在物役使人的异化時代，“帶着天生的血痕”的“資本剥削體制”就是現實社會結構所要求的具體“正義”，即現時被賦予“全體人民”的“平等人權”其實正是建立現代社會産業結構的位相性黏合劑；難怪馬克思要對這類欺世盜名的東西大加撻伐，然而，縱使由此引發了一場史無前例的世紀性社會正義大實驗，却終于不可避免地崩坍于世紀性社會正義大失望之中。**顯然，“不公平的正義”（相對于羅爾斯的“公平的正義”而言）正是“正義的不公平”，説到底，它們都是出于社會代償演化結構的自然規定，這種情形就像在高等動物的有機體内，通常衹占體重1～2%的中樞神經組織却必須享有20%左右的血液循環供氧量一樣，是無可奈何的自然結構規定，而且，隨着結構發育的擴延化、繁密化和動蕩化，“正義”的内涵似乎傾向于朝着愈益不公平的境界飛升。】**

不過，可憐而糊塗的人類反倒偏偏要在這層境界裏大呼

"正義"，且真誠地認定"正義"是可以呼之欲出的，**的確，人類越來越講求"正義"大抵恰恰是社會結構發展的需要。**質言之，它就是"自由"與"平等"的社會邏輯延伸和民主結構要求，即隨着"社會自由化"和"社會平等化"的演進，**追求"正義"的動勢必將越來越成爲社會結構度得以提高的催化要素之一。**【在這裏，我們可以清楚地看到，智質載體的自然演運既表達爲**物化性狀（即實體結構）的分化**，同時也表達爲**道德意識（即虛體屬性）的代償**，正是由于這種分化和代償的一脉并行，才衍生出日益繁多的倫理概念和人道體制，也正是由于這種主觀和客觀的一體動進，才使得社會邏輯要素在社會變革進程上日益凸顯爲**倫理驅策的唯心動因**，以與自然邏輯要素在社會變革進程上日益凸顯爲**知識驅策的唯心動因**相吻合——**總之，生物晚級社會的自然客觀動勢終究要借助于人類邏輯集合的主觀意志盲動來實現。**（可參閱卷二論述邏輯和意志的各有關章節。）】

第一百七十六章

國家——是**落實在生物晚級社會位相**上的**進行性自然結構單元**或**階段性遞弱代償存境**。

其"進行性自然結構單元"體現在它的"來龍"上：即如粒子結構→原子結構→分子結構→細胞結構→機體結構→動物親緣種群結構→人類氏族社群結構→氏族聯合的部落結構→部落聯盟結構→局域型城邦或王國結構→擴張型封建君主國家結構→開放型議會民主國家結構；【這是一個從"亞粒子"之微到"利維坦"之巨的自然結構增長過程，依此看來，諸如"城邦"乃至"國家"之類的東西，既不是亞裏士多德所謂的"至善的社會團體"，也不是馬克思主義者所謂的"階級壓迫的工具"，盡管它確實蘊含着殘化相依的良善，也確實包藏着階級對抗的邪惡。】

其“階段性遞弱代償存境”體現在它的“去脉”上：即如石器時代的氏族型血緣分化家長制→石器、木器、陶器綜合工具時代的部落型階層分化酋長制→青銅器時代的城邦或王國型階級分化奴隸制→鐵器農業時代的國家統治型貴族分封君侯制→機器工業時代和電子信息時代的生産組織分化型或社團組織分化型議會民主國家制→再往後，隨着智質性狀的進一步分化擴延，社會結構單元勢必朝着國家聯盟、跨洲聯盟乃至全球一統的超國家社會體制發展。【可見“國家”是迄今爲止最短命的自然代償結構，它至多不過有數千年的歷史，却已顯露出行將就木的衰喪氣象，這并不與國家的善惡有關，而是自然弱化代償的加速度定律使然。須知國家消亡絶不意味着社會結構潰散，恰恰相反，它倒是社會結構以及社會制約“更上一層樓”的代償躍遷。所以，無政府主義至多不過是一種由虛假的“平等”折射出來的近代幻影，正如共産主義至多不過是一種由虛妄的“正義”折射出來的末代幻影一樣。】

也就是説，“國家”作爲“自然社會存在”的一種結構形式，它同樣必須實現自身的殘弱化演歷：

——它的“弱化”過程體現在“統而治之的國家權能”傾向于逐步分散和内向削弱的趨勢上；【即如它的經濟管理職能不得不移交給越來越結構化的獨立經濟單位，而既往那種“鹽鐵官營”式的封建國有制生産關係勢難爲繼；它的文化管理職能不得不移交給越來越系統化的獨立研究機構，而既往那種“以吏爲師”式的政教合一制文化關係早已解體；甚至它的某些政治管理職能也不得不漸次移交給越來越民主化的社區或社團，從而使“普天之下，莫非王土；率土之濱，莫非王臣”的“大政府、小社會”體制必然朝着“政黨分化、社團叢生、信仰危機、個性解放”的“大社會、小政府”體制轉化。】

——它的“殘化”過程體現在“封閉自足的國家隔離”傾向于逐步開放和外向依存的趨勢上；【即如它的經濟自給狀態越

來越顯得殘缺不全，于是不得不日益深入地參與到國際經濟結構中去；它的文化孤立狀態越來越顯得不成體系，于是不得不以自我批判的態度融入整個人類文明的洪流中去；甚至它的政治自主權也不得不有所讓渡，從而在日臻嚴密的國際政治秩序或曰"自然發育的社會結構擴展"中走完國家體制的臨終路程。】

不言而喻，這個過程非但不是社會結構的鬆弛或社會纖體的疏離，反而一定是社會結構的緊固或社會纖體的致密——或者說，是"社會結構單元"在更高層級上的實現。嚴格説來，既往的**國家史**其實就是一部**社會結構化的自然史**，其**系統控制的權能轉移過程**正體現着**社會組織的分化密構過程**，它將把生命物質引入怎樣一個高度集成而又高度動蕩的自然結構實體之中，自是社會化生物的先行者——人類所不能不關心的前瞻宿命。【順便一提：不僅是"社會"，任何"存在物"或"衍存系"都不可避免地朝着這種結構化的方向挺進。故，所謂"後現代主義"的"解構"思潮其實僅僅表達了對結構轉換的震撼、無奈和倉皇失措，却全然不知這"解構"的動蕩正是更龐大、更繁復也更脆弱的"結構"之母體。】

第一百七十七章

大同——乃是**生物智質性狀趨近于極端分化或極端殘化**的**生物同質態殘弱存境**或**社會實體化結構屬境**，亦可説是**預定在晚級生物的意志和邏輯屬性中的自爲代償極限**。對于上述定義，讀懂了全書的人自無難以理解之處,衹有"同質態"和"實體化"二詞尚需注釋：所謂"同質態"，是對自然物質演進到异質分化的極端境界，亦即自然物質演進到晚級臨末生物階段的一種表面化形容,"同"就"同"在他們都處于"同樣的异質分化位格"上,或者説,都處于"同樣的高度殘化存態"中,是爲"同質"的真義，

换言之，此刻的异質個體可能呈現出某種十分近似的殘弱代償形態，如果届時還能區分“個體”的話。所謂“實體化”，系指極端分化或極端殘化的生物衍存者直接就是極端弱化的臨界失存者，他們業已全然喪失了獨立自在的生存根據，于是唯有通過殘殘構合，結爲一體，而且是没有任何錯動餘地的致密結構實體，方可換來最後存續之一瞬，**實際上，此刻的“生物存在”簡直就是一塊“社會晶體”，如果届時還能將其中的内容稱爲“生物”的話。**【也可以這樣講：真正的“同質”物相大抵僅僅發生于“奇點前的非宇宙幽在”上，即一旦物演流程爆發于“具有代償屬性的有限衍存區間”内，則意味着自然存在隨即陷入了“不可逆的异質分化進程”中，通常所謂的“同質”，不過是對不同演化位相或不同异質現象的辯證觀照或粗淺概括而已（參閱本卷第一百三十章）。于是，通常所謂的“實體”，無非是指各個演化位相上的“异質結構體”，譬如，异質粒子結構而成的“原子實體”、异質原子結構而成的“分子實體”、异質分子結構而成的“生物實體”、直至達到异質生物結構而成的“社會實體”爲止，是謂“實體化過程”。】

不過，雖然同爲“實體”，各自的存在性却大有异趣：越原始的“實體”，其存在效價或存在度越高，代償效價或代償度越低；反之，越晚近的“實體”，其存在效價或存在度越低，代償效價或代償度越高；**終于，達至“社會實體”或“大同社會”的過程就成爲瀕臨有限衍存區間的失存界點的過程，即成爲存在效價或存在度趨近衰竭的過程。**

基于此，由“最先進的智化物質”（指進化度達到最高階段的人類品系）所組成的“大同實體”（指結構度達到最高境界的自然社會）自將具有如下特徵：

它的“分化”程度或曰“殘化”質態與其結構程度相一致；【具體表現爲：分工無比細化和簡化，以至于“分工而不分人”，即人人盡可以無所障礙地互换職業；國家、階級、家庭乃至社團統統解體，因爲社會的每一個結構位點在每一瞬間都被某一個高度特化的智質性狀載體所填充；社會反饋信息系統和控制系統極爲嚴密，嚴密到非由智能機器及其網絡體系取代政府管制不可；……總之，"社會人"仿佛是一個個極度殘化了的碳元素，隨便將其置換在任一化合位點上都没有什麼要緊的區别，"社會實體"則像四價碳元素聯構而成的鑽石晶體一樣透明、美麗而又致密無間，隨你怎樣加以分割它都是同質的結構。但此刻的"社會人"已無所謂"個人"，一如此刻的"碳晶體"已無所謂"碳原子"，須知鑽石無論有多麼大都不過是一個"碳分子"，恰似社會無論有多宏偉都不過是一個"以智質性狀系統"爲基質的"大同物體"一樣。】

它的"活化"程度或曰"繁華"質態與其代償程度相一致；【具體表現爲：感應代償或認知能力達到極致，文化和技術創新無時不在進行；生物及社會自由度格外之高，各人的活動頻率、社交範圍與運動速度均大幅提升；生産力猛增或曰"物化性狀極度豐厚"，人的生物體質存在相對渺小；……凡此種種，都不免使社會結構處于無休止地調整動蕩之中，亦即形成了一種與無機晶體全然不同的"活化晶體"，它是遞弱代償衍存序列的最後結晶，是自然結構趨向豐滿的最高成果，但這枚"社會果"此刻業已熟透，稍一摇撼即會落地成渣，居于其中的人類想必成不了嘗鮮者，倒是必須緊張提防那落果之危，到頭來，衹怕是縱有享不盡的福利、用不完的珍饈亦將難免食不甘味。】

它的"危化"程度或曰"弱化"質態與其存在程度相一致；【具體表現爲："物質與文化的極大豐富"提示"加載在人類身上的代償性狀負荷超重"，因爲這些需要汲取大量能源方可維持的"智質性狀系統"業已成爲人類生存須臾不可分離的非生理性肱股，它標志着臨末智質生物的生機性功能儲備幾近告罄，或者説，它標志着原始前衍物質的自滿態自在元氣行將耗盡；于是人們不得不"各盡所能"（即不敢有絲毫之疏懶怠惰）以求從早就百孔千瘡的自然界中索取無饜，也不得不“各取所需”（即不敢存絲毫之淡泊清高）以免致密的社會結構斷裂于某一微弱的環節；其結果是，人類對自然資源的需求越來越大却又不能不更深入地破壞自然，人類對社會結構的依賴越來越强却又不能不更劇烈地動摇社會；……總之，依存條件愈繁，依存難度愈大；結構體系愈密，破綻之處愈多；而十分不幸的是，此刻的“智性物種”其生物生存度已趨近于零，他們必須時刻仰賴社會結構的有序運轉才能苟存，可偏偏此一結構體系也已走到了自然代償演運的盡頭，亦即社會結構的脆弱程度業已發展到一觸即潰的地步，然則“你不入地獄誰入地獄”？】

至此，那個亘古高懸而又撲朔迷離的“大同理想”到底實現了。人類前赴後繼、高歌猛進，終于大功告成，這是宇宙演化的無上極品，是自然苦修的涅槃境界，它必須經由生物的自爲努力才能有此正果，可它也必須借助人類的自我犧牲才能有此升華，宛若光和熱的釋放一定要讓燃燒物化爲灰燼一樣。説來可嘆，靈慧有餘且自命不凡的人類居然也會身不由己地上演一出燈蛾撲火的鬧劇，或者换一個不動聲色的講法：人這種自然物品終究不過是在爲自然衍存之道作嫁衣裳罷了！（參閲卷一第五十五章、第五十六章和本卷第一百三十四章Ⅳ節、第一百五十六章等）這倒應了那句頗有一些辯證意味的老話：最大的失敗莫過于成功。然而，試問誰又能把無法回避的“老邁”和“衰竭”歸之于“成功”呢？【再者，盡管這裏所謂的（大同）“理想”與卷二第九十八章中有關“邏輯序列”的那個“理想”是迥然有别的概念，但一個久遠不衰的“願望”或“意志”之所以能够在毫無實現可能的時代（或衍存位相上）生發，也足以暗示這種“社會意志上的理想”與“邏輯序列上的理想”同樣具有“預定和諧的先驗規定性”在其中，亦即具有某種“必將依據意志所向而實現”的logos（邏各斯）律令在其中（請回顧第一百零七章）。質言之，邏輯動勢就是自然動勢的體現，人

爲操作就是自然操作的貫徹，故此才説："空想"之不空，其實并不與學説或主義是否科學相幹。】

第一百七十八章

以上所述看起來像是一鱗半爪的分論，實則已基本勾勒出生物晚級社會的結構分化輪廓及其代償演運軌迹。其所以要采用這樣一種漫談的方式來探討質地嚴密的人類社會構成序列，乃是出于兩點考慮：一方面，作者必須照顧到既有的社會成見，即必須設法將全新的邏輯血脉貫通到舊有的社會概念體系中去，從而使社會學的脱胎换骨過程成爲一個自然成長過程，而不至于顯得過于突兀；另一方面，也是爲了借此完成對既往社會觀念的梳理和批判。【有鑒于此，我特意將有關"社會定律"（第一百三十四章）以及"社會定理"（從第一百四十六章到第一百五十七章）的討論放在生物初級社會和生物中級社會的文字部分中進行，這樣既有利于闡明社會演化的自然源流，也有助于化解一般人文學者對"博物學式的研討人類問題"或"理科式的研討文科問題"的排斥和拒絶。然而，遷就的目的是爲了達成毫不遷就的革故知新，因此，我建議讀者最好能够重温上列小括號内所提到的重要章節。】

實際上，未來社會的具體形態是不可預知的，甚至就連未來邏輯的思維形態也是不可預知的，因爲"未來的社會"和"未來的思想"一樣，都是高速嬗變的臨末代償産物，你不處于那種"存在效價進一步有所流失的衍存位格"上，如何可能墮入那個"代償效價進一步有所遞增的相應情境"中？也就是説，"當下之知"尚且不知"未來之知"的模樣，又如何可能借用"此知"來捕捉"預知"的對象呢？由此可見，對未來社會的憧憬永遠衹能是烏托邦式的空想，正如對絶對真理的宣示終究衹能落得個相對謬誤的貽笑一樣，盡管這“空想”之中大抵寄托着未來存在的動勢也罷。【故，所謂“科學”衹不過是一種暫時的（或曰“位相性的”）思維形態和行爲方式，它必將被另一種或另一系列“後科學”的自爲機制所超越（當代西方的某些新懷疑主義哲學家和科學家，如法蘭克福學派以及約翰·霍根等人對“科學”提出了種種質疑，就是這一自然進程的先聲）。從感應形式的演進位相上看，“科學”的適用對象僅限于存在度較高的“前理性邏輯屬性”和“前文明社會實體”，即那些存在質態相對穩定、結構質態相對狹小、且能够搬入實驗室裏任意分割或借助于感官媒介加以實證的對象，而不能是“把握對象的對象”（指“精神”）或“左右主體的主體”（指“社會”）。】

因此，“人文社會學”總是不能在“社會科學”上成立。【即是説，它必須基于科學，又必須超越科學。因爲它所面臨的對象及其由以出發的主體原已超出了科學觀照的範圍。所以，“精神”和“社會”要麽在廣義的科學時代不能成爲科學研究的對象，要麽在科學鼎盛的今天又不能運用科學實證的方法。其實，往後的自然學科亦將不免如斯，當今的理論物理學（譬如“超弦理論”）即爲此種“越位”的端倪——越位到更爲虚脱的邏輯境界中去了。】

這倒有必要重新審視和注解蘇格拉底及其弟子柏拉圖所倡導的“認識你自己”的主觀超前意識：**即“人”自身直接就是自然物性的發揚和自然存在的凝煉，因此人的心理傾向、邏輯趨勢以及性狀演化——即“你自己”的全體——都在朝着“自然規定的衍存格局”發展，或者説，都在朝着“宇宙物演的社會化衍存終局”發展。**

【馬斯洛的“人類需求層次論”就是最好的心理學旁證（參閱《人的動機理論》〔美〕馬斯洛著），不過，對馬氏的劃分必須給以更深入的開掘，才能窺見人性發生論的根源和長勢。讓我們也從處于最底層亦即最“優勢”的層級談起：

所謂“生理需求”（the physiological needs），馬斯洛很精確地將性要求從其中排除，衹留下食欲所發動的“饑餓”來支配一切。這第一層需要實際上就是原始單細胞的全部欲求，由于單細胞生物結構簡單，故可孤雌裂殖，“繁”“育”無分，于是遺傳性代償的效價頗高，基于此，單細胞生物没有“安全需要”，因爲它們的總體生存度太高，全然不必爲逃避自然死亡或環境灾害而奔命；也没有“愛或歸屬的需要”，因爲它們自性圓滿，無須尋求殘化者的依附或補合；至于其他的社會性需要更是無從談起，因爲它們的社會度極低，何必爲了取悦于另外的同胞而自尋煩惱？單細胞生物作爲所有生命最古老最穩重的始祖，就此把分外簡單的充饑之需傳給後輩，却不料它居然成了包括人類在内的一切活物最强大最優勢的需求，令念念不忘“民以食爲天”的人類看起來着實與其他生物無大分别。然而，多虧了這個“爲嘴”的根性，人類才保留下來了那麽一丁點兒穩重務實的氣質，否則真不知他們會輕狂到何等危險的程度。

再看“安全需要”（the safety needs），這已是細胞多聚體的後生動物們趨于弱化的首要指標，或者説是神經網一旦形成就要承受的第一樁痛苦，它們的生存度減弱了，所以立刻需要某種敏感的保護機制予以代償，是爲安全需求的淵源所在。可見一切痛苦都是安全生存的指南，而一切發展都是朝着不安全的方位逼近，衹有這兩者對等運動，生命的遞弱代償演化進程才能繼續。可憐的生命因此陷入無盡的恐懼之中，它們剛剛不滿足于混飽肚子，就得爲這種不滿足付出令其膽寒的代價，這個代價至此還不算太大，再往前走更要付出“快樂”形態的代價，到那時它已喪失了自身的一半，然後尚須將另一半交付給社會去處置。

這就是所謂“愛的需要”（the love needs），或如馬斯洛所説，是一種歸屬的需要。何謂“歸屬”？就是殘化了的自身去追尋失去的完整。從表面上看，大多數動物包括人類衹不過丢失了性增殖能力的一半，這種丟失反而給它們帶來了實現愛欲的快感；殊不知消受快樂可不是一件容易的事情，因爲“快樂”無非是代償殘缺的生理誘導；你受其挑逗興衝衝地奔去，就不得不把自己天賦的主權盧梭式地讓渡出來；你不受其誘就無可存續，你要存續却先得奉獻自己；須知性的缺失與補合正是生物社會結構化的初始原因，你爲性愛把自己設爲犧牲，其實是主動地將自我供上了社會祭壇；試問，你得耶，抑或失耶？是追求到了完整的自存，還是淪落以至徹底的自失？是故，馬斯洛要把“愛”泛化爲“與性并不是同義的”一般的愛，其實那已不是原質的“愛”，而是哪怕你恨得咬牙切齒也不得不既“給别人”又“接受别人”的社會制約了。

于是，“尊重的需要”（the esteem needs）油然而生，這是喪失自身後的一點兒影子般的自我殘存，或者説是供奉了血肉之軀的幽靈保留，因此它顯得格外貴重，再也經不起絲毫的折損，其實它的貴重正由于它是所剩無幾的輕質殘餘，你之所以感到活就是活了個尊嚴，乃是由于你早已把自己不自覺地支付給了社會，并由這支付不等價地换回了少許彌足珍惜的自尊。可見，所謂“尊重的需要”無非是對自失于社會的虚假保全，或者是對陷身于社會的一種否認，本質上至多屬于反社會傾向的無聲嘆息而已。故此，真正完全融洽于自身所在社會的動物和人，反倒可以不用關懷尊嚴的得失；一旦它在社會上碰壁，或處在與社會格格不入的境況之下時，尊嚴的計較立刻就成了一個嚴重的問題。

那麽，怎麽辦才好呢？顯然衹有一條路可行，那就是把自己完完全全地融入社會，然後反過來把社會整體視爲自身存在的超越、擴張和證明，這就是“自我實現的需要”（the needs for self-actualization）的質性内涵。它表現爲一個人“正在幹稱職的工作”，“音樂家必須演奏音樂，畫家必須繪畫，詩人必須寫詩，這樣才會使他們感到最大的快樂。是什麽樣的角色就應該幹什麽樣的事。我們把這種需要叫作自我實現。”（以上引文均出自《人的潛能和價值》，馬斯洛等著，林方主編。）换句話説，既然我們已經不可逆轉地殘化了，那就讓我們老實而無愧地確認甚至追求更徹底的殘化，并爲這種殘質的存態居然能在整合代償的社會組織中得以定位而慶幸，由于不徹底的殘化者反而不免與社會實體形成若即若離的齟齬態勢，因此所謂“自我實現”衹能是指自我殘極的社會消融或社會實現。【這就是“人格”在“社會坐標”上的尷尬位置。（參閱本卷第一百二十五章的坐標示意圖。）】

結果，可以認爲，人類的需求層次儼然就是生物進化及其社會演運的人性化翻版，其發生序列恰好“排列成一個優勢層次”（引文出處同前），**即越低級的需求越顯强悍，越高級的需求越易迷失，這種情形適與生命存在的遞弱演歷相呼應。**不過，應該説明的是，現行的“優勢分布”，一方面提示被人類看作低等生物或更低等非生物的下位存在實質上具有應予逆向評價的優勢存在度，另一方面也提示人類的社會存在尚處于社會結構實體化發育的過渡階段。迨至整個人類的基本需求普遍達到以追求“自我實現”爲第一要務——或曰“勞動是人的第一需要”（馬克思語）——之時，社會才能驕傲地宣稱，它已演進到整個自然實存的無上巔峰，并將卓然而立的智性生命徹底吞没了。】

第一百七十九章

黑格爾曾説：哲學史就是哲學。此言不謬，然未免失之于眼界太窄，應該説，存在史就是存在，邏輯史就是哲學，而邏輯史與存在史原屬一脉（參閱卷二第九十四章與第九十五章等）。**這意思不是説“存在”衹存在于“邏輯”中，而是説“邏輯作爲一種代償之屬性”衹能派生性地存在于“存在的綿延”中，**

或者，反過來説也一樣，“存在作爲系列代償之實現”必定支配性地貫穿于“邏輯的綿延”中。泛化開來，則一切邏輯的或非邏輯的物存屬性——包括“人性”的方方面面——歸根結底都是存在的展開、存在的發揚或曰“存在流的實現”。于是，“人”就是物的後衍質態，而“社會”就是存在的集大成，即是代償衍存的集大成，亦即是代償衍存的集約化存境或代償屬性的集約化屬境。

所以，社會歷來把“面向自然”視爲自身發展的根基所在，其實，本質上是自然歷來把“面向社會”作爲自身衍存的終極方位。**換言之，社會是自然屬性的全面實現和高度集約，人類理性邏輯的智質演運過程及其生物性狀的物化重塑過程就是“自然社會化”的生動表達，故而社會的内涵呈現越來越豐富的傾向，即“社會存在”傾向于將一切自然函項（或曰“一切自然代償項”）統統囊括在自身之中。**

也所以，**作爲“實體化社會之基質”的人類及其人性，必定是整個自然屬性的集成，即是説，一切自然屬性（或曰“一切自然物性”）都將在“人性”中無一遺漏地獲得表達。**【恩斯特·海克爾（E·H·Haeckel）曾于1866年提出：生物的個體發育是系統發生的簡短而迅速的重演。這個發現通常被海克爾本人以及後來的生物學者僅限于用作胚胎學的研究和生物進化論的證據。**然而，如果把“人”置于整個宇宙的演化背景中考察，則人類個體的生存史儼然就是自然存在史的簡短而迅速的重演。**因爲在胚胎成型之前尚有一個分子的乃至前分子的演育過程，而在胚胎落成之後也還有一個體質的乃至超體質的智質性狀演育過程。這個完整的“成人化過程”恰好是整個宇宙演化進程的微縮重演：從粒子、原子、分子到生物大分子的合成，是胚胎細胞得以形成的生物微觀代謝前提；從受精卵（單細胞）發育到囊胚期（多細胞融合體），再歷經類似于魚、蠑螈、龜等具有鰓裂和尾的胚胎前期階段，以及類似于猪、牛、兔等較高等陸生動物的胚胎中期階段，最終發育成具有種種體智潛能的嬰兒（或曰“具有諸多潛在屬性的載體”），是爲海克爾“重演論”所觀照的生物史全程；而後，體智性狀的後天成型過程則完全是沿着社會化過程的軌迹運行，即幼年期生存于親緣結構的類中級族群組織中，成年期躋身于超親緣結構的晚級社會組織中，且其間必須逐次經過馬斯洛所描繪的生理、心理乃至理性精神的重重門檻，臨末終于被這一“歷盡滄桑的社會化成長過程”弄得形神俱异，以至于發展到自己都不認識自己是何種東西的程度。】

基于上述，可以得出這樣的結論：“人性”就是“物性”的綻放，然則“人道”就是“天道”的賡續，或者説，“人道”無非是“天道”的晚近弱化衍存質態，是乃中國古代哲思中有關“天人合一”之理念的現代注解。

相應地，“社會存在”就是自然衍存的耄耋境界，亦即“社會發展進度”直接就是地老天荒的自然指標。

第一百八十章

宇宙萬物因遞弱代償而衍存（卷一所示）；【論斷：“人類”乃是弱化物演的最後載體，由此注定了我們在自然界的卑下位置。】

精神屬性因分化依存而勃發（卷二所示）；【論斷：“精神”乃是屬性代償的最高形式，由此注定了智慧在衍存系的無助性質。】

社會實體因生物殘弱而構成（卷三所示）。【論斷：“社會”乃是物相躍遷的最終結構，由此注定了人文在宇宙間的飄摇情狀。】

總之，物質存在、精神存在以及社會存在都是由“存在（本）性”或“存在元質”所規定的同一流脉，換言之，它們都是“自然存在爲了讓自身得以存在下去的存在方式”。除此而外，豈有他哉？

既然任何衍存質態都不外是“統一存在”的延伸，則任何衍存動勢都必然受到“同一存在性”的支配，即是説，存在的形式是無可選擇的，存在的前途是預先注定的。

“自在”乃是存在度偏高的衍存質態，“自爲”乃是代償度偏高的衍存質態。“自爲”是爲了能夠繼續“自在”而“爲”,“自在”是基于勢必“有所爲”才“在”,**其間衹具有“在”與“爲”的程度之差别，却不具有“爲”與“在”的向度之分歧。**

也就是説，“人的作爲”與“物的不爲”同源，“人的實踐”與“物的演運”同質。**“實踐”因此非但不能改變“演運”的自然態勢，反而一定是固有演運趨勢的展開和促進。**

于是，所謂的“實踐哲學”或“有助于實踐的科學哲學”應運而生，它們大抵不過是被日益緊張的生存形勢所扭曲的功利性考量或應變性操作，這使得哲學的發展傾向于背離哲學的原始宗旨——即“不笑不足以爲道”（老子語）的那種超然思境。盡管這是無可奈何的“蜕變”（指自在的底氣日趨衰竭），也是無可指責的“大勢”（指自爲的氣焰日趨浮囂），但身爲哲人總不應忘記：**“哲學的元義”正在于澄清“驅動實踐的自在因素是什麽”,而不是像其他學科那樣“反倒被實踐的自爲要求所驅動”。**這不是要得出無所作爲的消極“出世”結論，而恰恰是要指明積極“入世”的原因，即“自爲之物如人類者爲什麽無論如何都會陷于有所作爲的規定中且不能自拔”。

因此,人類不管怎麽做似乎都是“應該”的,也似乎都是“錯誤”的,“錯”就“錯”在他們的一切所作所爲終將導致**自身弱化的繼續推進**，亦即終將達成**自然失存的自我趨赴**，可這正是他們“應該”存在的根據。

也因此，我的**哲學推演**雖然可能像**存在的推演**一樣特别切近于**人的衍存**，却絲毫不能對**人的行爲**有所忠告，亦即不能對**自然的運作**有所忠告。

從這個基本點出發,才好理解關于批駁布裏丹“意志的選擇”所造成的悖論：即一切**選擇行爲**或**選擇主體**都有一個**不容選擇的行爲規定或主體規定**在先，亦即**“選擇”本身**正是那個**規定着選擇過程的規定之體現**，故此，**從根本上講“選擇”不成立——譬如“人類自爲方式的選擇”或“社會發展方向的選擇”等等。**這不是由于“布裏丹的驢子”（Buridan's ass）在完全均等的兩垛草料之前會因無從選擇而餓斃，而是由于“自然化身的驢子”在唯一可取的那垛“宇宙草料”之前必因無可選擇而趨之。

跋

本書無非是把一回事演繹成了三件事，或者説，是把一個系列的事體人爲地分立爲三個系統加以詮釋，即：事物或世事之所以流變不息，以至于演化出人的存在、人的精神和人的社會，全是由于一個最簡單的原因使然——我稱其爲“遞弱代償原理”。

因此，不管對上述原理加以論證顯得何其困難，讀者其實衹要能够得出如下三點結論即可欣然掩卷：

其一，自然物演呈現爲在流逝中常存、在衰亡中新生，由以嬗變出從簡到繁、屬性漸豐、結構重叠的宇宙萬物和人間氣象，蓋由于物質存在度不可逆轉地趨于遞减，從而要求相應形式的代償過程予以追補所致；

其二，精神現象説到底不過是原始物理感應屬性的代償性發展産物而已，由此淵源出發，才能揭示精神發生和精神運動的全部規定性，并借以廓清久久籠罩在認識論、意志論以及美學理論上的種種哲學謬誤；

其三，社會存在是衍生于生物存在之上的又一層代償物相或代償存態，亦即生物分化及其生物屬性分化正是社會結構分化的自然基礎，因此以生物爲其基質的社會實體自有與生物進化史同步發展的自然演運史。

將如此簡明的事理搞成如此復雜的書卷，實在是因爲整個人類思想史恰恰是在這些問題上歧見紛呈，雲遮霧障，以至于我們每前進一步，都必須小心地撥開草莽和荊棘，才有望在可供落脚的地面上踏實一條路徑。

哲學大概總歸要處于兩難境地的吧。在思想史早期，哲學傾向于憑借感性直觀表象來否證感性；而今，哲學又傾向于憑借理性科學邏輯來質詢理性；這使得哲學不免陷于如此尷尬的局面：它先行搗毁了自身賴以立足的基礎，然後却又説它似乎才是唯一站得住脚的學問。然而，回首遠望，當代科學的最前沿，譬如粒子物理學，不就是兩千多年前留基伯和德謨克利特所提出的“原子論”哲理的繼續嗎？也就是説，科學觀念作爲哲學思脉的傳承産物，其本身不也照例是這樣發展起來的嗎？再説，假如由理性所導出的人類現實生存境遇未曾給我們造成麻煩，或者，假如由科學所導出的人類邏輯延展序列未曾給我們提出疑義，哲學又怎麼可能去憑空訴説呢？因此，一味地鄙薄形而上學是毫無意義的，反倒是當前的科學進程及其理論形態愈來愈呈現出某種超脱具象的思辨化趨勢，很值得思想界予以關注。它可能恰好預示着，人類既成的認知拓展方向，正無可避免地奔赴于越來越空泛亦即越來越茫然的高危境界。

也許，我在本書中所討論的種種哲學問題，將來同樣會轉化爲一系列科學問題或後科學問題亦未可知（我更傾向于認定它是科學時代促成的小問題，却是後科學時代才明確面臨且需嚴肅應對的大問題）。正如羅素所説，凡是尚不能得出確定性和精確性答案的學問即屬于哲學探索範疇，“因此，哲學的不確定性在很大程度上不但是真實的，而且還是明顯的：有了確定答案的問題，都已經放到各種科學裏面去了；而現在還提不出確定答案的問題，便仍構成爲叫作哲學的這門學問的殘存部分。”（引自《哲學問題》，〔英〕羅素著，何兆武譯，商務印書館2000年版。）就本書所討論的問題而言，盡管我也給出了一系看似數學模型的東西，但它實際上分外粗略，以至于目前完全無法代入參數，所以即便它乍一看有些貌似科學，其實照例衹能算作一點兒也不時髦的“哲學的殘存”或“衰敗的哲學”而已。但，哲學的衰微未必不代表“人文的衰微”或“人寰的敗落”，故而請你最好不要懷疑它的真實性，或者更準確地說是迫切性。

總之，本書衹是提出和論證了一個基本原理。運用這個原理，應該還可以澄清許多我未曾涉及的其他問題，即是說，這個原理具有相當廣闊的普解性。不過，那已是後人的事業了，我的厭倦之情早就把自己的靈性埋葬于江郎才盡的荒塚之中，所以衹好就此擱筆了。

作者 2002年5月30日于陝西師大寓所

（2013年4月及2014年6月稍事增改）

名词及概念注释

正如萊布尼茨所言：哲學需要建立某種普遍通用的符號系統或自己專用的邏輯符號。他的意思是説，一般語言和文字符號是由普羅大衆在形而下的日常生活中逐步創建的，它不足以表達形而上的非直觀哲思。由于這個緣故，我不得不在本著述中自撰若許名詞與概念，它大致可以分爲兩類：一類是盡量借用各個學科固有的詞匯或術語，然後賦予其某種近似的別樣內涵與外延；另一類就是連借用都無從尋覓，于是衹好擅自生造；這就不免給讀者構成難以琢磨的困惑與煩擾。經友人和學生建議，特此蛇添下文，裨以查閱。

存在效價：存在的效力、存在的力度或存在物的持恒穩定狀態。“效價”乃爲取其中文字面含義的借用詞，表明它是一個可以測度的指標。由于存在效價總不免于趨向衰減，由此引出**“遞弱”**概念。

代償效價：存在的能力、存在的樣態或存在物的屬性煥發狀態。由于屬性代償效價必隨物質存在效價的衰減而相應遞補與豐化，由此引出**“代償”**概念。“代償”乃借用于法學（如由擔保方負責清還債務）及病理生理學術語（組織器官之間病損功能的變態替補）的“代爲補償”之意蘊，但卻剔除了它原本具有的外在關系，另行賦予其“內在自補且愈補愈失”的涵義，由此構成一個全新的哲學概念。

存在度：存在效價的度量概念。它是一個自變量，總體上呈衰微趨勢。

代償度：代償效價的度量概念。它是一個因變量，總體上呈遞增趨勢。

存在閾：萬物存在的基本閾值。它是一個普適常量，由反比相關的存在度與代償度之和構成。

存在性：涵蓋存在度、代償度與存在閾三者之間互動關系的綜合概念。由于“存在”本身的不可追問性質，它因此成爲關于宇宙萬物究竟爲何（why）存在以及如何（how）存在的終極假設。

有功代償：也叫“**有效代償**”。指存在度遞降的存在者，衹有借助于屬性代償增益才能達到存在閾常數所規定的那個存在基準綫上，此刻的衍生屬性對于維系存在呈現出作功的和有效用的狀態。

無功代償：也叫“**無效代償**”。指存在度遞降的存在者，無論其屬性代償如何繁華，却終究不能彌補業已流失的存在效價，亦即不能復原存在度的減損，從而令存在者的存在穩定性一路淪喪，是爲代償進程的終極無效狀態。

物自性：相對于康德的“物自體”或“自在之物”而言，其關注點從“物質的彼岸靜態自存”轉移至“物質的此岸動態衍存”，從“主體與客體的二元對立關系”轉移至“主觀屬性與自體衍存的一元派生關系”上來。其着眼點在于探究“物質或物態發生演動的自在性質或内在動因”，其區别點在于推導“元始驅遣的弱演變量而非無從感知的變量載體”。

物存：包括“前宇宙能量存態”和“宇宙質量存態”之總稱（參考愛因斯坦的質能方程：$E=mc^2$及現代宇宙論，故亦可謂之“物能存態”），因此其概念外延遠大于既往哲學上所謂的“物質”。（我若沿用“物質”一詞，即已涵蓋上述新意。）

物態：所有物質的基本質料其實都是一樣的，即如M·蓋爾曼所説“都是由誇克和輕子組成的”（甚至都是由某種始基能量轉化而成的），所不同的衹是現象形態與物相分類的差别。强調這一點才能顯示“物質并不同質”，不是“質料”不同，而是“質素”不同，這個質素就是存在效價與代償效價的内在關系。因此，我又生造了“**質態**”一詞，借以替代和彌補“物質”與“物態”各詞項的含混偏頗。

物性：“物的屬性”之謂。但“物的屬性”或“屬性總和”并不是“物的本體”，可見通常所説的“物質”其實不過是“物性”而已（可參閲“本性”與“屬性”條目）。但，有必要提醒一下，在全書中，它偶或也用來簡稱“物的‘存在性’”，即指代前述之“涵蓋存在度、代償度與存在閾之間互動關系的綜合概念”（回顧“存在性”條目）。請讀者在閲覽過程中結合上下文之寓意加以分辨。

物類：“物的類别”之謂。關鍵在于，既然物的類别差异與其内在質料無關，那麽，物類的分化到底是由什麽來决定的？不同物類的不同現象形態又是由什麽要素所生成？爲了回答這些問題，才有了上列“存在性”的追詢，也就是“存在效價與代償效價在不同演運量度或不同衍存位相上的内部關系”構成了宇宙氣象萬千的物類紛呈。此乃理解書中有關“度”、“類”、“ 質”、“態”等基本概念的樞紐。

衍存：被某種弱演變量所驅動的“衍化存在”或“衍生物系”之謂。中文“衍”字有“延伸、開展”之義，其着重點在于“内生性”及“自展性”。它有别于一般所謂的静態外顯存在或其横向排布的無量演化運動，即特别强調所有物態與物類的層層内生關系或其縱向自展的量變物演路徑。需要注意的是，本書中的“量變”與“質變”在概念上同一，即“存在（度）内涵的量變”就是“代償（度）形態的質變”，或者反過來説也一樣，即“存在（度）内衰的質變”就是“代償（度）外豐的量變”，故此專門另擬“**質態**”一詞以示相合而均等。

依存："相依而存"之意，哲學上的常用詞，但長久以來却是一個概念空洞，從未有人真正闡明"萬物爲什麽需要相依而存"？實際的情形是，存在度的弱化演進過程同時就是物類的分化發生過程，即"弱化"等于"分化"，"分化"等于"殘化"，殘弱者難以自存，于是"殘殘相依"成爲必須，此之謂"依存"也。這裏注入了一脉對"依存"之淵源加以追究的思路。

失存：從字面上看，無非是"存在的失滅"。但存在者爲何會有所失？生存者爲何會有所滅？失于何方？滅于何因？基于這般考慮，讀者必須在這個詞項中窺察三層涵義：首先,最重要的是必須領悟，任何物類的存滅與否，歸根結底取决于其存在度的高下；其次，才涉及如下兩個表觀因素，一是（有效）代償不足之失；二是（無效）代償充足之滅。

實存：即"物的實體存在"，特指"感應結構或感知載體"。

虚存：即"物的感應屬性"，特指"感知能力或精神現象"。

本性：從認識論角度或理論模型角度看，"本性"可謂之"存在效價不能十足且一往遞失的根本規定性"。它相當于既往哲學之"**本在**"、"**實在**"或"**實存**"，也就是"物能存在的**本體**"，名之爲"本性"是遷就其與中文"屬性"一詞的對應關系罷了。"本"者非"（屬）性"，而非屬性即不可感知，因而"本體"、"本在"等詞項原皆無從説起，衹能視爲依據"屬性"而導出的邏輯假設。于是，比較之下，又可以説"本性"稱謂似更貼切。

屬性：物的"派生性"或"附屬性"，相對于物的"本原性"或"實在性"範疇而言。但問題是，舉凡一切可以指謂的東西其實都是物的屬性，譬如你看到的是它的發光或反光屬性，聽到的是物的振動屬性，摸到的是對其觸覺屬性的反映等等；甚至你的感光視力、感振聽力和觸覺等，也衹是高等生物所具有的感應屬性或感知屬性罷了。而且，屬性是動態遞增的，即存在度越低的物類或物種，其屬性進化越豐厚。换言之，既往所指謂的一切對象，其實不是物本身，而是物的屬性的集合與耦合。所以，本書中的“屬性”概念，外延和内涵均被大幅度擴充，幾乎足以涵蓋此前的全部“物質”表象（含主體與對象之總和），或者類似于康德的“現象界”詮釋（且能進而説明現象的發生原理），這是需要特别加以領悟的。（參考“感應屬性耦合”等詞條。）

自在：借用黑格爾哲學的舊概念，然而，在我這裏，它被用來特指“高存在度的代償潛隱狀態”以及“存在效價自發流失的潛在狀態”。

自爲：借用黑格爾哲學的舊概念，然而，在我這裏，它被用來特指“高代償度的屬性張揚狀態”以及“代償效價相應增益的展開狀態”。

存在：簡稱“**在**”，從顯意識上看，它是對“**存在者**”（簡稱“**在者**”）的總體抽象，因而它一定是主觀化了的存在，而不可能是客體的總和，盡管我們可以把它設定爲客體的總和。但，根據現代宇宙論，萬物的演化導源于某種能量爆發即“幽在”（見後條），其最初的分化態迹近均質，作爲“可换位主體”（見後條）的對象因此也一定呈現出無差别的匀平分布，亦即在感應起點上呈現爲普遍的“在”而非分類的“在者”，這種沉溺于潛意識或無意識深層的智性基礎才是“存在”或“在”的意識之源，此乃一般人不會對普遍的“在”發生驚异的因由。另外，特别需要强調的關鍵之處在于：我所謂的“存在”及其相關詞類與詞組，是一個囊括一切的“**系統變項**”或“**變量載體**”之全稱概念。這一要點，務請讀者諸君深加解悟。

元在：泛指“元始的在”或“元起的在”。主要是指“未被主體的主觀屬性加以作用或覆蓋的客體或本在”之總稱，其假設出自“屬性”一定要有所“屬”。

幽在：幽遠而更爲不可企及的元在，特指“奇點”前的能量存態。由于它全然没有屬性可言，因此它不能像元在那樣被直接推出，而衹能憑借物態或物類的演運軸逆向推出。

滅歸：有别于一般所謂的“死亡”、“滅亡”或“死滅”，因爲任何存在者其實都是“死而不滅”的。譬如生命死亡，其肉體物質（尸體）會回歸于有機或無機分子物態；再如分子物質崩潰，它也没有完全失滅，無非是解離爲原子或亞原子物態而已；此之謂“滅歸”。在物演通道中，死亡或滅歸現象是愈演愈烈的，這是整個存在系統傾向于遞弱發展的生動體現。建立這個常識性概念的目的不在于闡釋“死亡”，而在于强調“滅歸”絶非“演化的逆向運動”，它衹是“演化的臨時告竭”，或者説是“弱存者的演化動摇情狀”或“衍存者的演化重啓位點”，切不可將其視爲“演化的另一向度”，此乃深陷于循環辯證思維的人最容易産生的誤解。

僞在：一切可以言説或可以表象的存在都是“非本真的‘位相存在’或‘虛擬存在’”，是謂“僞在”。顯然，此概念有兩重涵義：所謂“位相存在”系指，由于一切可以指謂的存在或存在者皆乃存在度遞減至某一特定位階上的代償物相，故可視其爲“代償呈現的非感知假相”，此其一也；所謂“虛擬存在”系指，由于任何主體衹能借助自身的感應屬性去耦合對象的可感屬性，借以形成有利于“求存”却無關于“求真”的“扭曲變態的感知假相”，此其二也。麻煩在于，這個“**代償**”和“**虛擬**”過程隨着各類屬性的不斷豐化而層層叠加，步步迷幻，最終勢將人類的生存系統與認知系統導向依存識辨無效化的“**虛妄**”之境。

危在：一切遲發的或進化的後衍存在者都是“不堅實的弱化存在者”，或者説“整個存在系統”就是“趨向危化的衍存系統”，是謂“危在”。這種由“在”之衰變導向的代償“危”勢是日益加劇且不可克服的，人類及其人類晚級社會就是它的典型表現和終末體現。

形而上學的禁閉：特指“任何質態的主體之認識通道禁閉或認知禁閉”。所謂“任何質態的主體”，包括“作爲**可換位主體**的粒子、原子等”以及“作爲**不可换位主體**的動物、人類等”；所謂“認識通道禁閉或認知禁閉”，有如粒子、原子之間的電磁感應屬性或人類的復合感知屬性，就其認識或認知狀態而言，它們都是封閉的暗箱孤立系統，也就是說，我們没有另外一條非主觀的通道可以直接抵達客體存在，由此注定了認知與對象的無邊界困局。

感應屬性：就指一般的理化感應現象，此乃原始分化物類爲達成殘化依存結構所必然生發的代償識辨屬性或自然初級信息，譬如質子與電子之間的電磁感應作用等。重要之處在于，這種理化感應屬性正是後來高度進化的人類感知屬性的源頭與濫觴，故，此項概念外延盡可以囊括作爲其後衍産物的“感知屬性”在内。

感知屬性：感應屬性的後衍代償産物或識辨擴展系統，它包括哲學上一般所謂的感性、知性與理性之總和。它不僅爲人類所獨有，而是隨着物類遞弱演化以及生物進化過程逐步派生的。由此可以看出日常所説的“能力、能耐、靈性、心靈”等詞項與“屬性”一詞的同疇關系。

感應函量：指感應屬性（含感知屬性）的代償增量，特别强調它與載體存在度遞減的反比函數關系。當然，感應屬性并不是代償屬性的全部，而衹是“**代償函項**”之一種。

感應屬性增益：指感應屬性（含感知屬性）的代償增量或信息增量，特别强調它是一個逐級膨脹和豐化的演動態勢，旨在追溯既往哲學家關于“理念（柏拉圖與黑格爾）、靈魂（經院哲學）、心靈實體（笛卡爾）、純粹知性（康德）”等等——即所謂“精神現象”的源頭與初始規定性。

感應屬性耦合：主體與客體雙方各自具備的代償感應屬性，可分别稱爲“主體感應屬性”與“客體可感屬性”，這種對應性感應屬性的匹配交融,即達成“認識”或“認知”,由以建立一切分化物之間的識辨反應和依存關系，是謂“感應屬性耦合”。譬如,電子祇能以其負電荷去感應質子的正電荷（借以形成氫原子結構）,而不能憑空感知對方，也不能感知對方電荷屬性以外的其他屬性。這是理解和澄清哲學“認識論”所有疑竇的基礎，也是一切“認知”（不同物類或物種的不同識辨系統）均不可能達成“真知”的原因，甚至由于認識發展過程就是主體感應屬性趨于增大的同一過程及其產物，因而一切感應主體或感應者（包括人類）的感應結果或曰“知識系統”,必將朝着日益背離客體本真的方向運行，是爲“感知含真量遞減傾向”。

感應：相對于生物系統和人類的“感性、知性、理性”而言，此“感應”僅指“理化感應屬性”之狹義。即在感應屬性的代償發展階段上，它處于最原始的位格上。但在非比較的語境下，則此詞項多呈廣義概念，即它涵蓋“感性、知性、理性”等所有生物後衍感知屬性之全部在內，這一點是讀者需要特別留意的。另外，嚴加分析的話,“感”與“應”可以表述爲兩個部分，其在代償豐化的進程中傾向于逐漸分離，此乃理解我的哲學裏有關“意志論”與“美學”篇章的關鍵。

感性：特指發生于低等生物階段的簡單官能反應，即從扁形動物開始形成的感官系統與神經網結系統所展現的識辨功能，它是人類感覺生理的淵源和基礎，亦是自然“感應屬性”代償演化爲生物“感知屬性”的理論分界點。

知性：特指發生于脊椎動物階段的簡捷判斷反應，即從脊索動物開始形成的低級神經中樞系統所展現的復雜識辨功能，它是人類建立類化判別反應的淵源和基礎。由于此前哲學家不明其出處，故視之爲人類所獨有，并將它跟謂語“範疇”分類的理性初級判斷相混淆，甚至拿它代表人類感知能力的總體（如康德），因此，我在本書中的某些表述不得不依舊沿襲此用，請讀者屆時嚴加分辨。

理性：特指發生了大腦新皮層的靈長目人類階段的推理判斷反應。在它內部仍可劃分出從低級階段到高級階段繼續代償演進的不同思維形式或邏輯形態，其超越了感性直觀與知性直覺判斷的"純粹推理之想"即謂之"**理想邏輯**"，此乃理性最復雜也最動搖的思辨邏輯晋級。

對象：被主觀感知屬性加以耦合或覆蓋的非客觀現象態存在，或者說，是客體的此岸失真呈現。

客體：未被主觀感知屬性加以耦合或覆蓋的假設客觀存在，或者說，是對象的彼岸本真自在。

主體：一言以蔽之：具備感應屬性的任何載體即可謂之"主體"，盡管它同時也是不折不扣的"客體"，這取决于它被指謂或設定的角度和立場。也就是説，除非前宇宙能量存態（"奇點"存在度呈極大值，故無屬性代償發生），凡屬宇宙質量存態的一切物質或物類，由于其存在效價已然衰減而感應屬性隨之發生，這種能够建立識辨依存關系的分化態客體均已具備了觀照對象的主體素質。

可换位主體：原始分化物的主、客體狀態同一，在借助感應屬性實現殘化依存的過程中，各自與其對象互呈鏡像式對應耦合關系，是謂"可换位的主體"。好比質子與電子（氫原子結構），若設定電子爲主體，則電子的感應屬性就是其主觀感知能力之所在；反之，若設定質子爲主體，則電子的"感應屬性"立刻變成了作爲客體或對象的"可感屬性"。

不可换位主體：後衍分化物的主、客體狀態异位且固化，處在不同衍存位相上的存在者，其感應屬性的代償增量不同，于是造成"**感應效能的非對稱**"格局，即後位衍存者的感應屬性足以觀照前位衍存者，而前位衍存者却不能對應性地等量觀照後位衍存者，例如人與其他物類之間，是謂"不可换位的主體"。（可參考"感應屬性耦合"等詞條）

必然：在弱化與分化程度較低的物演階段，宇内分化殘體（即不同物類）的數量有限，各分化衍存者之間發生碰撞依存的幾率偏高，亦即事物的定向演運行狀不呈現摇擺態，此之謂“必然（性）”。既往的此類概念之所以成爲無内涵的空洞，是因爲它缺失了“分化耦合”的視界。

偶然：在弱化與分化程度較高的物演階段，宇内分化殘體（即不同物類）的數量傾向無限多，各分化衍存者之間發生邂逅依存的幾率大大降低，亦即事物的交織運行狀態呈現不確定性，此之謂“偶然（性）”。可見厘清此類範疇的關鍵在于理解“弱化物演進程就是物質分化率不斷增高的同一過程”這個自然律，亦可見所謂“‘偶然’中含有‘必然’”之説,其實就是指這個“分化依存”的稀釋偶發態是必將達成的。

現象：主體的感應屬性與對象的可感屬性發生耦合反應所形成的感知幻象或假相。它構成一切事物的終極表象，而且無論感性或理性都不可能徹底還原或糾正它。

本質：并非通常所理解的那樣，誤以爲它是現象背後的決定要素或本體，而是叠加了新現象或信息增量的感知形態或邏輯模型。它的不斷被推出，導源于不可换位的主體屬性持續擴張，從而造成其所耦合的對象可感屬性進行性擴容使然，亦即主體與對象各自代償增量或代償增速之間的錯落與錯動，促發了後來現象對前置現象的排擠效應。

盲存：即“盲然的衍存”或“盲目的存在者”之謂。它是相對于“澄明的感應屬性或感應載體”而言的，即從表面上看，後衍存在者的感知屬性十分豐厚，似乎處在明白自知的境遇中，但實際上，後位感知屬性與原始感應屬性同質，都衹具有對分化依存建立代償識辨的淺層匹配能力，却不具備對本身存在性質和衍存位置的深度明察與自覺，甚至不具備對自身存在方式和衍存方向的選擇判斷與指導。質言之，感應或感知過程不是爲求真設定的，而是爲求存設定的。這就注定了一切聰明智慧其實不過是黯然蒙昧的另一種表現形式或求存方式而已，也就注定了處于不同衍存位相上的感應者或感知者（即無論它是理化無機物類抑或是高等生物人類），均無能改變自身的演化位格、演運向度及其特定衍存方式，是爲“盲存”。

位格：借用語言學及基督教神學的詞殼，另行注入以下哲理内涵：物質演運于存在度遞降的某一具體位點或位階上。

位相：借用物理學“相位”一詞，反轉使用，特指“處于某一存在度與代償度位格上的特定衍存形態”。換言之，萬千物態的不同，不是由于其内含質料的差别使然，而是由于各自所處的存在梯度及代償位格之不同使然，即演運位勢决定物質樣態，或曰“位移締造物相”，此乃“位相”的定義，亦爲“**物相**”（含“物態”、“物類”、“物種”等）的實質。

失穩：隨着存在度的流失，後衍存在者的代償屬性和求存能力雖然越來越高强，但其生存形勢的流變速度却越來越快，生存結構越來越動蕩，生存方式也越來越難以維系，是謂“失穩”，它是瀕臨“失存”的前兆。

失位：字面上，是“失落于衍存之位”，特指“越後衍的存在位相越摇擺”，這是它的自然哲學涵義。它的精神哲學涵義是，感知代償越來越失真，知識的“準確落實概率或依存可靠程度逐步淪喪”。它還有一重社會哲學涵義，旨在説明“人類晚級社會體系越來越動蕩”，其中生存度極低的社會成員越來越難以找見自身的結構定位。

邏各斯（logos）：源自希臘文（**λόγος**），原意涉及話語、比例、尺度、規律等，用來説明萬物生滅變化的内在規定性或自然的理性，以後引申出“邏輯”（logic）一詞。在我的哲學裏，借以概括“遞弱演化的自然路徑與法則”，進而引申出“感知代償的先驗格律與系統”。這樣一來，希臘語義中該詞項所包含的自然與精神的模糊聯系一下子變得脉絡分明了。

狹義邏輯：即常規意義上的“理性思維方式”概念。它起初被亞裏士多德定義爲“必然地導出”之意，僅限于三段論式的演繹邏輯；以後加入歸納邏輯；再有人將其按歷史上被整頓的順序區分爲形式邏輯、辯證邏輯與數理邏輯等等，其實所表達的僅僅是從知性邏輯到理性邏輯的演化階段與代償形態。我把它統合定義爲“理性思維系統及其推理格律”。

廣義邏輯：我的定義是：含感性邏輯、知性邏輯與理性邏輯在内的整個感知系統之總稱，甚至還應該將理化感應邏輯設爲基層。因爲理化感應運動也是有反應步驟與格式規定的（如强、弱作用力與電磁感應等），它構成感性感官反應以及感官中樞反應的基礎（如質膜離子極化反應及生物電反射弧等）；而感性過程當然是有其潛在的格律規定的（譬如把眼器官感光反應轉化爲視覺圖像等），衹不過它并不在顯意識層面被表現被體會罷了；至于所謂知性，無非是指對逐漸繁復化了的多種感性對象或多態感性表象加以歸類與分别的判斷反應，它下與簡捷感性反應直接相連，上與復雜理性範疇暗通款曲，其介乎于潛意識和顯意識之間的動態格律規定即知性邏輯規定一目了然；最後，隨着依存對象的進一步分化以及感知屬性的進一步代償，以將對象轉化爲概念、再用範疇分類的概念進行推理的所謂理性邏輯才應運而生；這個相互繼承且一體貫通的從感應到感知逐級演化而來的識辨擴展系統，就是“廣義邏輯”之大觀。

廣義邏輯自洽：也叫“**廣義邏輯融洽**”或“**廣義邏輯通洽**”。指“感知結構内部各邏輯層級之間天然融通自洽”之謂。“廣義邏輯”之系統概念的提出，首要意義在于破除了“感應→感性→知性→理性”的發生學障礙；同時，它也直接提示，在該系統内部，各層級之間自然會保持相互連貫、相互確認、相互融通的自洽關系。譬如，在一般情况下，理性不會去質疑知性的歸類，知性不會去質疑感性的失真，感性更無力去質疑感應的瑣碎，總之，整個系統衹有采取不自覺的“認真”（認定前體或前提是真實的）態度，僞在依存或危在求存的屬性功用（或有功代償）方可達成。此乃理解“爲什麼一切感知都是失真的却竟然會有效”即所謂“預定和諧論”的關鍵。

廣義邏輯失洽：指在某些特別境遇或條件下（其實就是自然弱演分化律所導出的信息增量涌動），感知結構内部各邏輯層級之間的天然融通自洽關系突然失落。它見于兩種情况：其一、固有低階感應方式或感知屬性不足以代償（即表現爲失代償），致使相關載體的識辨依存過程發生動摇與阻障（實際上是該載體存在度繼續流失的體現），下一邏輯層級不得不增益而出，此乃廣義邏輯漸次發生的内在動因。其二、在嚴重失穩的理性階段後期，感知結構内部動蕩不寧（載體存在度過低所引發的充足無功代償），它表現爲各層級之間的融洽聯系出現持續性破潰，即原有的“認真”或“確認”型通達關系（如原始神學的“信仰”狀態），不斷地被“懷疑”或“探究”性反思所取代（如哲學繼而科學的“理性”工具），直至所有學問、學説、學術或思想理論被證僞的速度越來越快，最後不免漸次進入方生方死的茫然之境爲止（如正在顯現的高速知識更新或曰“知識爆炸”情狀），此乃廣義邏輯終于引領載體失存的外在表現。這是理解“一切屬性代償包括感應屬性代償終將趨于失效”即所謂“無效代償論”的範例。

意識：不同于既往哲學之用意，在我這裏，它指“感應屬性中相對于‘應’的‘感’的一面”。盡管在本書卷二後部的“意志論”裏，這“感”的一面其實囊括了廣義邏輯之全體，即涵蓋此前諸如感覺、知覺、觀念、理念等等詞義在内，但由于此時的重點已轉向“應”的闡釋，故而借此詞項進行對照性的概括表述。

意志：特指“感應屬性中‘應’的一面”。它在哲學史上很少被關注，或者，即便被論及（如叔本華），也表述不清，淵源不明。祇有將其置于感應屬性中與“感”相對照的一面加以探討，即把“感”的“邏輯内涵”分析爲“感性、知性與理性”，再去尋繹“應”的“意志内涵”中與之相呼應的“應向、意向與志向”，才能闡明“意志增進”的發生原委和代償意義。

感應分裂：感應屬性的代償增益過程就是感應間距漸次增大與感應分離最終實現的過程，從原始“感應一體”裂變爲“感、知、應”，是由于物演分化越來越龐雜以及感應觀照越來越分散，結果造成“感而無應”的焦灼，因爲“感”的目的全在于“應”。由此導致代表着“應”的“意志”動量趨于增大，也由此導致牽挂着“感”與“應”之間聯系的“美”得以派生。

美：“感而不應”之謂“美”。“感”衹是“應”的前導，“應”才是依存的實現，“感應分裂”勢必造成依存危機，于是“美”油然而生，它以誘惑式心理作用牽拉着“未應的感”，使之不至于徹底飄逝，是爲“**審美**”。可見“美”的精神效用全在于維系依存或維護生存，這就是柏拉圖苦苦尋求的“美的本質”所在。

結構：殘化依存即形成“結構”（參考“依存”詞條）。一切結構都是自然結構，它依循“粒子結構→原子結構→分子結構→細胞結構→機體結構→社會結構”的代償路徑而重叠發展。故，所謂“實體”就是“結構實體”的簡稱，所謂“結構”就是“代償結構”的簡稱。如此大尺度展開討論的目的在于從根本上揭示社會現象得以産生的源頭，也就是要重新探尋社會學的外延邊界，甚至重新界定社會學的概念内涵。

社會：也叫“**社會結構**”。一反既往所謂的“人類社會”之狹義，認定它是自然結構的終末衍存形態（參考“結構”詞條），是生物“體質殘化”（或“類體質殘化”即“智質殘化”）的生機整合體系（參閲“體質性狀”和“智質性狀”等有關詞條）。由于它的末位演化存境，它因此必定是一個最失穩、最動蕩的自然結構實體。

自然社會：即“社會是自然結構演化序列的終末代償産

物”。旨在强調“萬物一系”與“萬物同質”的哲學理念，并進而填充“社會早在人類問世之前就已然存在”的常識空白。另外，借此順帶對上面引用的兩個詞組概念加以注釋：“**萬物一系**”乃指“遞弱代償的統一演動系列就是萬物派生的同一衍存系列”。“**萬物同質**”首先是指“萬物存在與展開的内質規定性同一”，即“同一于遞弱代償法則的連續貫徹之下”；其次，相應地，是説“萬物衍存的内在質料也因此而完全同一”，即“同一于元初基質的叠續變態之上”。

生物社會：指“社會是生物有機體之體外殘化的生機整合結構”，正如“有機體是細胞殘化的生機整合結構”一樣，因此，社會隨生物問世而衍生，它已經存在了38億年。强調這一點，旨在説明“人類社會是從動物社會中增長出來的”，并借此糾正一個長期流行的社會學失誤：不是人類社會的規律决定着人類的命運，而是生物社會的總規律終將决定人類的宿命。

結構耦合：任何自然結構的發生，必須借重其結構組分的代償屬性（包括感應屬性、能動屬性等）之耦聯作用方可達成，是謂“結構耦合”或“結構整合”。（參考“感應屬性耦合”與“生存性狀耦合”等詞條。）

結構度：指“結構演化的程度”或“結構耦合的程度”，其中包括致密度、疏離度（即復雜程度）與動蕩度、失穩度（即脆弱程度）等，它們是完全趨同的指標，也就是説，越後衍、越龐然、叠加復雜度越高的物演結構，其疏離度和脆弱度一定越高。當此自然結構的演化序列發展到社會階段之時，可稱其爲“**社會度**”。

屬境：即“屬性耦合依存境遇”（含“感應屬性耦合”以及“生存性狀耦合”等），亦即“屬性耦合結構的内部觀照”或“屬性載體盲存的自爲場境”。説直白一些，就是衹有借助主觀屬性才能達成客觀結構，然後，就要看你是站在微觀屬性載體抑或是宏觀結構實體的哪個角度和立場上予以審視了。之所以提出這個概念，其目的在于闡明這樣一個重要論斷：社會存在完全是一種自然存在，而不是人類締造的超自然存在。盡管在人類看來，社會衹不過是“人類關系的總和”或“人類行爲的舞臺”，但這恰好反映了人類視野的狹隘，猶如處于分子結構中的原子，以爲分子并非客觀存在，而衹是自身電磁屬性發揮作用的場域一樣。其實，説到底，人與原子的區別，僅僅在于各自所處的物演衰變位相及其屬性代償增量之不同，也就是物演躍遷層級或自然衍存境遇之不同，僅此而已，故亦可謂之“**存境**”。

初級社會：對生物社會粗略分期，特指誕生于38億年前的單細胞生物社會階段。由于單細胞的生存度偏高，本身圓融而自足，亦即分化度或殘化度偏低，它因而處于自然社會最穩定的亞結構初期。

中級社會：特指發生于寒武紀前後至人類舊石器時代的所有多細胞後生生物的社會階段。它的基本特點是，多細胞一旦分化融合（相當于體内社會化），其有機體不免隨之出現體外殘化（如性别分化等等）的生機整合，這種以體質性狀變异爲基礎的社會低度結構體系，比較穩定地存在了大約五億七千萬年以上。

晚級社會：特指人類文明社會，它是以智質性狀殘化或類體質性狀分化爲媒介所建構的生物晚近社會形態（參閲“智質性狀”詞條），發生時間以數萬年計。由于智質變革超越了體質變异的時空局限，因此它分化度極高，亦即其社會成員的生存度劇減，它因而疾速趨近于生物社會結構度最高也最不穩定的失存臨界點。

生存性狀：相對于“生物性狀”或“生理性狀”而言，特指“生物生理性狀集合外化爲求存能力與行爲方式的禀賦之總和”。前者着眼于機體生理結構，後者着眼于社會嵌合屬性。質言之，衹有概括出生物有機體的分化態外向自然對接屬性，才能真正找見生物社會結構乃至人類社會結構的生機重組機制與殘化整合基礎。根據生物社會不同階段的載體分化形態，又可將“生存性狀”分爲兩類，一者名曰“體質性狀”，再者名曰“智質性狀”。

體質性狀：即生物生理性狀集合外化在生物體質層面上的求存能力與行爲禀賦。它是生物中級社會的物質分化基礎，衹能通過基因突變的積累和物種變异的演動，來實現生物社會形態的緩慢變構，由此注定了該型社會的較低結構度與較高穩定度。

智質性狀：即生物生理性狀集合外化在生物智質層面上的求存能力與行爲禀賦。它是生物晚級社會的物質分化基礎，其外化性狀表現就是將生物智能發揮并物化爲工具體系（含語言、文字、貨幣等符號系統），由于一切工具實質上就是體質性狀的延伸，因此亦可稱其爲“**類體質性狀**”。智質性狀的變構分化速度顯然與體質性狀不可同日而語，它就體現爲人類的思想變化或邏輯變革，由此注定了晚級社會的極高結構度與極低穩定度。

生存性狀耦合：生存性狀（包括體質性狀和智質性狀）的异質分化使其必須建立殘體互補的耦聯關系，同類生物個員之間才能達成生機重組的社會代償，此之謂“生存性狀耦合”或“生機殘化整合”。這是貫通整個生物社會和人類社會的基本結構質態。

天道：借用老子“天之道”的概念，此處特指“宇宙物演的遞弱代償原理”。

人道：借用老子“人之道”的概念，此處特指“遞弱代償原理在人類文明社會或人文存境的繼續貫徹”。

天人合一：借用當代自然科學與西方哲學的治學方法，給中國古代“天人和合”或“天人感應”等粗糙的思想框架注入一脉精致而縝密的“天人一系”之新邏輯與新理念——即在遞弱代償法則的系統證明中達成如下貫通性結論：人性是物性的綻放，人道是天道的賡續。

選擇不成立："選擇"僅在高分化演歷的偶然境遇中成立（參考"偶然"詞條），在締造自然分化趨勢的單一動因上不成立。故此，從根本上講，選擇不成立。譬如，物演向度及其屬性代償狀態不容選擇，分化過程及其結構發生序列也不容選擇。既然如此，則"人類自爲方式的選擇"或"社會發展方向的選擇"當然都是不成立的。這一點，是自我期許過高的人類最不願意接受和承認的，但也恰恰是這一點，表達着人類整體的盲存素質，鋪就了人類未來的凶險前程。（參考"盲存"詞條。）

本詞條系列并不完備。譬如有關"邏輯三洽"中除"自洽"以外的"他洽"與"續洽"概念等，雖然也是我的自撰用語，但它已在書中明確定義（見卷二第一百章），且不于後文反復出現，即并不給讀者造成重拾概念的疑惑；再如"有限衍存區間"、"有條件衍存區間"、"殘弱化衍存區間"以及"异質構合"、"道法方程"等等（散見于卷一第三十四章、卷二第七十章、卷三第一百二十五章、第一百三十章與第一百五十七章等諸多章節），這些詞義在其上下文陳述中或是已經詳加論證的，或是自明而清晰的，則亦無贅言之必要。凡屬此類者，概未行文另注，特此説明。

Printed in the USA
CPSIA information can be obtained
at www.ICGtesting.com
LVHW042307160923
758420LV00004B/174

9 781955 779111